國家『十五』重點圖書出版規劃項目

國家古籍整理出版『十五』重點規劃項目

國家教委人文科學研究『九五』規劃項目

全國高等院校古籍整理研究工作委員會『十五』重點項目

江蘇省『十五』重點圖書出版規劃項目

全國古籍整理出版規劃領導小組資助出版

全元文

李修生　主編

7

鳳凰出版社

圖書在版編目（C I P）數據

全元文. 7 / 李修生主編. -- 2版. -- 南京 : 鳳凰出版社, 2017.5
ISBN 978-7-80643-026-2

Ⅰ. ①全… Ⅱ. ①李… Ⅲ. ①古籍－匯編－中國－元代 Ⅳ. ①Z424.7

中國版本圖書館CIP數據核字(2017)第078623號

書　　名	全元文(七)
主　　編	李修生
責任編輯	卞　岐
出版發行	鳳凰出版社(原江蘇古籍出版社) 發行部電話025-83223462
出版社地址	南京市中央路165號,郵編:210009
出版社網址	http://www.fhcbs.com
照　　排	南京理工出版信息技术有限公司
印　　刷	上海世紀嘉晋數字信息技術有限公司 上海市匯金路899號,郵編:201700
開　　本	850×1168毫米　1/32
印　　張	26
字　　數	555千字
版　　次	1998年12月第1版　2017年5月第2版 2017年5月第3次印刷
標準書號	ISBN 978-7-80643-026-2
定　　價	145.00圓

《全元文》編纂工作委員會

顧　問（以姓氏筆劃爲序）

白壽彝　周　林　郭預衡　啓　功　劉迺和

鍾敬文

主　編

李修生

副主編

龍德壽　曾貽芬　李夢生　吳小平　彭久安

編　委（以姓氏筆劃爲序）

王明澤　卞　岐　朱瑞平　李　軍　李　鳴

李修生　李夢生　何本方　吳小平　邱居里
邱瑞中　卓連營　周少川　姜小青　查洪德
徐　勇　曾貽芬　張文澍　郭立傑　彭久安
鄧瑞全　樊善國　魏崇武　龍德壽　羅　超

資料工作人員

李仲祥　楊玉芬

第七册責任編委

樊善國

目録

全元文卷二〇七

方回 一

全元文卷二〇八

方回　二

全元文卷二一〇九

方回 三

全元文卷二一〇

方回　四

全元文卷二一一

方回 五

全元文卷二一二

方回 六

全元文卷二一三

方回 七

全元文卷二一一四

方回　八

全元文卷二一一五

方回　九

全元文卷二一一六

方回 一〇

全元文卷二一七

方回 二二

全元文卷二一八

方回　一二

全元文卷二二一九

方回　一三

全元文卷二二一〇

方回 一四

全元文卷二二一

方回 一五

全元文卷二二二

方回 一六

全元文卷二二三

方回 一七

全元文卷二二二四

方回 一八

全元文卷二二五

方回 一九

全元文卷二二六

方回 二〇

全元文卷二二七

方回 二二

全元文卷二二八

方回　二二

全元文卷二二九

方回　二三

全元文卷二二三〇

方回 二四

全元文卷二二三三

牟巘 二

全元文卷二三四

牟巘 三

全元文卷一二三五

牟巘　四

全元文卷二一三六

牟巘 五

全元文卷二三七

牟巘 六

全元文卷二二三八

牟巘　七

全元文卷一二三九

牟巘 八

全元文卷二四〇

牟巘　九

全元文卷二四一

牟巘 一〇

全元文卷二一四二

牟巘 二

全元文卷二一四三

牟巘 三

全元文卷二四四

牟巘　一三

全元文卷二〇七

方回 一

方回（一二二七——一三〇七），字萬里，一字淵甫，號虚谷，别號紫陽山人。徽州歙縣（今安徽歙縣）人。父琢以太學上舍登第，仕至承直郎廣西經幹，謫死封州。方回幼孤，從叔父瑑學。宋景定三年（一二六二）進士。歷官隨州教授、江東提學司幹辦公事、國子正江淮都大司幹辦公事，所至皆得幕府譽，獨與賈似道不偶。自國子正太學博士，再沿江制幹，改官通判平江府，通判常州，改淮西帥機監華州西岳廟，通判安吉州都堂禀議。德祐元年（一二七五），似道喪師魯港，回首上書數其罪有十可斬。俄除太常寺簿、監察御史，尋出知建德府，方用兵之際，興建學宫，以稚堂鎮浮俗，煦弱鋤强，賞罰必信，境内肅然。至元十三年（一二七六）春，降元，改授嘉議大夫、建德路總管兼府尹。己卯入覲，遷通議大夫依舊任。至元十八年得代，即不復仕，晚寓錢唐，賣文維生，後進尊師之。大德十一年（一三〇七）卒，享年八十一。著有《桐江集》四卷、《桐江續集》三十六卷、《續古今考》三十七卷、《瀛奎律髓》四十九卷、《文選顔鮑謝詩評》四卷、《虚谷閒抄》一卷。又有《壁流集》、《讀易釋疑》、《易中正考》、《皇極經世考》、《古今考》、《歷象考》、《衣裳考》、《玉考》、《先覺年譜》、《名僧詩話》若干卷（《新安文獻志》）。今存《桐江集》四卷（一本八卷）、《桐江續集》三十六卷（一本四十八卷）、《瀛奎律髓》四十九卷、《文選顔鮑謝詩評》四卷、《虚谷閒抄》一卷、《續古今考》三十七卷。本書所收方回文，凡出《桐江集》者，以選印宛委别藏本（一九三五年上海商務印書館影印本）為底本，校以清抄本《方虚谷桐江集》四卷本（簡稱清抄本）。凡出《桐江續集》者，以文淵閣四庫本為底本，校以清抄本《桐江續集》四十八卷本（簡稱清抄本）。集外共輯得佚文二十二篇。

石峽書院賦

歙睦兩郡之方氏，皆東漢賢良真應仙翁之後。墓在淳邑，廟則歙亦多有，而此邑本歙之東鄉。同年宗兄府判寺簿君玉，於仙翁墓傍近為石峽書院，以淑同志。回守郡七年，始獲以勸耕來與謁奠。謹成古賦一首求教，併呈蛟峰尚書諸公。

歷故鄣之遺區兮，泝桐江而西上。百灘跳以湍駛兮，萬峰闃其清朗。挹寒碧以濯纓兮，睨空青而停槳。維還淳之古邑兮，割歙封之東壤。昔固嘗郡於斯兮，猶民稠而土廣。予家於紫陽之下兮，啟此邦之來長。雖視之若桑梓兮[一]，愧曾孅於善狀。七閲歲曷不歸兮，駭童顛而槁項。賴多士之孅俗兮，遵砥途之坦蕩。循阡陌以勸耕兮，嘉農畔之洵讓。偉深衣與大冠兮，勞予行之鞅掌。曰肄業於精廬兮，新石峽之塏爽。領袖者誰予同姓兮，又同登於虎榜。鬱經綸其莫究兮，聊私淑乎吾黨。眷吾宗之蟬嫣兮，叩古初而遐想。方雷氏之媲軒后兮，實得姓之攸昉。至姬周而昌大兮，叔佐宣而善將。參召南之雅什兮[二]，詠其猶之克壯。伯牙之師子春兮，絃山水之幽響。奕西都之九卿兮，字君實而名賞。

紛蝟起以鋤新兮，有平陵之相望。成敗不可以論人兮，亦一時之倜儻。緬真應之仙翁兮，知駕鶴其焉往。彼金碗之出人間兮，孰不樵牧於烟莽。與釣壇屹其東西兮，此佳城巋乎無恙。群雲仍之簪綏兮[三]，謹歲時而來饗。隱鸕原者曰干兮，守雉山者曰亮。保土宇以綏静兮，擅詩名而高尚。皆賢良之苗裔兮，匪郡乘之私奬。予君玉之好脩兮[四]，皷斯文而為倡。昆季儼其連璧兮，邁坡穎之超放。出寸雲必為霖兮，寧退處而孤抗。肯斯堂於傍近兮[五]，奉聖賢之遺像。聚學徒而蒞止兮，咸攝齊於函丈。俾掃松而釋菜兮，契予衷之歆仰。摭鹿洞之故實兮，謂升堂而受講。嗟予學之久荒兮，艱弄斤於般匠。拾夫子之糟粕兮[六]，竊有聞於疇曩。情之動貴乎省察兮，性之静在乎存養。未發固無所偏倚兮，發則欲各有攸當。致知以進其誠兮[七]，居敬以除其妄。如鳥翼之必雙兮，如車輪之必兩。日用飲食無非道兮，勿馳情於惚恍。一念一慮之間兮，分聖狂於克罔。嘻近世所以不古兮，罥名揚之罝網。科舉之壞人心兮，競區區之得喪。屬夜生子而取火兮，幼常視於無誑。以干禄為始教兮，將終身其奚仗。天或者惡其然兮，斯革弊而矯枉。無所為而為學兮，真儒庶其可訪。聲乃心於希瑟兮，槃厥躬於陋巷。顔曾顧何必仕兮，勝齊魯之卿相。或塾居而受書兮，或野芸而植杖。君子晬盎以潤身兮，小人給夫一餉。化銛鋒而牛犢兮，息鉦篇之鷸蚌。奉幽酒以介眉壽兮，豈太平之無象。嬰吏徽而弗予蜕兮，言及兹而泚顙。予固將引而去之兮，疇敢卜鄰於思曠。（《桐江集》卷一）

[一]雖視之若桑梓兮：桑，原作「恭」，據清抄本改。

[二]參召南之雅什兮：之，原作「於」，據清抄本改。

[三]群公仍之簪綏兮：綏，清抄本作「緌」。　[四]予什玉之好脩兮：原為「予什玉父之好脩兮」，據清抄本刪除「父」字。　[五]肯斯堂於傍近兮：肯，清抄本作「昔」，疑是。　[六]拾夫子之糟粕兮：夫子，清抄本作「朱子」。　[七]致知以進其誠兮：誠，原作「識」，據清抄本改。

泛湖遇雨戲為短賦

柳絮化萍，濃緑藏鶯。不見其處，止聞其聲。此豈非春工之極致歟。湛然宴坐，輕舟自行。萬恣千態，遠山縱横。透疏簾而濕衣，忽驟雨之若傾。甫下碇而閉户，才頃刻而又晴。方子酒稍酣矣，奮雪髯而慨慷。曰此何為者耶，悟舒慘之不常。於是誦臣抃表忠之奏，歌蘇仙薦菊之章。彼割據於五季，若錢氏之數王。渺邱壠之無迹，愴松楸其可傷。涸銀海而出金碗，穴狐兔而上牛羊。豈不亦雄傑一時兮，終若雍門之泣孟嘗。賦梅處士，妙解影香。骨可以腐，千古不亡。鬱孤山其硉矶，擁萬樹之青蒼。罔蔗節之遺恨，保故封猶若堂。天道茫茫，一雨一暘。榮悴隆替，柔剛微彰。謂偶然不足芥蒂兮，曰作善降之百祥。謂理有必可恃兮，曷顔夭而跖長。二客白李，遨頭曰張。嗔無故而多事，擬陳迹而揣量。指金叵羅其猶淺，舉大白而罰之觴。方子曰不然，老陰為六，老陽為九。老則必變，如翻覆手。惟知變者，可與長久。知六之變，固乃所守。知九之變，健不為首。顧此湖中之舟與舟中之人，豈長壽而不朽。能畏謹以自修，庶吉亨而無咎。幸乘時而過分，負且乘兮致寇。環綽約之蛾眉，佩金印而如斗。管絃沸其前后，緋紫奔其左右。一旦不能自保，卒同歸於石友。蠢苗竄於三危，防風橫於九畝。或裸體以罾魚，或跣足而踏藕。侔帶索之榮公，甚泥塗之絳叟。立層冰而弗寒，野茹僅其適口。無樂亦復無憂，不自知其不偶。豈不勝於孟晉而疾顛者乎，此莊子所以不為廟犧，而李斯所以憶上蔡之狗也。舟且抵岸，悉闢其牖。賦詩各成，肴核再取。有化為無，無生為有。雨晴晴雨，紛揉結糾。斯時也度夕陽，猶未至於酉。多言數窮，姑相與大笑，盡樽中之酒。

山水圖賦

大海四周，濤波涌兮。沃日蹴天，魚龍洶兮。其中有山，千峰聳兮。崖懸壁峭，石巃嵸兮。雲翳霞鬱，祥飈澒兮。瑶草琪樹，紛葦菶兮。神人所宫，萬斗拱兮。連樓傑閣，虹梁竦兮。觚棱金碧，甃琅珙兮。幡幢翩翩，毯罽毦兮。翥鳳翔鸞，舞翠孔兮。奇葩異花，蔚以蓊兮。深闈穹殿，誰主董兮。其如北辰，衆星共兮。綴珠組玉，佩鞸琫兮。鐘雷鏞霆，萬石重兮。雕簴文簾，鱗鬣動兮。妙音鏗鏘，歌囉嗊兮。瓊以為漿，流乳湩兮。有觴之者，纖纖捧兮。蟠桃其果，西母種兮。如瓜之棗，羌唪唪兮。七十二鴛，覼窺擁兮。瓶以自持，或矜寵兮。何倏至斯，獨高拱兮。九州博大，一蠛蠓兮。金童應門，吠仙獴兮。舟何從來，於岸櫳兮。松間之鶴，雪毛茸兮。伸首水湄，龜五總兮。自有宇宙，皆古冢兮。此獨不死，無邱壠兮。萬姓寒飢，靡缺覂兮。五運代謝，常固鞏兮。嗟今羽流，爨鉛汞兮。非不欲往，不可勇兮。亂曰：紫陽老子，既為此賦，恍惚盧胡，醉乎夢乎，豈其蜃氣之所為乎。客曰不然。昔有異人，在蜀成都，少尹值之，自言其能，需酒一壺，片梓如扇，刻以指爪，遂成此圖。過江百年，萬事埃盡，此物亦徂。雖有百贋，不亂一真，在人識諸。嗚乎！此杜子美所謂咫尺應須論萬里者乎？此蘇子瞻所謂人間何處有此境者乎？考運世之開閉兮，萬有終焉一無。其有其無，莫可以竟究兮，姑寓意於游戲，以誑老眼之模糊。

弔鶴賦

子實子築屋西湖之西，據乎南高之峰。泉石奇崛，烟霞叠重。有鶴飛來，不知所從。賢主佳客，歡然相逢。豈幽心之有感，而適相值於箭鋒者乎。朝出於野，靡羅靡網。夜栖於室，不樊不籠。出没游戲，菰蒲蓮稻。翱翔掩映，杉櫟竹松。立乎階所，苔蘚增色。依乎牕牖，藤蘿改容。人與物其殊途，可鵁鶄而鐘鼓。彼傾國之妍姿，紛嬙施之楚楚。魚若鳥兮見之，颯深逝而高舉。亦有德既輝而鳳來，機已忘而鷗下。乃神理不可以常論者，此所以夔擊石而百獸舞也歟。我嘗訪子。徘徊兹山，子之出矣何往，白雲鐍其門關。須臾見子，扁舟言旋。烏帽瀟灑，玉佩瓓珊。三賢之樂天畫像，八公之劉安容顔。是鶴也，方搏風於九霄之上，睨八極而盤桓。即斂翮於碧落，迎先生於岸間。銜芝草而若獻，尾瓊琚而上瑶壇。望之者，以為三神山之人，渺乎其不可攀者也。試嘗相之，淮南有術。禀氣受精，金九火七。西方素全體白，南方朱元首赤。中宵不寐，聲聞九里。污泥不染，脛高三尺。小變大變，歲百六十。千六百歲，飲而不食。與九疇之禹龜，偕後天之罔極。子實子曰不然。龍至靈也，龍骨入藥。麟至瑞也，麟膠續絃。使傴句而不骨，何居蔡而卜旃。讀華陽之瘞銘，知胎禽之有阡。疇昔之夜，吾鶴已仙。鼷鼠食郊牛之角，螻蟻困江湖之鱣。餓豺狂猘，喋血垂涎。豈兵解與水解，猶形化而神全。嘻，其不可得而見矣。霜天嘹唳，月地翩躚。將造化之謔我，乏揚州之腰纏。抑以我無乘軒之寵，以故出陽神而遨紫烟也。側頂聽棊，從今已而。忍哉俗物，劈琴煮之。彼吠彼走，猶有蓋帷。乃葬以槨，乃樹以碑。曰華亭貴種青田上士之墓，子其為我申之以挽詞。子虛子乃弔之曰：古之壽者，廣成彭祖，即今安在，終亦為土。墮牛山之淚，騃乎哉齊景公；求不死之草，愚矣哉秦皇漢武。凡厥含靈，陰母陽父。智愚貴賤，鱗介毛羽。以氣相禪，均厥哺乳。稗化而來，老變而去。一變一化，有若寒暑。或短或脩，魂游質腐。豈其生生不滅，而充塞宇宙者哉。汝鶴昂藏冰峙，皎潔玉立。嵇紹之鷄非群，王喬之鳧匪匹。無怨可報，空長越王之頸。所欲易足，肯折陶公之翼。是嘗飴潭皋之粟，來自塗脩之國者耶。是嘗為丁令威遼東來歸，而以喙為筆者耶。是嘗備三茅君之騏驥，出於胯下，而耻為之役者耶。是嘗以九轉還丹之使，賦之以鮑照，而畫之以薛稷者耶。汝苟知戴聖之誚鸜鵒，又焉取郭璞之笑蜉蝣。視瘦軀若蟬蛻，獵太清而天遊。繄聽經之蝙蝠，及坐化之獼猴。儻釋氏後身之可信，未必不轉為仙聖之儔。子實子寧不知趙鐵面成都之清，蘇玉堂臨臯之樂。充斥宇宙之大名，陶冶江山之高作。豈留情玩物之謂，皆適然而有斯鶴。偶得之而偶見之，初無執而無著。鵝入右軍之籠，鷄解少陵之縛。

邂逅遂成於故事，豈有心者之可學。怵於内者，好龍而懼雲。蔽於外者，逐鹿而迷嶽。惟達人大觀，碎千金之璧，猶破釜曾不錯愕；棄三公而灌，園固知其爲儻來之人爵也，而況於一玩好之微，豈於此而有適莫乎。亂曰：塞翁之馬失兮，未必不爲福兮。虎取驝以逸兮，愈與署俱吉兮。青天無路可追尋，一片閑雲萬里心。華表柱頭人去後，恨無消息到如今。聊復追庢李遠之吟。

李道士遇異人賦

鄞郡之東，溟海之岸，太白之山，曰此鬼谷子、左元放之所嘗棲止者焉。實出於古父老之相傳，而吾何以知其然。噫！指李爲姓之道士，歷此山而攀緣。披榛斵蘖，抉石潄泉。朝挹丹霞，夕嘯蒼烟。似夢非夢，茅廬数椽。童子出户，長揖而言。曰汝豈非所謂登瀛者乎？道士方恍惚而莫詮。沈吟之際，緩步之間，復遇異人，羽衣翩躚。揎雲袖而呼之，汝登瀛其來前。蔭松覆柏，狀然肖黿。厥廣三尺，一巨金蟾。駭鬨見之譎誑，斂形體而跽拳。既意喻而色授，忽儻惘而變遷。夫三神蓬島，是謂瀛洲，秦皇漢武，望洋而嘆旃。蟾居月窟，其宫廣寒。世之人徒想像流鬨而已，未有能拭目而窺觀者也。嗚呼噫嘻！使褒博者流，立説以號於世，曰吾遊吾神，揭泗水升孔壇。手獲納履，耳鬨鳴絃。肩拍由求，目接淵騫。則豈不大噱而見鐫乎？道士之爲學也，談虛説空，探冥冥，窮玄玄。無鬼而爲有鬼，無仙而爲有仙。非有倒傾九河之辯舌，曾未易與之相磨研也，則不若一付之於滑稽與夷堅。抑此道士之厥祖，嘗翊靖而相炎。碧玉環之世胄，耿青史其蟬嫣。又何異乎薛忠惠之孫，見慨於老學庵之编。然則視耕稼鄭公症者則猶賢矣，焉知其終不丹成而登天。

松鶴詞 并序

世之植物如槿華，朝榮暮悴，而有千歲之松。動物如蟣蠓蜉蝣，不能瞬息，而鶴亦不啻千歲。是故方外之士貴之。今夫松，下苓上絲，堅貞傲霜雪，蟠屈肖龍蛇，清吹摇動，常聳然於塵壒之外。鶴，青田之種，華亭之唳，故仙人相之，有經輕舉之士，跨之以游四海者也。今之寫真者，必喜繪羽衣綸巾之徒，徜徉松鶴之間。唐人有詩曰「祇應松上鶴，便是洞中人」，言其標致之相似也。又曰「養雛成大鶴，種子作高松」，言脩心鍊性之人，可以長生久視，能與松若鶴俱壽也。杭宗陽知宫天台陳悦道，其門弟子，稱為松鶴真人，長身而古貌，言嘿而神閑。為之詞曰：

千桃李之穠華兮，不如我之孤松。彼眩三春之朝露兮，我專一邱壑之風。聽此以洗耳兮，又何有乎牛鬭之聰。百鶯啼兮，萬蝶舞，不如我獨鶴兮，褵褷其羽。顧月池之在地兮，各以影而自侣。九轉砂成兮，鶴頂同丹；我鬢不凋兮，松鬣長青。何十八公之為夢兮，胎仙夜鳴醉魂醒。亦貞其心兮，亦癯其形。與我作朋兮，俱千齡。

愛蓮堂雙蓮賦

為泉州市舶庤提舉伯榮賦

天地始判，太極兩儀，曰一生二，老氏講之。凡厥草木，始生之時，一芽兩葉，一核二枝。豐年之瑞，民乃無飢。乃一稻而二穗，乃一麥而兩岐。一花而結雙梅，加以鴛鴦之號。一笲而挺雙竹，誇夫鸞鳳之姿。毀譽不常，俗言厖辭。甚者沅陵六榴，酒泉十柰，總一蒂而稱奇。而又僻壤遐域，未易究知。我則謂兩手十指，同一肝脾。人惟一心，而兩鼻兩耳，兩目兩眉。蓋此身血脈貫通，則一為兩本，兩為一用，可以類推。特格於和氣而秀異，則一者雖殊，至於萬而始於兩；而所謂兩者，終於相合而不相離，乃家天下人中國之鎡基也。緊兹蓮之獨柄兮，其端并華而匹實。一荷葉之所依兮，一藕根之所出。初紅蘂之交艷兮，陋對鏡之新粧。玉連環而不可解兮，尋角立其青房。羅襪生塵金厥步兮，前若後其芳。躅牉吾膺而不悔兮，肯媚匪人之足。彼釋子之寶宇兮，三其座而跏趺。辱於次且之臀兮，寧合志而霜枯。牽牛織女天有星，大孤小孤地有山。伯夷叔齊，采薇巖間。人亦有之，曰若是班。耦嘉競爽，儷美抗衡。鄙爾叔孫，魯國兩生。廣受之退，勝舍之清。元方季方，難弟難兄。機雲靈暉，詞翹詠英。三王勃勔，五竇鞏蘋。奎聚之後，復有二宋二蘇，而二程持是以方兹蓮之菁菁。蓮若曰可者，吾與之肩隨；不可者，將莫吾之敢京也。矧愛蓮之主人兮，甫其字曰伯榮。觀南海之裸貨兮，忽中輟乎宦情。曰晝錦其有日兮，隱胥濤之故城。築圃環夫菰蒲兮，汀洲况夫臨平。羌叔出而季處兮，極嗟予之至誠。篤友于而共被兮，決不摧乎紫荆。異然萁而煮豆兮，肖在原之鶺鴒。感菡萏之效祥兮，各其蕚而共莖。三槐多一兮媲厥茂，五桂減三兮同爾貞。亂曰：騷翁墨徒，評葩嘲卉。或繇或條，同心連理。脂塗粉傅，婦容是擬。我獨不然，削治刊膩。娥皇女英，弗取為比。而況於二趙二喬之瑣尾者乎，故專以大丈夫賦茲蓮，不然則何以謂之花君子。

海東青賦 大德五年二月

大德三年己亥七月十三日，皇帝命榮禄大夫高公興為浙江等處行中書省平章政事。五年辛丑二月十九日，驛使爰來，有海東青之賜，於杭之錢塘門外昭慶教場遺基，築亭鑿池以養之。紫陽方回撰賦一首，拜手稽首言曰：

詩不云乎：「涼彼武王，變伐大商。」羌削平乎江南，一四海而康莊。既聖神又文武兮，仰於赫之先皇。詩不云乎：「維師尚父，時維鷹揚。」大元亦有其人兮，森夭矯以騰驤。亦非熊而非羆兮，視周室而有光。詩不云乎：「假樂君子，率由舊章。」維嗣聖之龍飛兮，儼四方之紀綱。宴安民而官人兮，受福禄兮無疆。詩不云乎：「鳳凰鳴矣，于彼高岡。」茲舊人之是用兮，闢四門而排閶。奮羽翼而横絶兮，鬱蛩皓其相望。緊海東青之為物兮，産倭兒之殊鄉。氣吞鵬鯨兮，鷙百雕鶚。眼流星而掣電兮，勁翮刷夫秋霜。遼東之東兮一夜渡海，數千萬里兮頃翱刻翔。彼天鵝之峻極兮，磨日月於九蒼。青一舉而直上兮，摯其腦而流漿。鶻有時而亦黠兮，欲落地以潛藏。青三左而三右兮，徑殞之於沙場。萬騎睨其墜處兮，群駿奔而取將。極腴甘之可口兮，匪人臣之敢嘗。供九重之御膳兮，曾不數夫駝羊。萬乘躬幸於獵藪兮，據玉鞍而飛驌驦。相此青之爪若觜兮，猶忠臣烈士之材良。天厨籥飼之禁篽兮，珠臂鞲其顔行。國家賴英傑之力兮，其報亦有以異乎尋常。猗我定翁，武烈傳芳。簾垂元祐，族大以昌。克佐聖元，紀於旂常。南斗之南，窮夫海洋。千百頭其鰐魚兮，迎公舶而徜徉。凡天戈之所指兮，威振武夫八荒。沐雨露以潤澤兮，胥枯起而槁昂。占臘暹而闍婆兮，俾悉梯而悉航。歲在辛丑，春日載陽，乃錫此青，來自上方。寺扁昭慶，門出錢塘。乃毓此青，羶肥膗膷。不築夫亭之高兮，何以為青之燠。不鑿夫池之深兮，何以為青之凉。萬品植以名卉兮，千株培以垂楊。纍洞庭之甘橘兮，挺渭川之修篁。有梧桐松檜柏兮，有芋蔗茭菰薑。有蟬蜂蟋蟀而蛺蝶兮，有鷗鷺鵁鶄而鴛鴦。鹿麋羔犢騾驢馬兮，草為枕藉藥苗為糧。螺蜆鼈龜蝦蟹蛤兮，鱅鰂鰽鯊鱸鯉魴。環七墩而鼓舞兮，萬頃浩其汪汪。匪娱己以自樂兮，縱游觀而豈遑。敬至尊之所賜兮，方寸咫尺乎巖廊。念此青之號海東兮，越十洲三島之渺茫。豈三足烏之精氣兮，鍾異禀於扶桑。日本歲以充貢兮，尾高麗扶餘而樂浪。自元貞而大德兮，紹烈祖之追相。厥獒獻於西旅兮，來白雉於越裳。致獅象於阯貊兮，舞虞廷之蹌蹌。斯物取其擊搏兮，節鯁直而性剛。精衛欲填夫海波兮，均之軀眇而心長。貂之微兮，能入虎耳；化龍之蛇兮，鶴乃可戕。天生一物兮，制夫一物，後有弧矢兮前有豺狼。想此青之大志兮，吸擒月蟾而醢其腸。君賚臣兮有深意，臣報君兮永無央。食吾芹敢獨美兮，宜一飯而不忘。亂曰：始浚西湖者李公泌，續廣西湖者蔡公襄。白公樂天之井，佛家德水；蘇公子瞻之堤，召伯甘棠。與我高定翁之海青亭，五賢姓名千古香。（以上《桐江續集》卷二九）

嚴州歸附表

大哉元，至哉元，咸仰乾坤之造；會其極，歸其極，同依父母之仁。

崇壽節賀表 行省上

天地一元，聖神有作。春秋八袠，帝王所希。瑞紀虹流，慶均鰲抃。欽惟皇帝陛下[一]，由舜仁義，運堯武文。下江南二十年，包舉瓜分之土宇；越海外千萬里，生擒卉服之渠魁。莫敢不來，于斯為盛。事久而立，功斷乃成。日在壽星，光啟前星之耀；月交寒露，歡騰湛露之思。臣回等阻綴蓂堦，遡分薇省。豐年多黍多稌，喜萬寶之告成；天保如山如川，願億齡之有永。

[一]欽惟皇帝陛下：皇帝陛下，原闕，據清抄本補。

崇壽節賀表　浙西道廉訪司上

河清而聖人生，一統定九圍之域；秋分而壽星現，萬方同三祝之心。引領冀都，馳情魏闕。欽惟皇帝陛下[一]，對時茂育，受命溥將。聖神武文，混合南北。仁義禮智，整齊乾坤。雖越在於海陬，亦罔逃於天憲。克盡君君之道，特高將將之能。治冠百王，於三五乎何愧；年登八秩，將億萬以無疆。臣等阻奉□觴，榮叨漢繡。逢太平世，咨詢曷稱於黄華；書大有年，歸美願歌于天保。（以上《桐江集》卷五）

[一]欽惟皇帝陛下：皇帝陛下，原闕，據清抄本補。

權刑部侍郎周公端朝謚議

議曰：士大夫始終一節之謂賢，朝廷純於用賢之謂治。世之賢者本不多見，而上之用人也以不肖為賢[二]，則賢不肖混。上下千百年間，曾未始有一遇乎所進皆賢、所退皆不肖之時，是以賢者每不合，而古今天下常苦於治少而亂多。惟本朝元祐為能純於用賢，惟元祐諸賢始終一節，莫如眉山蘇文忠公。蘇公雖素與安石異，亦不苟與温公同，使温公少有如安石一毫厭棄蘇公之意[二]，是亦一熙豐而已，何元祐之有乎？後之柄臣動輒自許元祐[三]，一有賢者不與己合，則疏之，惡之，且排斥之。賢者之不合何傷焉，而世道之不可為，重可嘆也。故刑部侍郎永嘉周公端朝，當慶元初為太學生，侂胄造大誣，用李沐擊罷趙忠定公相，將殺之。公與同舍楊宏中、張道、林中麟、徐範、蔣傳上天子書，乞竄沐，坐編管信州。明年押歸本貫，嘉泰初始許自便。公入蜀避侂胄，又六年侂胄殛，又明年詔褒六士，始免解。又三年，始試禮部為第一。夫以太學生，一上書詆權奸，而厄以十七年流離轉徙之酷，侂胄豺狼固不足責也，然獨於彌遠有憾焉。嘉定更化，自許元祐，非不解偽黨之禁，稍用侂胄所斥，實則陰襲其迹，始則邪正并用，終則邪勝正屈。崇長李知孝、梁成大之徒，廢真、謫魏，以公禮部第一人而黜，使再為郡貳，自筮仕至彌遠死，二十三年終不置之從列。彌遠也，侂胄也，特伯仲間耳，亦未足深責也。乃如端平更化，不特自許元祐，雖天下亦或許之為小元祐。始擢公登從列，然一敵亡，一敵興，公力言不可共事，不可以夾攻為然，足規清之之闇。洛汴師潰，不幸言中，公於是丐去而以疾逝矣。識者謂公假以年[四]，位少進，亦終與清之落落者，然則端平所用諸賢，大率貌同意異，如清之者，豈可逭春秋之責哉！公一不合於侂胄，再不合于彌遠，三不合于清之，以公始終一節，方蘇文忠可無愧。而嘉定、端平之相，不能純用於賢，不足望元祐之相，此可為世道嘆，非耶？抑公大節如此，厥有本原，二父得南軒之學以傳於公，早從水心，所聞已博，經史百氏無不貫淹，國朝典故尤所精熟，于信從趙昌父，於蜀從劉後溪，晦庵之學，又有聞焉。所以平生蕭然孤榻，不營一椽，有田半頃，捐以與兄，自連拄三相臣之外，專得梗論，史不一書。學到則理明，理明則無慾，無慾則剛，剛則浩然之氣常沛乎不可禦，非公之謂耶？謚法，廉方公正曰忠，道德博聞曰文，公兼有之。元祐從臣眉山蘇公之謚曰文忠，今公之行事，文未齒於科給，忠已凛乎縉紳，宜先忠後文，謚曰忠文。謹識。（《桐江集》卷七）

［一］而上之用人也以不肖為賢：原作「而上之人之用人也以不肖為賢」，「之人」二字，據清抄本删。［二］使温公少有如安石一毫厭棄蘇公之意：有如，原作「如有」，據清抄本改。［三］自許元祐：許，原作「詭」，據清抄本改。以下數處皆如此，不一一出校。［四］識者謂公假以年：謂，原作「為」，據清抄本改。

醫　榜

僕竊惟八萬四千毛孔無數，或愆造化之和；三百六十腧穴有奇，孰妙聖神之技。伯父夏古菴，素耽元理，早遇真仙。精針敲高麗之金，香艾灼太陽之火。以醫名世餘四十年，以道活人殆千萬衆。大德三年七月二十日，奉令旨着落行省，呼請到王相府。隨宣診灸，往往策勳；過望匪頒，多多受賜。謭焉游子，幸甚專門。三陰三陽，始自中瞧之注；二分二至，終于協洽之宫。兼通内外之科，靡問富貧之聘。轉洪鈞而開壽域，莫希良相之功；衍《素問》而授《明堂》，庶得聖皇之意。敢曰博施，庶幾好生。回謹白。

平爪哇露布

臣等言，虞格三苗，終致三危之竄；周重九譯，猶嚴九伐之誅。蓋帝王文柔而武剛，如天地春生而秋殺。島夷卉服，蠢爾何辜[一]；狼子野心，刑茲無赦。克靖小醜，肅奏膚公。恭惟皇帝陛下[二]，轉旋乾坤，混合南北。極天所覆，來享來王；率土之濱，悉臣悉主。自四海一家之後，皆五風十雨之時。車書同而文物興，鋒鏑銷而生齒富。誓將偃武，豈忍用兵。彼魑魅處於幽陰，謂神明之罔覺；或雷霆從而震擊，於造化以何心。緊古之闍婆，即今之爪哇。今之占城，即古之林邑。恃其險遠，肆厥譸張[三]。言語不通，嗜欲不同，近尾閭之所泄；日月所照，霜露所墜，在職方而有圖。昔入貢於汴京，嘗見書於宋史。大元出庶物，罔度索之不來；中國有聖人，豈覆盆而莫睹。越犬吠雪，井蛙小天。劫掠番商，脅從鄰壤云云。輕儇何異于猴王，其國多獼猴大者稱猴王。幺麽僅同於鼠子。敢以文身之技，涅我行人；寧無赤族之殃，梟此雜種。乃參衆議，爰起偏師。若舟楫，若烝徒，用九有之全力；無城郭，無守禦，殲一隅之小夷。往即平之，勢無難者。葛伯仇童子之餉，湯以是征；防風後會稽之期，禹能無戮。神聖共貫[四]，古今一途。臣等參預戎行，奉揚廟算。養威浙右，博詢水道之詳；誓衆泉南，小俟風師之便。百賈舞而郊迎，三軍喜而棹歌。忠肝義膽，眇視鯨波；亂領妖腰，迄移螘穴。由橄欖嶼而過斗蜞嶼，自崑崙洋而放沙磨洋。既逾吉利之門，遂抵熙陵之步。呂嘉弗靖，漢皇興下瀨之師；孟獲未擒，諸葛有渡瀘之役。自貽伊慼，彼烏敢當。據杜班五方之要衝，絶麻喏九處之援路。蘇吉丹支國既剪，保危岸峻山可移。傑官結連之宫僚，束手罔措；匈奴武邏之黨與[五]，游魂曷歸。欽惟臨遣之時，密受丁寧之旨。渠魁有罪，部落何辜。誅君而吊其民，兼用招降之策；見義不謀其利，聿嚴鹵掠之科。倘順化以服從，即包荒而容忍。執訊獲醜，豈止載鬼一車；哀凶鞠頑，姑與開網三面。今則僞爪哇國王某者[六]，莫由困鬬，迄用生擒。蕞爾腥臊，何足獻諸廟社；延其喘息，謹用歸于京師。已懲艾於獨夫，徐撫存其餘衆。皇威遠暢，僻壤丕平。以難為易，克成厥勳；自古及今，未聞此事。稻粱粟米，僅有糧之可因；犀角珠璣，曾何貨之足取。俾懷德而畏力，亦取亂以侮亡。瘴霧醒甦，颶風帖息。天吴九首，率族類以遁藏；南極一星，洗氛埃而光潤。蜃樓之氣頓鑠，蛟室之淵可枯。天柱泰階曰三台，居然臨照；毛人琉球以萬數，莫不震驚。垂白咸云，汗青未有。此蓋皇帝陛下[七]，自我作古，與神為謀。懲一蠻以戒百蠻，若泰山之壓卵；由北海而至南海，如鴻毛之遇風。底定炎陬，悉由宸斷。臣等濫膺推轂，共董乘桴。陛極九重，每虔誠而望闕；舳艫千里，庸俟命以班師。事危于馬援之南征，地遠于班超之西域。幸逃司敗，獲奏凱歌。介鱗易我衣裳，笑昔人之未廣；鯨鯢築為京觀，視前代而有光。臣弼等無任慶快激切屏營之至，謹差某官奉露布以聞。臣弼等言。（以上《桐江集》卷五）

[一]蠢爾何辜：辜，原作「知」，據清抄本改。　[二]恭惟皇帝陛下：皇帝陛下，原闕，據清抄本補。　[三]肆厥譸張：厥，原作「决」，據清抄本改。　[四]神聖共貫：貫，清抄本作「睹」。　[五]匈奴武邏之黨與：

匈，原作「匆」，據清抄本改。　［六］今則僞爪哇國王某者：僞，清抄本作「為」。　［七］蓋皇帝陛下：皇帝陛下，原闕，據清抄本補。

全元文卷二〇八

方　回　二

答曹宣慰書

某嘗讀三百五篇，至魯僖公有季孫行父請于周，而史克作頌。《閟宫》之詩曰「俾爾熾而昌，俾爾壽而臧」，曰「俾爾昌而熾，俾爾壽而富」，曰「俾爾昌而大，俾爾耆而艾」，曰「錫公純嘏，眉壽保魯」，曰「既多受祉，黄髮兒齒」。以壽為頌，凡有十句，何其多也。壽也者，天未嘗輕以與夫人，人未嘗易以得諸天。文章有以多為貴者，其積德多，則其享年亦多。祝壽之辭，亦不嫌乎多，而又多也。宣慰大參相公登太公之八十，騤騤乎衛武公之入相，而猶作《抑》詩以自儆者。回趣賦長句，寓燕雀之賀。兹賀二月初一日鈞翰，謙於《抑》詩，而有酒資之餽。緘至五定[一]，登拜愧悉，久旅空乏，無一芥可以為報也。諸令嗣東閣相公，附此占謝，不敢一一作緘，兹乞台照。

[一]緘至五定：原脱，據清抄本補。

與曹宏齋書 元貞元年九月

某非不欲寄書，無事可言則輟。大兒存心嘗云：先生有一書不肯寄來，恐是有所為。父子間不必較。九月十九日二客至，領謙問及存心九月五日信，來諭詳縝温縟[一]。今之周益公、馬碧梧其倫也，然不太謙乎，不太煩乎。吕竹坡先生文行俱美。吴君尚賢，回未識之。宏齋有扶植晚輩、成人之美之意，曲為開譬，詩非易事。程懷古先生之文、之四六，方秋崖先生之文、之四六，今晚輩或得而議之。惟汪龍溪先生四六高，而詩與文皆不及也。回何人，敢望先達，敢領袖後生。吴式賢、孫元京死矣。吴華孫枯，回猶未之滿。今作數語與尚賢，别紙所拜勿令見，賢父子自知之。回刊本百詩同納，亦浮淺，但潔浄分曉耳。鮑魯齋於宏齋，必深相知契。為《天原微發》二十五篇，恨其讀書未博。濂、邵、二程、張、朱子之書，固已盡見，如《素問》五運六氣，不必引景祐新事法，四遊升降之説，曷欲取之。天類以二六為中[二]，書所謂五六日，至旬日亦引用，則穿鑿矣。伏羲恐後世錮於有，孔子恐後世涉於無。回謂二聖人初無此心，時文説話不可苟且立論。回為序直説，舊説太謬，今改之。或相聚為回一言，刊本之文流布宇内，商確理性。理，天之本與天之末，未易言也。然刊本太半矣，何以救之。佳處極多，疵處亦不少耳。非如回詩若文淺近之比也。回為説，不過客中窘乏，苟有貲，曷不歸云云。二三令嗣，今年何處作舘，張潭之栖如故否？城中一火之後，車從曾入城否？汪遠翔三子，近聞一人買偽咨，回路教被勾，果否？方去言死，秋崖之晚子召立為孫，病風喪心，來撓，回一再賄之去，狼狽必死於道途，知否？沈野舟死於燕，知否？汪菊坡還家，相見否？紙盡且此不宣。元貞元年九月日呈。

〔一〕來諭詳縝温縟：諭，清抄本作「論」。　〔二〕天類以二六為中：天，清抄本作「夫」。

柬（二）〔一〕

至元癸巳十一月二十三日回呈，久知元京、式賢相繼下，世不能作哀挽，何以寓無窮之悲。元京詩大着迹，嚴而欠寬。式賢詩不能用虛字，腴而欠淡。此回素所欲言，而不敢者也。回一生辛苦作詩，有一朋友譏謂太偶，誠難矣。前輩惟梅聖俞無此弊，山谷、後山亦不能無弊，曉窗無弊，然不太瘦乎！洪潛未來一見，即如平江，令附便草草。

回呈，曉窗天下士，吾吟友。回去年得新藁，每讀《孤立》一詩云：「陋巷寄吾貧，煢煢孤立身。出嘗嗟寡友，居更病無鄰。豈是不諧俗，争緣誰可人。却於松與竹，終日自相親。」未嘗不擊節也。切謂「此相親」，「且相親」，皆不如「自」字。「寡友」、「無鄰」之句，他人不識，惟不肖則深識之也。更加峭深，今之後山矣。細思吾鄉前輩，高流益復鮮少[二]，天又除去孫元京、式賢二人，近作者復有誰丐賜曉。今用作式賢、元京二人哀詩併挽兩相識共四篇寄呈，實同一慨。元日得春，計想樂道隱居，丕介眉壽。廉訪徐容齋東原大老，能詩能文，老於詞翰，而許回唱和去年二詩，及回新年二十詩，在大兒存心處，令第三子高孫録訖，轉呈諸公。筆力不進，難逃電目，有便幸改抹一二，亦恐春中言歸，侍吟伊邇，汪虞卿便介草草不宣。至元甲午正月初七日回呈。

[一]柬二篇，其一作于至元三十年十一月二十三日，其二作于至元三十一年正月初七。[二]高流益復鮮少：清抄本作「高口深流益復鮮少」。

答趙雲屋

回浮游南北數十年，居鄉日少，以故鄉之名士多有未識。黄仲宣來捧賜巽扎，知執事生戊子，回生丁亥，年相若也。回患難流離，得不償失，豈如執事專一丘壑之為愈哉！寵教以學問，本源出於六經，此非某所能及。泰山鉅海之喻，則回老而無成。童林涸澤，斧斤網罟之所弗睨，執事於此欲責取千尋之木、徑寸之珠，宜乎仲宣之來，徒手而還也。《翠侍題咏》再四讀，知塵世烟霞之中[二]，猶有能言之士，怪怪奇奇世不乏人。漫續數語，求是正紙尾。所謂以孝經取人，拔多行之士于學校。回不在得行之位[二]，豈敢見之空言。旦夕還紫陽山下，或可面請益未晚。晤對有期，且此奉復，不宣。

[一]知塵世烟霞之中：中，原闕，據清抄本補。　[二]回不在得行之位：清抄本作「回不得已行之位」。

與畢觀竹

回留杭久未能歸，聞觀竹定乘桴東下屢矣，而終未見車從之至。恭惟尊府老師，年與回同丁亥，回丙辰、丁巳間在魏舘，屢同鄉人侍坐。今不敢作書，望叱名為申訶起居。回近得省府與致仕文書，長男方存心來此，俾之將此文書到家，求鄉里諸公略助盤費。入燕問選承蔭，伏思觀竹先生愛回不薄，是亦可以義助者也[一]。有《居竹記》碑一本[二]，為小燕曹氏作，今以緘納，居于竹，與觀于竹，俱天下高流也。視阿堵物眇哉，可以相回之子北行，敢望指麾，回八月或還家，求見賢父子一番，且此草草，不宣。（以上《桐江集》卷五）

[一]是亦可以義助者也：助，原作「動」，據清抄本改。　[二]有《居竹記》碑一本：居，清抄本作「觀」。

送白廷玉如當塗詩序

至元二十八年九月十一日

余友白廷玉為當塗學官，常所往來者，咸以詩祖其行。余讀之，詩用意各不同，為廷玉屈者非也，以其小伸喜之亦非也。榮枯升沉，偶然耳。外得志而内實焦枯，且死則遺臭，可乎？外若不得志而内有餘樂，身枯而美名存焉，可也。姑孰，予舊游也，舉此郡古人物評之：王敦、桓温、劉裕為晉浞羿，皆至得志者也；李太白流放廢棄，遺青山一抔土，至不得志者也。為彼乎？為此乎？古人物遠矣，論近人物，樊知古之浮梁[一]、虞允文之海鰍，皆功臣，皆得志，孰臧孰否？李之儀、郭祥正皆有詩名，而不相能，皆不得志，孰是孰非？黄魯直作郡九日罷，為大梅小梅歐靚賦風月詩，氣不少挫。韓無咎中原文獻，流落南渡，僅至從列，天際兩娥詞，古今絶唱。之二公者，不得志於生前，而得志於身後，非歟？此事亦遠矣，論近事。余淳祐辛亥至此郡，訪郡博士程公森，余鄉人也。公魁舍選名進士，卒不顯。給事中董公槐家居，先君同年也。後為相不及期歲，今四十年矣。寶祐戊午、景定庚申，予從湖北常平使者魏公克愚，兩泊舟牛渚。其西也，聞郡守牟子才嘗作脱靴亭，有記，宦者董宋臣諱比高力士，嗾丁大全下言路污衊之。當是時，丁、董勢可畏，余臨江嘆息而已。其東也，賈似道自鄂漢入相，魏以舟從，諸戍軍生還者，妻子歡迎以骨歸，及戰没無骨歸者，其家慟而返。賈實谮黄州失守[二]以功自詭，欺主欺天下。初喜魏才用尹京，尋以不奉行公田謫之死。賈竟敗師亡國，不得其死。余壬戌塵忝分教漢東，歲且盡，荆闔吕文德檄往在所白事，冒雪入櫟陽城，見其子師望，還采石磯，阻風三日，盡登覽之勝，迅息亦皆三十年。所闞丞相三、使相一、從官一、卿一、二千石一、中常侍一、冷官一，榮者升矣，枯者沉泉，今皆如一漚之滅於水矣。不與俱滅者，善與惡誰得而易之？今諸詩人之詩，訟廷玉之屈歟？雖終身布衣非屈，贊廷玉之伸歟？雖驟爲卿相不足言伸。顧胸中所存如何耳。廷玉過寓公陳威仲，亦今之處者也，試相與論之。至元辛卯九月十一日紫陽後學方回序。

［一］樊知古之浮粱：知，原作「之」，據清抄本改。　［二］賈實滸黄州失守：原爲「賈實滸黄州失守者」，多「者」字，據清抄本删。

送紫陽山長劉仲鼎序

鉉號悦心　至元二十九年六月

昔在淳祐六祀之丙午歲，余時年二十，上饒韓公補爲新安郡，於城南門之外，肇建紫陽書院。其地實歙縣西尉舊治，廢而爲游觀之所，號曰「梅巖」。韓公撤酤肆爲講肆，士民大悦。上其事尚書，得宸翰四大字以寵光之。紫陽山者，去城南可五里，群山自西南來，結爲此山，偃然横立于大溪之水口。回首北向，郡治之案山也。朱文公先生，新安之婺源人，而生于尤溪，家于建陽，嘗於寓所揭紫陽書院，蓋示不忘本，故天下稱爲紫陽夫子。此紫陽書院之所以建也。後三十年乙亥、丙子之間，戍將李銓以北兵將至，詭曰守城乏材而毀之，祭器書版蕩爲烏有。城既不守，銓之子及部曲爲變久。而後潢池清，鳴雁集。郡命前進士汪君一、龍遠翔、曹君涇清父爲山長，改創新書院於南門之内。古郡學基，前守曹公良朋，嘗以爲江東道院者，余爲文記其事於碑，然綿蕝殊不及昔。興言往事，追慨流光，書院起而仆，仆而復起，忽四十七年，而余亦六十有六年。先達鉅公，逝者勿作，同流學輩，率爲古人。今之書院老儒，年長於余，曰吴君資深逢原、胡君端本方立，年稍後余者曹清父，三數公無恙耳。餘皆後進，豈不重可感也哉！予友劉君仲鼎，爲山長，懼不可爲，遲其往。余謂此尚可爲，速其往。吾州風俗淳古，書生多朴厚質直，無譁競浮薄之態，朋友可交，一宜往。天下酒無不用灰，吾州白酒無灰，城沙溪酒最佳，酒可飲，二宜往。梁武謂吾州大好山水，城東有堂曰「萬山」，盡得一郡山水之勝，山可觀，三宜往[一]。書院書版存者，鶴山魏文靖公《大易集議》六十四卷，天下所無。鶴山謂胡安定、王介甫、王弼三家《易》，初學入門；至其精微，則有濂溪康節、明道伊川、横渠藍田、廣平上蔡、漢上龜山、五峰和靖、屏山文公、南軒東萊，凡十六家得聖門之傳，窮易學之要，諸家易説皆可廢矣。學者中年以後，不可不讀《易》，鶴山年四十八謫渠陽，始讀《易》，成此《集議》。予年四十一，遭臺評，始讀《易》，寶此《集議》，至于今夢寐不忘。仲鼎舊雖已讀，亦不可不再熟讀也，是爲書可讀，四宜往。仲鼎湖海豪士，鄗王聞孫，意氣磊落，記問淹該，作詩多驚人語，年且五十，爲此冷職，屈矣。朋友可交，酒可飲，山可觀，書可讀，亦未必非伸也。仲鼎行矣，余將歌歸去來從之游。至元壬辰六月日序。

[一]三宜往：宜，原作「可」，據清抄本改。

送俞唯道序

予作詩六十年，弱冠在鄉里無碩師，竹坡呂左史實警發之。俾讀張文潛詩，有味，欲學其體。二十五歲走浙右江左，見鄭亦山，會張筠窗武子子侄歸鄉，極論詩法。入天目謁洪後峴，取《半山集》看讀，凡佳句必再三拈掇之。金陵見馮深居。二十六還家，以詩投郡守魏静齋，其兄已齋守宣城，贈《梅聖俞集》，又欲學梅聖俞。從静齋永嘉，因識詩人趙西里希邁，大見賞。歸而友人羅裳相與抄誦少陵、山谷、後山律詩，似未有所得，别看陳簡齋詩，始有入門。於是改調，通老杜、黄、陳簡齋玩索。尋泝大江，通洞庭，適長沙、江陵，在鄂漢軍中，與劉朔齋唱和多。壬戌别省第一殿試第□□□趙文三公擢置首選，賈似道既而抑之，遠注隨州教授，避禍以去。其後三為朝士，一為别駕，皆遭論罷，似道所為也。留荆湖幕府時，和勸農詩云：「忽思前夜一犂雨，焉用平生百尺樓。」陳杰自堂，宗豫章派，一見稱嘆，指授甚詳，勉予專意古文及詩，四六長短句不必作也。江東倉幕得三衢張實齋道洽，其人律詩爛熟。有阮梅峰者年八十餘，在蕪湖索予詩稿往觀，批抹圈點、有去有取，「飲若山頹無舊侶，坐如泥塑有新功」，梅峰所選，予乃大悟大進，阮陳之力居多。四十九守嚴陵，又得一趙賓暘，詩淡而瘦。予今年八十，休官二十六年，為郡破家貧，極不憂。詩餘萬首，頗以此事知名。平生諸公全就予詩者如此，至於深造自得，非他人所能予者。大概律詩當專師老杜、黄、陳簡齋，稍寬則梅聖俞，又寬則張文潛，此皆詩之正派也。五言古，陶淵明為根柢，三謝尚不滿人意，韋、柳善學陶者也。七言古，須守太白、退之、東坡規模。絶句，唐人後惟一荆公，實不易之論。但不當學姚合、許渾，格卑語陋，恢拓不前。唐二孟、近世吕居仁、尤、蕭、楊、陸，俱可為助[一]，飽讀勤作、苦思屢改，則日異而月不同矣。予嘗有言，善詩者，用字如柱之立礎，用事如射之中的，布置如八陣之奇正，對偶如六子之偶奇。至於剔奇抉怪，如在太空中，本無一物，雲霞雷電、雨露霜雪，屢變而不窮。鍜一字者，一句之始，字字穩則句成，而無鍜迹；鑄一句者，一篇之始，句句圓則篇成，而無鑄痕。其初運思旋轉，如游絲之漾天；其終成章妥貼，如磐石之鎮地。噫！烏得斯人而與之言詩哉！婺源唯道師魯俞君從予遊，性質超邁，學力精到，於書無不讀，躬行粹然，先世與文公同里閈，叙通家淵源有自來，作詩格高律嚴，見處與予吻合。十年前為賦律詩一首併序，每一來見，筆力益雄，雅奥峻潔。今兹之别，嗟予老矣，乃贈之舊稿而復前之説，所以付授期望，蓋不淺矣。佛氏正法眼藏舒光一笑而得之，唯道其勗哉。

[一]俱可為助：俱，原作「但」，據清抄本改。

送柳州教授王俊父序　大德三年正月二十日

懼其道里之遠，而難于至；又預嫌其風氣之偏，而難於居。使士大夫人人有是心，則仕宦者必官於輦轂之下，而其足迹不出郊圻之外然後可。古要荒之地，亦必有封建之侯邦，置長立屬以治其民。《禹貢》言「東漸于海」，即今之卉服之諸島也；「西被于流沙」，即今之葱嶺、交河之域也；「朔南暨聲教」，即周之朔方、越裳，漢之幕北、蜀閩越粤，唐之北庭、雲南大理是也。焉有除之為吏，有所懼且嫌而不屑於往者哉？昔曾南豐先生送李才叔知柳州，謂由京師而之柳，水陸之道皆安，行則雖遠而不險。謂風氣與中州亦不甚異，起居不違其節，未嘗有疾，則意其地偏有瘴而陋之者，亦惑矣。南豐又謂其物産之美，果有荔子、龍眼、蕉柑、橄欖，花有素馨、山丹、含笑之屬，食有海之百物、累歲之酒醋，皆絶於天下。然則使回也年未耄，亦欣然求一職任以往。吊斑林而餌沈冢，繼昌黎之舊吟，昌黎《會合聯句》云：「剥苔弔斑林，角飯餌沈塚。」占雞骨而剟鵝毛，續河東之遺咏，柳子厚《河東人柳州峒氓》云：「鵝毛禦臘逢山罽，鷄骨占年拜水神。」亦一快也已，而敢有懼且嫌之心乎！回媢家王君國俊，俊父長吾州紫陽書堂，再調柳教，問舟南征，颶湧鯨衝，蛇飡蠱茹，一皆不問，回是以壯之。昔我先君為廣西經略幹官，買馬邕筦，無罪謫居臨封，回生於廣東，四歲而歸，孤苦間關。今年亦七十有三，天於斯文若或相之，豈有道里遠、風氣偏之患哉！俊父秩滿北還，年始五十，鵬搏鶡化未可定也。大德三年己亥正月二十日壬寅方回序。

送趙山長序 大德四年三月十七日

所不同者，外也；未嘗不同者，内也。何謂外？所逢之時、所仕之位，不同也。何謂内？所禀之性、所存之心、所為之學，未嘗不同也。《易》一卦六爻，一卦有一卦之時，六爻有六爻之位。禹思天下有溺者，猶己溺之；稷思天下有饑者，猶己饑之。禹稷則可，他人則不可。禹稷受舜命，職當拯溺拯饑，不在其位而亦曰猶己溺之饑之，則為出位之思，而亦無益矣。紫陽山長趙君之先公，與回同官胄學，其先儀同總蜀餉，與張魏公同事，故訓詞有足國裕民之褒。儀同之長子閬州，初筮賢，父有廉潔勤謹之戒，其鄉之先生君子書「足裕廉勤之裔」六字遺之，期山長光于前聞人。然山長一臞儒，往領諸生於足國裕民，時與位皆未也。惟廉若勤，則無所往而不可。山長俸微而用寡，職卑而務少，非若親民官門庭之熱，無可取之物，廉則廉矣，而亦無難辦之事。勤則莫若勤於學乎，不以氣性汩理性，不以人心泯道心，千萬世學之同然者也。士患無一燈之地可以伊吾，勤於學，則木鑽石槃自有透時。不勤則千里之駿不如駑之十駕。山長年甫三十有六乙丑，而回年長以倍，又過二，故敢僭言及之。大德庚子三月十七日方回序。

送汪師魯序

汪直學淮師魯，婺源州回嶺人。同宗監察御史良臣居相鄰。咸淳乙丑生，今年四十歲。近以《初學吟藁》十九首見示，自謂生十二歲丙子，而當三翮之遷[一]，今日山中避地，明日山中避地，逃生之不暇，而奚暇于學！近所為詩，豈敢望諸公大老之藩城，姑以此編是證[二]，而求訓誨耳。噫！師魯之行合於《易》卦者三艮。下坤上之卦，有而不居，其名曰「謙」。師魯不自褒其所作，謙也。艮下巽上之卦，進不遽進，其名曰「漸」。師魯學問不務欲速，而循其序，漸也。能謙能漸，則必將為坤下離上之卦，其名曰「晉」。異日為安國之侯，錫馬晝接，明出地上，晉矣。師魯或未然吾言，其以問諸鄉先達朱文公之本義啟蒙。

[一]而當三翮之遷：翮，清抄本作「翮」。　[二]姑以此編是證：編，原闕，據清抄本補。

送佛陀恩歸雲門寺詩序

《詩》始於「喜起明良」之歌。《書》曰「作歌乃歌，賡歌又歌」，孔子之序也。三百五篇《大序》、《小序》，孔子之序文也。小序不過詩題之下一句而已，如「后妃之本也」，「后妃之志也」。後之説《詩》者，又從而附益之，多有差悟。束廣微補亡六詩，自作詩，自作序，與孔子小序已自不同。《漢書》韋孟詩，《文選》取之，其前有諷諫之説，乃史官之序文也。厥後曹子建上《責躬詩》，表文甚富，即所謂自序也。至唐老杜，自序《八哀詩》，自序《覽元道州賊退示官吏詩》，而元道州自序尤詳於是。自作詩而自作序，莫盛於韓、柳，韓《送孟東野序》不見詩，《送李愿歸盤谷序》與詩遠；柳《送韓存義序》無詩，送文暢至濬上人八詩僧《序》詩皆他見。宋歐、蘇、黄、陳諸公，今未暇悉數。嗚呼！非有曹子建、杜子美、元次山、韓退之、柳子厚、歐、蘇、黄、陳之才，而自作序自作詩以送人，不已僭乎！趙佛陀恩上人歸老雲門寺，以詩餞行，又求余序。余難之，上人出示前浙東憲使□公獻之詩與序，併又以其詩一卷見教，朗聲自誦，左右駭愕。老杜《火雲寺贊公房》有云「道林才不世，惠遠德過人」，予敢借是以為贈。癸卯歲序。

送胡植芸北行序 大德三年十二月二十六日

余假守桐江七年，又寓居五年，然後去。篤學文士大夫多矣，於詩人則不過得二人焉。曰前上舍蘭溪知縣趙與東，字賓暘，居建德縣城，今年七十八歲没。曰包山書院胡方，字直内，居淳安縣城，今年五十七始入都問選。他非無魁首狀，監侍從風憲監牧之官，而於此仕宦不達。之二人獨拳拳焉，何也？之二人者，詩人也。予癖於詩，年逾從心又三而四，嘗病夫真詩人之難得，宋人高年仕宦不達，而以詩名世，予取三人焉：曰梅聖俞，曰陳無己，曰趙昌甫。世謂宋之詩不及唐，予謂此三人唐詩似反出其下。賓暘、直内詩亦然。且真詩人所以難得，何也？近世詩學許渾、姚合，雖不讀書之人皆能為五七言，無風雲月露、冰雪烟霞、花柳松竹、鶯燕鷗鷺、琴棋書畫、鼓笛舟車、酒徒劍客、漁翁樵叟、僧寺道觀、歌樓舞榭，則不能成詩，而務諛大官，互稱道號，以詩為干謁乞覓之貲。敗軍之將、亡國之相，尊美之如太公望、郭汾陽，刊梓流行，醜狀莫掩。嗚呼！江湖之弊一至於此，或問予：宋真詩人獨取此三人，何也？以其不達也，官不達，名未嘗不達，與達者等也。梅聖俞陶粹冶和、春融天靚，歐陽永叔敬之、畏之；陳無己鍛勁煉瘦、岳握厓聳，黄魯直敬之、畏之；趙昌父閟芳銷華，霜枯冰涸，趙蹈中敬之、畏之。有一斡萬鈞之勢而不見其為用力，有一貫萬古之胸而不覺其為用事，此予所以深許之也。賓暘之淡而峭，直内之槁而幽，予是以亦敬之畏之。直内七世簪纓，今北上求仕，諸公貴人無以貌寢，而吝于一援手哉。大德三年己亥十二月二十六日紫陽方回序。

贈齊君龍吉詩序

至元二十年四月

青青之麥生于陵陂，生不布施，死何以含珠？為此儒而發塚者，所歌之詩也。接鬢壓顪、金椎控頤，而曰徐别其頰，無傷口中珠，其雍容和緩又似有禮也。以詩禮之身，而為盜賊之事，近世士大夫口先王行市人是矣。惟偃草有是風也，故自兵革以來，死而葬者皆不得其安。余由睦歸歙，閩六歲小兒塚[一]，一夕為鼠子所發，同被患者凡三四家。其所由來，豈一朝一夕之故？懼事之未艾也。而德興齊君方挾青囊書遊諸公間，余又懼其書之無所用也，得以箴之。至元癸未四月書于虛谷書院。（以上《桐江集》卷一）

[一] 閩六歲小兒塚：小，原脱，據清抄本補。

全元文卷二〇九

方回

三

送張受益入都序

「子在川上曰：逝者如斯夫，不舍晝夜。」程子曰：「此道體也。天運而不已，水流而不息，物生而不窮，皆與道為體。運乎晝夜，未嘗已也，是以君子法之，自强不息，及其至也純，亦不已焉。」朱子申之曰：「天地之化，往者過，來者續，無一息之停，乃道體之本然也。然其可指而易見者，莫如川流，故於此發以示人，欲學者時時省察，而無一息之間斷也。」愚按二子之言，皆大有功於學者。程子始言天，中言賢，末言聖，可謂孔門之嫡。嗣朱子始言天地，中言聖，末言賢，可謂程門之忠臣。朱子訓舍為上聲，而不訓舍字之義。程子所謂不已、不息、不窮，朱子所謂無一息之停、無一毫之間斷，皆所以為不舍之訓。繪畫巧矣，形容盡矣。韻書訓舍為釋，如手不釋卷，如釋重負之釋，常執持之，而未嘗放下，此其義歟。二子訓逝之之義，曰運，曰流，曰生，程子精矣；曰往者過，來者續，朱子尤其精也。在天則所謂逝者，與道為體；在人則所謂逝者，學道用力。而其所以與道為體與夫學道用力者，在乎不舍晝夜而已。愚謂逝者之往於前、來於後，源源袞袞，無有止時，其來也亦往也，既往也又來也，天地如此，人豈可不如此。斯之一字，指夫不舍者，而專言之也。嗚呼！微哉！學者於學，如左足行右足繼，右足行左足繼，前一波往，後一浪來，其能用力於逝而亦如斯焉，殆庶幾乎！此孔子所以勉夫士之希賢，賢之希聖也。朱子又謂「川上章至篇終棣華，凡十五章，皆勉人進學不已之辭。」愚竊嘆今之學者何獨不然，以勉為諱，序一文欲稍加收斂則嗔，跋一詩令更用刮摩則怒，小猶如此，況其大者。川也而不逝乎，逝也而又中輟以舍乎。省郎濟南張君謙受益與予論文和詩數年，彼此苦口，務相切磋，期進是道。考滿問選，元台保任。至入覲也，又挾以俱，以君之飄逸爽邁之才，重之以有力者之推挽，猶駕安車而行九軌之途，猶巨舟萬斛乘長風而駛東流之江河，榮顯不足言也。古之贈別者，以規不以頌，敬疣贅川上之章以求教，而又以君所聞還贈君。地中有山之卦，六爻皆吉。君之名若字，謹服行之，又安得有滿招之患乎？此一勉也。愛我者疾疢，惡我者藥石。君以喜聞過扁書室，諛者麾之，媚者斥之，又焉得有面譽背毀之患乎？此二勉也。自古在昔先民有恪居，今之世慕古之人，君又嘗以古名齋，不於其器於其道，古君子之稱不歸之君而誰歸乎？此三勉也。雖然，川上之嘆逝，前修以自勗，能佩程朱子之遺訓，以升孔氏之堂，則此三勉者皆其枝葉云耳。君行速，不得舉酒酹軷神，而姑托之空言。

送汪復之歸小桃源序

秦皇漢武惑神仙之説，竭天下之力求不死之藥，藥在我而於外求之，以故為方士所愚。讀司馬遷《史記》可知已。班固《西漢藝文志》存「神仙」十家，芝菌之書為服餌，兼有導引按摩，斷之以為索隱行怪。後世如《黄庭内景》、《外景》、《大洞真經》、《西昇經》、《步虚經》、《定觀經》、《太清經》、陶隱居《真誥》之類不一，而晁公武《讀書志》以《度人經》為第一，殊不知《度人經》偽蜀王氏時王喬之所撰也。古書有七，王喬而偽撰，《度人經》者非周之王喬，漢之王喬，然則神仙其可信乎？近世尊魏伯陽《參同契》，如六經之有《周易》，然隋唐史志并無此書，亦出於偽蜀孟氏時彭曉之所註。朱文公亦嘗托名鄒訢註之，喜其語言近古，其《答袁機仲》謂「參同之説，本不為明《易》，乃姑借此納甲之説，以寓其行持進退之度」，又謂「納甲之法，見於今所傳京房占法，火珠林所謂甲乙丙丁庚辛者，以月之昏旦出没言之，雖非為明《易》，而設然《易》中無所不有。」蓋虞翻所為《納甲圖》見於朱子發漢上《易圖》，乾納甲壬，坤納乙癸，月有晦朔弦望，而《參同契》取以為進火候退陰符之術。文公不以為非，似謂世間有所謂神仙者。其《答蔡季通》謂：「參同之説，子細推尋，見得一息之間，便有弦望晦朔之異。上弦者氣之方息，自上而上也。下弦者氣之方消，自下而下也。望者氣之盈也，日昃於下，而月圓於上也。晦朔之間者，日月之合，所謂舉水以滅火，金來歸性初之類也。」此可謂酷好之者矣。而《感興詩》乃云

「盗竊元命秘，繆當生死關」，於以知真有神仙，亦造化之一賊耳，而况天地之間，豈自古至今終有不死之人乎？魏伯陽本文四篇，彭曉分為九十章。愚嘗細讀之，彭曉本無日月為易之文，與唐本不同。西南得朋，東北喪朋，以二十九夜月殘，三十夜月盡言之，此自是一家之説，不合於《易》九還七返、八歸六居。彭曉、夏元鼎所釋，有是有非，但魏伯陽果如《神仙傳》所云東漢末會稽人，則所為四五言頗簡古，而六言偶儷俳優，間亦有重疊煩蕪處，東漢人文不當爾。其曰「淮南煉秋石，王陽嘉黄芽」，淺矣哉。西漢書劉安誅死王陽，能為黄金，死而裸葬，顧以淮南八公王陽之徒為真仙，不讀書人即可欺也。張用成平叔《悟真篇》即此契之註脚，彌復淺近。而夏元鼎之《悟真講義》，愈淺愈近。魏公之説一掃旁門元鼎之説，其下手用工無異乎吐納導引般運之小術。平叔台州人，熙寧中從陸師問入蜀遇隱者，為《悟真》八十一詩。元鼎温州人，寶慶中以小武官歷事山陽應純之五帥，偽撰《西江月》十二首，為平叔作，其後死於色慾，近人尚或識之。惟魏公之文有佳者，三十二章「苣勝尚延年，還丹可入口。金性不敗朽，故為萬物寶」。乃蜀人押韵也。六十七章「植麥欲獲黍，運圓欲求方。竭力勞精神，終年不見功。」七十章「廣求名藥，與道乖殊。」七十三章「牝鷄自卵，其雛不全。」語意皆佳，用韵皆蜀音。七十四章「日潛道而沈彩，月施德以舒光」，與上章「男則背陽而向陰，女則背陰而向陽」，乃似近人體製。最七十八章「自關關雎鳩，至飛龜舞蛇」，愈見乖張。一全章四十二句，奇變可喜，文之尤佳者，騁力馳精，多設譬喻，只是一意，男女不交媾，不可以成丹，二女同居，志不相得是也。東漢文恐不如此，似乎出彭曉一手。其間有「太一乃召，移名中洲，功成上升，膺籙受圖」，則不古甚矣。班固謂「天子乃以元日受四國之圖籍，膺萬國之貢珍。」《參同契》三年進退候符，而可以肉身上升，所膺何籙，所受何圖，彭曉不註其所以然，但謂「太一乃修丹之主司也，中洲乃神洲也，世人初得道，鏤名金簡，於此洲膺受圖籙，始上升也。」噫！妄亦甚矣。其內丹之法，本是所稟父精母血，升之降之，煉其氣以奪造化，而於仁義道德蔑一毫之修，有以凡化仙之術，而無以賢希聖之心，可乎？鍾呂肉身能飛，章公權集記三村民能出陽神，則魂與體為二物，而有尸解、火解、水解，又下之下，而徐堅《初學記》有崔玄山《瀨鄉記》，以老子為十三聖師，其學仙有三十六法，似皆為魏公之所闢。而《悟真篇》八十一詩第一、第二首淺陋俚俗，略不見大丹之旨，「百歲光陰石火爍，一生身世水泡浮」，與尾句「無常買得不來無」落韻；「妻財拋下君非有，罪業將行難自欺，昨日街頭猶走馬，今朝棺裏已眠尸」，豈不太易。其以七言四韻十六首象二八一斤之數，絶句六十四首應六十四卦之數，五言四韻一首象太乙之數，似無義理，惟納甲之説，未知魏伯陽用虞翻之圖，抑虞翻返用魏伯陽之圖。予嘗於是作詩曰：「朝有讀書客，過我携酒壺。問我參同契，汝亦嘗讀諸。虞翻納甲法，即是先天圖。伯陽竊其秘，静夜觀蟾蜍。初八二十三，艮兑丙丁殊。上弦進火候，下弦退陰符。望盈仰乾蓋，晦滅俯坤輿。震巽庚辛對，坎離戊巳俱。朔旦之日中，交媾水火爐。彭曉彼何人，曉曉争魯魚。可惜非易學，欲飛血肉軀。借易弄丹術，鄒訢曷不誅。」是詩也，必得罪於當今之修內丹者。吾州小桃源汪君復字復之，深嗜此學，師江西段無心，得其傳，命之號曰月源無盡子。見示一大序，二巨帙，先天一氣金丹，直指藥物，斤兩火候，卦氣三圖。愚老矣，年七十有一，王半山所謂「不服紫團參，亦活到今日」。伏羲之《易》，如陳希夷、邵康節所傳者，愚願學之。魏公得先天圖之方位，其一説也，愚不敢學。而書所以然送復之之歸，幸未死，尚及見月源無盡子者化鶴於緱氏山頭，未可知也。

送柯山山長黄正之序 大德元年[一]

柯山書院山長武林黄子正之辭將行，愚愕然驚問，始以雲臺祠官領袖此山諸生者，非歟？吁！愚讀其《葵園集》久矣。生於嘉定乙亥，年三十，當淳祐甲辰，為南宮第一人者乎？是為晦静先生湯公之高弟乎？授沂州教授，告未下而上書擊史嵩之者乎。右曹郎吴子良用陳傳良例，泰州教授未上，除太學録以薦之者乎？擢第之明年乙巳七月未赴教授而召試除正字者乎。丙午冬遷校書郎，而後去國者乎。丁未之秋特旨改官者乎？用朱文公之説，擢第之六年己酉，背文公之學，而并詆周元公者乎？壬子年三十八矣，吴潛、謝方叔相元日除著作郎，都人有再來不直一文錢之謡者乎？夏四月面對，秋七月再對，言事私有左右，而遭特筆以斥者乎？畏威省愆可也，臨川之行不當往而往，至郡不一月而罷者乎？惡篤若晦可也，攻蔡抗可乎？善吴潛可也，舉殺人之陳韡可相，任迷國之賈似道可入，無乃不知人乎？辛酉臨汀之除，似道相兩年矣，何以不位之朝乎？豈嘗屢受似道闈餽而為其所忽乎？迓者至而遽卒，天為之乎？子三人伯達、仲忽、叔夏，長實名心亨，祝也，嘗為吾州户掾，瞶瞶三人皆卒無孫，天為之乎？嘗賜官田三百畝，令籍入有司，無有為立後者，天為之乎？善降祥，惡降殃，是必有得罪於天者矣。嘗試論之：周元公所謂無極，與老子所謂無名萬物之始，有名萬物之母，常無欲以觀其妙，常有欲以觀其徼者不同。常德不忒，復歸於無極，二字偶同，而旨意異。老子所謂無極，配嬰兒與樸而言，欲自有而返於無。周元公指理之無形者而言。王弼引以注《易》之復，謂天地雖大，寂然至無，是其本矣。周元公之説不如此。朱文公所、謂無方所無形狀，又謂無形而有理，張宣公所謂莫之為而為，老子何嘗識此。周元公始曰無極而太極，次曰太極本無極，又次曰無極之真，二五之精，妙合而凝。當合此三言而觀之，無瑕無病，真屬理，精屬氣，無極之真，無形之理也。無形之理行乎二氣五行之中，而真精妙合然後為人，即太極無形之理，生而為有形之儀，象卦以至於萬物也。彼老子烏足以知之。老子截有無為二，而此貫有無為一也。庚戌之講，自首至尾無一句近道，公肆詆毁，以周元公為希夷氏之人，以朱文公為傳註氏之學，以莊列尹亢之誕誣濂溪，以王鄭賈馬之陋誣晦庵，豈非病風喪心之言。至其自為繆論，則謂一畫所以紀太極，亂道莫甚焉。一畫者兩儀之一陽也，謂太極在一陽之中則可，以為太極則不可。又謂太極之體為乾，太極之工為復。體字工字略無義理，為蛇畫足，愈畔愈支。合乾復兩全卦觀之，復之一畫與乾之一畫異，乾自一畫而至六畫，其象為天，而一畫非太極也。復之一畫剥之盡，而坤之下生一陽，可以見天地生生之心，此一畫亦非太極也。卦之初九三十有二，獨乾復初畫為太極，謬矣。太極者，未畫之前，先具此理，邵子所謂畫前之易，所謂道為太極，心為太極是也。蓋斯人也，始以涉獵朱文公書為時文，後乃脅於湯漢而改從陸學。湯漢末第為象山長，乃後江西諸人以江西人之為臺諫侍從而至執政者，推為山主，以尊其學，包恢自謂象山之徒，而贊行公田，流禍至今，其徒以勢要脅四方學者從陸學，而渋亦由此私擢省闈，嘗著書以闢朱文公之書。趙忠清公獎予斯人太過。近世人物狷者多狂者少，斯人狂者也，故敢為而無疑，敢言而無忌憚。鄒道鄉諫元符，后南遷涕泣，田承君謂大丈夫所為不止此，攻史一疏終其身取名享利，已非中道，又況因都堂背誦程文，而有所激，不足為高。嘗謂朱文公平生所為，率多於古人而動累，於後來何累之有？孟程張後嘆空川詩突兀險怪，二程子師周元公，豈可剗滅其師而遠引孟子。又為詩侮鄒訢而憶陸九淵，敢謂斯人學問未仰見周朱二先生脚板也。其學徒惟徐直方一人，徐琦、曾子良皆不學狂生，斯人既不能窮理盡性以希前哲，又不能著書立言以貽後人，死無年，祀無後，天之所以殃之，亦可見矣。正之晚出，恐未知前輩源流本末，詳以語子直書不文，持至書堂拜其祠，膝可屈心不可屈也。此文亦不必數數示人，顧子不可不知耳。如有問者，則曰紫陽山下老書生，小畈年一紀，今年七十有一。

〔一〕大德元年：據文中所言「今年七十有一」及作者生年考訂。

送柯德陽如新城序

戊戌以後大德二年〔一〕

杭故多四方士，而予久寓於是，祖道贈言常有之，曰如某縣為教諭也，曰如某書院為山長也，曰如某州某府某路為學録、為學正、為教授也。今送桓君德陽獨不然。德陽之行新城，何氏以家塾聘之也。天下郡國設學，乃公家之師，家塾乃私家之師，師一也，而所以為師不同。公家之師有司所選，勢奪賄予，未必皆實學之士，故公家之師或出私意。私家之師，豈有父兄不愛其子弟，而不選實學之士為之師者？故私家之師必合公論。況公家之師志在仕進，私家之師志在藏修。德陽以藏修為務，而不以仕進為心，過人遠矣。抑士之所學，果何事耶？八聖四賢暨濂洛關西，學之祖也。張宣公、吕成公早世而書傳，朱文公獨後死而書大備，學之宗也。黄直卿《通釋》、陳安卿《字義》之外，各有文集，羽翼文公。真希元之《讀書記》，義理之本根。魏華父之《九經要義》，典故之淵藪。又各有集百卷，皆學者所由入之門也。陸子静直截之見雖捷，而未盡道。葉正則偏駁之文雖巧，而不知道。至於嘉定以來四靈劉潛夫之詩，僅如姚合、許渾，則尤非求道之所尚，世雖無之可也。雖然，又當知立己不可無規矩，擇友不可無權衡。以能問於不能，以多問於寡，有若無，實若虚，犯而不校，此五言也不可忽也，立己之規矩也。狂也蕩，矜也忿，戾愚也詐，稱人之惡，居下流而訕上，勇而無禮，果敢而窒，徼以為知，不孫以為勇，訐以為直，此十者而人或有一也，不可近也，擇友之權衡也。予老矣，年七十有二，而德陽年甫三十有八，故敢以《論語》之三章傾臆盡言，而予也亦不敢不細玩晦翁之三集註以自勉也。

[一]大德二年：據文中所言「年七十有二」及作者生年考訂。

送家自昭晉孫自庵慈湖山長序

性存子

眉山子家子名晉孫字自昭，讀書之室曰「自庵」，年甫三十，授四明慈湖書院山長，將行，求言為規。愚請先言子名字庵之義，而後及慈湖楊氏之學。《易大象》言自者二，「天行健，君子以自强不息」，「明出地上，晉，君子以自昭明德」。天行日進，凡皆自不可已。今夫天三百六十五度四分度之一，窮晝夜而一周。然天之行也，常超日一度。日之進也，常不及天一度。天本無晝夜，人間晝夜地實為之。人居地上，日居地下，故有夜。夜短則不過亥子丑三時，昏暗而日復出矣。地不能終蔽日之明，猶物慾不能終蔽人心之明也。故孔子以天健日明象君子之學。與天同健而自强，其惟聖人乎！與日並明而自昭，賢者亦可及也。子家子有取於晉之自，而未敢任夫乾之自，其謙乎？凡言自者，由於己，而不由於人。鶴山魏文靖公為姑蘇高德文記，朱文公所名强齋，發此二自之義，至矣。而文靖公又嘗號自庵，乃《書》之自靖、自獻，與子家子之自，微不同，要其實則同也。人之身善惡無不自己為之，自悔自艾自暴自棄，反掌間耳。「為仁由己，而由人乎哉」是也。若乃慈湖楊文元公之學，偶與象山陸文安公之學合。慈湖為富陽簿攝縣，象山以舉子上南宮過之，值其視事，適有扇訟，既訟退，焚香相對默坐，象山問曰：「敬仲此道平時如何下手？」慈湖對曰：「敢問足下如何是良心？」象山即離席大呼曰：「主簿適來廳上，剖决是非者便是。」慈湖長象山二歲，言下大悟，拜象山為師。愚謂此乃孟子所謂見牛過堂下，見孺子將入井，已發之心也。孔門之學，此心未發有存養，此心既發有省察，具見子思《中庸》首章。孟子多言已發之心，然曰「我善養吾浩然之氣」，「存其心養其性」，皆未發以前事。陸楊二老所學有下一截，無上一截。象山之失，朱文公文集、語録及年譜，李公方子辨之詳矣。慈湖之失，嘗與傅道夫書謂「濂溪、明道、康節所覺未全，伊川未覺，道夫昆弟皆覺。」傅正夫以此書求魏文靖公跋，文靖公憮然大不滿正夫。又録《慈湖訓語》求西山真文忠公跋，文忠公謂「慈湖泯心思，廢持守，談空妙，略事為」，而慈湖又嘗謂「子思忠恕違道不遠」，此語害道，何由一貫？又嘗謂「程氏倡窮理之説，格物不可以窮理言。」又嘗謂「濂溪《通書》於天道至一之中，忽起通復之説，穿鑿為甚。」愚則謂周子論通復貫之以誠，程子論體用貫之以敬，魏文靖公、真文忠公、吕成公、張宣公、朱文公皆從之，顯微無間，本末具舉，吾道之正宗也。陸、楊所見乃佛家作用是性之説，謂作用乃心之屬乎情者。以心為性，體認未真。《四明志》謂慈湖師象山，自為一家之學，施之政事，人笑其迂，而自信益篤。此兩自字，乃慈湖以自為是，以自為高，不顧訕笑云者。王尚書應麟伯厚嘗語予曰：「朱文公之學行於天下，而不行於四明。陸象山之學行於四明，而不行於天下。」此言亦復有味。蓋四明四先生沈端憲公，早師事陸文達公宜倅舒公南軒，開端象山，洗滌而融會於東萊，不專一家，為前輩袁正獻公後出，始專尚象山。而慈湖又嘗為史彌遠師，故一時崇長昌熾，其説大行。袁廣微為江東憲，創信州象山書院，而吾州未有紫陽書院。後江西人凡為執政者必請為象山山主以張其勢，雖誤國殘民如包恢亦與焉。自湯漢伯紀徐霖景説死，而象山之學無聞，慈湖之學亦無傳。子家子乃愚友性存先生冢子，故於其行傾臆盡言之。彼亦一自也，我亦一自也，孰非孰是，其然其否，不妨如老僧住寺呵佛罵祖一巡云。

進齋序

進可止乎？騏驥一日千里，駑馬十駕及之，止如何其可也。進可退乎？適千里者及門而返，則終身不復至，退如何其可也。今夫耒耜寸耕，乃黍乃稷，連膏腴之萬頃，猶勤勤於播植，機杼縷織，乃縑乃帛，被文繡乎四方，猶孜孜於紡績。萯桂等侯，橘竹比封，灑削鼎食，馬醫擊鐘。卓氏之蜀，百僮者八，朱公之，陶千金者三。其取贏也，涎口流而鷹擊隼搏；其逐便也，食指動，而虎噬狼貪。此可以言進乎？曰非也，此農工商賈之競於進者也。齊管三歸，靡畏自宮之豎；魯季八佾，猶煩聚斂之求。差肉食而色墨，羽帳飲而泣謳。鋭速罔戒，辱殆不羞。物物盈撲滿之藏，事事合浮屠之穎。載薏苡而昧嫌，擊珊瑚而肆逞。佩六國印，多車裂之蘇秦；號萬石君，少厠牏之石慶。金釵十二，珠履三千。傾國白晰，守宮紅鮮。飲南陽之菊水，跨揚州之鶴纏。身飛閬苑，名掛凌烟。此可以言進乎？曰非也，此富貴功名之迷於進者也。奇法正葩，鑽易雕詩。麟經三傳，奥析微窺。儀禮周禮，康成乖異。一貫忠恕，七篇仁義。今之後進，豈不知此。借以發身，實匪為己。涉緒獵餘，摭子摘史。類書充架，小説滿度。家家自以為宰文社，人人自以為專詩壇。湘素華飾，刀筆精刊。馬班賈董，漢文視初詩為多；陳宋李杜，唐詩較諸文尤盛。有能識其門逕者矣。自成一家，或是或非；不拘一體，或從或違。冶鑄精瑰，與前修而間合；鋪張麗藻，亦時論之攸歸。此可以言進乎？曰近之矣，而未也，此近古文士詩人之進，而於道則未進也。道統之傳，自伏羲始。以敬相傳，則自堯始。而敬之字曰欽。舜繼之，又發為精一之論。夏商周前三代也，漢唐宋後三代也。堯至孔，八聖也；顔曾思孟至濂明伊渠邵朱張呂，十二賢也。自周子言誠而道統始續，自程門言敬而道統始明。經世以理言數，西銘以分言仁，朱以率性無反説言道，張以無所為言義，呂以思無邪言詩。而道統愈益永。子思之學，在四勿三省之後、知言養氣之先。以慎為主，慎者敬之，至誠之初也。未發之心，慎以存之；既發之心，慎而察之。察而中節，慎以行之；其不中節，慎以攻之。心之未發，人己俱不睹聞，故有存養之敬；心之既發，人未睹聞而己獨睹聞，故當有省察之敬。靜寂動感，位育攸關，朱子所以釋《中庸》之首章也。然此事非一朝一夕之所能辨，曰敬曰欽曰精曰一曰慎，無一時而不用其力，至於誠，則無所容其力矣，此千古聖賢相傳之道也。傳其道者，傳其心也，必如是而後可以言進學。農工商賈之進，争利也。富貴功名之進，争勢也。文士詩人之進，争名也。惟進學者無所争。高君鸞舉以進名齋，鏗石鏘金，作者百數，俾老夫題其端。（以上《桐江續集》卷三一）

送周幹臣歸泰山序

進難而退易者，賢士大夫之高風。敬而忽慢，畏而忽侮，愛而忽惡，譽而忽毁，變移於其人一進一退之間者，自古及今庸人淺夫之常態。君子之進也，出以澤物。君子之退也，處以潔身。達有所不可苟就也，窮有所不可苟避也。可進而齊於進，故謂之進難。可退而勇於退，故謂之退易。然世之炎涼翻覆之徒，則可嘆矣。於其人之進也，飾竿牘，崇苞苴，尻高佝僂，膝行趑趄，或望塵而拜，或竭蹷而趨，或夜掃其户外，或空函而致書。昧冰山之未解，羨鬼樸之自娱。甚者則嘗糞而舐痔，猶不止於嗅脚而拂鬚。於其人之退也，改師法，諱門生，廢伐木之雅詠，寒下車之舊盟，孰追送於臨賀，但見訶於灞陵。奴僕有反噬之犬，賓客有飄去之鷹。廷尉之門可設雀羅，翟公於是大書特書，因貴賤而見交情。由是觀之，自非中人以上，孰不有激於此，而不平於流俗之軒輊，則豈肯恬於進而樂於退哉！泰山周君幹臣，年且五十，為郡博士以至縣大夫，僅三仕，行御史府大夫最其知己，位置甚都，意有未安，浩然言歸，杭東南大都會業儒而盍簪者異乎流俗，嘉周君之進難而退易也，相與為詩以壯其行。然則幹臣當富貴矣，其退也焉知其不進也。

送葉亦愚序

天下未嘗無人才，其用捨一出於人主，則廢置公於上，人才常作興而有餘。其用捨一出於權臣，則福威移於上，人才常銷靡而不足。南風之所以不競者，士大夫知有權臣而不知有君也。秦檜之事遠矣，言其近者，甲子兩周，人才心術一切為數權臣之所蠹壞。慶元、嘉泰、開禧一權臣也，非趙忠定公、朱文公之徒，鮮不屈而媚韓。嘉定、寶慶、紹定一權臣也，非真文忠公、魏文靖公之徒，鮮不屈而黨史。端平、嘉熙、淳祐，迭相不一，微革前弊，然再相庸繆之人，陰為詭隨，忌真排魏。始則易楮鹵莽，百物價昂，出師輕佻，三京衆潰。末則子弟用事，賄賂滋彰，而天下之柄歸於宦寺矣。寶祐、開慶，於近習由徑則丁大全。景定、淳祐，以軍功罔上則賈似道。題期訖録，竟鼎覆於斯人之手。朝廷進用人才不過三路，一曰臺諫官，二曰文字官，三曰都司官。賈氏於此三路，必謹擇乎決不畔己之人，私相扳援，互相保任。此路一入而稍有違異，即斥棄不旋踵。其能交輒授藁，奉風旨，聽嗾使，相助為虐，而肆其無君之心者，然後遷侍從、躐執政，或假之宰相之虚名。嗚呼！世未有弱公室强私門，窮人欲滅天理至此而不敗天下者也。賈氏擅國十有六年，澤火之革又十二年。為賈氏貌敬而内實畏之惡之者，湯公漢、洪公天錫、牟公子才、陳公宗禮、高□□得康廬易郡，至其當國終不少屈者，吾家方公岳也。坐發策言事得罪者，謝公枋得、謝公章、陳公仲微、徐公直方、趙公與鍴、杜公淵也。議及公田逐者，徐公經孫、劉公震孫也。耻奉行公田貶死者，魏公克愚也。尹行都忤意去者，李公芾也。彗星之出京庠，一疏詆責稍過，刑禍亦慘，無辜而遠行者，布衣葉公亦愚也。前乎賈氏一十六年，其所沮挫排擊之人才，老死殆盡而名僅存。後乎今日一十二年，其所長養培植之人才，潛蟄欲奮而名未彰。於斯而招賢納俊，屈指難矣。吾亦愚，巋然一影，乘馹北翔，鶴鳴聲聞，茅拔彙征，其必有説，以進乎平城之間也。披荆揚梁益之輿圖，考斗牛翼軫參井之分野，古今人才將相間氣良不為少，而文士特號居多。唐太宗混一宇宙，刊修晉、隋、梁、陳、南、北諸史，及纂述諸經註疏，人才可用不拘南北。今日而欲筆削近代之是非，與諸先儒之論撰，淮漢以南文士之可選者如毛髮未易算，亦愚而能推轂，吾尚能一二枚舉之。雖然，張魏公有言，秦檜當國二十餘年，只成就得一胡邦衡。亦愚直聲充塞天壤，此行乃木綿餒鬼之所成就，以權臣為有惠於己，而勿以為厲，可乎？送行詩若詞如干首，杭人周緒子一命歙人方回萬里為之序。

送羅壽可詩序

詩學晚唐，不自四靈始。宋鏟五代舊習，詩有白體、崑體、晚唐體。白體如李文正、徐常侍昆仲、王元之、王漢謀，崑體則有楊、劉《西崑集》傳世，二宋、張乖崖、錢僖公、丁崖州，皆是晚唐體則，九僧最逼真，寇萊公、魯三交、林和靖、魏仲先父子、潘逍遥、趙清獻之父凡數十家，深涵茂育，氣極勢盛。歐陽公出焉，一變為李太白、韓昌黎之詩。蘇子美二難相為頡頏，梅聖俞則唐體之出類者也。晚唐於是退舍。蘇長公踵歐陽公而起，王半山備衆體，精絶句、古五言或三謝，獨黄雙井專尚少陵，秦晁莫窺其藩。張文潛自然有唐風，别成一宗。惟吕居仁克肖陳後山，棄所學學雙井，黄致廣大，陳極精微，天下詩人北面矣。立為江西派之説者，銓取或不盡然，胡致堂詆之，乃後陳簡齋、曾文清為渡江之巨擘。乾淳以來，尤范楊陸蕭其尤也。道學宗師，於書無所不通，於文無所不能，詩其餘事，而高古清勁，盡掃餘子。又有一朱文公，嘉定而降，稍厭江西。永嘉四靈復為九僧舊晚唐體，非始於此四人也。後生晚進不知顛末，靡然宗之，涉其波而不究其源，日淺日下。然尚有餘杭二趙、上饒二泉，典刑未泯。今學詩者不於三千年間上泝下沿窮探邃索，而徒追逐近世六七十年間之所偏，非區區所敢知也。清江羅君志仁壽可，介吾師友自堂陳公書《棗詩》百篇見教，自謂改學四靈、後村，且善學古人者，髣髴其意度，雋遠其滋味，不當盡用其語言事料，若腴、若組、若冗、若澀、若淺、若俗、若粗、若晦、若怒、若怨，皆詩家之弊。細讀深味，詩律未脱江西，有崑體意，崖岸骨骾，似與趙紫芝諸人及劉潛夫不同。故予詳道詩之所以然為詩以送之，謂為不然者，壽可還旆過東湖之上，復以參之自堂可也。

送胡子游赴調序

儒者之學有獨無對，其文自伏羲一畫始，而成於堯，極盛於周，稍衰於周之季，而大壞於戰國，絶滅於秦。可以復於漢之初，而刀筆吏非其人，司馬遷至以儒為九流之一，《周官》出於劉歆，其曰儒以道得民者，意與子長不異，或以為此戰國陰謀之書然耳。孔子之時，老子已生乎其前，未有所謂服食煎煉長生不死之説，佛亦已生乎西域，而其輪迴果報無生之説，未入中國。孟子之時，楊、墨、儀、秦之徒，異端並作，賴七篇之書排而擊之，其説不復信於後世。獨奈何由漢迄唐，老佛二氏，昌熾淫衍，至與儒學鼎足而稱三教，甚至儒者黯無精光，傍睨二氏之肆行而莫之敢抗。嗚呼！其亦可哀也已。雖然，猶有一韓昌黎《原道》等作，起正仆邪，由是知二氏之非，曉然明白。至於宋，歐陽文忠公、范文正、石守道、孫明復、李泰伯、胡安定，皆深闢二氏，而周元公、二程子、張横渠發明孔孟不傳之秘。其門人吕藍田、謝顯道、游定夫、楊龜山及胡文定父子，傳至于劉草堂、羅仲素、李延平，集大成於朱文公，而南軒鳴於湖湘，東萊振於江浙。當其時，適有臨川之偏、永嘉之駁，文公以赤幟麾之，冰解草偃。三代而上，井田封建，禮樂法度，有決不可復者。天命之性、率性之道、修道之教，在人心未嘗泯也。直内方外、致知力行，静而存養、動而省察，諸老先生之言見在方册，今天下學者服膺潛神，亦不謂無其人，是豈區區二氏之所得近哉。老之學清浄無為，其變也，詭而為方術。佛之學寂滅為樂，其變也，誕而為禪機。又其下也，俱不免從事於齋醮祈禳，如古之巫祝云者。奸人以快其嗜慾之私，庸人以豢其惰頑之體，名為盛而實則衰。今之儒者有學校之養，無科場之累，名為不競，而其實未嘗不自得於中。修之在我，用之在時，顧何羨於彼，而亦不足與之角也。同郡胡君泳子游，書學之正事，喜滿將再問選，質美而氣和，學飫而文溢，餞行之詩，森如筍束，為書愚所見者為序於其前。行御史中丞劉公伯宣、參知政事夾谷□公士常，愚知己也，亦試以此訂之。（以上《桐江續集》卷三二）

全元文卷二一〇

方回

四

送倪耕道之官歷陽序

變西崑體詩為盛唐詩，自梅都官聖俞始。當是時，變五代文體者，歐陽公也。故世稱歐梅。嘉祐二年丁酉禮闈進士，得眉山蘇公，實聖俞佐歐陽公之力，可謂有功於斯文甚大。吾友倪耕道應淵，與聖俞皆宣城人，其詩亦有聖俞之遺風。聖俞仕不達，號為詩窮，而吾耕道窮又甚焉，年六十八始得為歷陽教授，宣城、維揚、京口、武林、池陽，皆有十詠詩行世。今又將有歷陽十咏或百咏，無疑矣。然教授者，師儒之官，培養人才，轉移風俗，於此乎賴。昔聖俞雖固窮一世，王荆公之兄弟詩、二蘇兄弟詩，蘇門六君子如黄陳詩，視聖俞皆後出。至其校文，乃得東坡為門生。考其詩之規矩，而觀其文之衡鑑，豈非百世之師乎？窮與達不足論也。耕道之詩本於聖俞，今人固未必識。吾聞歷陽有張于湖魁天下士，其所立甚偉焉，知郡泮無斯人者，有以作成振拔之，儲以為當世用，不於吾耕道望而誰望。然則於行己也不忒，則於取人也必不爽。吾耕道己雖未達，能達人可也。鄧元侯，雲臺功臣之首也，不遇漢光武，可平世文學掾耳。耕道行矣，同庚生紫陽山方回餞以詩，為之序。

鐵瓶吳處士善畫序

伏羲之卦、倉頡之字，其初皆一畫也。韻書訓畫為界，而音胡卦切者，通用為繪畫之畫，亦訓為界，俗作畵，今從俗用之畵，與畫字不同，而均訓為界。然則畫也者，界而已乎？其亦起於伏羲、倉頡之所為乎？秦蒙恬始以毛為筆，漢蔡倫始以絲為紙，古筆用竹必亦始於羲、頡，而卦之與字則畫之簡牘乎？《尚書序》謂「伏羲始作書契，以代結繩之政」，《易》謂「伏羲始作結繩為罔罟。」繩旁從糸音亡狄切，謂細絲也。伏羲之前已有絲，已結繩。繩訓為索，索亦從糸，則古之有蠶桑久矣。有蠶桑則有絲，有絲則有絹繒，其來亦古矣。《舜典》始言作繪，則五采五色之畫亦古矣。第其時未有後世之筆紙，則其筆必用竹筆，而繪五色於絹繒之上也耶？姑舍是而論畫，一藝也，至於後世精矣妙矣神矣，何謂也？畫之工者，其名與聖賢將相立德立功立言之人書於傳記，同宇宙而不朽也。文士有數千百言不能盡者，一畫手能以數筆盡之。詩人於物象極力模寫，或不能近，丹青者流邂逅塗抹輒出其上，此豈非精妙入神而後至是耶？予近至廉使容齋徐公書室，恍然見六和塔岸，望海間萬餘里，潮頭洶湧而來，一抹數千丈，細視之，屋壁不盈尋尺，曰此吳生畫也。枚乘《七發》之所謂潮，鋪張甚盛，殆不如此畫之簡捷。又偶於秘書性存家公繪手所執扇，松風茅屋，一晉衣冠者偃仰一榻，是謂羲皇上人圖，曰此吴生畫也。《陶淵明傳》及《歸去來辭》盡在此一扇間矣，豈不謂之神乎？予家紫陽山下之谷中，先從兄良遇欲予以虚受人，以虚加谷，而謚其吟所，吴生未之見也，為想像作水墨一幅，輒復得予之心事。予是以益神之。吴生吴門人，名山，舊號古梅，今改稱鐵瓶處士，其所居姑蘇城之鐵瓶巷也。予別為賦鐵瓶處士詩矣，又為發揚其所以善畫而入神者，為諸公贈言之序云。

贈初陽陳相士序

會稽陳益家傳許負之術，自稱曰初陽相士。予嘗聞相人之説矣，相骨、相形、相聲音、相舉動而知貴賤易，相氣色而知憂喜休咎難。夫差肉食而色墨，外勝而有内憂者也。馬周火色，早貴而未必壽者也。盧杞藍色，大奸邪禍人之國者也。尚易知也。何晏色如傅粉，王衍執玉柄麈尾與手一色，而皆不善終。皋陶色如削瓜，孫叔敖面有饑色，而皆為賢相。婦人之色，美而艷者，鮮不失節，孟光黑色而醜，為梁鴻賢妻。士大夫有驕色，必敗名。窮儒或菜色，而知道。是則難知也。昔人於日長至之旦觀雲物，其雲氣黄，則預知豐年之祥。前史占星欲黄色，黄為五穀大稔，赤為火旱，白為刀兵，黑為水潦，青為疾疫。《素問》察病，人色黄者必愈，黄為脾之穀氣，有穀氣則藥無不效。故相人者祖是數説，以氣色黄為喜。又黄欲如帛裹栝樓，不欲如土，不欲赤白黑青，而或明瑩不暗，赤如丹砂，黑如烏鷄之羽，則亦有吉無咎。今相士自稱初陽也者，其亦有取於長至初陽雲氣之義歟？雖然，太極動而生陽，厥初惟有一畫，一為奇為陽。有一畫而後有兩畫，兩為偶為陰。取其一奇畫而拗囗之，則為天囗之象。取其兩偶畫而縱横以交之，則從者為上下中，横者為左右中，又為東西中，是為地方之象。取以其縱横之兩為十以置於囗圈之内，則為天包地外、地在天内之象。細玩其故，則地者天為之一物耳，地不能敵天之大，則又陰柔不能加於陽剛之象也。君子觀於一畫之初陽，而知天下萬理萬事萬物皆出於一，以養其氣，存其心，氣如陽之剛以制柔，心如天之大以囿小。此則吾之謂學，而豈區區之術所能識哉！

贈清隱程居士詩序

名山得名人而重，名祖得名孫而重，名師得名弟子則師道愈重矣。括之松陽九芝山産芝，九本號名山，迴環數十里，奇石林立千百，鳳翥鶴翔，龍騰蛟舞，或如虎士怒戟，或如牛鬼跳擲，如仙官駕羽車，如真人鏘琅佩，譎態怪狀，目眩毛聳，故亦名小雁蕩。曰阪，曰隴，曰小溪，曰石關，曰香爐峰，曰試劍石，崎嶔蔽虧之夤緣，平衍豁達之欻忽，松柏篁竹之茂美，稼穡果蔬之給足，異花非春而亦芳，靈草無名而皆藥，人世蠅蚋所不到，似别是一天地也。而唐初葉有道先生居之，名國重，自稱天隱子，三聘不起，錫以漢郭林宗之號。茅山以三茅重，谷口以子真重，廬阜以修静重，四明以知章重，名山得名人而重，以穹宇廣宙，如此者不一。有道先生之孫曰葉道元，名法善，際遇唐高、中、睿、玄四帝，贈越州都督，見《唐書》方技薛頤傳。李北海銘其先墓并書，歐陽公《金石録》具載有道先生碑，蔡公謨服其筆法。自開元至今，寢隧蕪没六百餘年，遠孫今住持宗陽宫提點寬居名道亨，至元中於其地創建南陽有道觀，宗主老君，列侍庚桑、關尹以下十真，有道先生則專祠觀下，俯飛鳥之背，陟椒而造頂，愈益殊異。依崖架廣庵之院之斗壇，雲房丹室藥鼎，愈益殊異。藏書之樓至逾萬卷，方士其居而有黨庠家塾之遺意。二祖一孫，道心相續。夙衰以趙武重，完到以屈原重，祭公以謀父重，嚴周以君平重，名祖得名孫而重，古史今傳，如此者不一。雖然，曾未若名師得名弟子針芥一時，而可以無負於名山名人名祖名孫也。近世之出家者皆畜養妻子，惟寬居不然。執事左右，師寬居者亦衆矣，能盡古道者莫若清隱居士程乘字德載，少寬居二十歲，年四十七，力田躬耕，朴質顓蒙，均是人也，讀書識字，篤勤精進，乃若天然物外一癯。山中百役，灑掃庭宇，樹藝園林，卒急奔趍，雨驟風饕而不厭，宴間立侍，雪深霆震而莫知，下氣承顔，怡聲順色，不啻若子之事父，寬居謂師弟子禮廢缺久矣，乃於窮鄉僻里身親見之，語紫陽山方回以其故。市喧井阸，工藝賈技，裸授袒習，顛序跋倫，林静谷杳，風完俗淳，世既不古，野有其人，乃永言以贈之：古無師道君兼師，五教禮樂帝曰咨。乃命契夷命后夔，二十五家閭上推。二鄉一公尊統卑，黨庠遂序分厥治。師哉師哉誰敢私，若以臣而君師之。臣無北面異等威，春秋既降周道衰，君師之柄乃下移。倚杏壇兮泗之湄，三千七十朝孔帷，君道師道兼所為。事師如君實始兹，宣尼老君生同時。别演玄教分一支，羽衣星冠如意持。端坐南面頤指麾，學者北面若事尸。又若父前跪者兒，寬居先生據皋比。清隱處士閑少儀，傅師之道信不疑。敬師之禮忠不欺，走奔風雨不告疲。山叱虎豹水斬螭，宴侍朝夜忘渴饑。略微跛倚與傾欹，程門立雪殆庶幾。彼駡厥祖争鉢衣，師弟子禮噫吁嘻。

皇甫巨川父年八十八母年八十四詩序

《洪範》五福一曰壽，古彭祖八百餘歲，老子二百歲，耄與期頤者甚多。《禮》巡守問百年者就見之，九十者其家不從政是也。太公望九十封於齊，武公九十入相于周，孟軻年百餘歲。漢興，張蒼年百餘歲，四皓皆八十有餘，伏生、申公皆九十餘，趙充國八九十猶為將。文帝詔八十以上賜米肉酒，九十以上又賜帛絮。武帝八十復二筭，九十復甲卒，又詔民年九十以上為復子若孫，遂其供養。當是時，壽者何其衆也。後世乃有七十者希之歎，而杜子美至形之詩，然則八十者不尤希乎？九十者不又希乎？夫夫婦婦將逾百歲，豈不益寂寥罕見乎？大德二年戊戌夏四月，汴梁黄侯汝楫字巨川，詣紫陽山人方回，言世家鄭州，本姓皇甫，宦簿書曰黄氏，隨江浙等處行省，為元寶廣濟庫提舉官，迎養二親十有餘年。父寧齋居士椿，辛未生，今年八十有八。母張氏夫人，女直人，乙亥生，今年八十有四。寧齋慈祥敦實，鉅人長者，修幹美髯，年至此無一莖雪。提舉貌肖之。夫人相夫教子，閫範嚴整。提舉營杭城二宅，一故韓府，一故楊府，塏爽深靚，温凊適宜。三年前官滿，寧齋謂提舉曰：「汝華此二宅，將不知老人士思而桑梓之不恤歟？」提舉曰：「謹不敢。」即售二宅，迎侍還汴梁，久之不復求仕。今夫上壽之道有三：一曰稟氣，土厚水深，時寒時燠者壽。二曰積善，祖父若己，陰德及物者壽。三曰養性，無私喜過怒，而精神完者壽。此三者長生之說也。寧齋與夫人享此上壽，提舉年五十有三，悦親有道，愚無以進其説矣。提舉有子真童，讀書學詩，鼓琴作字，日益新，愚為之名曰老彭，字述祖。孔子曰：「述而不作，竊比於我老彭。」蓋將期其祖以此壽而善述也。士大夫為詩頌者無數，此為序。又歌以侑之曰：屈二指兮郎罷九帙（原注：一作袠），雖則九袠兮髯猶如漆。梁之郊兮黍稷櫛櫛，父曰兒歸兮吾督汝銍。加六筭兮聖善九旬，雖則九旬兮髮猶未銀。汴之水兮魴鯉鱗鱗，母曰兒歸兮吾甘汝珍。夫婦偕老兮古無此比，父母俱存兮今誰其擬。禄養于南兮云胡不喜，汴梁言還兮晝錦欒只。二老有子兮又有孫，壽且康兮施及後昆。逮老及彭兮永貞厥根，澤詩薰書兮益大寧齋翁之門。

送張仲文教諭還宣城序 大德八年[一]

《書》曰「作善，降之百祥」，此以其人之身言之也。《易》曰「積善之家必有餘慶」，此以其人之子言之也。作也者為也，有一為善之人，則百祥即自天而降也。積也者非一朝一夕也，自始祖至于今，積之非一世也。作善之近效速驗且如此，況於積善之久遠悠長者乎！予先叔父八府君諱琢字元圭，郡直學，回之師也。家於歙東里許，曰上路，孟鄰有耆儒焉，萬口一辭稱曰張先生，諱雄飛，字宏甫，家與八府君一前一後，俱面南而有山林泉石之勝。衣冠燈火，自唐僖宗廣明庚子，傳一十一世。府君以回為可教，聚先君經幹遊學獨教之。張先生聚徒三四十人，竹籬為門，門之内皆花竹，花竹之後為講舍，處士服華陽巾，未嘗見其出門，循規蹈矩，里中長者第一人也。年八十三卒，門人私謚曰明善先生，有子三人。回除國子正，論歸之年，咸淳三年丁卯，先生次子名鑛，字以洪，與回同生寶慶三年丁亥，是年以《禮記》擢鄉學，今與回偕年七十八。先生長子之子曰炳，字仲文，純實莊雅，好學尚友，為宣城教諭，近與回胥會于錢塘，於其還也，述作善積善之美為詩，以送之：公之賢令祖，隱德冠吾里，尊嚴鄉先生，豈樂古君子。師授六十年，眼不到朝市。何必陳元龍，豪託湖海士。紙田以筆耕，有秋過耘耔。書堂蔭高林，籬門花竹美。我嘗遥望之，今忽四五紀。長男稱善人，有後真是似。次男領鄉書，雌甲愧初揆。人生有中道，坦蕩平地履。貴母一品穹，富勿萬金侈。微官沾薄禄，蹣跚政可喜。宣城昔二謝，名公疊嶂峙。吟筆與之三，高才乃餘事。都官聖俞集，誰家藏未燬。木瓜吾不須，但愛此詩耳。

［一］大德八年：據文中所言「年七十八」及作者生年考訂。

送桐江吴教授南牕序

孔子謂夏殷周禮損益可知，而又謂其或繼周者百世可知，何謂也？典章制度，有可因者，有可革者，聖人從而因之革之，其萬古不可革者，雖聖人不能革也。天萬古無二理也，人萬古無二心也。封建可革而郡縣，然有君則有臣，以上治下、以下事上之意不可革也。井田可革而阡陌，然有土則有民，以上取下，以下奉上之意，不可革也。忠質文異尚、子丑寅異建可革也，三綱五常不可革也。今夫先生長育人才之法，設為學校，而後世乃有科舉之法，漢唐宋號得人，而今也天厭科舉之弊，一旦革之，然科舉可革也，學校不可革也。學校不可革，則取人才於學校，而不取於科舉。師之所以訓其諸生，諸生之所以尊其師者，果何事邪？豈非萬萬古之人心，天理所係邪？予里中吴君夢炎，自括蒼郡遷教授新定郡，予於艱難之際治此郡七年，又僑居五年，然後去。知其民淳俗古、士習敦厚，蓋其江水至清，淺深見底，與吾新安郡一也。君是行，予無以寓愛助，升座講經而諸生聽焉，諸生績文而師考焉，文具也，可因；教授與學正、録直瓜分歲廩，公堂諸生日不飯，大蠹也，可革。若夫萬萬世之人心天理，不可革也。孔孟而後有濂洛横渠之學，不幸中為熙豐新學之所掩，周程而後有朱文公、張宣公、吕成公之學，幸而不為江西浙左之所勝。君其明以此意示學者，而以身率之，仰觀俯化，則夫由學校為教諭、長録、學正、教授以出為當世人才而大用者，在乎知道而已，知道在乎知所學而已。諸餞行者咸為詩，而予以斯言冠其首。（以上《桐江續集》卷三三）

送順昌張童子序

《易·繫》曰「陰陽不測之謂神」，童子而謂之神，豈陰陽不測之謂乎？又曰「利用出入，民咸用之之謂神」，童子之謂神，豈利用出入之謂乎？孟子曰「聖而不可知之謂神」，童子之謂神，豈聖而不可知之謂乎？曰非是之謂也。一字而數義，一名而數意，深淺高下差殊不同。兩漢稱濟南終童、江夏黄童，至《唐書》劉晏始稱神童，而《宋史》於晏殊亦以神童稱之，《通鑑外紀》稱神農氏神而化之，童子之神非炎帝之神也。惟《黄帝本紀》稱生而神靈，弱而能言。《索隱》註謂子未七旬曰弱，未合能言之時，而黄帝能言，所以為神異矣。然則宜借《索隱》註「神異」二字，以目童子之神，可乎？劉晏、晏殊以八歲能文，號為神童，亦異童之謂耳。今南劍順昌張昇，年十餘歲，背誦九經、賦五言絶句，亦豈可不謂之異童乎？讀陳無已集《送邢居實序》引《論語》闕黨童子、《昌黎集》張童子二事，則知突而弁兮學不止於童而已矣。古人之學，體必有用，故曰體用一原，顯微無間。近世不然，本末首尾，乖離舛決，向上之學，理不貫事，事不根理，裂而為二。最下之學，詩不能文，文不工詩，裂而為二。記問有餘，踐履不足，裂而為二。甚者昧蒙養之大本，逞蟲幹之小才，修身治人，裂而為二。童子其亦知之否歟？是豈可不以前輩大老為師而講之歟？耳聰目明知之易，神疲精竭行之難，知行雙進，求大略小，是歟非歟？予之言多僭也，而有益於童子之終身，忽之歟，抑取之歟？

送仇仁近溧陽州教序

昔之仕也，難於仕而易於達；今之仕也，易於仕而其達也則難。何謂難於仕而易於達？天下三年一試秋闈，數百人取一人。三年一試春官，百人取六人。餘有待補太學生外舍内舍，與春官取中人同到殿殿試，前三名謂之狀元、榜眼、探花，而釋褐兩優上舍恩例視殿試第二三名，凡三年賜緑袍，不過五六百人耳，入仕何其難也。然廟堂有知己，則為臺官，為諫官，為文字官，為左右司檢正官，今日侍從，明日樞參，以至宰相甚易，易而不難，今之仕也。何謂易於仕而難於達？學校之士，自縣教諭為山長學正，一任即可入路府州教授以入流，路府州縣諸司存吏，以年勞為吏都目提控，考滿則外省咨内省以入選，軍功隨軍，此不必論，似乎入仕之甚易。但自縣尹而上，以至總管，則極不易得。内之六部集賢翰林紫樞黄閣，未有敢垂涎之者。吾友山村居士仇君遠仁近，受溧陽州教，年五十八矣，歸附垂三十年始得一州教，則有其難於仕也。仕之難如此，而况敢望夫達之易乎？仁近詩名滿世，自有垂百世而不可朽者。仕之達，外物也，何足控摶而芥蔕？回訂誦所聞以為別贈[一]。（以上《桐江續集》卷三四）

[一]「三十年始得一州教」至「回訂誦所聞以為別贈」，原缺，據清抄本補。

送呼延參議入蜀調兵詩序

予讀《春秋左氏傳》，其兵制粲然可喜，其於攻圍侵伐之事、馳驅擊刺之藝、披甲胄執干戈援桴鼓挾弓矢之際、當時名卿賢大夫之祖父子孫，或將或佐，或御或右，鮮不能之。及讀《史記·孔子世家》，私竊慨嘆孔子聖人也，乃至轍環於齊魯、晉宋、鄭衛、陳蔡之郊，拔木絶糧，遭顔刻之禍，貽長沮、桀溺之譏，終其身不悔。然則古之人立人之朝，仕人之國，未有不知兵者，而歷險阻、犯霜露以周行於天下，雖聖如孔子，有所不憚也。予竊怪後世之士，雍容坐談，取名當代，間岀軍旅戰陣語，咋舌縮頸以為非吾職所當為。幽庭之下，主文墨持議論之臣，或身不出都門而取公卿之位，四方民物利病、風俗媺惡、道理遠近，則皆幽冥而莫之知，豈古之人愚，不如今之人之智歟？斯人也，無事則已，一旦有急，不為牆壁溝壑間物，則喪節求活苟且延喘而已爾。何者？其素所習，務安而不知危也。國家自蜀弊江鷩以來，凡宦游而至荆楚，中都貴介已竊笑之，稍不群，共相排擯，名為粗才，至於蜀，未有舉左足而向者也。雖平時偏裨名將習軍事，尚重自愛不肯往，況儒生文士乎？簡城呼延君號世將家，然官通閨籍，業儒生文士也，於當世事無所不通。景定五年春，上命荆閫發勇將數十輩，將精兵步騎數萬，西入蜀直擣巢穴，呼延君以參議事往調遣之。夫兵聽命於將者也，謂之曰調遣，則兵若將又當皆聽命於呼延君者也，其任重矣。且調遣兵將重任也，入今之蜀難事也，任重事難，呼延君以一儒生文士慨然當之。予所謂今之人，若庸夫下材者，可以愧死矣。予前之夕方有中年作別之嘆，而呼延君方浩歌，無絲毫黯然態，予於是壯之。雖然，奮不顧身者臣事君之誼也，不能為別者，朋友之情也。序其説，為詩以送之。洪潜夫曰：方總管倜儻不羈，賦詩為文，天才傑出。

送安定書院洪山長序

為學者先義理而後事功。義理者，事功之權衡也。明於義理，立事建功，何施不可？先以事功入其心，則隘矣。夷禮夔樂，未聞其未仕而先學為俎豆管弦之事也。仁宗寶元康定間，湖學鼎盛，王介甫作詩美胡安定，三以先生尊稱之，得其邊防、水利、治道、名齋之意。熙寧柄國，安定歿矣，遂行免役、青苗、市易自實、保甲保馬、農田水利之政，殆皆其平日事功之心邪？介甫少嘗見濂溪，耻於下問，濂溪亦不屑教之。介甫為相之年庚戌，濂溪年五十四，横渠年五十一，明道、伊川年三十八九，介甫皆不能識其人，故不能用其人。其所用者，吕惠卿、曾布、蔡京、蔡卞之徒，急於事功而昧於義理故也。學術之弊，遺患至今，是故二陸氏之學，高於事功，考亭不然，永康陳同父之學，專於事功，尤所不然。學者不可不知也。故於安定山長洪君之行，微有以發之。

送張子敬赴湖南宣慰司都事詩序

元貞二年十二月

昔歲在戊午，予生三十二周星矣，年壯氣盛，視萬里路如跬步。春夏自杭蘇常潤游軫翼之野，金焦山下，乘大風泝長江，一日間過儀真朱金沙，至金陵龍灣而上雨花臺，未暮，心大快之。梅潦江漲，采石濡須塢以上，寸寸攀挽甚難，且隆暑抑鬱，秋夜泛溢城，馳小肩輿，入九天采訪使者宫，萬竹皆大如椽，水曲折流其間，凉徹骨髓，心又大快之。興國大冶路，涉泥濘良苦，出蘄昌抵武昌，吟崔顥「晴川樹芳草洲」之句，心又大快之。又久之始登岳陽樓，東下君山，僧迎飯，古木隱映，猿猱騰躍，心亦以為大快，非也。蓋行旅以迍滯為愁悶不愜意，而山川林壑之奇、邑屋人物之盛、風濤雲物變化之不同、故國遺墟成敗興亡之所以異，有感於外，有發於中，觴古咏今，亦不能無所快也。時獲從湖北常平使者魏公户部行，尤莫快於洞庭，四大舟發君山西，雪浪際天，惟遥見桅杪出没其間，炊釜水躍出，人卧不可起，猫犬皆吐，頃刻抵鼓樓山，落帆。數客告曰：「帆不可落，今暮，舟不能入武口，則殆矣。」再掛帆，入武口，大雨作，風止，日甫暮，是日不飯不知饑，窘迫艱險，同行詈之，心獨以為大快。既而自常武應舉如長沙，大郡壯邑甲於南邦，嘗至丞相張魏公府，與潭帥府不殊，西廊下面東屋三楹，扁曰「南軒」，宣公先生讀書之所也。今垂四十年如夢，向之所謂大快者，衰老鈍怯，不復萌此心矣。獨憶宣公先生之軒，今兵後尚無恙否？湖南宣慰使司都事張君子敬將之官，煩問訊此軒，幸因便風垂報，以慰高山仰止之思云。元貞二年十二月紫陽山方回序。(以上文淵閣四庫本《新安文獻志》卷一九)

全元文卷二一一

方　回　五

晦庵集鈔序

《文公集》一百卷，《續集》十一卷，日讀一卷，日讀三卷，計三月餘日，亦三十餘日始畢。學者能如是，鮮矣。凡天下之大編帙，立程用工，不為事物所間斷，日復日從事焉，必如期而周遍者，非身閑心静不能也。公《語録》有類，殊便檢閲，然門人弟子所記，不盡得其精微，間亦有舛剌者，未若公集，則皆出公之親筆而無可疑者也。近有《續近思録》，雖稍取公集入類，而一百一十一卷中，精微何可勝筭，未免學一而遺十百[一]。回日讀公集亦既周遍，乃句抄節析為四十類以觀之。天地陰陽、鬼神五行、心性情命、仁義禮智之説，道之體也，其不入於六經四書諸先儒之類者，揭以為首，次道體類第一。道莫大於仁，自孔門以至於公，所以教人者，莫先於求仁，次仁類第二。求道在仁，求仁在學，學莫切於敬，公所以講之者至矣，次講學類第三。凡學之要，先四書，後六經，次《大學》類第四、《論語》

類第五、《孟子》類第六、《中庸》類第七。六經莫奧於《易》，啟蒙本義所以作，次《易》類第八。定《書》删《詩》作《春秋》，皆孔子親筆，公以《書》說付蔡仲默，《詩》有傳，《春秋》雖無著譔，微言亦精，次《書》類第九、《詩》類第十、《春秋》類第十一。禮以《儀禮》為經，《周官》大小戴為傳，公嘗修禮儀訖王朝邦國，次《禮》類第十二。古《樂》既亡，意猶可論，次《樂》類第十三。古今異宜，名物法式不同，不經公弗言，次制度類第十四。一理萬物，聖傳晦湮，卓爾無極，開我後人，次周子類第十五。龍門笙鏞，紹濂沂洙，次程子類第十六。先天經世，西銘正蒙，羽翼後先，次邵子類第十七、張子類第十八。龜山之南，後有延平，上蔡之沈，後有五峰，五峰傳之南軒，延平傳之公，次龜山類第十九、上蔡類第二十、延平類第二十一、五峰類第二十二。岳麓麗澤，左切右磋，次南軒類第二十三、東萊類第二十四。荀楊董王以至韓歐，有醇有疵，一概諸聖，次諸子類第二十五。治亂得失，史亦不可不習，次諸史類第二十六。資有高下，學有淺深，時不乏人，以前代人次為古人物類第二十七，本朝人次為近人物類第二十八。學必見於用，次言治類第二十九。用不用係乎時，次時事類第三十。仕止行藏在我者可必，次出處類第三十一。文雖道之末，言無文行不遠，次論文類第三十二。咏歌情性，雖非一百五篇，公所自為及品藻，皆非苟然，次歌詩類第三十三。安石不知道，判心迹，離內外，為世患，公痛闢之，次荆學類第三十四。馳騁詞章，酖酣桀瞿[二]，不玩柯葉，而味本根，次蘇學類第三十五。專踐履，鄙講讀，禪機而儒言，次陸學類第三十六。王伯義利，混為一區，推管尊遷，去道彌遠，次浙學類第三十七。似是而非，厖說孔多，公嘗著雜學辨，次雜學類第三十八。詖淫邪遁，吾道之賊，其端毫差，水火不相入，次異端類第三十九。閏有餘，筵有奇，大匠無棄材，良醫無遺藥[三]，次雜事類第四十。嗚呼，公之學盡在是矣，然其大要亦可得聞乎？傳曰：「誠者，非自成己而已也，所以成物也。」聖人之道，如是而已。其在天，則於穆不已，而各正性命也。其在聖人，道之行莫如堯，明德而上，睦族而下，一也。道之明莫如孔子，志學從心，安老懷少，一也。其在學者，盡己之心之謂忠，推己之心及人之謂恕，亦一也。近理亂真者，妄意於成己，而不足以成物。商功計利者，又一切以成物為急務，而不本於成己。此佛老管商所以異於吾道者，二而分之也。如荆學者，以一人之身，兼所謂二而分之者，其説以高明處己，以中庸待人，肆誣流禍，湮塞正傳。公奮然起於南渡之後，適又有各執其一偏者，以為斯道之翳。公所以循循善誘如孔子，而又申之以孟子不得已之辨者，其亦有見於聖人之道本末内外有如形影之不相離者耶？程子曰「體用一原，顯微無間」，此之謂也。學得欲觀此四十類而通焉，則亦無易乎是説矣。是必有身閑而心静者，其庶乎知之也哉。

[一]未免學一而遺十百：而，原脱，據清抄本補。　[二]酖酣築瞿：酖，原作「耽」，據清抄本改。　[三]大匠無棄材，良醫無遺藥：原作「大匠材良醫藥無遺棄」，據清抄本改。

南軒集鈔序

孟軻氏没，由秦漢以來，士未有知道之為何物而學之為何事者也。韓愈氏能言道之用，而未得其要，其學由文而入。至本朝諸大儒出，而後道與學之要，大明於天下[一]。衣冠南渡，得其傳而尤親切者，吾晦庵與南軒爾。且道何物也，仁義禮智是也，即天之元亨利貞也。元者善之長，即仁之所以首四德、包萬善者也。人而能全其本心之仁，則道在是矣。故曰：仁者，道之要[二]，學所以學是道也。世之為學者，其説千蹊萬端，大者放漫猖佯[三]，小者破碎纖巧，而其歸卒無所得。先儒獨得其説，以敬為主，而又廣推其義曰：「主一之謂敬，無適之謂一，人能終始乎此敬，而仁在是矣。」故曰：敬者，學之要。南軒平生守此二者，為之準的。所謂言仁録、主一箴者，皆知要之言也。是故能以其身方駕并驅於千古之上[四]，為一世道學之宗主，夫豈偶然也哉。然則道之準的在乎仁，學之準的在乎敬，敬則仁，仁則道，此不可易之要也。而其所以漸磨視效者，猶有人焉。南軒以魏國忠獻公為之父，以胡文定五峰為之師，以晦庵、東萊為之友，而又取諸古人。其修身也，期以顔子為準的，著《希顔録》。其治世也，欲以孔明為準的，著《諸葛忠武侯傳》。上下古今，内外體用，學莫不得其要以守之。其親切可概見者，蓋如此。予節抄《南軒集》，分類以觀，著是説於前，將以曉士大夫之有志於道學者，宜不可不得其要以為之準的也。

［一］大明於天下：大，清抄本作「乃」。［二］道之要：道，原脱，據清抄本補。［三］大者放漫猖佯：猖，原作「倡」，據清抄本改。［四］是故能以其身方駕并驅於千古之上：千古，清抄本為「千載」。

東萊集鈔序

東萊先生吕公，諱祖謙，字伯恭。其先河東人，徙壽春。始相太宗、真宗者，曰蒙正，謚文穆公。其父龜圖，嘗為起居郎，知泗州。龜圖之弟龜祥，嘗為殿中侍御史，知壽州。子蒙亨，大理寺丞，生夷簡，三相仁宗，封申國，謚文靖公，始家開封，先生六世祖也。夷簡五子，二至相輔，公弼樞密使，謚惠穆公；公著為平章，亦封申國，謚正獻公。公著三子，長希哲，封滎陽子。生好問，亦長子，尚書右丞，封東萊郡侯，先生曾祖也。好問五子，長子本中，為中書舍人，擅詩聲，號大東萊先生。第三子綳中，嘗為駕部郎官，先生祖也。先生父大器，從兄弟九人，居長，嘗為倉部郎官，知黄州、池州、吉州。先生從兄弟十六人，而先生居長。紹興七年丁巳，倉部婦翁曾文清幾為廣西漕［一］，從在甥館，以三月十七日生於静江府，以祖駕部致仕恩補官。紹興二十五年乙亥，倉部為福建憲幹，先生年十九，始從待次長汀尉三山林公之奇游，初銓注南岳祠，再銓授嚴州桐陵簿。孝宗隆興元年癸未，禮部奏名第六人，殿試科甲第九人，又中博學宏詞科，改南外宗教。乾道元年乙酉，侍倉部之池州州治，左序讀書堂猶存。

二年丙戌，丁内憂。四年戊子，《左氏博議》成。五年己丑，除大學博士，待次改差嚴州州學教授，南軒張公來為守[二]。六年庚寅，再除大學博士，兼國史實録，南軒亦召為郎，寓居同巷，此二先生相與講學之始末也。七年辛卯，改官召試，除正字。八年壬辰，丁倉部憂。九年癸巳，陸九齡子壽來會於婺。淳熙元年甲午，始編《讀詩記》[三]，陸子静九淵來，除崇道祠，知紹興府[四]，有《入越録》。二年乙未夏，知建寧府之武夷[五]，訪晦庵先生朱公，同編《近思録》，晦庵送先生至信州，鵝湖二陸、劉清之子澄皆來會，有《入閩録》，而鵝湖辨難語，世不傳。三年丙申，如衢州，哭汪公應辰，又往會晦庵於衢，冬除秘書郎，與修《徽宗實録》。四年丁酉，被旨校正《文海》，後名《皇朝文鑑》。五年夏，除小著，兼權禮部郎官，冬除大著，十二月感末疾。是年，晦庵起知南康軍。六年正月，詔與添差參議官，以《文鑑》除直秘閣，始定家於婺，六月奉武夷祠。七年庚子，作《大事記》。秋，再除大著，辭。添差浙東帥參，尋奉明道祠。是年，南軒、陸子壽卒。八年辛丑七月二十九日卒，年四十五。嗚呼，天之生賢如先生者，數百年一二人耳，而壽止此。予讀先生前後別外集，摘抄要語，如晦庵、南軒，蓋謂親筆所著，勝於語録，而先生無語録傳世，晦庵《楚辭注》、南軒後集奏議，亦未暇抄，而先生《大事記》可摘者，亦不在此。惟儒學之盛，莫盛於乾淳，而象山之學曰覺，晦庵以其務在頓悟而規之。陳亮同甫談王伯，崇漢唐，晦庵以浙學為事功，不取也。先生處其間，亦不明闢其非，身與晦庵、南軒，鼎立為三，以淑海内學者。而異趣之徒，自然和諧，無所容其排擊，此宰相善用人之宏度密謨也。而天不假年，悲夫！晦庵老壽，不究其用，乃有偽黨之禍，乃三大儒皆淪謝，侂、遠、清、嵩、全道，相繼柄國，濁亂天下，嫉是者，擯斥之如仇讎，借美於是者，以虚文示褒而實不與，假道於是者，以剽竊嘩世取寵而行不至。微言絶、大義乖，孰有能振斯文而起之者乎！晦庵謚文公，南軒謚宣公，先生謚成公，皆從祀於大成殿，此則百世不可易者也。

［一］倉部婦翁曾文清幾為廣西漕：清抄本為「倉部婦翁曾文錢清幾為廣西漕」。［二］州學教授南軒張公來為守：來，清抄本作「萊」。［三］讀詩記：清抄本作「續詩記」。［四］知紹興府：知，原作「如」，據清抄本改。［五］知建寧府之武夷：知，原作「如」，據清抄本改。

滕元秀詩集序

詩貴活、貴響，不然，則死語、啞語也。始回至郡，讀《釣臺集》，見有曰「月色摇江如汞走」者，噫，此非所謂活語乎，又見有所謂「七里風烟萬里寬」者，蓋亦響而不啞。心異之，細視則郡人龍嶺老樵滕公所作也。方求數年，乃得公學行之詳。公諱岑，字元秀，嚴州建德縣人。以紹興七年丁巳生，至嘉定十七年甲申卒，年八十八。紹興二十九年己卯，以《書經》領鄉薦，屢上南宫，不第。紹熙元年庚戌，特奏名［一］，初筮徽州歙縣尉，終更母憂，再調温州平陽縣丞，秩滿，忤郡將，請祠以歸。自是，監南岳廟，凡五任。娶皇甫氏，兩男先公卒，無孫。三女，一嫁新城縣士人。公之歸自永嘉也，積俸楮八百千，付新城婿買田。無貲者，婿家粜其楮，歲以田八十畝輸租入。會官行新楮，一易二，縮為四百千。既而婿亡，以楮歸公，失田入而楮亦散，愈益貧甚。家今城西湖之阜，頗有花木水竹之勝，與鄰居故臨海縣丞喻公如塤字仲和尤厚善，詩卷日往來。晚跌足不出，而詩效香山、宛邱之體，多次其韻。或謂公前身乃廣智寺僧清首座，故學兼儒佛。其卒也，郡守趙公立夫郊祭祖葬。墓在今溪南鶴山。詩全集三十卷，號《無所可用集》，三衢鄭景龍嘗取一二入《中興詩選》。淳祐中，郡守趙公汝歷假其集不歸。公宗子承孫，字子由，登嘉泰壬戌第，仕至南雄糾幕。回從其孫茂叔得公詩一帙，又從臨海縣丞喻公之子發得公真迹數十紙，合《釣臺集》等所見，編為三卷，計詩三百首，以詔後學。夫詩貴活，其說出吕居仁，貴響，其説出潘邠老。近世為詩者，七言律宗許渾，五言律宗姚合，自謂足以符水心四靈之好，而餖飣粉繪，率皆死語、啞語。試令作七言大篇，如蘇、黄、李、杜，五言短篇，如韋、陶、三謝、嵇、阮、建安七子，則皆縮手不能。又且借是以為游走乞索之具，而詩道喪矣。今公之詩，零落十不一存，其仕於歙平陽詩，不可得見，所可見者，未仕已前詩及暮年詩耳。有誠齋，亦有放翁，有江西，亦有唐人，跳脱窠臼，擺落脂膩，無近世卑陋酸嘶之習。當其時，謡謂浙右滕元秀、江西劉改之。然龍洲道人詩，回未敢以為然，外强中乾，多謁客氣。郡人謂公狀貌奇古，音吐洪偉，回雖生晚，而於詩如見公之面。間與趙君與東賓暘讀之，校正訛舛，行之永久，是不特修此邦之缺遺，而亦為郡者之所當為也。郡守古歙晚學方回謹序。

[一]特奏名：名，清抄本作「召」。

張澤民詩集序

不純乎天理，公論不盡；不拔乎流俗，人品不高。然揭是以自標，則孔融、嵇康不容于曹馬矣。必知此者，始可與語陶淵明之詩也歟？淵明詩，人皆以為平淡，細讀之，極天下之豪放，惟朱文公能知之。《咏荆軻》、《三良》、《桃源》諸篇，其氣可見，而托物寄興於杯酒籬菊之間，其視桓温父子、劉裕君臣，猶瓮中蠛蠓也。實齋先生諱道洽，字澤民，家衢之開化，生於開禧元年乙丑。史彌遠殺濟王時，君年二十一矣。年三十一，端平乙未進士第，西山真先生，其座主也。咸淳戊辰，年六十四，考舉及格，班改在寓所，一夕飲醉，明發弗興，視之，卒。景定甲子，予幹江東庾幕，君僉判池州軍事，長予二十二歲，而下交於予。其於詩，如莊子所謂斲輪、削鐻、解牛、承蜩，志不分而凝於神者。口不臧否人物，而胸中有涇渭。與客酣飲，談笑得詩，令左右筆之，動數紙，圓美精熟，雖極力鍛煉者不逮。無一語不平淡，而豪放之氣自不可掩。舊詩予不得全見之，而得其咏梅詩極多。篇有意，句有韵，試嘗探其根源，則每與予密言，謂開禧、嘉定、寶慶、端平以來無公論。濟邸之冤，諸老大儒能言其末，而不究其本，綱常泯滅，此極當宋氏之亡，實由於此。然張公知其然，而不知其所以然也。以為綱常泯滅，世道淪胥，將在於此。彌遠號為革侂胄之政，清之號為革彌遠之政，而化實不更，痼根療證，愈深愈固。此淳乎天理之公論，惟君一人能言之。君既仕，鄉黨後進，有挾高科由邪逕者，往往位執政從官，君一不挂齒。惟於徑畈徐公霖之死，哭之甚哀，屢為詩以悲之。嘗為廣州理掾，經略帥馬天驥，其里人，以君《越王臺懷古》詩為譏己。歲㓨遍郡幕，獨遺君。朔齋劉公震孫將舉君[一]，天驥又摟以畀他人，此不謂之人品拔於流俗者乎？豫章徐琦子蒼泌，制檄抵秋浦，予唱君和有云：「詞林日凋疏，生意不復新。慎勿大崛奇，崛奇驚世人。玉堂老仙坡，過海走一巡。非天寔罰之，語言累其身。」蓋君之意以見儆，謂不當揭所有以自標於世也。君歿已十四年，予篋中藏君詩三帙，惟與予同官時往來詩最多。摘選如干首，序其意，與學者共之，庶或傳之不朽焉。

[一]朔齋劉公震孫將舉君：清抄本為「將學於君」。

趙賓暘詩集序

詩之存於世者，三百五篇，聖人删定垂世，為六藝之一。使人觀之，而有所感發懲創，初不計其言語之工拙，與夫學問之淺深也。後世論詩，必以言語工拙論，而又必推其人學問淺深為如何。然言論工者，未必學問深；而深於學問者，亦或拙於言語。此詩之所以難言也。舜之命夔曰：「詩言志，歌永言，聲依永，律和聲。」今所謂永言、依永、和聲者，泯不復傳，惟言志尚可論耳。舜之言喜起、皋之言明良[一]，此詩也，即皋舜之志也。由、求、赤、點所言雖異，皆一時無韻之詩也。大序曰「在心為志，發言為詩」，彼塵污俗染者，葷膻滿腸胃，嗜欲浸骨髓，雖竭力文飾乎外，自以為近而相去愈遠。古之人，雖閭巷子女風謡之作，亦出於天真之自然。而今之人反是，惟恐夫詩之不深於學問也，則以道德性命、仁義禮智之説，排比而成詩；惟恐夫詩之不工於言語也，則以風雲月露、草木禽魚之狀，補凑而成詩。以嘩世取寵，以矜己耀能。愈欲深而愈淺，愈欲工而愈拙。此其故何也？青霄之鳶非不高也，而志在腐鼠，雖欲為鳳鳴，得乎？是故，詩也者，不可以勇力取，不可以智巧致。學問淺深、言語工拙，皆非所以論詩。

嚴陵趙君與東賓暘，宗學外内優上舍，寶祐丙辰進士三甲，歷任贛州教[二]、兩浙運幹，會子庫檢察，司農寺排岸班，改奉議，當升朝矣。近俯就鄉校，主經義講席。予初不知君精於詩，一再倡酬，瞠若乎後，積久玩味，謂君詩瘦而不枯，勁而不燥，如趙章泉。間嘗評詩，君以為唐惟有一孟東野，宋惟有一陳無己。予然後知君之志，慕貞曜後山之為人，蓋甘於厄窮静退，而無求者也。君之志縱不得如皋之賡舜，視點之不屑三子，幾焉。君詩秘不示人，予屢有請，始得君二十年詩，曰《魯齋小藁》。觀之，其自序乃謂：「學必本洙泗，文必本六籍、先秦、西漢。」此以教後學入門可也，使後學由此以求君之所謂詩，而不本於志，則亦好龍畫虎而已。予於是存其尤者，序而行之，俾當世詩人，反求乎根柢之所在，而無徒掇拾菁英以事其外焉。　紫陽方回謹序。

[一]皋之言明良：良，清抄本作「亮」。　[二]歷任贛州教：任，清抄本作「仕」。

馮伯田詩集序

天無雲謂之清，水無泥謂之清，風涼謂之清，月皎謂之清，一日之氣夜清，四時之氣秋清，空山大澤、鶴唳龍吟為清，長松茂竹、雪積露凝為清，荒迥之野笛清，寂静之室琴清，而詩人之詩亦有所謂清焉。清矣，又有所謂新焉。新沐者必彈其冠，新浴者必振其衣，此以舊而為新者也。古嘗黍稻麻麥皆貴新[一]，此名舊而實新者也。田磽則易，器敝則改，此舍舊而圖新者也。成湯之盤、庖丁之刃，善用之，則物雖舊而未嘗不新者也。南人於涼之蒲萄，北人於閩之荔枝，咀其枯腊以為美，在是矣。風稍露顆、珠液玉漿，雖語之不信，此知其舊而不知其新者也。然則詩人之詩，清而後能新也[二]，新而後能清也[三]。老杜謂「清新庾開府」，并言之，未嘗別言之也。非清不新，非新不清，同出而異名，此非可以體用言也。予客桐江七年，得詩友兩人。趙君賓暘之瘦勁，有江子我、趙昌甫之風。馮君伯田之清新，雜之王摩詰、劉長卿、張司業、白香山集中，或者有不能辨。如「終日無人到，隔林惟鳥啼。」如「雀舌收先雨，猫頭掘帶泥。」如「因聽獻竹雨，便碎賞花心」。如「一春多是雨，四壁半生苔。」如《呈吴履齋》云「飄風驚日月，落葉滿乾坤」。如《廬山白鶴觀》云「井在丹誰煉，碑殘墨欲枯」。如《雷川感舊》云「多應河畔骨，便是屋中人」。如《重陽》云「無錢難得酒，有菊自開花」。如《桐廬澗水》云「鷗趁湍流下，魚藏石罅間」。如《江陰君山》云「郡乘紀春申，山因號曰君」。此五言近體之清新者也。如《題垂虹三高亭》云「非關前哲真難及，自是今人不肯高」。如《賦虞司户雙鶴》云「道人已是九分清，雙鶴飛來凑十分」。如《賀虞永州遷居》云「萬里遠來尋屋住，四邊先問有梅無」。如《感懷》「古廟熒熒多鬼火，荒村寂寂少人烟」。如「可憐門外新歸燕，不見堂前舊主人」。如「店荒任客來争席，郊迥無人可問程」。如「每向宋清求善藥，閑從詹尹卜新年」。如《除夕雨》云「燈影照殘孤枕夢，雨聲滴碎兩年心」。如《正旦》云「興亡有數從千古[四]，寒暑無情又一年」。如「問天底是資身策，度日應收賣卜錢」。此七言近體之清新也。古五言體如《擬陶》有云：「茅檐入幽徑，風雨聊可棲。喜無車馬喧，而有耒耜隨。」《咏雲》有云：「山腰一抹雲，雲起知何處。急渡小橋尋，天風又吹去。」又云：「石何有於雲，雲乃生於石。拂石訊雲踪，苔深無處覓。」《桐廬暑夜》有云：「中流有行舟，似亦得清致。只恐乘舟人，未識月中意。」他如《三無奈何》及《墳庵雜興》五首，則清新之中又古淡。七言古體如《謝虞司户鍾乳粉》前云：「仙家仙藥不易得，頗為鬼神所愛惜。道人入山因採出，輕如鵝管如蟬翼。」後云：「多君用心窮藥譜，能辨始興最良處。合入梁公藥籠貯，嗟乎嗟乎，世上伏苓多老芋。」他如《置酒觀荷大風雨》，及《秋風歌》、《題綏齋》，則清新之中又豪宕。而其清之至、新之尤者，莫如絶句。「夜静山寒漸透衣，旋煨松火擁爐圍。忽聽竹外籬門響，知是小童買酒歸。」「向晚閑行步夕陽，歸來松逕已昏黄。隔林風度鐘聲細，認得庵中炷夜香。」「莫道經霜不見花，小春風景屬山家。滿山紅葉斜陽映，却似桃源一片霞。」「巖上層層叠翠苔[五]，小池巧鑿近巖隈。就巖引得清泉滿，便有前山月入來。」如此者可三四十絶。而《鸕鷀源樵歌》云：「綺羅巷陌總成塵，那識擔柴老買臣。自笑賣柴元似舊，買柴却換舊時人。」視劉禹錫《麥州歌》，尤哀深也。或謂老杜之寄太白也，以清新對俊逸，而予於馮君之詩，獨以清新許之，無乃於俊逸不足乎？曰：不然。才力之使然者，為俊逸；意味之自然者，為清新。可無彼，不可無此，故不同也。或又問清新之所自來，得之學乎？得之思乎？世未嘗無苦學精思之士，而或不能為詩，或能為之而不能清新。君其問諸秀石，秀石不言，君其問諸老杜、太白。馮君名坦，普州安岳人。普石秀天下，故以扁其座右。伯田其字也，一字然明。掌兩魁浙漕。咸淳辛未推恩，任渝之江津夾槽務，西總龍灣酒庫，杭之觀察推官，未赴。今年六十有二。父漁溪先生以上五世，內左丞樞密無記，先生《獬史》有傳，祠部鴻石先生山《春秋通解》、《文集》行於世，予於君弟《抱瓮詩跋》已詳，兹不再書。紫陽虛谷方回謹序。

[一]古嘗黍稻麻麥皆貴新：嘗，清抄本作「者」。　[二]清而後能新也：也，原作「即」，據清抄本改。
[三]新而後能清也：也，原作「耶」，據清抄本改。　[四]如《正旦》云：如，原脱，據清抄本補。　[五]巖上層層疊翠苔：原為「小池巖上層層疊翠苔」，衍「小池」二字，據清抄本删。

名僧詩話序

古聖人作，民有康衢之謠，君有歌，臣有賡，皆所以言其志，而天機之不能自已者也。上之朝廷公卿[一]，下之閭巷子女[二]，皆有詩。至周有三千餘篇，孔子删三百篇垂於後世，蓋取其喜、怒、哀、樂、愛、惡、欲之七情，發為風、賦、雅、頌、比、興之六體，曰「思無邪」，曰「止乎禮義」、「以達政教」、「以移風俗」，此詩之大綱然也。彼西域之人世守其旁行之書，以習乎釋迦氏之説，意者中國伏羲之畫、倉頡之字，雖帝王盛時，未嘗化行於葱嶺流沙之外，故其口之所傳、筆之所授，惟死生為一大事，而於吾道危微精一之旨無聞焉。然以華言譯其所謂《伽陁波蔗祇夜》，則與吾中國四言、五言、六言、七言詩有暗合者，豈亦先得我心之所同然者乎？且中國之人，其知有佛也，自後漢永平始。其許為僧也，自曹魏皇初始，其變於禪也，自蕭梁普通始。佛也、僧也、禪也，此三字，中國本無之。佛仔之佛（音弼），借是字為符勿之切，而訓為覺。禪讓之禪（音繕），借是字為時連之切，而訓為定。又僧字別無它議，其訓為乞，其切為思登，而專為浮屠道人之稱。是皆中國之字以行西域之音云爾。然則凡所謂七佛偈、西天二十八祖偈，自初傳四十二章經已有偈，以至唐武后譯《華嚴經》至三萬餘偈，皆中國之譯者為之，而文人才士或增為之也。三代無佛，兩漢無佛，魏晉以來無禪，禪學盛於梁[三]，而至於唐，南北宗分，北宗以樹以鏡譬心，而曰「時時壓拂拭，不使惹塵埃」。南宗謂「本來無一物，自不惹塵埃」，高矣。後之善為詩者，皆祖此意，謂之翻案法。李、杜、韓、柳、歐、王、蘇、黄，排佛好佛不同，而所與交游多名僧，尤多詩僧，則同許元度於支遁，陶淵明於惠遠，韋蘇州於皎然，劉禹錫於靈澈，石曼卿於山東演，梅聖俞於達觀潁，張無盡於甘露滅，張無垢於妙善果，極一時斤堊磁鐵之契。流風至今，而朱文公道學宗師，亦於杏雨柳風之南寓賞心焉。此予《名僧詩話》之所以作也。丁丑、戊寅間，留揚州石塔寺，稍述一二。逮還桐江，過錢塘，搜訪古今僧集，訂以貝經燈傳，至明年己卯，緝成六十卷。或者謂此徒瀫精神，何斛風教？而予之意則有在也。周之末季，民養於井田，教於學校，賓興以三物，而用之於出長入治之間，上無遺才，下無失職，而又命太師詩觀風，以察其疾痛怨思之所指，未有佚其身於比閭族黨之外者也。春秋作，而晨門、荷蓧、長沮、桀溺之徒，皆以賢者憤世嫉邪，甘為禽麋木石之侶，則世道降矣。愈降愈下，乃有緇髡潛逃之囿，元嘉治而湯休還俗，臺城破而宗殆棄官，出處之意可知也。貞觀之際盛矣[四]，而寒山、拾得猶隱於天台，予固疑其為避世之君子。徐敬業、駱賓王以亡命隱，元微之所云智度、智堅師以敗將隱[五]，而小説所傳猶有甚於此者。六祖之派分為五宗，摩呵斥罵、奇險譎怪，其語實出入於詩人之詩。至近世，南北叢林一言半偈，俱不乏人。由是推之，則河岳星辰之精、魁異傑特之士，韜埋蟄没於敗衲漏椽之下者，何可勝數。後世人才之所以衰少，益不如古者，其以此故非歟？此予所以有感，著為《名僧詩話》，而天下名士大夫詩話，亦參錯其間。必讀者細考焉，則知其意將在於扶植天命民彝，而非耽博溺異、往而不返者之謂也。

[一]上之朝廷公卿：之，清抄本作「至」。　[二]下之閭巷子女：之，清抄本作「至」。　[三]禪學盛於梁而至於唐：原為「禪學盛而至於唐」，原脱「於梁」二字，據清抄本補。　[四]貞觀之際盛矣：貞，原作「正」，據清抄本改。　[五]元微之所云智度智堅師以敗將隱：微，原作「隱」，據清抄本改。

全元文卷二一二

方回

六

寓齋十詠序

「烏龍崔嵬如岱，馬日秀狀如嵩」，范文正公語也。予書塾介乎二山之間，翠峰白雲，豈異疇曩，郡從事寓齋能琴[一]，迭唱交和，林僧野客，惠然投詩，今亦不乏其人，愧予無以領袖之云爾，是為《岱嵩書塾一詠》。《歸去來詞》曰「舟遥遥以輕颺」，淵明自彭澤歸柴桑，蓋以舟也。舟曰輕者何？無所有也。予家歙官睦，上下一水間，駕無所有之輕舟，歸而老於紫陽山之下，其志也。亭形如舟，故以名，是為《歸舟二詠》。沈隱侯曰「新安山水至清，淺深見底」，予謂為人亦當如此水矣。今七里瀨，即新安江口也。作亭臨水，以寫我心，是為《清見底三詠》。初營數椽[二]，得舊榜曰西齋，書法頗古雅，予因之不革。予先世邱墓，在郡西餘十舍許，於兹坐而向西，不忘本也。是為《西齋四詠》。太史公論九流，謂儒學博而寡要，此以言漢儒可也。夫多學而識之，豈不在乎書？一以貫之，則非書矣。蓋善學者，必自得於書之外。予斂之藏書，泯於盜，寓屋書不多，自詭儒家，能讀是，亦儒也。讀是而無所得，雖多，亦奚為？此以訓吾家兒，非敢為天下儒者道也，是為《儒家五詠》。「乃瞻衡宇，載欣載奔。僮僕歡迎，稚子侯門。三逕就荒，松菊猶存。攜幼入室，有酒盈樽。」味五柳先生此數言，亦天下之至樂也。試嘗思夫瞻之之初，而撫乎存之之物，以燕吾室，為伏波，為少游，孰優劣哉？是為《瞻存室六詠》。《歸去來詞》曰「眄庭柯以怡顏」，斯蓋無聲無臭之中，而得天下之至味，淵明之趣遠矣。予空庭有老樹三四，時一矚目，亦樂以忘憂焉，是為《怡顏庭七詠》。《易》井上六：「井收勿幕，有孚元吉。」夫有井而幕之，雖寒冽何益哉？功足以濟生人，道足以淑後學，聖賢其忍幕吾井以杜汲者。予讀書之地，檐外有古井焉，勿幕予心也，時義未至乎井，道之成心存焉可也，是為《勿幕井八詠》。淵明高卧北窗之下，自謂羲皇上人。或謂今之人誰不能具北窗，又誰不能偃然高卧？升其堂，襲其裳，而謂之孔子，可乎？然以予觀之，心逸神怡，一枕熟睡，亦政未易得也。顧予豈敢仰望淵明，卧念平生，得無驚周公者足矣，是為《高卧窗九詠》。韓昌黎知虢州，刺史劉給事州宅三堂二十一詠，竹洞其一也。昌黎流行京師[三]，文士爭和之，而「洞門無鎖鑰，俗客不曾來」，惟昌黎之句傳焉。予於竹下以為書房[四]，甃房之門為洞，將求能言之士和予詩，以發予之心，庶或遇今之昌黎云[五]，是為《竹洞十詠》。

[一]從事寓齋能琴：寓齋，原作「富文」，據清抄本改。

[二]初營數椽：椽，原作「掾」，據清抄本改。

[三]昌黎流行京師：原為「昌黎謂流行京師」，據清抄本删「謂」字。

[四]以為書房：以，原缺，據清抄本補。

〔五〕庶或遇今之昌黎云：遇，原作「寓」，據清抄本改。

孫君山經序

一定不可易之謂經。《堯典》、《禹謨》，亦天文地理之經也，而今事與古經頗異。堯即位二十一年甲子，冬至日在虚一度昏昴中，歷三代秦漢唐宋，日愈益退。今歲在辛巳，去堯甲子三千六百一十八年，冬至日在箕九度昏營室中。《大衍曆》、《景祐新書》謂八十三年日差一度，近世尤木石煟序《會天曆》乃謂今不及六十年輒差一度。此猶未論，而有一大可疑者，冬至北斗之杓法當指子，日自躔虚以至躔箕，星自昴中以至室中，凡涉六宿。天之形可移也，斗杓之指子者，可移乎？不可移乎？此天文古今之異而難測者也。三江九江，諸儒異説，碣石九河，久淪於海。六朝時，大江嚙石頭城，今清凉寺下，桑麻數十里，崖有篙孔，殊不見江。唐瓜洲在江水中，今平接揚州城四十餘里。建、紹後，黄河決入鉅野，溢於泗以入於淮者，謂之南清河，由汶合濟至滄州以入海者，謂之北清河，是時淮僅受河之半。金之亡也，河自開封北衛州決，而入渦河以入淮，一淮水獨受大黄河以輸之海。濟水之絶於王莽時者，今其源出河北温縣，猶徑枯黄河以入汶，而后趨海，濟貫濁河，遂成虚論。此地理古今之異，而難拘者也。虞夏之書，聖人所定之經也，然以今準古，猶不同若是焉。嚴陵孫君逢吉，究心天文地理之學，所謂紫微黄道二十八宿圖説及燕肅蓮漏遺制，予已略聞一二，又出示新著《山經》，析類建評，去粗存粹，而肖像其經法之已驗者為左。夫以四卦八千十二支，分向背，觀山形，相風氣，察地脈，原水勢，定穴掩埋，謂死者獲安而生者蒙福，予固未有以信其理之必然。蓋古不墓祭，立廟作主而鬼有所歸，以魂爽有知，而體魄無知故也。後世特嚴上冢之禮，則為人子孫者之心，不敢以祖父體魄無知，亦孝之極厚之至也。且龜，枯殼也，蓍，敗草也，灼之，揲之，用決吉凶，謂體魄為泯無所知可乎？子求其父之骨於野，果而父也，子之血滲焉，謂體魄為無知不可也。萬物生於土，歸於土，氣無有不散之理。體魄也者，非金非石，久則為土，謂之常有知亦不可也。避害棄危，人之常情，葬祖父而不擇地，子孫之所不忍。予獨患夫世之危竄不盡其當盡之天，而覬諸古所難測之天，不修其當修之地，而求諸古所難拘之地，心術不臧，學術不正，而責效於陰陽家者之所謂術，則將因循遷延，親有不得其葬者。甚則改卜遷徙[一]，又有親已葬而不得其安者。此非孫君著經之本意也[二]。予故謂有德也，日蝕星變，旱乾水溢，不為災；無德也，函關劍閣，彭蠡洞庭，不為險。《易》為君子謀，不為小人謀。孫君當以此心用《山經》。沐浴佩玉，則兆，不沐浴佩玉，石祁子兆。為人子孫者，當以此心用孫君之《山經》，不然，則雖三辰九土，載於堯禹之經者，亦有時而變也，而況區區一抔之所恃者乎？

[一]甚則改卜遷徙：卜，原作「發」，據清抄本改。

[二]此非孫君著經之本意也：此，原脱，據清抄本補。

孫次皐詩集序

元貞元年正月初九日

兄弟能詩，書五子之歌，所關甚多，非為其詩足以名世也。丕、植煮豆燃萁，則爭名矣。後世工詩而傳世者，二謝、五竇、蘇才翁、子美，坡、潁、王介甫、平甫、黄魯直、知命、秦少游、章儀、俞秀老、清老、臨江三孔、豫章四洪、昭德諸晁、餘杭二趙，皆是也。然其間達而顯者，名之傳本不因詩，惟窮無可傳者，其名賴詩而後傳。蓋達則兼有詩名者也，窮則專有詩名者也。惟兄弟俱窮，詩名俱窮，專有而非兼有，斯為優乎？余同郡休邑二孫君是已[一]。長孫君嵩元京，詩清勁苦淡，如其為人。小孫君巖次皐，予未之識，忽袖詩訪予武林，亦清勁苦淡，如其兄，惟貌則稍腴，與其兄之癯不同。次皐晚節，豈終于窮者哉？雖然，士窮何害。前所舉兄弟俱窮，專有詩名，能吟好山猛虎奇句者，視半山丞相不足多也。元京生嘉熙戊戌，今卒四年。次皐生淳祐乙巳，今年五十一歲。余生寶慶丁亥，今年六十九歲。元貞改元乙未正月初九日里生方回謹序。

[一]余同郡休邑二孫君是已：休邑，清抄本作「邑休」。

吴尚賢漁磯脞語序 元貞元年

同里吴尚賢，予未之識，寄《漁磯脞語》一編來武林，讀至《夏暑》。詩云：「峕岧有西山，松風六月寒。明當整襟屨，舒笑青雲端。招手塵外人，瀹泉采芳蓀。」篇篇句如此。襟懷如此，足以為高尚之士矣。又律詩云：「老去漸同嫫母醜，歸來免效賈胡留。」思索至此，對偶至此，亦非一朝一夕之力也。予年七十，作詩五十年，嘗欲挽銀河净滌平生烟火腸，然後借天孫之錦機，經古緯今，組奇文，織異章，以續陶、謝、李、杜、黄、陳之萬一，病未能也。尚賢其以余此語此意，敲太空而問之[一]，當自得之。元貞元年乙未日在箕八度回書。

[一]敲太空而問之：敲，清抄本作「就」。

吴尚賢漁磯續語序 元貞二年九月二十一日

里中吴君倧尚賢，嘗以《漁磯韻語》示予，為下轉一語，今忘之矣。予友曹君清甫，戊辰進士第三甲第五人，一為簿及山長[二]，即不仕，資粹而學奥，不輕許可，今年六十三。以予年七十，寓武林，移書問安否，又以尚賢《漁磯續語》見教[二]。予讀之凡四十二首，效唐人咏史詩最奇。於《叔孫通》云「兩生更肯從綿蕞，高祖規模又不同」，於《梅福》云「吴市終身避言耳，去家豈是去為仙」，議論精確，「翻貝葉、養龍涎」一聯尤新。予未識尚賢，亦未知其年，以清父之賢而譽尚賢如此，是可謂賢也。况其詩又如此，其為今相如無疑。特予非楊得意耳。詩所以言情性，情勝物[三]，淡勝麗。予弱冠以來，五十年學不逮此。何時見清父、尚賢，乃以一樽共談斯事[四]。旹元貞二年九月二十一日里人方回萬里序。「楊柳依依，雨雪霏霏」，謝安石謂不如「訏謨定命，遠猶辰告」。予謂「關關雎鳩，在河之洲」，無下文可乎？「上天之載，無聲無臭」，不讀全篇可乎？方某再拜尚賢聘君、清父學翰[五]。

[一]一為簿及山長：及，清抄本作「友」。　[二]又以尚賢《漁磯續語》見教：尚，原作「高」，據本篇上下文改。

[三]情勝物：情，原作「理」，據清抄本改。　[四]乃以一樽共談斯事：乃以，原脱，據清抄本補。

[五]「楊柳依依，雨雪霏霏」至「尚賢聘君清父學翰」：原無，據清抄本補。

程斗山吟稿序　至元二十一年

老杜□□元年庚子[一]，年四十八，至成都。大歷元年丙午，年五十四，至夔州。山谷論老杜詩，必斷自夔州以後。試取其庚子至乙巳六年之詩觀之，秦隴劍門行旅跋涉，浣花草堂居處嘯咏，所以然之故，如綉如畫。又取其丙午至辛亥六年詩觀之，則綉與畫之迹俱泯。赤甲白鹽之間，以至巴峽、洞庭、湘潭，莫不頓挫悲壯，剥浮落華。今之詩人，未嘗深考及此。善為詩者，由至工而入於不工。工則粗，不工則細；工則生，不工則熟。讀程君以南南仲《斗山吟稿》，筆力勁健，無近人綺靡風。嘗有「欲居東西瀼」之句，殆精於老杜詩者，然年甫五十，則是已能為成都之子美矣。由是而為夔州之子美，尚何難哉。至元甲申日在斗十一度同郡回序。

[一]老杜□□元年庚子：老，原脱，據清抄本補。又□□，據杜甫年表記載當為「上元」，録此備考。

楊初菴詩卷序

□□□□□□□□□□□□□□□□作詩不具此三長，可乎？學不至，而望夫識□□□不可也。識至矣，才雖有未至，亦至□□□□□先明□□有所見之謂識，善於有為之謂才[一]。識□□性，才根於氣。學也者，所以盡性養氣也。然則學之要，可得而言矣[二]。顏子「四勿」、曾子「三省」，學也；其喟、其唯，識也；其為邦、其托孤[三]，才也[四]。孟軻《中庸》篇[五]，識之極，才之餘也。時中知言，則其學之所入也[六]。吾州朱文公，集關洛大成，學也；排江浙異趣，識也；其著書為文、為史、為詩，無一不可，才也。蓋唐三百年以詞章取士，而知道者無聞焉。老杜自比稷契，昌黎力闢佛老，近乎知道云耳。同邑楊君復以詩示余，卷首有云：「瀟灑幽淒境，人間萬事空。雙童耕隴上，一鶴下雲中。果熟留花種，苗生識藥叢。自然為至道，何必問崆峒。」殊有前輩思致，他佳者亦不一□□□。猶欲其加之以學，深其識，而廣其才，輒為删其稍循時俗者，而歸之顏、曾、思、孟，晞之則是晞之，如何學於朱子[七]。至元戊子五月既望書。

[一]善於有為之謂才：才，原闕，據清抄本補。　[二]可得而言矣：而言矣，原闕，據清抄本補。　[三]其托孤：托，原闕，據清抄本補。　[四]才也：原闕，據清抄本補。　[五]孟軻《中庸》篇：孟，原闕，據清抄本補。　[六]則其學之所入也：入，原闕，據清抄本補。　[七]如何學於朱子：於，原作「子」，據清抄本改。

汪斗山識悔吟稿序

古詩以漢魏晉為宗，而祖三百五篇、《離騷》。律詩以唐人為宗，而祖老杜。沿其流止乾淳，溯其源止洙泗。律為骨，意為脈，字為眼，此詩家大概也。然尚有小節當審訂焉。近人作詩，未論意句工拙，所命詩題已多可議。書官稱宜從雅，謂如明府、贊府之類。書道號宜從頌，謂如東坡、山谷之類。卑者書名，通行無弊，則不如悉書□□□，此亦豈可不謹哉。同里汪君得一，示余近作，於絶句良□□□言律良快，而五言及古詩鮮，且命題有略可刊者，故誦余所聞以貢，君其加意焉[一]。余家老尚昔方蛟峰也所謂流俗争名者[二]，風斯下矣。

[一]故誦余所聞以責昔其加意焉：責、其、焉，原闕，據清抄本補。　[二]余家老尚昔所謂流俗争名者：老，清抄本作「有」。

曉山烏衣圻南集序

至元二十年九月一日

其生也，有位於時，而無以及乎人，庸人甘之，君子耻焉。其死也，無足以利其□□，而有可以傳於後世，惟君子能之，庸人不能也。吾友陸公諱夢發，字太初，登寶祐進士第，當開慶、景定、咸淳、德祐□□六任選僚，改官一作縣，兩遷京局，以死厘事，僅得一□府□□，則前丁後賈濁亂天下。戚宦勢御之所盤據，工技胥隸之所依憑，無功之庸將，不速之狎客，狙駔婢妾之執政，侍從臺諫權熏勢膠，相視自都，而材碩俊茂如太初曾不得一齒朝紳之後，此於太初無足憾者。太初之殁，今九年矣。田廬苟完，孀孤孑立。予訪其家，得《曉山》、《烏衣圻南》二集，及《曉山零稿》，詩凡七百八首。每讀之，未嘗不泫然泣下，不知其丹鉛幾過[一]，塗乙幾紙，而後有以納於中也；不知其嘔心幾晨，搔首幾夕[二]，而後有以吐於外也；不知其口幾吟哦，手幾銓擇，初去十七後去十八，而後有以存之至今也。錢塘湖山、金陵臺闕、故里荒墟、先疇野坂、古寺脩竹、敗驛寒燈，昔也。予於太初幾唱幾酬，意者當相與老於紫陽烏聊之下，而太初遽忍捨我去乎！太初詩刻苦深切，氣凌物表，而湅磵枯槎，霽宇孤籟，務為揫斂。予浩汗放肆，終身愧之。嗚呼！太初不可得而見矣。無位於時不足悲，有傳於後世猶足幸。自乾淳以來，誠齋、放翁、石湖、遂初、千巖五君子，足以躡江西，追盛唐。過是，永嘉四靈、上饒二泉、嬾菴南塘二趙為有聲。又過是，則惟有劉後村亦號本色，而不及前數公。海內詩人如太初與予者不為少[三]，而無前輩大老如蘇歐者，立斯文之幟以表倡之，則世道之任，非吾徒之羞也。曉山者，太初書屋之扁，烏衣圻南者，兩都仕邸之所寓，故以名集。佳章奇句，摘一二書於左方，蓋將以勸後學，而亦非故人之私誼云。至元癸未九月一日。

[一]不知其丹鉛幾過：過，原闕，據清抄本補。　[二]搔首幾夕：夕，原闕，據清抄本補。　[三]海內詩人如太初與予者不為少：者，原闕，據清抄本補。

婺源黃山中吟卷序

唐詩承陳隋流□之餘，沈、宋始概括為律體，而古體自是幾廢。然陳子昂、元次山、韋應物及李、杜、韓、柳諸公，追劉、陶、曹、謝與之伍，亦未嘗盡廢也。今之詩人，專尚晚唐，甚者至不復能為古體。婺源黃仲宣有志唐詩，予三閱其《山中小稿》。「此夕分秋半，何人共夜闌」，可伯仲大晏。「寒盡春風來，滿庭蘚花緑」，亦復佳致。年甫三十，進未艾也。婺源朱文公之鄉，文公詩出于劉彦冲。律體清勁，近陳無己；古體高遠，不減建安。如《長沙定王臺》、《淵明醉石》詩，可見也。仲宣捨文公，將誰師乎？高山仰止，跂其庶而。

滄浪會稽十詠序

學唐人丁卯橋詩，逼真而又過之者，王半山、陸放翁集中多有其作。近世乃專尚此，亦多可觀。武林芝石徐子美，嗜學，早能詩，比為《會稽十咏》，年甫二十五耳。於《蘭亭》云「杯行曲水春如昨，字入昭陵土亦香」，此聯為最，他亦全篇深穩，佳句叠出。「巴蜀雪消春水來」，可專美於前哉。甲午花朝方回序。

稽古圖序

堯、舜、禹若稽古，司馬温公《稽古録》所由作也。華亭下沙瞿氏建炎前家通州，世巨室，今所居南渡遷也，文獻益盛。余幸識琴軒運使雷發、雲巖奉使霆發，二賢昆仲藏書好古，同郡梅埜、張君叔夏客其門。一日，侍燕集，雲巖及梅埜示余所刊《稽古圖續》，書宋事，亡宋始安石王介甫，次檜秦叔玉，紹興相終似道賈秋壑，德祐相兩僻學文奸，一不學姿凶奸，名三奸臣。深得《春秋》之意云。

四遠齋詩序

車船檥輦曰「四載」，觚竹、蒙汜、濮松、祝栗曰「四極」[一]，詎皆行而皆至之哉。陳《洪範》者封朝鮮，著《新語》者説尉佗。驗椑榼於月氏，驅汗血於監澤。書帛寄雁，開籠看蛇，箭竹矢楛，服卉織皮。東泝者不必西溯，北走者不必南馳，而行臺監察御史禹城楊公延宥、彦寬，乃以四遠名其齋。問之，則曰：「治朝不以臣愚不肖。昔者常馳驛將指，東抵遼陽、高麗，西度秦隴、蘭鞏，南入交趾、雲南，北過百井、和林絶域之外。今待罪憲府，竊禄偷安，恐一旦髀肉復生，而桑蓬之志有所不荅于先君子顧後之望也，故嘗嘿想[二]，夫足迹所嘗至之地而修藏之，所以四遠顔焉。」士大夫争從而歌咏之。噫！我知之矣，趙孟視蔭，富貴移而忘夫遠者也；班超思土，血氣衰而憚夫遠者也。御史不忘遠，亦不憚遠者也。雖然，東西南北，道路之通也，遠而四，其至也以足；仁義禮智，道理之道也，近而一，其至也以心。此道在邇而求諸遠乎？

［一］觚竹、蒙汜、濮松、祝栗曰「四極」：松，原作「鈆」，據清抄本改。

［二］故嘗嘿想：想，清抄本作「念」。

僧一山魁松江詩集序

唐僧詩韓吏部門無本第一，如「怪禽啼曠野」，極其味之苦。宋僧詩蘇玉局門參寥第一，如「㸌𥩳㷭機杼」，極其味之淡。苦也，竭力而追之者也，其淵之鑽歟？淡也，適意而迎之者也，其點之撰歟。吴僧魁公詩，合島苦參淡而一之。苦如定，淡如慧。定非勞，慧非逸，至其得也，無不天圓[一]。魁集姑評其五言律[二]，偶聯皆極其味之苦，結句皆極其味之淡。矩斯規斯，精搜髓索，然行年甫三十一，即打包捨天台廬阜之舊[三]。北走齊魯燕趙，南逾襄漢廣閩，西涉巴蜀秦隴，眼界廓而足迹闊，豈無今代韓、蘇，為今日僧詩第一，與之為不朽哉！

[一]無不天圓：圓，清抄本作「然」。 [二]魁集姑評其五言律：姑評，清抄本作「始許」。 [三]即打包捨天台廬阜之舊：即，原作「盍」，據清抄本改。

鮑子壽詩集序

壽孫雲松　大德四年二月廿二日

吾鄉大儒先生，近世天下第一品人，紹濂纂洛[一]，傳孔孟之不傳。其大者未易跂及，其餘事平生為文及四書釋，用不緊要字處，乃是十分至緊要字。胡邦衡早以詩薦于孝廟，似捨大而言細。然其為詩委曲高妙[二]，用陳無己之律而與所友趙昌甫之作相肖[三]，所謂善用實字為虛字者如趙茂實所序者是也。鮑君壽孫子壽與予同生朱文公之鄉，予二十三歲[四]，己亥年五十，其冬以類稿詩五種、雜文數十篇走武林，見過，既書其顛以謝。明年春，吾友曹君涇清父，謂名數頗差今考許[五]。嗟夫，詩非工之為難，而莫難於不工；又非不以痛快為貴，而貴於婉曲藏之。君詩如「掃松懷橘，躬耕童釣，鞭尸抉眼，麈尾皋比，赤烏丹鳳，將雛舐犢，淺斟高卧」；「我無孤雁句，君有倚樓詩。一樽浮太白，千里策飛黃」；「千篇異代垂金薤，一曲當年忤玉環」，皆有料而工矣。如「但喜親庭健，何愁客路長」，上四字乃不工之工也。如「少日從游今老矣，殘冬話別各凄然」，下六字乃不工之工也。此先儒所謂虛字也。如《送柳州教授》[六]「重生子厚為師範，更與宣尼續廟碑」，亦是上四字有力，所謂不緊要處乃十分緊要也。文亦然，疾呼猛喝非不痛快，然未若閑慢悠遠以婉曲為痛快也。君之此帙之文，皆甲午、乙未、丙申分教鄉校應酬之文。君年十八，丁卯領江東漕舉，文聲久矣。既進而為金石之文，與場屋異。大抵君學有淵源，知夫用虛字與不緊要字之微機，斡旋變化五七百千，固亦枯且淡而勁以瘦矣。由是以學于朱子之大者而至之，豈特詩與文哉。鄉先達丞相程公元鳳，奏補君門客，登仕郎。前浙東提刑汪公應元，丞相表弟，君祖母汪氏夫人乃其姊，教君業童子科。君母吴夫人，乃耨齋鄉先生吴公□之女孫，早誨以外家之傳。其文獻所自如此，而加以世德積善，賢父子丙子遇鄉寇垂危而免，自當家傳別書。

大德庚子二月廿二日戊辰同里方回序。

[一]紹濂纂洛：清抄本作「紹纂濂洛」。[二]然其為詩委曲高妙：曲，原作「的」，據清抄本改。[三]用陳無己之律句與所友趙昌甫之作相肖：友，清抄本改作「交」。[四]予二十三歲：予，清抄本作「子」。[五]詡名數頗差今考許：考，清抄本作「者」。[六]如《送柳州教授》：如，原作「如如」，據清抄本刪。授，原作「云」，據清抄本改。

志隱堂詩序　大德元年七月七日

大江之東有黄山，山之峰三十六，其最高曰「天都峰」。天都之下黝縣，黝今曰「黟」，世號為小桃源，謂其可以避世而長往也。有志於隱乎是者嘆曰：「吾昔也仕乎為貧，而今也仕乎愈貧。蓋仕之時少而不仕之時多。有力而仕者，競如拾芥易；無貲而求者，更如登天難。吾一日暴而十日寒，心桑梓而迹萍蓬，二十餘年於兹矣。絳帳乎侯泮，奚暇識揚雄之字；銅章乎男邦，豈常讀子路之書。吾粗勝乎彼，而青綸黄紙，不吾畀也。几案分曹，簿書列掾，辨評得其志，嘯喏遂其權，左右其望，上下其手，虹霓其鼻息，雷雹其毫端，使吾處其地無是也，而不吾與也。而况澄清一道，按臨一州，稍伸綉斧之威，徐播袴襦之咏，幸而得之，未必輸暴讓廉，特吾計考功之歲月，將白首不至此耳。而况堯之四岳，舜之九官，周之三公六卿、秦漢之左右丞相、太尉、大將軍、御史大夫，唐以來之辨章參預，所謂一品、二品云者，補山龍，調鼎鼐，作霖雨，任棟梁，雖天假蟣虱，臣以彭聃之年，曾不待一俯一僂，亦決夢不至于斯矣。吾之所謂小桃源者，衡桂之山，不如其峭也；瀟湘之水，不如其清也。米精于吳，茅大於蜀，茯苓如飴，薯蕷如玉[一]，暖笋冬生，晚菘秋熟；喬林棗栗，高原菽粟；家有劉安之鷄犬，户無寇恂之牛犢。野熊山麋，鮮而割之，敵上林之獵獸；石蛤田蛙，枯而臘之，勝東海之鮑魚。臘醸冽而無灰，溪鱗小而不腥。天都之頂，太華玉井，菡萏之英，出隨湍流，一瓣之大，有如舟也。桃花萬樹，黄鶯百千，蕩槳深入，不知其源。桃實如斗，桃核如升，薜荔萬仞，烟霞千層，時有採藥之毛女[二]，跨鶴之羽人，飄飄乎其顛也。芝术杞菊，延年衛生，隨斸隨生[三]，丹砂黄精。叩參同於道士，悟呵罵於禪師。讓路有禮，負薪能詩，吾其可迷而不知復乎。上官之前，下首而高尻，孰與夫芸子之側，散髮而披襟；塵埃之内，避日而畏影，孰與夫寂寞之濱，飲水而長吟。與其為幸遇赦之贓吏，孰若為不犯法之平民；與其備嘗木索笞箠而為要職貴官，孰若善保身體髮膚而為孝子慈孫。嗚呼！此吾所以自榜為志隱子也。」問其姓名，方回里中人程堯也。乃為之歌曰：

彼黝之源兮孰搴孰援，具汝舟兮擷汝蘭孫。盟汝鶴兮誓汝猿，顧此刀錐兮[四]猎猎孔繁。彼黝之田兮有粒如玉，揉為末兮以餐以粥。可無饑兮何不足，無網罹而遊兮[五]始為鴻鵠。黝之魚兮黝之酒，莫識此味兮萬羊之口。網以登兮有人，與同醉兮相與為壽。我欲從子兮予無後時，身將隱兮焉用文之。

大德改元丁酉七月七日戊辰，雨過新凉，書于武林清湖之客樓。萬里父年七十有一，吾志隱子字希古，他日以志隱名堂，回尚能至黟賦之。

[一]芊蒨如玉：蒨，原作「蘈」，據清抄本改。 [二]時有採桑之毛女：有，原作「乎」，據清抄本改。 [三]隨斷隨生：生，原作「有」，據清抄本改。 [四]顧此刀錐兮：刀，原作「力」，據清抄本改。 [五]無網罹而遊兮：遊，原作「逝」，據清抄本改。

楊商英善惡勸懲録序 大德五年五月

《書》曰：「作善，降之百祥；作不善，降之百殃。」《易》曰：「積善之家，必有餘慶；積不善之家，必有餘殃。」《書》之所謂降，誰寔司其降之之權？《易》之所謂必，誰寔握其必之之數？再考諸《書》，有曰：「惟天無親，克敬惟親；鬼神無常享[一]，享于克誠。」再考諸《易》，有曰：「天道虧盈而益謙，地道變盈而流謙，鬼神害盈而福謙[二]，人道惡盈而好謙。」然后知天地人皆好善、惡不善，而鬼神密運於其間，陰視其不善者而殃及之，謹擇其善者而祥加之，慶施之。以為無迹而有迹，以為無情而有情。雷霆霹靂未嘗擊為善之人，魑魅魍魎未有善人而罹其惑者。嗚呼！堯舜在位，都俞吁咈，鬼神之柄在朝廷，以至三代聖君，皆乾之九五，大人與鬼神合其吉凶。後世賞罰不公，則山巔水涯有一二形班氣似者出，而顯其彰癉之靈，此《太上感應篇》之類所由作也。 建之蒲城楊文莊公徽之仲由，無子，業傳外孫宋宣獻公綬及傳侄孫楊文公億大年。回嘗以宋之三朝《國史》第四十四卷讀《文莊公傳》，第五十卷讀《楊文公傳》。真詩人、真文人，節在昭陵諸老之先[三]。文公八世孫起莘，著《善惡勸懲録》，求回序言。回謂季路先進之問、賈誼半夜之對，不過學者之一端。與其談神物、評鬼物，豈若論人物。文公兄弟六七人，皆有聲。子紘奉禮，四世而有中書舍人邦弼，紹興壬戌進士第三人，遷居吴之震澤。六世而有淮西制置使定軒紹雲，又有朝議大夫圭，號能知人，得西山真文忠公德秀為婿。八世而有督朝起宗似之、起莘商英。似之編次家集，方岵泉洪楊艮背干[四]，二序甚佳。今所著録，如范丞相質扇書大暑去酷吏之事[五]，有感於鬼神而輕減刑統，乃活人之心也。雖引鬼神，然仙家洞天、釋氏地獄，并不及之。自號古愚居士。斯人也，回奔走江湖，幪乎未之識也。大德癸卯五月日通議大夫紫陽山人方回謹序。

[一]鬼神無常享：常，原作「嘗」，據清抄本改。　[二]鬼神害盈而福謙：福，原闕，據清抄本補。　[三]節在昭陵諸老之先：清抄本作「節在昭陵諸□者之先」。　[四]方岵泉洪楊艮背干，艮，清抄本作「民」。　[五]如范丞相質扇書大暑去酷吏之事：扇，清抄本作「扁」。

節婦邱母周氏詩序

濮州鄄城縣邱君某，仕其州，婿于州之周氏。周氏無男兄弟，倚婿養二親。生二子，邱嶽八歲，嵫三歲，而邱君夭，周氏年二十有五，誓不再適。大德庚子，年登古稀，嶽以湖州録事，屢遷致用院都事，嵫為湖州曹掾。周氏板輿自湖來杭，就禄養。前濮州尹徐侯嘗復其家，而東南士大夫歌咏之。愚嘗讀《易》有感：一歲有十二月，故人壽有百二十歲。一歲有復、臨、泰、壯、夬、乾六陽卦，姤、遯、否、觀、剥、坤六陰卦，人每十年大氣數一變。婦人及時而嫁，嫁而生男，非天地交之泰卦乎？其或不幸，盛年而喪所天，則豈非一變而為剥乎？或謂泰八變而為剥，天行也，豈能一變而為剥哉？曰：不然，人事參差不齊，有道德以御氣數，則泰為泰，否亦為泰。何者？否有伏泰，而所為善，有以反其否也。無道德以御氣數，則否為否，泰亦為否。何者？泰有伏否，而所為不善，有以反其泰也。故氣數視理之益損為進退。人五陰定勝天剥，乾而為剥，僅存上九之陽，非婦人寡而有子之象乎？故其爻辭曰：「碩果不食。」歲當九月，百木百草，無不凋零。凡果之有核，核之有仁者，雖嚴霜大雪、枝枯葉飄，人有墮指裂膚之慘，而果之核、核之仁，終不朽腐，瓠犀瓜瓤亦然，此萬物有生生不窮之母也。苟此果之核、之仁，為人所食則已，其不為人所採捶而食之，則歷亥、子、丑、寅、卯，不閲五月而甲坼矣，天地之心殫不絶矣。寡婦有子，而不持柏舟之節，棄而去之，則其子如有核有仁之果，不為人所食者幾希。惟邱母周氏不改其節，一堅此心，道維德持，氣數變而扶之。守十年歷坤卦，又守十年歷復卦，則漸亨矣。又守十年歷臨卦，又守十年至泰卦，則大亨矣。碩果之中潛者，人不得而食之，至二月大壯，而雷雨發生甚盛矣，猶守義而見其子之成家之易矣。嗚呼！人惟有一心[一]，而多奪于欲，況婦人乎？以理勝欲，自剥至泰，忍數十年之苦，而至於甘他人之所難□□，是節婦之心有理則無欲也。雖然，以氣數論《易》卦，則泰八變而為剥，剥四變而為泰。以人心道德論《易》卦，其不善也，泰變為剥，何必八；其善也，剥變為泰，何必四。二氣一陰一陽，世無君子則已，六十四卦大象，君子不以困、屯、蹇、蠱而無所為，處剥、觀象之時，以順而止，順而止久則變，變小往大來。謹以是題邱母周氏節婦之篇端。是年正月二十三日庚子序。

[一]人惟有一心：清抄本無「有」字。

曉窗吟卷序　至元二十年三月

漢淮南子評《離騷》曰：「《國風》好色而不淫，《小雅》怨誹而不亂。若《離騷》者，可謂兼之矣。」予謂斯言也未瑩，色至於好，怨至於誹，淫與亂不難也，今變風、變雅可考也。子曰：「《關雎》樂而不淫，哀而不傷。」淮南蓋集用其語而意不醇者。然世之處人倫事會之際，鮮舒多慘，樂而淫不無之，哀而傷比比皆是也。《易》一泰卦耳，而曰屯、曰訟、曰剥、曰否，其卦不一。制禮樂，文太平，周公盛矣，猶不免賦予羽、予室之詩，則夫枯謡悴咏上不見答，豈止一屈原而已哉。原之著《離騷》也，深契乎三百篇之六義，而淮南淺之。其于鬼神變化、草木芹穢、男女乖合、國家成敗，言抑揚，意開闔，惟澹菴胡公句句而析之，十有九藴焉。其曰「滿堂兮美人，忽獨與予兮目成」，此托辭也，於色也豈有所謂好。其曰「已矣哉，國無人莫我知兮」，此直辭也，於怨也豈有所謂誹。由原之作，推原之心，雖進之正風、正雅及頌，皆可也。同里劉君示予《曉窗吟稿》，讀無慮數十過，和平則不流，優游則不怒，探孔聖所論《關雎》之旨，而懲艾乎淮南《離騷》之評，非吾儕所當勉乎。君之近體，有曰「滿地殘紅驚不見，曉風吹上石榴枝」〔一〕，得生息意。「仙館無人春寂寂，一林紅日煉櫻丹」，得成實意。「曉來多謝梁間燕，盡把春愁舉似人」，得涵蓄意。「山翁何事衝寒往，知有梅花在隔溪」，得瀟灑落意。庶乎性情之正者，如「歸路夕陽收，山翠染襟袖」，又豈不自得于事物之外者乎。君舊名寅，字子敬，今改名光。予早相稔，年少長而君忍貧不仕，於《易》之泰，無有也。適而樂者，養也，屯、訟、剥、否則屢嘗之矣。感而哀者，激也，予懼其激之不已也，乃書以歸之。至元癸未三月序。（以上《桐江集》卷一）

〔一〕滿地殘紅驚不見：紅，清抄本作「花」。

全元文卷二一三

方回　七

後樂集序

三代而下，宇宙有離合之異，人才之消長亦於是判焉。周之季也，離為戰國，至漢而復合，故漢初人才與七國不同。漢之季也，離為三國、兩晉、南北，至唐而復合，故唐初人才與齊梁陳隋不同。且如五代之亂極矣，汴梁一旦混一，則人才亦與八姓十三君時不同。然合之愈久，則人才又與始合之初大不同。蕭、曹、韓、彭、房、杜、英、衛，經濟之相、戰鬬之將，固甚盛矣，猶未也。漢至文帝始有賈誼，唐至高宗始有陳子昂，汴梁至慶歷始有范希文。痛哭流涕之疏、過秦之論在董仲舒之先，感興之詩在李杜之先，服中所上萬言書在歐陽永叔之先。學問得聖賢之緒，而文章革衰世之風，各為一代宗主，自此三人者始。今日之天下合亦久矣，將相豪傑志於功名之士為不少，考論道德學問文章之士僅得數人，而老山張公其一焉。比獲讀公近集名曰《後樂》，豈非有志於范希文之所為乎？蓋賈、陳、范三鉅公所論著，皆憂天下之言，而公所作亦多憂天下之言。雲南、西夏、遼東，人所憚往，公寧輕其軀，不輕其官，故舊死喪，戚嗟悲慨，弔嫠豎孤，屢形諷咏，其忠襟義概若此。天下之憂人所不憂則吾先之，天下之樂人所欲樂則吾後之，此公之大志也。詩格律高，步驟闊，骨格崢嶸，神采飛動，學問文章追前修而開後學，其在斯人乎，其在斯人乎。公燕人，名雲鵬，字鵬飛，嘗為監察御史，察訪外臺，彈治大吏，風采尤棨棨云。

夏推官仁玉談星詩序

古之知星者，觀天象而知人事，所係甚大。故巫咸、甘石之占，至晉隋書天文志而備，以李淳風為之也；至《天象新書》而大備，以奎運方隆諸館閣老儒為之也。今之知星者，民間有《三辰通載》之書，日月五星七曜之外又有所謂紫孛羅。計無象之四曜，總為十一曜，以推人命貴賤吉凶而已。其學出於里巷，至為微瑣，故褒博者或羞之。漢太史公有言，文史星歷卜祝技藝，上以倡優畜之。近制挈壺保章靈臺之職，異其官稱，不與士流齒。夫觀天象知人事所係甚大者，其待之猶僅如此，則以十一曜推人命貴賤吉凶至為微瑣者，又將如何。此所以挾星術而遨公卿之門，動輒有刖趾絶弦之嘆，非歟？雖然，果儒者也，要自與常人異。高辛重黎放勛羲和，其來久矣，如司馬遷八書，天官止其一耳，其博物洽聞，非申須裨竈、梓慎卜偃、子韋史墨之徒可得并也。柯山夏君仁玉瑞卿，本里選佳士，其鄉先達徑畈徐公甲辰省魁，書時文，能亹亹誦之前後，場屋經賦魁作，亦皆能品藻其然否，早題雁塔，可齒鵷行，而不得已以星術鳴。故予贈之詩曰：「舊業三元賦，新功百中經」，謂其術乃儒者之術，非日者之術也。予嘗為之説曰：江湖間人一藝足以自養，使胸中無古今，筆下不能五七千百，則雖真草逼王鍾，謂之書傭，丹青妙顧陸，謂之畫史。瑞卿知星，乃今之季主君平，非索隱太玄之君子，其何足以知之，南北名人詩存其佳者，為之序。

拄笏亭詩序

古笏有玉象魚須竹本之異，人臣於君前以備指畫，又以記事，進而敷之，退而行之，懼其有所遺忘，而實又以肅手容也。晉宋以來謂之手版。王子猷不顧府公料理之問，以此拄頰，直視西山，謂「朝來致有爽氣」，高懷雅趣，不在於區區名位升沈得喪之間，而在乎泉石之濱、林樾之下、烟霞猿鳥之外。斯人也，豈可以典午氏清談者流少之哉。燕玉泉山之南十里金水河，前翰林直學士兵部郎中羅君漢臣家焉。昔者年未四十，上鑾坡，直蘭省，去要路可一武耳，乃作亭於家，以望燕之西山，名曰「拄笏」。退食之暇，必相羊乎是，而有去官之心，既而果棄其官，十餘年不復調。今夫有官君子之身，乘之以軒輿，戴之以冕弁，束之以紳帶，佩之以印章，華之以組綬，亦榮矣。導之以旌棨，呵之以甲卒，擁之以騎吏，手之笏其榮身之一物也。庸人淺夫，傍觀乎貴公縉卿之備是物者，則必咨嗟羡慕以為榮，而不知宦海名途，波濤險阻，出於不測，亦坐是數物者以致之。當是時，欲去數物而不可得，不啻若徽纆桎梏之纏其身也，何榮之有。故有叩天子之庭，曰還陛下此笏者，有作為韻語，曰抽手版還丞相者。漢臣其有見於此，非歟？雖然，無長往之理。古之去國者，賜玦即去，予環而還。使可以垂紳正笏，不動聲色，措天下於泰山之安，漢臣焉得辭，是亭也，前參知政事左山商公孟卿書扁，中原詩人題者多矣。紫陽山人為之序。

李君章虛舟亭詩序

古之作者，以義制器；後之述者，或以器明義，或以器取義。姑以舟言之，聖人始作舟楫，木上水下，其義蓋取諸《易》之渙，此制器者之初事也。義者理也，理無形而為物之體。器者物也，物有形而為理之用。故善言義理者，必於器物有稽焉。中孚之卦，下澤上木，利涉大川，乘木舟虛，此孔子以器明義也。四畫外實，二畫中虛，舟之中必虛，舟之外必實，故可以濟。巽上為順，兑下為説，上順下説，必濟之道也。然其所謂利涉者，豈止於逾江越河而已哉。濟天下國家之險難者，容之以虛，輔之以實，上與下順，下與上説，亦如斯而已。中孚之虛舟，非果有舟也，乃若《莊子》山木外篇，則有虛船觸舟之説。一舟方濟於河，而一舟衝突以來，非有使之者也。彼空空無人，適然相值，故舟之方濟者不以怒夫舟之來觸者。寓言以虛舟取義，欲夫人虛己以游於世，亦非果有所謂舟也。予友張受益，言其友李君章為亭於寓屋，扁曰「虚舟」，其有取於孔子之虚舟乎？抑有取於莊子之虚舟乎？士大夫競為歌詩以美之，從孔乎？從莊乎？然則器一也，而義不同。《書》之作舟行舟，《詩》之柏舟楊舟，舟同也而義則異。湯之盤、武王之席，自常人觀之，一澡器耳，一寢器耳。盤銘曰「日日新」，則有進德之義焉。銘席曰「恭則壽」，則有謹獨之義焉。至於觴豆几杖，莫不然。今之為居處燕休之所者，能言之類相與為比興體以發其名義，亦猶是也。君章之為是亭，顧有二義，出而用世，則當如中孚之虚舟以拯物；處而避世，則當如山木之虚舟以善身。諸為是題咏者又不止於此二義，有頌焉，有規焉，俱虚受之可也。君章博習好修負才名，其不處而出也，必矣斯舟也，受益其相與維楫之。

俞鑑山月相士詩序

相人之法莫精於孔孟，人焉廋哉，孔子兩言之，孟子申言之。曰視、曰觀、曰察，孔子有三法。曰聽、曰觀，孟子有二法。今之相人者能之乎？相形最多端，堯眉八彩，或曲眉，或長眉，相眉也。舜、項羽皆重瞳子，或方瞳，或蠭目，或豕視，相眼也。漢祖隆準，或鼻如截筒，或鼻有邱山，相鼻也。老子耳竅容麥，或耳有毫，或耳白於面，相耳也。越王鳥喙，或口容拳，或口角朝天，相口也。齒如編貝，唇如激丹，相齒唇也。胸有三壬，背有六甲，相胸背也。仙有籙骨，佛有鎖子骨，相骨也。膚如凝脂，肌若冰雪，相膚也。或鬚髯如戟，或黄鬚必大奇，相髭髯也。或身有奇毛，或髮下垂至地，相毛髮也。顴頰、頤頷、頭項、手足、音聲、行步、睡卧、起止、誌𪐀、文理、涕咳、遠近、爪甲、修短、皴𤚿、便溲，莫不有法。而相氣色為尤難，其説出於《素問》，氣有病不病在内，色有佳不佳在外。會黄池者肉食而色墨，有内憂也。望八公山草木者憮然有懼色，氣内喪也。故五色之中黄為最吉，病人之黄，有穀氣也，凡黄而又明，皆喜氣也。雖然，此所以相貴賤憂喜凶吉也，孔孟之言乃相君子小人之道也。山月俞君鑑，晳精數學，今改專許負之學，晳説裴晉公相法本不貴，以蕭寺孤女玉器事，有陰德，遂至將相。則今之相人者，又豈可執一定不易之法哉？孔孟之法，以為君子小人之權衡者，又豈可不少知？贈君詩者，各有其説，是為序。

孟衡湖詩集序

延平祝公輔自上饒過予武林，言郡太守孟侯之賢，所賦詩出，諸生爭傳抄，僉議梓行之便。舊歲甲午春，侯迎親如雪，相遇湖上，平生凡三見矣。侯日誦所作，而予筆之，既又得侯近藁，與一見再見時大異，慨然嘆曰：陶士行，石勒所畏，有孫淵明；謝幼度破苻堅，有孫靈運。侯家忠襄公前甲午夾攻懸瓠滅之，亦有孫能詩，與陶謝家而三焉。武則極天下之武，文則極天下之文，何其奇也。然則此特論其家世，適相似云耳。《易》、《書》、《詩》皆詩，至於唐人自有正脈，亦已有定論。聚奎以來，崑體盛行，而歐梅革之。爰及黄陳，始宗老杜，而議者署為江西派。過江而後，吕居仁、陳去非、曾吉父皆黄陳出也。淳熙中，陸務觀出於曾吉父，而與尤延之乃俱似王介甫，惟楊萬里、蕭東夫深造江西，范至能、韓無咎、張武子自成一家，朱元晦續聖賢之緒，詩尤粹密。不意學禁息而時好乖，七許渾，五姚合，哆然自謂晚唐。彼區區者競雕蟲之虚名，昧苞桑之先兆，遽以是晚人之國，不祥莫大焉。詩道不古自此始。乃後獨有上饒餘杭三趙，守正不變，餘皆踵淺襲陋，隨俗而靡者也。侯之詩得之於氣質之聰明，成之以問學之精贍。秋之弈也，專扁之輪也熟，基之射也發無不中，尚有淳熙、元祐、慶歷諸老之遺風。乃若邪蹊偏門，淫哀哇思，非不盡其力也，而終不能臻其極；非不愈工愈巧，而愈不似。白首望洋，不漸不頓，視侯之得正脈而何如哉。侯年甫三十有二，名淳字君復，其寓居曰衡湖，齋曰能静。近世文章衰落，此郡獨得文章太守，郡學士友又能相與為不朽助，吾道之將興也。其在斯歟，其在斯歟。

應子翙經傳蒙求序

王伯厚尚書，學極天下之博，長予四歲，予昔嘗敬事之。戴帥初博士，文極天下之粹，少予十七歲，今予畏友也。此四明二先生，俱以其里中應君子翙翔孫所著《經傳蒙求》為然，予無復容喙矣。竊嘗謂道一而已，而物有萬。古聖賢之學，不專在言語文字，而亦不離言語文字。日月星辰與天為體，運而不已。山川草木與地為體，生而不窮。言語文字與聖賢為體，傳而不朽。體物也，所以用之者道也，道不離物。《易》究咎休，《書》紀治亂，《詩》美刺，《春秋》褒貶，《三》禮辨上下，《論》專言仁，《孟》兼言義，皆以言語文字與道為體。其妙用所在，一而已。一者何？道是也。然則何道也？天地之心耳，此之謂道。而以其道用乎日月星辰、山川草木之物，故曰道不離物。聖賢之心，欲使千萬世之人為善不為惡，以復其有善無惡之性，則不容不著之書。此言語文字所以為斯道有形之體，而無形之道所以用乎有形之體而寓於言語文字之中也。顧可忽諸？子翱所謂蒙求，自《易》至《論》、《孟》，皆括為韻語以訓後進，傍及諸子百家，而揚雄方州部家之旨亦與焉。予曩亦嘗抽摘奇語難字以供刀筆，艱深之中韜平易，亦不過一陰一陽、一晝一夜、一寒一暑、消息往來、幽明死生之故。易之註疏也，獨所用六日七分、歷法一歲，則易之一端耳。康節《經世書》出於此，或誚予好太玄，又出雲覆瓿下。回曰不然，凡言語文字之不畔於理者，皆與道為體。片雲起於天而澤四海，粒粟根於地而飽萬民，一畫肇於聖人而開百聖天地。聖人之道皆托於物。近世有欲絶滅言語文字以為學者敢痛詆朱文公著述，謂率多於古人，動累於後來，黨陸也。其人臨汀使君不滿五十而死，天棄之矣。讀子翱之書者，亦曰與道為體，能於有形中求無形，則將於無味中得有味矣。子翱早中童子科，伯父衡嘗參大政云。（以上《桐江續集》卷三一）

瀛奎律髓序 至元二十年

瀛者何？十八學士登瀛洲也。奎者何？五星聚奎也。律者何？五七之近體也。髓者何？非得皮得骨之謂也。斯登也，斯聚也，而後八代五季之文弊革也，文之精者為詩，詩之精者為律也。所選詩格也，所註詩話也，學者求之髓，由是可得也。方回者誰？家於歙，嘗守睦，其字萬里也。至元癸未良月旦日序。

唐師善月心詩集序

至元二十年四月十七日

陳後山生於皇祐五年癸巳，其門人魏衍所編及任淵所註詩，始於元豐六年癸亥，皆後山三十一歲以後詩也。後山年十六，已見知於曾南豐。熙寧十年丁巳，蘇長公守彭城，明年後山為銘黄樓，筆勢度越秦漢，朱文公亟稱之，時則年二十六。至如金州《忘歸亭記》，作於熙寧七年甲寅，則年二十二耳，今之人讀之，或不知其為少作也。夫後山之文雖少作已足不朽，而編其詩與註其詩者，乃斷自三十一歲以後，此何為者哉。後山《答秦少章書》謂：「於詩初無師法，少好之，老而不厭，以千計，及一見黄豫章，盡焚其藁而學焉。」然則未見豫章，其詩一時；既見豫章，其詩百世。詩視文為尤難，愈參則愈悟，愈變則愈進。凡魏編任註後山之詩，參之極悟之極歟，進之極變之極歟。唐質肅公之九世孫師善，知予頗癖於詩，始以詩寄初藁，次以詩寄續藁，尋又躬以詩抵紫陽山下，示予全藁。初藁年未冠已佳，如《於楮高士》云「焚香朝北斗，滴露註南華」是也。續藁年未壯益佳，如《於浙江亭》云「蕃夷通海道，吴越共江流」是也。至全藁年甫登三十矣，詩愈大佳。枚摘之未易竟，合三藁中每佳者一句一聯，予已爲研朱圈點，指似其眼，以曉學者，然豈無後之魏衍任淵將必待師善三十一歲以往之詩而後爲之編註乎？予嘗細閲後山集《城南韋杜村》一詩，此從其父令汧陽㬉中所作，最爲年少。《贈二蘇公》有云「一洗十年新學腸」，即王安石得政之十稔熙寧十年，彭城所作，年二十五。如謝克家、向季仲所增別本有《寓錢塘》諸詩，皆後山所自削而不收者，乃元豐四年游吴所作，年二十九。當是時也，其已見豫章歟？其未見豫章歟？二公相遇之年，謂在潁昌，前輩亦莫能深考。豫章初爲後山字序，首明觀已無已之義，末言其嬪息巢於外舅，乃元豐七年甲子郭槩入蜀時事，是年豫章移官河北德平，豈後山送内而相遇於途耶？不然，則是豫章未令太和已前，元豐初嘗相遇也。謂元豐初已相遇，則存藁又何爲斷自六年癸亥邪？予所論及此，蓋欲師善訂後山存藁、焚藁之意，三十歲以前詩已超軼精詣矣，後山何爲去之？師善明年始三十一，能如予之言愈參愈悟、愈變愈進，患不能再履常、兩無已，不患無後之魏任也。師善名侯舉，乃翁號中齋，亦有詩聲，震江湖三十餘年，家法有來云。至元癸未四月十七日書於虚谷書院。

宣撫朱參政南山遺集序

能立功矣而又能立言，於近世之君子，蓋未之見也。昔韓范經制西事，臣服元昊，遄歸廟堂，佐佑太平，其立功如彼，亦可以不朽矣。然且賦詩作文，鏗訇碩大，《安陽集》及《文正公集》，今並傳於世，擎重晚香之句與岳陽樓子陵祠記，辭毅氣嚴，震撼宇宙，其立言如此，又愈足為不朽之助焉。嗚呼！何其盛哉。故參知政事京湖四川宣撫使南山朱公，自其少時已有韓范經綸之心，所為歌詩古文應用等作，嶜崒雄健、植教明彝、義形於色。初仕荆援蜀，即號為儒者知兵。李公曾伯之自荆移蜀也，不能躬行軍，公以太社令從掌機務，代李公巡邊犒師，與諸將款曲交歡，而閫望翕然矣。大臣能早用公，其蔑不濟。西守瀘，南帥桂，各閱五年，召之入，論之出，除一起居郎，又嗾駁新命，置之姑孰閑處，而後畀以江黄副閫，則公老矣。重慶火而納公於蜀，沙羨破而下公於荆，駐鄂渚則鄰帥失陽羅，還江陵則郡將失沙市。公仰藥得不死，舁而之燕，分無生望，忠臣者人心之所同敬也，用是閑居六年，至庚辰之春，年六十七獲考終命。又六年，回始從公之子建德貳總得《南山遺集》，讀之，作而嘆曰：功易窮，言難泯公之功，生雖不盡逢乎時，公之言，歿亦足永垂於世。張魏公五路之師，以趙哲擅離所部而潰，魏文靖公罷督府三日，而趙范失襄陽，天下不以是咎二公立功之不足。家庭講學，是生南軒，端平大老，真魏並峙，其立言則有餘矣。諸葛武侯之烈，不幸星隕，《出師表》不與星俱隕也。公嘗自為畫像贊曰：「不武不文，也惡也善，通地通天，丹心一片」覺英氣凛凛逼人，與裴晉公自贊不異，是可以知公之為人矣。回備員九華鹽幕，嘗於池口拜公，實受親民舉剡，德祐初元回簿奉常，中朝以樞密使召公議，令回迓諸湖湘，以道阻弗前，兹奉貳總命書此篇端，誼不得辭。公諱禩孫，字杞材，貳總名臯字用和。

孔端卿東征集序

世之奇士必好奇，搜奇景，抉奇事，務為奇詩文以耀世，奇則奇矣，而不知其嘗瀕於死而不悔也。司馬公觀名山大川，輒有流滯之嘆。謝太傅咏浩浩洪流，終為安歸之言。昌黎登華山不能下，而至於慟。東坡渡徐聞兹游奇絶冠平生，皆是也。永嘉孔君文杓，予三十年前識其先君於武林，近袖詩來訪，閲《東征集》，乃知辛巳六月君從軍發四明，自神前山放洋三日而至耽羅，又三日而至日本海口，泊竹島，盡一月逗留不進，八月旦夜未艾，遇颶風，舟師殲焉，帥獨帆走高麗，死者三數十萬，與予所聞皆合。君偶得不死，附小校破舟登所謂合浦者，過平壤之都，渡遼陽之水，歷故女真契丹之境，由平灤州抵燕山，凡九十四日，徒步七千餘里，又久之，然後復得南歸。君非將非卒，特一寒士，輕視鯨波，狼狽至此，豈非亦好奇之過乎？予獨喜其《莫忘吟》者，得叙事體。初曰：「歲紀重光大荒落，舟師東征赫且濯。泊向竹島更月籥。其日甲子仲秋朔，夜來昏雨風色惡。昧爽白浪堆山嶽，陽侯海若紛拿攫。艨艟巨艦相躪轢，檣摧纜斷猶斧斫。千生萬命魚為槨，此一句奇絶，百舟一二著山角。跳躑争岸折腰脚，依然魂爽歸遼邈。幸者登山走如臭敕各切，形命雖存神已索。」次曰：「省舟獨在冀可托，傳令縛箄為渡権。海豈権渡真戲謔，大將為誰何齷齪。起篷自去爾為樂，忍聞孤嶼哭咿喔。」又次曰：「死者何辜烏鳶啄，將軍歸來渾不怍。宴衎相慶作音樂，我獲生還莫忘却。」讀此，有《春秋》誅心之筆在焉。君詩善押險韵，善用雅語，善賦長篇，天下奇觀無過於此役，天下奇作亦無過於此詩。死中求奇，奇中脱死，天所以不死君者，欲留此吟以為詩史乎？君文亦奇，見所為自叙。君他詩藁尤奇，《蒼苔》五字曰：「凡有蒼苔處，先知此地清。不隨芳草暗，偏襯落花明。點竹添瀟灑，粘梅助老成。比錢無乃俗，幽意要詩評。」非奇而何？然則奇而不失其正，尚當勉之。

仇仁近百詩序

詩不特虞廷賡歌、三百五篇為詩也，堯、舜、禹、湯，伊尹、傅説告君，箕子陳《洪範》，周公作《六典》，孔子讚《易》，老氏著《五千言》，戰國之士述《吴越春秋》，司馬遷《龜策》、《日者》，揚雄《太玄》，皆協音韻而便誦讀。協音韻而便誦讀，則筆之而不煩，口之而易於不忘，文辭之極致也。是故夔典樂以詩教胄子，言志為詩，咏言為歌。歌之中有五聲，聲之中律，上之化以此達乎下，先王設官采詩，祭祀賓享，有郊廟朝廷之作，而邦國閭里所賦之風，亦取以為房中燕閑之樂，下之情以此達乎上。降及西都蘇李、東都建安七子、晉宋陶謝，律體繼興。自盛唐、中唐、晚唐而及宋代，有作者雖未盡合宫商鐘吕之音，不專主怨刺諷譏之事，而詩號為能言者，往往相與筆傳口授於世而不朽。此其故何也？氣有所抑而難宣，意有所未易喻，時有所觸，物有所感，事有所不可直指，形之為詩，則一言片語而盡之矣。故擘華為實，鍛粗為精，文約而義博，辭近而旨遠，惟詩為然。予友武林仇仁近，早工為詩，晚乃漸以不求工，有藁二千篇有奇，予為選四百篇，猶以為多，則删之而取百焉。今夫世之不能詩者，望洋而返[一]，或不以斯事為然，是固未知堯、舜、禹以來，雖文辭之非詩，猶貴於叶音韻而便誦讀，其亦豈無能詩之流，然不隘淺纖巧，則漫放闊誕，終不入於作者之域。仁近此百詩，翳盡而珠明也，氣至而菓熟也，霜降而水涸也，箭鳴而的破也，琴瑟具而淫哇退舍、衣冠正而强暴拱手者也。仁近名遠，年甫四十有一，詩之進未已云。

[一]望洋而返：原作「洋望崖返」，據清抄本改。

孫元京詩集序

虞、夏、商、周詩，經孔子删定，贊則贅。《離騷》而降，漢、晉、魏以至唐宋，五七殊，古律異，六義之致一也。人品高，胸次大，學問深，筆力健，咸於此乎見之。予友孫元京，詩有近陶者，有似二謝者，有似元次山、孟東野者；其少作七言律，有全似陸放翁者，長句如《杜詩引》及《閲山谷詩長句》，其得之中而見之外者歟？根本有自來矣。清勁而枯淡，整嚴而幽遠，五言律近世詩人所未易及。五言古體，如《秋懷》五、《感興》六、《冬初雜興》，乃近世詩人所不能。為詩如弈棋，如挽弓，高一著者，決定高一著臂力。弱者雖欲强進，分寸不可也。不謂吾州近有此人，持是以見朱文公，可無愧哉。

虚谷桐江續集序　至元二十五年

予自桐江休官閑居，萬事廢忘，獨於讀書作詩未之或輟也。客或過予廬，見予之無一時不讀書，無一日不作詩也，則問之曰：「讀書作詩亦各有法乎？」予應之曰：「讀書有法，作詩無法。」客疑之，則先問予讀書之法。予謂學也者，所以學為人而求見道也。聖人人之極，賢人聖之亞，欲學為是人而不讀書不可也。無聲無臭，道不可見。一動一静之為陰陽，一陰一陽之為鬼神，天之所以運，地之所以載，日月之所以代明，星辰之所以昭布，風雨霜露之所以變化聚散，水之所以流而不息，物之所以生而不窮，鳶之所以飛，魚之所以躍，皆與道為體也。欲求見是道而不讀書不可也。然則天下之書可讀者不亦多乎？曰不多也，予之讀書，五經一聖之言以為律令，九賢之言以為格式，申明天下之書無所不讀以為斷案。五經者，《易》《書》《詩》《春秋》三禮也。一聖者，孔子也。九賢者，周之四子顔、曾、思、孟，宋之五子周二程、張、朱也。天地人物有理有氣，有性有情，故有正必有變。五經一聖九賢之言，所以扶正而馭變者也。予讀《易》而知陰陽大化，有正有變，生必有死，存必有亡，於進退得喪勿競勿懾可也。讀《書》而知禪讓之典謨、征伐之誓誥、九德之剛柔、三仁之去就，有正有變，亦各自靖自獻可也。讀《詩》而知君臣、父子、兄弟、夫婦、朋友人倫之間，有正有變，樂不淫、哀不傷、怨不亂可也。讀《春秋》而知天子諸侯大夫陪臣内夏外夷之名分，有正有變，權善惡、衡是非、正其誼、明其道可也。讀三禮而知尊卑上下等殺衰隆，以節天理之正，以防人情之變，由今之變返古之正可也。蓋人性無不善，道體無不該，自伏羲始作一畫，以至二帝三王之君之臣世守之，未嘗不明不行，至周之末，靡正不變而幾於不明且不行矣。孔子雖不能行，賴孔子之言正其變而復明，孔子之言賴顔曾思孟而益明。更秦涉漢歷唐，荀董揚韓，醇疵莫掩，不行之害小，而不明之害大。賴宋有周子、二程子、張子而復明。王氏之學分裂宇宙，塗炭生靈，其後高者入虚，卑者入陋，賴吾州子朱子力正其變而又大明。曰無極太極，曰道心人心，曰天命之性、氣質之性，曰命，曰氣，曰仁，曰誠，曰中，曰敬，曰陰陽，曰鬼神，曰五經之精、四書之藴，吾儕小生得以坐而享其成説。於是塞門反坫之功利，摩頂惜毛之仁義，乞鄰證父之賣直，避兄離母之沽名，棄灰徙木之威信，減竈糞金之戰攻，非馬有毛之辨説，專氣寓言之虚寂，皆已截然限隔於區域之外，等而下之。□兹邱區之訓故，尸解羽化之方書，紫色蛙聲之制度，□□白水之圖讖，箕張鞭算之貨財，鈎箝羅織之刑法，非鬼越望之祭祀，下里巴人之音律，睹决楞伽之梵唄，陽平都功之符呪，至於近世譯經玉清之官職，天書神霄之祥瑞，西崑龍蟲之歌咏，札闥軋茁之詞采，國服為息之政事，偏傍字説之場屋，黨碑邪籍之紹述，忘君事讎之和議，棒喝頓悟之心法，金鐵一鍋之史學，變愈下而正愈湮，蠱人心而否世運。惟此之所得於五經一聖九賢者，已確乎其不拔，則彼皆吾道之罪人，又豈容一毫可以侵入吾矩度之内？若是則天下之書其可讀者亦少矣。此予之讀書法也。然客猶疑予之作詩不無法也，則詰之曰：「子之詩初學張宛邱，次學蘇滄浪、梅都官，而出入於楊誠齋、陸放翁，後乃悔其腴而不癯也，惡其弱而不勁也，束之以黄陳之深嚴，而參之以簡齋之開宏。古體詩其始慕韓昌黎而懼乎博之過，慕柳柳州而懼乎褊之過，慕元道州而懼乎短澀之過，慕韋蘇州而懼乎諄諳之過。既而亦於子朱子有得，追謝尾陶，擬康樂，和淵明，亦頗近矣。而謂作詩無法是欺我也。」予凝思久之而復其説曰：「此皆予少年之狂論，中年之癖習也。去歲適六十一矣，始悟平生六十年之非。所作詩滯礙排比，有模臨法帖之病。翻然棄舊從新，信筆肆口，得則書之，不得亦不苦思而力索也。然後自信作詩不容有法，惟於讀書之法則當終身守之而勿失耳。」客嘻笑又怒駡曰：「子終欺我。子所謂讀書之法，即所謂作詩之法，而奚以有法無法為哉？」予不能復答。詩自壬午至戊子二十卷，卷百首。因書為虚谷桐江續集序。

錢純父西征集序

「從軍有苦樂，但問所從誰」，王仲宣詩也。「從軍古云樂，談笑青油幕」，韓退之詩也。近世從軍無文士，此味鮮矣。《西征集》唱酬凡十二人，詩一百二十七、長短句七，其亦得仲宣、退之遺意歟。然則吁可痛也。歲己巳冬，荆閫吕少傅卒於鄂，以淮閫李端明星馳進司江陵。庚午春，錢純父以京西湖北倉漕兼制參，偕陸君實制機、毛元升制幹，自淮如荆，至則純甫領鄂留務。時趙子晉守京口，趙幾仲為江東倉，孫吴會楚望以前常州守寓京口，龔開、聖予、莫崙子山、柳岳子山、劉瀾養源、李闢，皆餞之行者也。獨李闢予不熟其名，亦在行。養源至池陽，聖予至皖口。噫嘻！今尚忍言之乎？是行也，襄之圉三年矣。欺君誤國者何人哉？鄂城下之盟，僞以戎鈐阮思聰爲宣參，趙日起許歲幣如金，人不以閫，非欺君而怒敵乎[一]？夏貴入襄而出，失舟師半。范友信拒漢江，怯戰退，吕家軍精鋭盡殲。范文虎以殿巖援襄，逗遛不受閫公節制，並不以閫，非欺君而玩寇乎？襄病深矣，而其包藏之深，則嘗謂襄陷不足憂，蓋有説焉。雖宣力如純父，百輩不支矣。癸酉春陷襄，甲戌冬江流失守，今尚忍言之乎？此倡酬十二人者，鬼録如君實，死節可無憾。死者不得其死者，又深可憾也。今聖予年六十八，獨幸無恙，其詩老筆有骨，雪髯及腹，行步如飛，議論典刑，想見二十年前釃酒酹江時意氣，令人魄動。滄海桑田，天翻地覆，讀是集者兼動興亡生死之悲，視山陽聞笛，其哀痛殆百倍過之云。

[一]非欺君而怒敵乎：敵，原闕，據清抄本補。

吴雲龍詩集序

古之學者出於一，曰義理之學，無他學也。後世之學，去孔子未久，異端百出，傷義悖理，賴七篇之書闢之，故其説或亡或存而不行。漢尚黄老，魏晉而後，佛老角立，遺世大患。今當世之患，獨存佛老之末流，而失其本，亦不足畏也。無奈之何，儒者之學，又自爲乖異，而不歸於一哉。伏羲、堯、舜、禹、湯、文、武、周公、孔子、顔子、曾子、子思子、孟子所傳，其言具在。《易》以陰陽言義理，《書》以政事言義理，《詩》以吟咏情性言義理，《春秋》以明辨名分言義理，《樂》亡無經，三禮非全經，然義理微言尚不絶於方册者，與人心俱未嘗泯也。接孔子之儒者，曰周、二程、張子以及朱子，取《小戴禮》《大學》、《中庸》二篇與《語》、《孟》，著為四書，以貽後人，而義愈明理愈精矣。學者欲捨是而求所謂學，可乎？傳註如毛鄭，一學也。詞賦如賈馬，一學也。史筆，一學也。古文，一學也。制度考究，一學也。詩詞之學，自建安迄晚唐，一學也。雖各自名家，而求其言之合於義理，號為知道君子，則鮮其人。又況近世又有所謂科舉穿鑿之學，箋註偶儷之學，畔義理而逐時好，豈不痛哉！物極而返，今之為士者，一切不講，惟詩辭之學僅存。予朱子之鄉晚出者也，仕而歸老，去朱子之没未百年，求所謂義理之學者，不一見焉。而以詩歌之學求予講畫者，則不勝其衆，於衆之中而察夫胸中筆下之不凡者，又僅一見焉。歙吴君飛雲龍者，不凡之一二者也。短篇近體，不尚工巧。大篇古樂府，沛然出，突然奇，予猶欲其斂豪宕而入細潤，抑悲感而就平和也。雖然，義理之學自古聖賢傳至朱子，始乎《易》，終乎四書，固公於天下而非鄉人之所得私。生於闕里，為顔為曾，彼獨非鄉人乎？不此之務，俾後世獨以詩人見稱，則胡邦衡以薦朱子者，豈朱子之志哉？雲龍勉之。予友曹清甫久不晤對，雲龍其亦以此訂之。

趙西皋明叔集序

叔孫豹曰：「太上有立德，其次有立功，其次有立言，此之謂不朽。」言也而可以與德若功並不朽乎？世之欲立言者不亦難乎？孟子曰「我知言」，然則立言之難，又未若知言之難也。予讀西皋趙明叔詩文而嘆曰：非天下之能知言者，决不可與立言，而所以知言，又在於知道。孟子見梁惠王言仁義，去孔子卒一百四十四年耳。當是時，楊、墨、儀、秦、髡、衍之徒言人人殊，自非孟子知性以盡心、養浩然之氣以明察乎天下事事物物之理，則詖淫邪遁之言根於其心之蔽陷離窮，吾且不得而知之，不得而知之則不得而闢之，而何以立教垂世至於今不泯哉。今之世，去孔子卒一千七百六十八年矣，異端之言滿天下，荀、揚號為諸子之最，而不免於小疵。左、馬而下諸史，後愈劣於前，長不掩厥短。傳註老生雜讖緯，雕篆小子類俳諧，加以佛入中國，老氏之徒效之，怪誕百出，其能卓然有見，不惑於此者鮮矣。鉛槧之士因仍蹈襲，混為一區，相率而入於詖淫邪遁之域，豈不甚可哀痛。世之知言君子，孟子之後如孟子者，尚或有之，唐有一人，宋有數人，立言不朽，斯道復明。不然，則豈不異端熾而人倫天理至於泯滅净盡乎？是故立言非難，知言為難；知言非難，知道為難。雖然，碩果不食，消無不息之理，小而辨於物，暗有忽明之時。予老矣，不意交臂相逢有如明叔也，足與商略兹事。學者徒見明叔之詩之文，大篇傑句若排江河而注之海也，而不知其胸中之所存，人品高下，世論是非，前代成敗，先儒異同，如妍醜之不逃於鏡，銖兩之不差於衡也。予始相見，贈予所贈錢舜舉丹青長句，後見《鮮于伯幾像贊》、《益都路勸農行記》、《祭二疏文》、《文王羑里廟碑跋》及諸古律詩，詩皆挺挺天出，其立言如此。與予一再評論古今，可否去取，出予意表。嘗謂予所作有氣骨，不作江南詩人輭媚態，亦知言之一端也。其知言之大者，經史子集、百家之書無不讀，而操之以約，一言以蔽之，曰知道而已。明叔

名文昌，濟南人，為浙西道按察副使，近甫終更云。（以上《桐江續集》卷三二）

雲泉題詠序

有天地然後生萬物，故《易》有乾坤之卦，而繼之以六坎之卦。以天一生水，而潤萬物者，莫潤乎水。天地雖生萬物，非水則莫生也。然則六坎之卦，以屯蒙需次乾坤，何也？凡有坎之卦，皆取象於水，而屯需之坎，取象為雲，蒙之坎，取象為泉，又何也？天之始生物也，猶上雲下雷而為雨，物於是芽茁於冥昧，故曰屯以次乾，而坎為雲。天地之既生物也，猶泉之初泄於山，物於是幼穉而未壯，長則不可無所養，故曰蒙以次屯，而坎為泉。物屯而亨，蒙而養，待其成而已，故曰需以次蒙，而坎又為雲，此天地之屯也，天地之蒙也，天地之需也。聖賢者出，亨物之屯，養物之蒙，始也無所不用其力。以需夫各正性命之定則，終也無所容其力。今之學者亦嘗讀《易》，而知之否乎？虎林城東徐如心文雋，偕鄰友童汝舟濟來謁，謂其讀書之室扁曰雲泉，老於風騷者爭賦之。予以為斯友也年始二十有七，自芽茁幼穉而壯長者也，其亦嘗次序屯蒙需三卦之坎，而玩之否乎？聖人所以不曰水而曰雲曰泉，何也？水之始初為雲為泉，學者不慎其始初，聽其流注散漫，為渺茫無畔岸之水，可乎？何謂經，何謂綸，何謂果行，何謂育德，亨己亨人，養己養人，此感彼應，姑少需之飲食宴樂，亦非流連荒亡之謂也。是為雲泉題咏序。又為之詩曰：

天一生水，坎卦象旃。二陰一陽，坤之中淵。天而非此，必為旱年。澤自空降，其雲油然。地而非此，民何以田。曰有甽澮，泉出于山。六坎之卦，次坤次乾。在屯為雲，在蒙為泉。至於需卦，復以雲言。既亨既養，需厥成焉。萬物始生，孰為之元。水為物母，乳之而蕃。雲為水胎，泉為水源。雲初一縷，滂霈八埏。泉初一滴，汹涌滔天。君子心學，攸體攸研。觀象於坎，奚水之專。中剛内貫，處險常安。於雲於泉，復究厥觀。水之始初，未波未瀾。心之始初，萬善具完。如雲欲雨，如泉欲川。發而中節，養蒙亨屯。無為而成，地平天全。心之動也，化育攸關。我心未動，厥亦有傳。雲之動矣，不可復還。盍亦求諸，未雲之前。泉之動矣，不可復返。盍亦求諸，未泉之先。心之既發，收之孔艱。心之未發，泉本雲根。不睹不聞，無倪無端。戒慎恐懼，以操以存。洎其發也，雹激河奔。一言蔽之，敬為入門。

吴埜仙詩卷序

道具於未有天地萬物之前，名生於已有天地萬物之後。天名為天，地名為地，人名為人，莫知其所始。然則有天地萬物之初，名一而已，道一而已，而後世名不一，道亦不一。名可二也，道可二乎？今夫人之生而命之名，乃復有小名，有長名，有單名，有復名，有氏有姓，有字有謚，有官稱，又有號。楚之君皆名，不通中土，鬭穀於菟之類乃其方言，猶之天又名乾，地又名坤，人又名為民可也。道訓理，訓路，以其可行之耳，而道家者流之道，以老子為宗，非韓退之《原道》之道。前史又於道家之外，為神仙家之説。雖然，人與物二，三其名何傷。古聖賢相傳一道，諸子百家分裂殊異，而神仙之説興。由其説，伏羲，神農，黄帝皆仙也。莊子寓言、列子僞書皆言仙，以為變形登天，燕齊方士謂征伯僑，以至最後僅數五人，而劉向《列仙傳》至不可勝數。佛法入中國，又謂之金仙，謂龜藏氣不粒食，謂龍蜕骨乃尸解。噫！延年益壽古有之，生而不死決無是也。杭人吴君杓名珍，世宦前朝西班，乃祖德輔廉幹慈易，俗以宦吴稱之。六合混一，蒙古譯師以五字名之，上二字曰也先，謂安樂也，下三字避世人，因也先二字遂號之曰埜仙。予謂名號不一，前賢若此者多矣，天下無二道，堯、舜、禹執中之傳是也。真以為世有神仙而學之，則不可。君為大參張公門人，董海船漕運貿易，鯨島龍沙靡所不至，銀符茜裳寓居吴門，自以為初不學仙，抱有若似夫子之愧。埜仙之號，衆所歸美，姑受其虚名而不責實效，亦達者也。於是集諸人題詠為卷，序厥顛末，以告來者。

全元文卷二一四

方回 八

劉高士伯淵道雲詩序

道一而已矣，孔、老並世而言道不同。《易·繫》曰「一陰一陽之謂道」，道不離陰陽也。曰「形而上者謂之道，形而下者謂之器」，道不離器也。《中庸》曰「率性之謂道」，以哀樂喜怒言道不離性，性不離情也。韓子曰「由是而之焉之謂道」，指仁與義言道不離乎博愛，行宜之謂也。程子曰「天運而不已，水流而不息，物生而不窮，皆與道為體」，道不離物，物之外無道也。老氏之言異乎是，曰「有物混成，先天地生，吾不知其名，字之曰道」，蓋謂未有天地之先，已有此道。其曰道生一，則道者一之母乎？故一生二，二生三，三生萬物。古今註解俱不通，道之後始有一，吾疑之。其曰「道法自然」，則自然者道之師乎？故曰「人法地，地法天，天法道」，古今註解皆不通，道之上又有自然，吾疑之。大抵以無言道，以有言物，謂有生於無，無所以生有，此身之生本出於無，故以天地萬物為土苴，而視此身如太空之雲，今老氏、釋氏之徒皆言雲游者此也。而釋氏又與老氏不同，釋氏見夫此身之死，悉歸於空，立為無生之說，故亦以天地、萬物為土苴，而視此身如夢幻泡影露電。老氏有見於人物之生前，以無言道，故曰恍兮惚兮，其中有物。釋氏有見於人物之死後，以空言道，故曰生滅滅己，寂滅為樂。老氏之說，戰國而後莊列以來儒者多從之而不察。揚子亦然，《太玄》先曰「罔而後生，直蒙酋冥」，又曰「罔者有之舍，必謂有形生於無形」，於有之前尊崇讚美乎[二]，無之為寂為寥，為高為深，為不測，自為一家之說。孔門源流不如是也，或謂孔子曰「易有太極，是生兩儀」。周子曰「無極而太極，太極本無極」，豈非先無後有歟？老子之旨何以異？曰不然也，孔子言畫卦之法，固有次第；周子所謂無極，謂太極本無方所形狀，如太極生陰生陽，生乾坤六子五行，有則俱有，生則俱生，與老氏謂先有道，後有天地，後有人物，迥乎不同。渾淪剖判，天開地闢，猶人之生胚胎於腹，四肢百骸五臟九竅為形，心為神，仁義禮智之道在其中，初不相離。眉眼口鼻，孰為先生，孰為後生。氣情心性，孰為先無，孰為後有。朱子曰：一物各具一太極。形而上、形而下，誰得析而二之？老氏生而本無之見，釋氏死而皆空之見，吾儒原始反終，知死生精氣游魂，知鬼神之見，三說鼎立，體用一原，顯微無間。道非精，氣非粗，一本而萬殊，萬殊而一本，理必有事，事必有理，無須臾而可相離，此則吾儒之見之學也。平灤劉君伯淵，棄孔子而從老氏之所謂道，而以乍起倏滅之雲，視天下之萬物與其身。龍虎山天師書「道雲」二大字媲之。今之世，三教並行，各師其師，各學其學。希聖賢，求神仙，分律論禪不同久矣。愚亦姑誦其所聞，以求教於當世之君子云爾。伯淵吾未識也，吾友張君仲實以諸公所題詩見示，書此以相琢磨云。

［一］於有之前尊崇讚美乎：尊，原脱，據清抄本補。

靖明處士題詠序

天有處士之星，地有處士之郡，人有處士之稱，而後世有處士之賜號。《史記·天官書》少微、士大夫索隱引《春秋合誠圖》云「少微處士位」，又《天官占》云「一名處士星」。《景祐新書》「少微四星，在太微垣西蕃，虎賁之西北，斜列其東南，星入張十七度赤道内二十五度。士大夫之位，一名處士，又謂第一星處士、第二星議士、第三星博士、第四星大夫，明大而黄則賢士舉」，此所謂天有處士之星也。今浙東處州，古縉雲之墟，天文吴地斗分野嘗屬越，隋改永嘉郡，為處州，尋改括州，唐為松州縉雲郡，大歷間以處士星見，更為處州，以至于今，此所謂地有處士之郡也。孟子立處士横議之譏，賈生得處士大言之誚，《東漢書》孔融上疏薦處士正平禰衡，《唐書》卓行、逸民、文藝等傳，無一處士。惟韓退之集有《送石處士洪序》及詩又有《送温處士造序》，柳子厚集有《裴處士誌》，此所謂人有處士之稱者也。宋三朝國史陳摶傳，賜號希夷先生，書其所遇獐皮處士不知何人。魏野傳，真宗天禧中累贈著作郎，稱故陜州處士魏野，然未見賜處士號之所始。歐陽修《歸田録》「林逋字君復，居杭州西湖之孤山，真宗聞其名，賜號和靖處士」，其處士賜號之所始歟？抑當有先於此者歟？晁公武《讀書志》「張弼

《易》十卷，興化軍人，賜號葆光處士」。以此言之，處士賜號當出於朝廷，而私相署置，世多有之。近者三教鼎盛，緇黄之權甚重，禪師法師大師之號，二字四字六字至十餘字，習為故常，然處士實儒者隱逸之謂。真定王君居實靖明處士之號，乃出於龍虎山之命，何也？居實壯歲丞新昌，棄官似陶淵明之去彭澤，書曰處士可也。肇賜嘉名曰靖曰明，取淵明之靖節可也。而必取君復之和靖，何也？和靖不仕，無棄官之事。龍虎山之命，予不敢改，龍虎山之意，予當改之。靖節之靖，淵明之明，各用一字，能為陶令亦足矣。林和靖乃宋人，取近時宋人事實，加於先晉人事實之上，亦似未順。且一身欲兼兩人之美，耦菊匹梅，不若專取周子所謂花之隱逸者，以表其棄官之迹與陶同符。予斷斷然謂靖明處士之靖，當用靖節之靖，不當用和靖之靖。菊也，梅也，取熊舍魚，有何不可。

隱樂堂詩序

王康琚反招隱詩，吾嘗評之矣。曰大隱隱朝市，如此則金張許史皆大隱乎？曰非是之謂也。曰小隱隱山林，如此則巢許園綺皆小隱乎？曰非是之謂也。其所謂小隱者，謂身在山林而未能無意於斯世，索水北之高價，指終南之捷徑，其隱小矣。其所謂大隱者，謂身在朝市而不敢萌穹爵厚禄之心。柳下惠不卑小官，老子為柱下史，莊生為漆園吏，邴曼容不肯過六百石，其為隱也不亦大乎？如東方朔之金馬門，揚子雲之天禄閣，位稍高而猶曰隱，君子病之。要之出處之道有時義，乾之初九「遁世無悶」，蠱之上九「不事王侯」，時義如此。仕惡乎可？震下兑上曰隨，其繇曰元亨，隨時而大通也。然其義必利在貞，固始得無咎。下動上説，雖可以隨時，而仕終不可不守之，以正進而不退，係小子失丈夫矣。蔡君榮之之堂，名曰隱樂，筮仕㢙為幕僚，蓋其志以隱於仕為樂，而辭尊居卑，不然則身雖以仕為事，而志實以隱為樂，必不以進取不已為志者，故詩之而以序先之。

葉君愛琴詩序 大德三年[一]

伏羲初作琴，或云神農，或曰舜使晏龍作舜琴五絃，或曰伏羲琴一絃，或曰九絃，或曰二十七絃，或曰十三絃，至於七絃，則楊雄、桓譚釋為近，其説不一。今琴七絃謂文王、武王所加，為是琴制古今不同，可勿考也。古之士無不能琴，今之士或百人千人萬人而無一能者。古之琴必與瑟偶，今獨有琴而不知有瑟。古之琴有暢有操有引有吟有弄有調，指彈口歌有音則有辭，而今之琴有音者不必有辭。詩三百五篇皆可絃歌，韓退之補亡十操，今之能琴者亦嘗誦毛詩韓文，而為之鈎剔揉摘者乎？古之琴各有美名，古之能琴者子史各有其人之名，然則亦不必深論也。琴者古聖賢養心修身、化民育物之具，而後世以為一藝。予嘗謂琴得其人，鍾子期死，伯牙破而絶其絃，嵇康與《廣陵散》俱絶不恨也，琴非其人，司馬相如以挑文君，董庭蘭以誤賢相房琯。是故琴不在琴而在人。予生七十三年，聞杭故楊農卿纘好琴，著《紫霞譜》，士大夫以其為外戚也疏之。其客徐宇曰：雪江居士年八十餘，先朝徵之，以壯子負琴代行，外議不然。三山葉君愛福孫寓杭，以寒士同時徵，至元己卯二年而還。不求知，不求仕，一燈一榻，老於芹泮，蓋往時貢浙漕入上庠者也。癯而肩，訥而口，規矩而周折，六十有五老儒胸中有數百卷詩書，而寓諸琴者也。能畫龍首，寫蘭乃其餘事。予敬其躬行，嘉其臭味，故述其出處序之。就為辨古蘭今蘭之異，為《古蘭操》贈之。君愛，自號蘭坡居士。

〔一〕大德三年：據文中所言「予生七十三年」及作者生年考訂。

唐長孺藝圃小集序

詩以格高為第一，三百五篇聖人所定，不敢以格目之，然風、雅、頌體三，比、興、賦體三，一體自有一格，觀者當自得之於心。自騷人以來至漢蘇、李，魏曹、劉，亦無格卑者，而予乃創為格高卑之論者何也？曰此為近世之詩人言之也。予於晉獨推陶彭澤一人格高，足方嵇阮，唐惟陳子昂、杜子美、元次山、韓退之、柳子厚、劉夢得、韋應物，宋惟歐、梅、黄、陳、蘇長翁、張文潛。而又於其中以四人為格之尤高者，魯直、無己，上配淵明、子美為四也。吾州在萬山間，詩人不少，朱文公早為胡邦衡以詩人薦公配饗孔庭，人品近孟子，不止於詩。唐長孺元自里中來訪，出詩五十四篇，始年三十六歲，其所以可人意者格高也。何以謂之格高？近人之學許渾、姚合者，長孺掃之如秕糠，而以陶、杜、黄、陳為師者也。藝圃有作所謂小園僅有百步者，凡十六句似乎擬陶，後二首亦然，予為題曰《藝圃小集》而序之，以歸之博讀精思而□□吟進可量哉。

柳州教授王北山詩序

陳後山年四十九，其文集謝克家為序。陳簡齋年四十九，其詩集葛勝中為序。二公年不壽而文壽，不待序而後傳也。柳子厚卒於柳，年四十七，不壽而文壽，雖無韓退之為墓誌銘，其集亦足自不朽也。然不容不寄諸毫素以表其美者，朋友之義也。予友王雋父國傑，比為柳州教授，卒年四十八，乃子以其詩兩鉅軸，俾回為序，此亦年不壽而文壽者，不待於回之序，亦豈能為不朽之助哉。顧朋友之義，不敢恝然耳。先大父珏，贈訓武郎，父應辰武舉及第，仕至武功大夫，知沅州淮西安豐，六安縣人，後升州徙寓建康。年十五，法當承父蔭，不屑就，歸附歷建康路學正、溧水縣學教諭，行省差充徽州路紫陽書院山長，至元二十五年也。由是寄居吾州，與回結姻。既受代，士大夫咸勸之入都，必有知遇，而不果往。尋敕授廣西道柳州路教授，咸以為涉瘴鄉而不可往，而勇於往。大德三年八月視事，明年閏八月提舉司檄往宜州問教授金震不公事。柳無瘴，宜有瘴，既還任，十月初五日卒，三日而用茶毗法，五年官給水驛東下，十一月二十一日殯於建康南門祖塋。娶薛氏，女一人，嫁回從兄子方高孫也；男四人，野、默、點、黟。嗚呼！回尚忍讀其詩哉！其詩自稱釜盎陳言，一始壬辰元日，一始丙申立春，共八百一十九首，前詩未見。近詩人兩泒，浙土詩纖弱，江鄉詩突兀。雋父藏修之所曰北山，衆謂北山詩典雅莊重，如被端冕入宗廟，回亦不敢評。柳州詩一百四十三首，《詠上俗》數篇痛快緊切，子厚亦未之及云。

恢大山西山小藁序　大德六年[一]

皋歌，詩之始；孔刪，詩之終；屈騷，詩之變。論今之詩，五七言古律與絶句凡五體，五言古漢蘇李、魏曹劉，晉陶謝，七言古漢《栢梁》、臨汾張平子《四愁》，五言律七言律及絶句自唐始盛。唐人杜子美、李太白兼五體造其極，王維、岑參、賈至、高適、李泌、孟浩然、韋應物，以至韓、柳、郊、島、杜牧之、張文昌，皆老杜之泒也。宋蘇、梅、歐、蘇、王介甫、黄、陳、晁、張、僧道潛覺範，以至南渡吕居仁、陳去非，而乾淳諸人朱文公詩第一，尤蕭、楊、陸、范，亦老杜之泒也。是泒至韓南澗父子、趙章泉而止。别有一泒曰崑體，始於李義山，至楊劉及陸佃絶矣。炎祚將訖，天喪斯文，嘉定中忽有祖許渾、姚合為泒者，五七言古體並不能為，不讀書亦作詩，曰學四靈，江湖晚生皆是也。嗚呼，痛哉！住持上竺興福寺恢公大山，越之諸暨人，與予同姓方者，《西山小藁》詩三百八十八首，予刪去題目不古及重複十五首，皆可刊行。予以朱筆圈點一百一十四首，一句佳、一聯佳、兩聯佳、數語佳、全篇佳者，皆拔其尤。五言古《擬古》六首、《擬寒山子》四首、《雅字次韻》九首，此十九首可入文選，生蛇活龍，飛舞流動。七言《懷故山》、《煎茶》、《石銚》、《山中行》、《崑山高》，無愧古樂府。五七言律絶句則予所批出者，字字珠圓，句句律協，近世僧詩無此人也。他人之詩新則不熟，熟則不新。熟而不新則腐爛，新而不熟則生澀。惟公詩熟而新、新而熟，可百世不朽。予年七十六，公年六十二，而公之所以養浩然之氣，無老態，然則真間氣哉。

[一]大德六年，據文中所言「予年七十六」及作者生年考訂。

江天澤古修文集序

徽州今陞路，婺源縣今陞州，州間氣人物凡五大派。汪氏七世登科，龍溪先生中興詞臣，如唐之陸宣公，朱氏父子兄弟皆有聲稱，徽國太師文公先生續周二程張之脈，以追孔孟，近世文學科名之士，有吴公遇龍、許公月卿，江氏亦有人焉。所居入州門右，巖石穹峻，巨竹如雲，下俯深溪，積德不一世矣。德之積於先者，愈積而愈不已，故名之垂於久者，愈垂而愈無窮。吾友古修老人龗字天澤，咸淳七年張鎮孫牓進士第四甲第二十四人，授某州司户參軍，再調某小官，尋不仕，今三十餘載矣。世崇令德，故身享令名，不患無八乂手之筆，而患無萬石君之風，名紹汪朱而過吴許。祖松壑先生嚞，字明遠，遭遇理廟，布衣出入禁庭十年，不受官，嘗賜第故太廟前，有山林前輩古君子之風。父葵圃先生世良字漢弼，浙西安撫司幹官，陳乞生前，納禄致仕，轉通直郎，特命祠給告以寵之，其雍容嫻雅，世為卿大夫者不若也。天澤從師不一，自奮科第，平生所為文至多，脱藁學者輒取去，故回今之所見，僅二百餘篇。知州平陽訥懷嘗刊置家塾，詩句妥字穩，文言雋味永，中有詞不為艷體，《婺源陞州記》簡古，《平易堂記》義精理暢。其家積德不一世，而後《古修集》垂名百世千世矣。噫！千金之資可致，一詩人未易見；萬倉之粟可盈，一文士卒難得。或謂徽國文公豈可以後學工詩者儕之？天澤華齡有餘，前途未艾，顔何人哉，晞之則是。

清渭濱上人詩集序

大德七年二月十五日

中國有僧始東漢，歷魏晉唐宋以至今日，衣冠禮樂之士隱其身於僧者無數，而僧之以詩鳴於世者尤不可勝數。回嘗為《名僧詩話》五十四卷，七佛偈、西天二十八祖偈，皆預編摩。然偈不在工，取其頓悟而已。詩則一字不可不工，悟而工，以漸不以頓，寒山拾得詩工不可言，殆亦書生之不得志而隱於物外者，其用力非一日之積也。古杭靈鷲長老惟清晝卿，號渭濱，而清渭濱名震天下。味杜少陵「終南回首」之句，則晝卿之心深知道理宗主之所在，如戀闕思君不忘，其詩四集一百六十七首，名曰「深雪一枝」，則又如「夜村自開之」，不必為世俗之所察識者。噫！僧之以詩鳴於世不可勝數，若工而悟以漸，如清渭濱之詩，則有數矣。　許詢之於支遁，江淹之於湯休，杜少陵亟稱之，與贊公屢唱和，因曰：「應忝許詢輩，難酬支遁詞。湯休起我病，微笑索題詩。」支遁、湯休、贊公三人，表表於世。後乃李白之於懷素，韓文公之於無本，歐陽公之於惠勤，蘇長公之於參寥子，黄山谷之於惠洪，並峙角立，永古不朽。惜回有愧於前輩諸公，私獲序其詩，而不足以望其詩也。大德癸卯二月望日序。（以上《桐江續集》卷三三）

天原發微前序 至元二十八年〔一〕

天有原乎？曰有，太極是也。太極果何物乎？曰無物也，太極判有天有地有人有萬物，皆物也，獨太極則非物也。物，器也，有道焉。物，氣也，有理焉。物，形質也，有命焉，有性焉，有心焉。囿乎器，成乎氣，凝乎形質而為物，則有象有數，有色有聲，有臭有味，有長短大小重輕多少，皆顯者也。有微者焉，合顯微而一貫之，則得之矣。是故言器不言道，言氣不言理，言形質不言命性心，滑於土苴為小伎，不知天者也。乃若言道而遺器，言理而舍氣，言性命心而外形質，淪於空虚為異端，亦不知天者也。吾友鮑景翔述聖賢格言，著《天原發微》，其知天者歟？且周子所謂無極而太極者何也？此之謂道，此之謂理，上帝以此降衷之謂命，庶類以此秉彝之謂性，人得此以為喜怒哀樂未發之中之謂心，總其原而言之則謂之太極，欲求所謂極之太者而不可得也，則謂之無極。萬有粲然畢具，而無端倪，無方所，無兆朕，朱子所謂造化之樞紐、品彙之根柢，以為非物而實則為物之祖，以為無物而未嘗不行乎有物之中。學者知此，則知天之原矣。景翔取程子語發之，名之曰冲漠，微乎哉！此知天第一義也。由冲漠有二氣，故動静静動□之曰動静者[二]，以一元對待流行之氣，兼言之也。動而生陽，静而生陰。太極非能動也，動者氣也，氣亦非始於動也。動前有静，莫知其端，以其動者先言之，元為四德之首也。所以聖人體元，出庶物外之著見者也。曰静動者，以一歲流行之氣專言之也。剥復之間有坤卦，四時有冬，一日有夜，非謂有静無動也，静為動體，貞為四德之幹也。所以聖人主静，立人極内之存養者也。其次曰辨方者北方也，陰終子半，陽始子半，在書朔易，在玄罔冥，故正固二義，龜蛇象之，曰玄渾者，天形也，天之外不可知也，天之内皆氣也。天包地體而氣貫之海，地為底，流至無地，則天氣吸水，一涸無迹，以日行，地底消之也。曰分二者，陰陽也，曰衍五者，水火木金土也，缺一不可。二氣五行無極，二五妙合真精。淮南大戴，日火外景，金水内景。道家者流謂金水潛光，收視返聽以養其生，謂日有食，火有滅，不欲外明。先儒非之，當明而明為離晉，當晦而晦為明夷，天不可廢日火，異端乃欲廢日與火，可乎？曰觀象者日月星辰也，太陽日、太陰月、少陽星而少陰無象。天之十二次天壤也，七八九六有變不變，寒暑晦明無乎不在。舉其大者言之也，曰天樞者北辰也，北辰無星，在北極星内一度有半，至宋人始知之斗杓所建以正四時，故謂之辰。曰歲會者，邵子經世書也，以一歲十二月推一元十二會。氣北而南則治，氣南而北則亂，疫癘藥療旱潦，貯儲輔相裁成，又在乎人。曰司氣者，七十二候，曰卦氣者，六日七分，月更六候，出大小戴。四卦配四時，六十卦配三百六十五日四分日之一，出於焦、京。知天之一端也。曰盈縮者，考氣盈朔，虚以置閏也。曰象數者，河圖、八卦洛卋九疇也。曰先後者，伏羲易，先天也，文王周公易，後天也，孔子兼先後天傳易者也。天未然而我先之，天已然而我後之，先後之義也。曰左右者，天左旋七曜右轉也。南面而觀易之初畫，其字為一，即有左有右有中；再畫為二，交二為十，即又有上有下有中；以一為圈置十於內，則天圓地方、左東右西、前南後北、上午下子，六合虛而包地，四維貫而承天，河洛先天五圖皆然。曰二中者，天數五居中，地數六居中，圖卋一居五中，人居天地中，心居人中，即三聖授受之中也。曰陽復者，復卦七日來復也。曰復者，若失之而再得之，喜之也。自午至子為七，以日代月為日，聖人於姤不言崇陽也。隔中孚一卦六日七分，卦氣之説亦巧矣，姑存之。若夫數原、鬼神、變化三篇，景翔猶未輕繕寫，其大綱莫要於易，莫備於關洛以來諸老所言矣。幸卒成之，以惠後學。昔朱子嘗欲為大爾雅，而近世有為性理字義者未若此。知天之原而能發其微也。雖然，體用一原，顯微無間，言天而滑於小伎，則裨竈梓慎洛下閎鮮于妄人耿壽昌巫咸甘石之徒皆能之。言天而淪於異端，則老子之道生一、有生於無，列子莊子之太始、太素、太初，王輔嗣之寂然至無，孔穎達之不生而物自生，與夫釋氏之無形本寂寥，皆誕也。天道之與器也，天理之與氣也，天命天性天心之與形質也，未始相離。屈伸消息幽明死生之故，初非二致，一以貫之可也，而所以貫之如何，其惟敬之謂乎？敬則誠，誠則一，立坤二之直方，至乾二之閑存。誠之通，動為先，元而貞動，此敬也。誠之復，静為先，貞而元静，此敬也。自太極析而言之，心性命理道；合而言之，道而已，一太極而已。無愧於太極之所以與我者敬而已；敬之至，誠而已。探原發微，致知也，始事也；窮原造微，力行也，終事也。吾儕不可不勉也。景翔名雲龍，與予同邑而長一歲，今年六十有六，寶祐戊午鄉貢進士，其書二十五篇，擬天數二十有五云。

[一]至元二十八年：據文中所言「與予同邑而長一歲，今年六十有六」及作者生年考訂。　[二]故動靜靜動□之曰動靜者：原闕「動靜靜動」與「之曰動靜者」，據清抄本補。

天原發微後序

元貞二年十二月

知其然不知其所以然，可乎？其然如何？形而下者也。其所以然如何？形而上者也。蒼蒼，天也。孔子曰「知我者其天乎」，孟子曰「知其性則知天矣」，此亦蒼蒼者，非歟？天有形有象有氣有數有萬物，皆形而下者也。藝精術專，讀多見博，或知之形而上者，一言以蔽之曰道，析而言之天理天命天性天心天則天德天威天討，在圖為圖，在書為書，在易為易，在範為範，不測謂神，不息謂誠。何謂元亨利貞？何謂剛健中正？巫祝醫卜知乎哉？江之南，紫陽山之北，黄山之下，有隱君子魯齋鮑公，精於易學，無書不讀，妙年冠計偕選，年七十一，長回一歲，與回兄弟交，終其身客于同里廣西道儒學副提舉敬齋鄭公之家，師友相得，貲之著書，其書曰《天原發微》五卷二十五篇。天果有原乎？曰有，即所謂形而上之道也。漢儒曰道之大原出於天，如此則是先有天而後有道。原，本也，宜當曰道者，天之原，而天之形象氣數萬物，道之末也，器也。公之書首太極，陰陽未生先有此道，故孔子曰太極。我求太極，其實無物，故周子曰無極。陰陽既生，道在陰陽；既有天地，道在天地；既有萬物，道在萬物，故朱子曰一物各具一太極。次二曰動静，次三曰静動。人皆知對待流行之動静，而不知天與聖人主静，實為動之君。動静自元起，静動自貞起也。後二篇明造化之鬼神，非老釋之鬼神，述造化之變化及學問之變化，皆有功斯道。往聖先賢，前作後述，搜玄獵冥，參以己見，天原之微備矣。是書也，往復難問將十年，敬齋梓其書行世，回宿諾魯齋以序文，序文成以今年十一月十七日南至，而魯齋前十日以疾不起，家僅有一孫。嗚呼痛哉！牖下尚有一卷未刻，敬齋為竟其事。回閲之，輒增書魯齋生謝本末，囑敬齋改刻，並就書敬齋樂善尚義之美，能盡師友之義，而回所書亦庶乎不負兄弟之義云。魯齋名雲龍，字景翔，敬齋名昭祖，字孔明，與回皆古歙州歙縣人。元貞丙申十二月里友弟方回萬里序。

河洛言敬序

古書之可考者，神農《本草》專言藥物，後世如《素問》、《難經》醫藥之書，皆出此。《堯典》專言天文，後世如《歷法百中經》天文之書，皆出此。《舜典》專言命官，《周禮》六官、《唐六典》及後世官制之書，皆出此。《禹貢》專言地理，後世如《水經》、《寰宇記》地理之書，皆出此。至于孔門贊《易》專言吉凶，删《詩》專言情性，定《書》專言治亂，作《春秋》專言功罪賞罰。禮樂散亡，詩為樂之一，而漢儒有《禮記樂記》，曾子門人專以《孝》為經。司馬遷八書、班固十志、劉向之傳《列女》、楊雄之記《方言》，皆後世類書之祖也。伊川程氏教學者將聖賢言仁處類聚體認，南軒張氏始類聚洙泗言仁為一書，《易》曰「方以類聚」，唐歐陽詢撰《藝文類聚》是也。楊敬仲乃謂言仁未有《論語》、《孟子》時無可類聚，類聚體認無非意路。陸子静至謂伏羲時無堯文章，堯舜時無周禮樂，未有孔子已前未有人言仁，殊不知孔子之杞而得夏時，之宋而得坤乾。韓宣子適魯見易象春秋，季札聘魯觀周樂，自有文字以來，古天子諸侯之國皆有先王之典章。類聚言仁為學之至切要者也，何至執私見立異論以攻之？老子操槌提絶滅之心欲剖斗折衡，莊子因之為筌蹄糟粕之論，實開吕政、李斯焚書之端。彼拈花面壁，乃至無有言語文字，西域之教漸於中國，忘君背父，呵佛駡祖，掇拾老莊之緒餘，大不敬而甚不仁，異端之為吾道患也久矣。眉山楊君清父謂洙泗言仁，由仁入聖；河洛言敬，由敬入誠。非禮勿視聽言動，敬也。敬則仁矣，故曰克己復禮為仁。洙泗言仁，有功萬世；河洛言敬，有功聖門，故亦類聚程子之言敬者，其目六，其條七十，以開後學，與南軒類聚言仁之書相表裏。今夫世之類書，七絲之琴、一先之奕、九章之算、五采之繢、射評印格、姓纂謚號、酒經茶録、金石香具、筆墨紙硯、花果竹笋，莫不有譜有訣。農有《齊民要術》，工有營造法式，兵有七書經武要略，刑有刑統律令格式。《急就章》、《博古圖》、《實賓録》、《初學記》、《兔園策府》、《記室新書》、《御覽》、《元龜》及《太平廣記》之小説，歷代會要，諸家詩話，皆不可廢。昌黎痛闢二氏，而道家之偽《度人經》釋子之一大藏，終不可遏。宋再傳，集天下妄談陰陽星命之人，流配沙門島，止存易筮，而秤星、撥沙、鮮鶚、遁甲等經及近人繆著《五行精紀》、《三辰通載》猶行於世。惟是音切偏傍之韻，篆隸行草之帖，爾雅、廣雅、埤雅、翼雅之類物宜，選粹、文鑑、觀瀾、層瀾、崇古、正宗之類詞章，乃書生所不可少。其大者近世晦庵朱氏以平生之力輯為四書，又有《儀禮經傳集解》、二陳《禮書》、《樂書》、北溪陳氏《字義》、東萊呂氏同晦庵述《近思録》，又有《讀詩記》、西山真氏之《讀書記》、鶴山魏氏之《十六家易集義》、《九經要義》八十五類，義理完，制度備，得其精微可為大儒，次亦不失為該洽之士。然言仁言敬則尤為希聖之捷徑也，彼欲一掃而空之者，傳禪鉢而煽秦火，哀哉！清父名汲，前朝大理寺丞典，郡先尊公平舟先生嘗參大政，其亦如張魏公之有子云。

汪虞卿鳴求小集序

造道以知道為先，《大學》曰「致知在格物，物格而後知至，知至而後意誠」，世儒或於此乎疑之，謂為扞格外物，如止遏情欲云者，中人所能，而於知道乎何關。格者窮而至之，之謂物者，事中有理之謂也。物格則知至，非有上下截之分也。格物而能窮其理則知道矣。知是道也，而意始可誠。道之不知，而曰吾意已誠可以造道者，妄也。東西之不知而欲趍都邑，雖以誠趍之，不至也。酸鹹之不知而欲調滋味，雖以誠調之，不和也。藥有良有毒，不知而以誠服之者，舟有完有漏，不知而以誠乘之者，皆將有不測之憂。是故必先知而後誠，知謂知道，誠則所以行，是知而造道也。顏子有不善未嘗不知，知道也。孟子知言、知性、知天，皆知道也夫，然後服膺允蹈，有所施其力。近世陸子靜專指乎心精神情之發見者，以為學，則近乎從事於氣，而不根於性，本源涵養似有虧欠，一超直入，流為釋氏，其於道知之而未至者歟。陳同父高談漢唐，取其一二近似偶合者，以為帝王事業，雜霸之念横乎胸中，其於道，知其偏，不知其全者歟。葉正則不以荀子性惡為非，以曾子嘗有籩豆司存之言謂終不悟一貫之旨，識見舛刺，雖其雕章刻句，足以自異一時，而於知道，蔑如也。又有下於斯者，劉潛夫以晚唐詩自鳴，誘壞江湖小生，絺繪浮靡曾不少涉乎。濂洛之涘，趨向邪僻，以禪之南北宗方朱陸氏，欲並褻其書，則於斯道謂全無所知可也。踵弊承訛至於今斯極矣，異端雜流，謏聞小技，固有平生竭口耳之用，殫筆墨之精，卒於聖賢分劑無絲髮所得，豈不甚可痛哉！予里人汪君逢辰虞卿，早厭科舉之學，研究義理，著述幾近百篇，摘一二為《鳴求小集》，取「嚶其鳴矣求其友聲」之義，以折衷於當世之君子。如父在觀志，父没觀行，取朱文公集中前説以為父之志，而捨集註後説，三年無改。有感於元祐紹聖之變，謂非道，即宜速改。予謂先儒解經有二説者，有三説者。詩三百思無邪，朱文公謂作詩者不皆無邪，觀詩者當無邪。吕成公則謂作詩之人無邪，觀詩之人亦當無邪。或又謂已删之詩有邪思者。因秦火而復亂經，疑之似此者不一。在學者體認决擇歸於至當，虞卿能如此考經，而致其知可也。陳平六奇計偽游雲夢之策，虞卿深謂其非。予謂何必陳平，如張良啗秦將以利，伺其怠即進兵，許項羽東歸，尋勸高祖追擊，信義何有？蕭何發子弟從軍，賤買田宅，自污君臣之間，一切以術。韓信築壇之拜，其説甚偉，至其戰攻，不過拔幟囊沙，出於詭數，至欲為正而先請假王。三人號人傑，俱用詐謀不以為耻，何况他人。虞卿能如此觀史，而致其知可也。造道之要，莫先於知道；知道之要，莫急於格物，格物之要，莫切於讀書。今人之學與古學殊，惟有讀書以致知，是為格物必先知乎書人之所謂道，知顏子之所謂不善，知孟子之所謂言，所謂性，所謂天。上而經史，下而子集，辨析毫厘，探討源委，而後篤實以充之，剛健以進之，始於不自欺，終於無妄，而極於至誠悠久不息之地，則困知、學知、生知一也。出處知時，窮達知命，語默知幾，賢否知人，原始反終，知死生，精氣游魂，知鬼神，無所不知，亦無所不誠，皆知道之極而已。謂予不然，則豈無同聲以應其鳴者。

筭先天後天易詩序　大德八年[二]

《易·文言》乾九五之大人，先天而天弗違，後天而奉天時。紫陽山叟斷之曰：我欲如之天從之，先天天弗違，未來之天也。天已如此我從之，後天奉天時，已往之天也。「《易》有太極」一章，以天與聖人雙言之，未分先後。上天之道、聖人之心，皆有太極生兩儀，一陰一陽生四象，陽陰為春夏秋冬生八卦。上天之道，乾兑離震巽坎艮坤，聖人之心，健順動静陷麗止説，為中正仁義，未可謂天與聖人有先後也。「幽贊於神明而生蓍」，此一句言先天天弗違；「參天兩地而倚數」，此一句言後天奉天時。或謂制器十三卦，伏羲之時，未有網罟已有離，未有書契已有夬，先天易也。天垂象見吉凶，聖人象之；河出圖、洛出書，聖人則之，後天易也。堯歷象閏定四時，先天易乎？孳尾東作，希革秋成，後天易乎？舜璇璣玉衡齊七政，先天易乎？二月東巡，八月西守，後天易乎？孔子其或繼周百世可知，先天易乎？天何言哉，予欲無言，後天易乎？康節邵先生神交乎伏羲之易著，《皇極經世書》用加一倍，法圜轉宇宙曰先天，學其運行不已，光明無窮，變化叵測，代謝弗替之妙，貫已往未來之天於掌握。嘗教人云：堯之時先天也，堯之後後天也，後天乃效法耳。謙復歐陽君子文善推人命，以予之生辰流年，立先天後天、大象小象卦以評之，議論可喜。七十八老翁，久無求於世，君之術自成一家，則深敬之，不敢忽云。（以上《桐江續集》卷三四）

［一］大德八年：據文中所言「七十八老翁」及作者生年考訂。

建德府節要圖經序

建德府新定郡遂安軍節度，今統縣六，建德、淳安、遂安、壽昌、桐廬、分水，郡治建德縣，當浙江之上游新安江、東陽江之會，天文南斗須女之分，《禹貢》揚州之南境。春秋時屬吴，尋屬越屬楚，至秦介鄣、會稽兩郡間，漢隸吴郡之富春縣、丹陽郡之歙縣。建安十三年孫權分丹陽郡之歙縣，置新郡治，今淳安，晉平吴改為新安郡，至東晉皆隸揚州，宋梁改隸東陽州，尋復舊。隋平陳，廢新安郡為縣，入婺州，而置歙州。仁壽三年即新安故城置睦州，大業初改睦州為遂安郡，歙州為新安郡。唐武德四年復為睦州，而析桐廬為嚴州，七年廢嚴州，復以桐廬屬睦州。貞觀元年分天下為十道，睦州隸江南道。

神功元年徙州治建德，天寶元年改為新定郡。乾元元年復為睦州，五代屬錢氏。宋太平興國三年，錢氏納土，隸兩浙西路。先是，太宗嘗以親王領睦州防禦使。政和八年升為建德軍節度，宣和三年平方臘，改為嚴州遂安軍節度，高宗、度宗皆嘗以皇子領遂安軍節度使。咸淳十年升為建德府，其户口之數，紹興己未，户七萬二千二百五十六、丁一十一萬一千三百九十四，淳熙丙午，户八萬八千八百六十七、丁一十七萬五千九百有三，景定壬戌，户一十一萬九千二百六十七、口三十二萬九千二百有六。權奸賈似道當國，中外苟且，玩愒版籍，漫不經意，今兵火後未知登耗。其物産之宜，萬山叢蔽，山居八，田居二，往往樵薪為生，仰米旁郡，地狹人稠，土瘠民窶，浙西諸郡皆腴而此獨窮陋，加以南渡都杭，是為西南數百里之孔道，舟車必由，迎餞疲瘁，而郡益乏。皇祐指揮歲為婺州輸絹三萬六千匹，婺歲歸本郡米一萬五千石。户部督絹，本郡以上征下，歲無虧；本郡督婺州米，列郡勢相侔，負固不償，而郡愈不可為。郡所以名於東南而望於時者，以嚴子陵之釣臺在焉，而三朝之潛藩也。真人有作，六合混一，乃至元十三年歲在丙子二月有六日，闔郡官吏軍民奉前朝詔以郡歸附於大元聖朝。武略將軍兵部郎中王世英、武略將軍刑部郎中蕭郁偕來，秋毫無犯，市不易肆，寬書屢下，弛征蠲賦，民樂有生，行中書省一政一令無非所以布宣今上好生之仁。繼自今凋弊，郡其有瘳乎。（清道光八年《建德縣志》卷一四、清光緒二十五年《浙江通志》卷二六三）

香林詩會序

《春秋》書會之大者，莫盛於齊桓。《史記》於晉獻公二十六年夏，書齊桓公大會諸侯於葵邱，周宰孔勸獻公毋會，則周室卑，霸業隆。會雖大，識者所弗許也。後世人文才士有詩會焉，曾子曰「君子以文會友」，此一言詩會之祖始也。孔門一貫高弟，其謂以文會友者，必有所謂成章之文，今不可得而考矣。嗚呼！斯文之會，豈非會之大者歟？今未暇論曾子之所謂文會，姑論上饒香林之詩會，其亦會之大者否歟？不知猗那之遺音，不能詩。不識羌蹇之高韻，不能詩。九經三傳、《儀禮》《爾雅》註疏、十七史不讀，不能詩。無匹夫匹婦胸中之全經，亦不能詩。此皆學詩者之本根也。諸子百家，類書別集、《素問》、《難經》、《本草》、《玉篇》、《廣韻》、《說文》、兵機將略、佛經道藏、僻聞怪說、街談巷語，此皆學詩者之佽助也。然要之心之所主有高於此者，貴乎見之一，守之一，顔四勿、曾三省，以至董仲舒之「正誼」「明道」，韓退之《進學》、《原道》，周、二程、張、朱文公、張宣公、吕成公之理學是也。漢《河梁》五言、《柏梁》七言、平子《四愁》、梁鴻《五噫》、魏晉宋曹、劉、陶、謝，而陶又出乎其類，傍通可也。唐少陵為百世詩人冠冕，其所敬服倡和，孟浩然、王維、岑參、高適、元結、張九齡、嚴武，博取可也。柳子厚、劉夢得、韋應物、張籍、賈島、劉叉元和高流，惟許渾、姚□可鄙也。五代一羅隱。宋則人物鼎盛，惟王半山吾所不取，擬寒山子「我嘗為女人，歡喜見男子」，此惑於西人輪迴之説也。穆修、魏野、楊蓑衣開其端，歐、梅、蘇、石返諸雅，二蘇六君子大赫厥聲，而黄、陳自為高格，有江西體吕居仁、陳去非、張良臣，南渡前輩巨擘，至乾淳尤、蕭、楊、陸、范，嘉定韓南澗、澗泉趙章泉而止矣。四靈不足道也。真魏在端平不專於詩，江湖鳴此道熄矣。嗚呼！今日香林之會，濯故來新，豈非千載之一會乎？章氏名潛，字師孔，有香林自序及規約，兹不贅書。（清同治十一年《上饒縣志》卷二三）

秀山霜晴晚眺與趙賓暘黄惟月聯句序

至元十八年十二月

秀山在嚴陵郡城之内，子城之東，舊有亭曰「秀亭」，今毁。范希文所謂「烏龍如岱，馬目如崧」，嚴子陵所釣之瀨，沈休文所賦淺深見底之江，顧未嘗與亭俱毁也。回官寓買屋其下七年矣。丁丑之冬，趙與東賓暘相約聯句，僅酬倡青字四十韻而止，近又賦柏梁體九十韻，絶影極趣，囊括未盡。辛巳十一月二十七日，賓暘適至，黄應蟾惟月授小學于塾，三人各携稚子，挈繩牀，命酒至暮，雪後霜晴，送目無極。東望則錢塘、會稽通扶桑暘谷之波，西望則歙鄱萬山出逾隴蜀抵日落之處，南則衢婺接甌閩，北則江淮而中原渺渺無際。此山在天地之内，不能一拳，而吾儕在此山之上，亦太虚之一粟爾。然神游者意遠，趣適者興深，以此而寄於言，非可腐之草木比也。乃以回兩日前屋字古詩為韻，回首倡焉，秉燭繼之，各聳肩索筆書數十聯，禁鼓趣歸，明日再集，又明日，復集而一百八十韻成，用昌黎鄆城夜宿體，而用韻多於城南竹金泉玉之聯者三十庸，豈非一時之逸概乎？賓暘惟月暫來倏往，故回之聯頗加多。長兒存心亦獻數十句，惟「村酒僅數行，野蔬不盈掬」一聯可取，而以其儉也，不以入篇。然則秀亭可毁也，而山川之不可毁者常存。自古有形者無不可毁，而文之不可毁者常存。前乎是，咏詩于此山此亭者衆矣，而今莫之存也。亭不存山存，而吾儕於是乎有是詩，要是詩之久，其存其毁，非回之所得知也。將以紀一時意興之所偶至，則不容不姑存之也。時至元十八年嘉平朔旦，方回萬里謹序。（文淵閣四庫本《新安文獻志》卷五八）

天隱禪師文集序　大德三年十月九日

削陳而不腐，太玄公之文易，《原道》「公之無」三字用古語是也。去偶而不俳，如《晉書·贊》、《南昌滕閣序》、《小畜待漏記》皆當退舍也。紆餘曲折，反覆旋環，若不可卒解驟决，而有若《相州堂記》、《潮州廟碑》各兩起句，截乎其網之綱，訖乎其明堂之柱，未嘗不如大劍利刀之斬鐵切玉也。此高安上人圓至字天隱之文也。天隱文集若干卷，非特南渡後僧無之，南渡後士大夫亦未辦至此也。然予惜其不專於儒也。咸淳甲戌年十九出家，依仰山慧朗大師欽公脱髮，有所迫而墮於浮屠歟？抑有所為而隱於浮屠也？《易》、《詩》、《書》、《春秋》、《論語》、《孝經》、《孟子》、《爾雅》儒之文，《三禮》惟《儀禮》、《大戴記》、《周官》三傳有是非。荀、楊、馬、班，醇不掩疵，為儒之文之病。《四十二章經》以至一大藏之文，可並學乎？中國之聖人與西方之聖人果同乎？天隱之言，以吾儒之文為舊學，以浮屠之文為近學。其胸中融會超了之見，不惟欲合禪律而一之，又謂佛若老與孔子之道一，豈有所不得已而立為是言乎？至元、元貞間，住建昌能仁禪寺，其説法亦禀於欽，不兩年棄去。大德二年戊戌卒於廬山，年四十三。不屑為其徒之長，而其徒至然宗之以為師。得於天而修於己者，不偶然也。吾徒亦或宗之，不特為其徒之師，而年之不延。修於己而不得於天者，吾亦不知其所以然也。噫！予蓋惜其人品，視契嵩、惠勤、參寥非遇之，而永叔、子瞻之不相值也。抑又深惜其局於浮屠，多為其徒，為文不得為吾儒大制作，與《無逸》、《立政》相表裏也。與某學士書為予同年鄧公光薦，又不能不有感於近世人物之衰少也。天隱季父癸丑廷魁姚公勉、父文叔、兄雲皆前進士。吴門磧砂魁上人偕其友清表將以其文梓行，魁皆英妙高亢，蓋游於天隱，而余亦游之云。三年己亥十月初九日丙辰，紫陽方回萬里序。

（元大德刻本《筠溪牧潛集七卷》卷首）

小學紺珠序　大德四年

唐張燕公患多讀少記，得紺碧大珠一顆，握以自照，則平生所讀所記了了不忘。故後人摘書小説奇事，名紺珠集。浚儀王公厚齋先生應麟長回六歲，以進士中宏博科，仕與蘇長公端明翰長尚書同，而德業文學亦似之。守歙，嘗造回家，談論彌日，其該洽，今無復有斯人矣。公殁後數載，始得見所著《小學紺珠》，謂八歲入學者當讀，回謂如《初學記》。雖回七十四，將十倍初學之年，亦盍時時閲之。厚齋此書，過於張燕公之所照者也。豈但始就外傳者宜寶之哉？因具始末於其端云。大德庚子紫陽晚學方回序。（一九八七年上海古籍出版社、江蘇古籍出版社《玉海》附《小學紺珠》卷首）

平宋録序　大德八年九月十五日

天以大元世祖皇帝神聖文武一統天下，時則有若伯顔丞相，如阿衡之於成湯、太公之於武王，可謂聲應氣求，雲龍風虎之會哉。中統四年，入侍天顔，一命中書省平章，再命中書省左丞相，三命領樞密院事。至元十一年甲戌秋九月，董師南伐，浮漢江而下，所降復州，不以一兵一騎入城，不擄一民，不掠一物，所至皆然，而斗南諸郡，望風歸附矣。十一月辛亥，舟師出沙河口，入大江，宋之所恃者江，無江則國亦無矣。此丞相獨斷第一功也。乙卯，以舟載鐵騎三千，令阿朮平章渡上流二十餘里青山磯，戰于江中，果得南岸，拂早來報，丞相大喜。此一舉天下之奇兵也。一相渡上流，一相渡下流，天下定矣。丞相時親攻陽邏堡，擊走夏貴數十萬衆，天下大定矣。于是黄以西、鄂以東，郡無不降，安慶范文虎降為先鋒。十二年乙亥春二月庚戌，宋平章賈似道部孫虎臣兵十萬餘，屯丁家洲，遣使稱臣納幣，乞退師，不許。己未，大戰江中，擊走之，二人僅以身免。四月，留屯建康，俟秋再舉。七月，朝上都，拜中書省右丞相，保奏阿珠拜左丞相，右相東下，兵盡東海，左相西上，兵盡南海，天下大定矣。八月自淮東渡江，常州已降復叛。十一月，屠其城。十二月，宋相陳宜中約降。十三年丙子春正月，至長安，陳宜中不至，遁。甲申，至皋亭山，宋使來獻寶璽降表。三月丁卯，入杭州城，甲戌，赴燕，遷宋全太后幼主北行，太皇謝太后病未遷，福王與芮相吴堅以下皆北，宋相文天祥先留平中，至鎮江遁。此丙子《平宋録》之大略也。然則以世祖皇帝之聖，佐以巴延丞相之賢，天固與之。宋以老后幼主，佐以權臣賈似道之奸，其罪之尤大者，叛盟爽約，留信使於淮郡，援逆雛於山東，天實亡之，福善禍淫皆天也。求為此序者，前杭州司獄燕山平慶安。大德八年甲辰九月十五日，通議大夫前建德路總管兼府尹方回撰。（一九八三年中華書局《叢書集成初編》第三九一〇册）

桃源行序

予謂避秦之士，非秦人也，乃楚人痛其君國之亡，不忍以其身為仇人役，力未足以誅秦，故去而隱於山中爾。至晉而後漁者見其子孫，或誇訛以為神仙，固已非矣。王介甫「知有父子無君臣」之句，尤為悖理。「楚雖三户，亡秦必楚」，不遽亡之，則亦避之，蓋深於知君臣之義者，介甫殆未知也。淵明豈輕於作此記？亦私痛晉之士大夫翻然事劉裕而無恥者爾。予遍讀桃源題咏數百首，無能發明此意，故大書道士壁而刊之，不知其僭，兼是時北兵破蜀，降將或為之用，因并以寓一時之感，而其實亦足以為天下後世為人臣者之勸云。（文淵閣四庫本《新安文獻志》卷五〇）

全元文卷二一五

方　回　九

讀潛虛疑跋

揚雄《太玄》八十一首，一首九贊，以配乎天之三百六十六晝夜，其中首起於冬至。司馬公《潛虛》五十二名，一名七變，始於《玄》，終於餘，各一變以配乎天之三百六十日，其法亦始於冬至。子雲自謂以《玄》準《易》，而張敦實又以《虛》為準《玄》，回有所未喻。夫《易》自一奇一耦而為兩儀，自一陰一陽加奇耦而為四象，自老陰老陽、少陰少陽又加奇耦而為八卦，又加奇耦以至於六十四卦。一卦六爻，為三百八十四爻，其所以占吉凶悔吝，有千變萬化不可窮之妙，而其實不過一陰一陽而已。陰四卦二十四爻，分配四季為二十四氣，而以復卦七日來復為六日七分之説，以三百六十爻分配一年。聖人作《易》，本不如是之拘也，皆出於漢儒傅會之説。子雲之《玄》、准之歷法，則若可觀矣。以之準《易》，則一首為四日半，占得某日之贊、或某夜之贊，以定吉凶，則臆説，固未必果驗，徒有其辭，頗若瑰璓可喜耳。司馬公之《虚》，一名七變，一變為一日，其吉凶臧否，恐亦無驗，而所謂取法五行，為宮商角徵羽，加變徵為一名七贊者，此杜撰一也。齊為中無位，玄為始，餘為終，皆一變不占，它五十二名之初，亦皆不占，不知此何所據，此杜撰二也。五十二名各一變，外三名無一位，兩皆一變，實五十五名。以性動、情事、德家、國政、功業，自柔至隆，五名而分一字。以玄哀散餘齊五名為形之運，總十一字以括之。雖若每五名皆配五行，合天地五十五之數，然其實意義不通，倫序無理，此杜撰三也。且其五十五名之所以立，惟柔剛容言等字，不事深僻，其他故為改更，以示難解，如喜怒哀樂，則《易》曰谿濟罹湛；如進退動静，則《易》曰前却妥蠢；如仁義禮智，則《易》曰訒宜喆戞；如夫婦子父，則《易》曰特偶續考；如師衆君臣，則《易》曰范徒林隸，則又皆杜撰之淺近，自謂文以艱深，若足以惑人者，其不為子雲之床下床，吾不信也。子雲以《玄》準《易》，不得其奧，更奥字面，如擬復，則《易》之曰周，殊不知卦之所復，蓋取夫陽之來復，豈但一歲之運周而復始之復哉？凡此者類皆可笑。惟吾文公深闢之，他人則鈍者不曉不敢議，聰明者恍其小而不察其大也。且《易》之占，乘承應否、内外正悔，或得全卦，或得一爻，天子庶人、若貴與賤，隨所得而義無窮，不占而玩，亦足進德。若玄與虚，徒能巧取名數、擬配歲紀以為美觀，而於占則甚淺，於義理則拘而不通，學者勿惑焉可也。文公謂《潛虚》非司馬公全書，好事者偽成之云。

讀明道先生詩跋

明道先生詩：「閑來無事不從容，此與曾晰言志事似之而實非睡覺東窗日已紅。萬物靜觀皆自得，四時佳興與人同。道通天地有形外，思入風雲變態中。富貴不淫貧賤樂，男兒到此是豪雄。」人能誦之，然尾句微露豪氣，步驟頗似康節，如「莫辭杯酒十分醉，祇恐風花一片飛」，「未須愁日暮，天際是輕陰」等句，前輩皆嘗拈出矣。予披讀全集，佳句極多，如《訪張子直承出看花戲書》云：「平日邀相見，過門又不逢。貪隨看花伴，應笑我龍鍾。」又云：「下馬問老僕，言公賞花去，只在近園中，叢深不知處。」又云：「桃李飄零杏子青，滿城車馬響春霆。就中得意張公子，十日花前醉不醒。」此三首，雖倉卒游戲，世之苦心極力賦詩者，未必能到此也。其《代挽王宣徽游崇福宮》有云：「瑶草春常在，瓊霜曉未晞。」豈不華麗。如「水心雲影閑相照，林下泉聲靜自來」，如「鳥聲人意融和候，草色花香杳靄間」，豈不閑雅。韓持國贈先生詩云：「曲肱飲水程夫子，宴坐焚香范使君。愧我不能忘外樂，緑尊紅芰對西曛。」先生酬云：「對花酌酒公能樂，飯糗羹藜我自貧。若語至誠無内外，却應分別更迷真。」尾句當細味可也。如「傍花隨柳過前川」一絶與前「靜觀自得」之句[二]，天下無不熟者。

[一]與前「靜觀自得」之句：靜觀自得，原作「靜自得」，據清抄本補「觀」字。

讀王荆公詩説跋

王荆公詩説極有佳者，其説《七月》之詩曰：「仰觀日星霜露之變，俯察蟲魚草木之化，以知天時，以授民事。女服事乎内，男服事乎外，治自内而外，化自上而下。上以誠愛下，下以忠利上。父父子子，夫夫婦婦，養老而慈幼，食力而助弱。不作無益也，備豫乎桑田之事而已，非特備豫乎桑田之事而已也。苟可以除患者，皆備豫焉。不貴異物也，致美乎桑田之器而已，非特致美乎桑田之器而已也。苟可以成禮者，皆致美焉。人無遺力矣，故事不足治也；地無遺利矣，故物不可勝用也。女不淫而仁也，又有禮焉；士不惰而武也，又有義焉。其祭祀也，時；其燕享也，節。夫然故天不能災，人不能難，上下内外和睦，而以逸樂終焉。此七月之義也。」回謂此一段文勢鏗鏘瀏亮又「流火」至「栗烈」説，「彼曰七月、九月，此曰一之日、二之日，何也？陽生矣，則言日；陰生矣，則言月。與《易臨》至于八月有凶、《復》七日來復同意。然則四月正陽也，秀葽言月何也？秀葽以言陰生也。陰始於四月，生於五月，而於四月言陰者，氣之先至者也。周正建子，而此所言皆夏時者，夏時稼人所見，所謂人正也，授民時則用人正，固其理也。」此説回謂得之王厚齋[一]，極喜之。惟「剥棗」説云「剥棗者，剥其皮而進之，養老故也」。古注音朴，讀為剥皮之剥，非也。荆公集中已有奏狀，乞删改矣。回謂荆公之學似管仲，管子書今行於世，其所以興利致富强之術，與先王之意相背馳，如冰炭矣。而其言語議論亦時出於先王之緒餘。觀之者以為此先王之所為也，而實則不然。荆公説《七月》之詩，論先王之治，如指諸掌，然卒亂天下者何也？其少也，以文章學問知名，未必有自任治天下之意。文章學問之名既盛，位日以高，主眷日隆，於是一旦以其意治天下，而文之以先王之言於道理規模，實則未有真見，非若管仲猶有所見於一二也。然管仲之禍，止於齊國，而荆公之禍，至今未艾者，管仲止於治一國，身死之後，伯移於晉，故其禍淺；荆公合天下宗其説，身已死，而姻黨盤錯於中外，諸君子攻之不勝，繼之以章惇、曾布、京、卞之報復，舉天地間心術皆壞焉，而莫敢為異，是以其禍如此其烈也。管子之書，文多可觀，而其術有市井之所不為，太史公及蘇子由或不盡信之，以為游士附益之説。荆公之書，往往可觀，勝於管仲，今天下亦不甚宗之，然前輩鉅公不以其行事廢其立言，或猶有味其説焉，是重可嘆也。管仲明知王霸之異，急於立功救時，故托王之名，行霸之實，霸功成而王道衰，開天下後世功利之習，自管仲始，而一時尊周攘狄，亦中國之一幸。故回嘗謂：管仲者，一時之功臣而萬世之罪人，功取其事之可取，而罪以誅其心之當誅。荆公者，其心灼然以為王者之始，止於如吾所為，其聚斂也，其用兵也，其疏君子、進小人也，自以為此皆王道也，聖人亦不過如是，則其所見又出管仲下矣。荆公者，尚不識王霸之分者也。

[一]此説回謂得之王厚齋：謂，原脱，據清抄本補。

讀劉屏山詩跋

屏山劉子翬彦冲詩極佳，其《悼李奉》云：「氣驍嘗忽敵，身殁始知名。故妾辭空帳，殘兵穎別營[一]。」下三句有唐人風。又有云：「雁起平沙晚角哀，北風回首根難裁。淮山已隔胡塵斷，汴水猶穿故苑來。紫色蠅聲真倔强，翠華龍衮暫徘徊。廟堂此日無遺策，可是憂時獨草萊[二]。」甚佳。又《汴京即事》云：「空嗟覆鼎誤前朝，骨朽人間駡未銷。夜月池臺王傅宅，春風楊柳大師橋。」近年用此二句換易為「秋雨梧桐皇子府，春風楊柳相公橋」者，為時相所黥，非惟不善蹈襲，抑與屏山用意異矣。又「萬炬銀花錦綉圍，景龍門外軟紅飛。凄凉但有雲頭月，曹照當時步輦歸」；「輦轂繁華事可傷，師師垂老過湖湘。縷衣檀板無顔色，一曲當時動帝王」，皆極詩人之趣。師師，即所謂汴京魁妓也。感時傷事，詩家不嫌如此。不知音未必不曰為聖[三]，傳十論者亦復爾耶。

[一]殘兵穎別營：穎，原闕，據清抄本補。　[二]可是憂時獨草萊：草，原闕，據清抄本補。　[三]不知音未必不曰為聖：音，清抄本作「者」。

讀朱文公書劉屏山詩跋

屏山集中有《潭溪十詠》，又有《續賦家園七詠》，文公嘗親書之，而總題其後曰「病翁先生潭溪十七詠，門人朱熹書」。予細讀其詩，皆幽遠淡泊，有無窮之味。其首篇曰《悠然堂》：「吾廬猶未全，作意創此堂。悠然見南山，高風邈相望。賓至聊可娱，無賓自徜徉。」其《醒心泉》曰：「藤蘿掇不開，石竇一鏡明。携瓢酌清甘，謬然瑩心神。我病不能酌，時來聽冷冷。」其《懷新亭》曰：「茅檐入竹低，曠野時寓目。寂寂農家春，新秧滿田緑。何時稻登場，秋山響蓬撲。」其《宴坐巖》曰：「不見暮樵歸，寒山雨中碧。」其《南溪》曰：「聊為溪上游，一步一回顧。悠悠出山外，浩浩無停注。惟有舊溪聲，萬古流不去。」其《百花臺》曰：「何處春光多，時登百花臺。主人澹無情，林花為誰開。」使人一唱三嘆，可與韋、柳相上下。云病翁，屏山自號，嘗有句云：「我年三十號病翁。」

讀朱文公儀禮經傳跋

朱文公取《儀禮》十七篇，分配門類，廣掇諸書，充衍其義。已成者，家禮、鄉禮、學禮、邦國禮，有《儀禮》以為之經，而諸書之不出於《儀禮》者，亦揭之以為經。低一字而書之者，為之傳。有註或疏，間斷以己見，名曰《儀禮經傳通解》。王朝禮無經而有傳，名曰《儀禮集註》，蓋為未成書也。嘗屬黄勉齋續[一]，為喪禮、祭禮，勉齋後成喪禮矣，祭禮已藁未成，其門人三山楊復號信齋續成祭禮，皆以《儀禮》或諸書為經，它為傳，皆名曰《儀禮經傳通解續》。南康先嘗刊文公《儀禮》及勉齋續喪祭禮於郡學，書監取之以去。其楊信齋所續祭禮，淳祐六年以江西憲鄭逢辰繳進，並有《儀禮圖》十四帙，特贈復文林郎，其子心得免解三次。今並傳於世，獨《儀禮圖》則予未見。由祭禮而詳文公之言之意。郊祀天地，當南北分祭，而合祭非也。廟制當正太祖之向，左右分昭穆，而同廟異室以西為上，非也。以原廟附於老子之宫，尤非也。祧四祖别為殿，而祫祭乃以太祖東向，亦非也。郊當配一祖，而並配藝祖太宗，非也。明堂當如周之配文王，而誤認嚴父之文，遞配其父並祖宗焉，非也。良由諸大儒不皆得位，故性理之説發明無遺，而國家制度多不合於古大綱正，故化之原有餘，而政之用或不及。然不幸而惟王安石得志，功利之心既勝，專用小人，故所為更張，雖間有當於事者，而弊已不勝其多。由如思之，不如因循扶持之為貴也。中間亦嘗舉行北郊，何救於亂，若如丁大全當國，增高宗於明堂，四聖並侑，則尤出唐武后之下矣。禮固不可輕議也。

[一] 嘗屬黄勉齋續：黄，清抄本作「王」。

讀樓攻媿桐君祠記跋

桐君《藥録》，人相承用之，不知桐君何人也。樓攻媿《桐廬縣桐君祠記》云：「荆州多荆，薊州多薊，豫章以木氏都，酸棗以棘名邦。兹邑以一桐之大，垂蓋如廬，有隱者採藥求道於此，或問其姓，則指桐以示之，人因稱為桐君。故桐江、桐溪、桐峴，皆以此得名。既為縣，又因以名郡焉。」然則桐君姓名，蓋不傳也。攻媿又謂嚴之高士三人：子陵隱於漢，名終不可泯。方干隱於唐，又以詩顯。桐君隱而不知為何人，其殆最優乎？此亦善軒輕立論者。

讀太倉稊米集跋

周紫芝字少隱，宣城人，及見南渡前諸老，紹興中仕至右司知興國軍，自號竹坡。其集曰《太倉稊米集》。嘗謂作詩先嚴格律，然後及句法。得此語於張文潛、李端叔。又謂郭功父徒竊虚稱，在詩家最無法度。予謂此言皆是。集中甚多佳篇，五言如「日日湖邊鷺，頻來我不嗔。故山無百里，客舍遂三春。紅落含桃過，青垂小杏新。光陰花委地，飄泊燕依人。」其格律句法可覘也。又「幅巾霑雨過，拄杖看雲移。長鬚吸水去，小艇得魚回。冠敧從自落，門設未嘗扃。附壟田成陛，傾崖水作簾。木杪收殘照，雲間得數星。雲破千峰出，秋隨一雨生。幽蟲近床語，黄葉到階飛。好句貧猶得，衰容醉亦丹」，皆清新可喜。但《秦檜生日》詩及序，當乾道乙酉，唐文若為序，不删去何也？少隱嘗有七言排體一聯云「設客元無琴裏曲，供官尚有篋中詩」，其説謂古今語未嘗無對，琴家能説俗耳者，為設客曲，頃時有作送太守詩者，問之，其人曰：「此供官詩，不足觀。」於是以設客曲對供官詩。秦檜當國，勢焰薰灼，自非胡澹菴之徒，寧免作供官詩為壽，删之可也。《辨碧雲騢事》為非梅聖俞所作，此非私於鄉先生，乃公論也。少隱紹興元年避地山中，不能盡挈群書，唯有柳子厚、劉夢得、杜牧之、黄魯直、杜子美、張文潛、陳無己、陳去非八家詩抄為詩八珍，以謂皆適有之，非擇而取。予謂此豈適然，學詩者不可不會此意，取柳不取韓，取黄不取蘇，取杜不取李，有深意也。元、白巨帙，予嘗摘抄，然皆律寬。孟郊苦思出奇，可選。而觀韋應物幽淡，篇篇相似，難選。王荆公詩，好者尤多，予亦嘗摘抄矣。梅聖俞、吕居仁、楊誠齋、陸放翁四大家詩，亦不可遺云。

讀陳同甫文集一跋

陳同甫所與晦翁八書，淳熙壬寅書二：其一謂天下大物也，須是自家氣力，可以幹得動、挾得轉。若只欲安坐而感動之，向來諸君子固以失之偏。今欲飳飣而發施之，後來諸君子無乃又失之碎，論理論事若箍桶然，亮所不解。其二録所謂雜論五篇者，以呈晦翁，今不見於集。晦翁時為浙東倉，多言救旱，不及講學。癸卯書一，論晦翁按唐仲友事，亦不及講學。甲辰書一，深諱晦翁義利雙行、王伯並用之譏，以漢唐暗合天理之説為非，且不然架漏牽補之説，堅謂漢唐之君本領非不洪大，惟時有轉移，不無滲漏，其後乃有人儒之辨。乙巳書三：其一力為漢高祖、唐太宗雪冤，以為皆君子之射，惟御者之不正，欲攪金銀銅鐵為一鍋，謂天地常運，人為常不息，以闢架漏牽補之説。其二大諱晦翁推尊漢唐[一]、貶抑三代之譏，謂心之用有不盡而無常泯，法之文有不備而無常廢。心有時而泯，不可謂千五百年常泯；法有時而廢，不可謂千五百年常廢。然同甫自悔金銀銅鐵熔作一器，為措辭之失矣。其三立開眼閉眼之譬，謂天地之間何物非道？赫日當空，處處光明。後世英傑閉眼胡做，遂為聖門之罪人，開眼運用，即是赫日之光明。不可以閉眼為盲，不可以開眼為盲者，摸索暗合，其説甚為支離，且詆晦翁因吾眼之偶開，便以為得不傳之絶學，三三兩兩附耳而語，有同告密，畫界而立，有似結壇。似乎理不能勝，繼以怒罵矣。丙午書一為第八書，夫然後有云：秘書之學，至公而時行之學也；秘書之為人，掃盡情偽而一於至公者也。亮所以縷縷者，所以開拓大中、張皇幽眇，而助秘書之正學也。然則必久至於是，而後心服也。當其辨論之殷，録往復書以質之陳君舉，君舉答之書曰：「往復諸書，熟復數過，不知更幾年間，更有一番議論，甚盛甚盛。然朱丈占得地段平正[二]，有以逸待勞之勢。老兄跳踉號呼、擁戈直上，而無修辭之功，較是輸他一着也。」予謂此言切中同甫之病，然君舉雙立判斷於後，以功到成處便是有德，事到濟處便是有理，為同甫之説。以功有適成何必有德，事有偶濟何必有理，為晦翁之説。由同甫之説，則是三代聖賢枉作功夫，人力可以獨運，而上無兢畏之君。由晦翁之説，則是漢祖、唐太宗賢於盜賊不遠，天命可以苟得，而下有覬覦之臣。以同甫之奇偉，適不如《樂毅論》之迂闊；以晦翁之正大，適不如《王命論》之淺近。嗟乎！君舉所評如此，其亦陰右浙學者非歟。

[一]其二大詆晦翁推尊漢唐：翁，原脱，據清抄本補。　[二]然朱丈占得地段平正：丈，清抄本作「文」。

讀陳同甫文集二跋

或問陳同甫之文何如？予曰：時文之雄也。酌古論縱横上下，取古人成敗之迹，斷以己見，拾《戰國策》、《史記》之遺語，而傳以蘇文之體，乾淳間場屋之所尚也。上孝宗皇帝三書，氣太盛、意太迫，以布衣之士而欲限以十日三日，得對清光，何其躁哉！且歷詆當時公卿，皆不足以望上之萬一，是亦召禍之道。與晦翁論辨，不平心定氣，而肆其俠客辨士之風，兼有禪衲棒喝之意。年二十六薦於鄉，又二十二年廷對首選，老矣。乃祖故有狀元童汝能之夢，故幼名「汝能」，而字同甫，後改名亮，此何足詫，而以形諸告墓之文。《送韓子師序》，足以見其狎侮邦君，而無含蓄涵融之象。《送吴恭甫序》，足以見其所交所喜在乎跌蕩，而以發其借彼喻己之私。凡策問，騁粗迹而略精義；凡書簡，肆俗語而少雅言。葉水心為其文序，而曰：「使同甫晚不登進士第，則世終以為狼疾人矣。」真西山非之，予亦非之，謂同甫得一狀元，足以蓋其平世之非，何所見之陋耶！同甫幸脱囹圄，卒不令終，殆器識虧欠爲之，惜其遇朱、吕二公而不能有所化也。

讀陳同甫文集三跋

陳同甫兩下大理，其一，鄉人讌會，末胡椒置同甫羹中，同坐者歸而暴死，疑有毒，連坐及同甫。其一，民吕興、何甘四毆吕天濟且死[一]，恨曰：「陳上舍使殺我。」縣令王恬實其事，臺官諭監司選酷吏訊問，復入大理。此葉水心所書墓銘也。然予聞婺之富人子，携妓游某寺，登講堂，妓歌《絳黄龍》勸酒。富人子，騃子也，容令如即尊位狀[二]。后妓而相同甫，以此遂興大獄。孝宗抹獄卷置不問，水心不書。又同甫魁天下而歸，虐使桶匠，欲取其女，俾爲方桶，桶可圓不可方，同甫百端怒詈，匠恨甚，以桶刀殺之。水心亦諱不書，曰：「病一夕卒。」非也。侂胄得志慶元，黨五十九人，有起廢爲盡力者，葉水心且不免，使同甫無恙，其出處向背，蓋未可知云。

［一］民吕興、何甘四毆吕天濟且死：甘，原作「廿」，據清抄本改。　［二］容令如即尊位狀：容，清抄本作「客」。

讀陳君舉答晦翁書跋 朱陸諸公各有得失，不可專是其一也

晦翁徵詩説於陳君舉，答謂「時時諷誦，偶有感發」。或與士友言「未嘗落筆」，又謂「企慕三十年，聞見異同，無從就正，間欲以書叩之。念長者前有長樂之争，後有臨川之辨，它如永康往還，動數千言，更相切磋，未見其益。學者轉務夸毗，浸失本旨。蓋刻畫太精，頗傷易簡，矜持已甚，反涉驕吝，以此益覺書不能宣。」今按長樂之争，謂淳熙十五年戊申六月，晦翁以新除江西提刑入奏，除兵部郎官。兵部侍郎林栗，以論《易》、《西銘》非是，有慚於公，而遣吏抱印迫令供職，輒劾公也。臨川之辨，謂淳熙二年乙未鵝湖之會，陸子壽、子静執己見，議不合，當時言語論難，學者不傳。其後於林栗辨易之年冬十一月復陸子静書，始深明無極、太極之旨，而力攻子静之失也。永康王伯義利之辨，往復諸書，在癸卯、甲辰、乙巳間，蓋東萊死於淳熙辛丑，鵝湖不合，東萊與聞；陸、林、陳三人忿對喧呶，不知自反，東萊不及見矣。陳君舉非不知三人之曲，顧惟恐己之所聞，為公所掊[一]，故斂退而托之辭，然含糊鶻突，無所是否，反以矜持刻畫病晦翁，其亦浙學護短之態歟。

[一]為公所掊：掊，原作「培」，據清抄本改。

讀胡評事夢昱書跋

偶讀胡評事夢昱所上書，言濟邸事，及所與史彌遠書，文理明暢，一字不可增減。「大計久計」四字，尤佳。所引恭世子、戾太子，忿氣散不散，尤精於幽微者，其視貶死為何事哉？在象州作《皂角詞》，有「鐵漢」之語，真可謂鐵漢矣。廣西憲錢宏祖，蛇豕小人，遽欲殺之以媚權臣，今事久論定，宏祖空復遺臭耳。

讀宏詞總類跋

紹興二十三年癸酉，鈞臺陸時雍守建昌軍，刊《宏祠總類》，以秦檜之文冠其首，作序諛之。「日下有五色雲表」，以君喻日，以臣喻雲，固可喜，謂檜意在「捧重輪而瑞聖朝」，則巧於佞者矣。擒頡利露布大窘束[一]，惟「明明廟謨，請付史官之直筆；矯矯王造，應有儒生之雅歌」一聯佳。謂其志在攘夷以靜中國[二]，則和戎誤國[三]，未嘗有擒頡利之心。雖佞，殊不切題。《汴都志序》、《楚漢龍淵銘》，俱平平。是科也，紹聖三年，以經術取士，罷詞賦，故立科曰宏詞，四題分作兩場。大觀七年，更名曰詞學兼茂科。南渡後紹興三年，以工部侍郎李擢奏，乞取紹聖宏詞、大觀詞學兼茂科，更加裁訂立科。左司王岡等乞以博學宏詞科為名，六題分為三場。檜乃宣和五年以密州教授中詞學兼茂科也。近世廢之為是。又以士不習偶儷，殺其恩數以試，俗呼為小詞科。自紹聖創學，以至靖康之亂，凡有司之命題與試者之作文，無非力詆元祐，以媚時相。四六於是愈工，而祖宗時文章正氣掃地，天下文人才士心術蠱壞，知獵一時之榮，而不恤萬世之有公議。痛哉！

[一]擒頡利露布大齊東：東，清抄本作「策」。　[二]謂其志在攘夷以靜中國：攘夷，原闕，據清抄本補。

[三]則和戎誤國：和戎，原闕，據清抄本補。

讀李潏水集跋

長安李復有《潏水集》刊於信州，晦翁屢稱之。予近得其集，論車戰及邢恕造舟黄河事，説易尤多可取，蓋早有聞於横渠者，未詳知其出處也。及讀《樓攻媿集》，謂潏水先生多入陝西戎幕，曉暢邊事，腐夫握兵，以抗論不合坐廢，則必忤童貫也。金虜犯關中[一]，年高且病，乃以為舊德知兵，强起以守秦州，卒死於賊，則必靖康時也。有孫龜朋字才翁，為參政錢端禮之館客。端禮孫，象祖之師，嘗魁流寓解，不仕，有迂論傳於世，居台州。

[一]金虜犯關中：虜犯，原闕，據清抄本補。

讀盤谷序跋

唐三百年無文章，惟韓文公《送李愿歸盤谷序》一篇，此東坡之言也。然愿乃李晟之子、愬之兄，起家為太子賓客、上柱國，元和初為銀夏節度使，徙節武寧鳳翔，邇聲色，徙武宣，以侈費激李臣則之變，家死於兵，後起於河中，又以荒侈敗，未嘗能踐文公之言也。寶慶府有李洪《芸庵類藁》，言愿博徒之雄。考歐陽公《集古録序》，以貞元中刊石，昌黎時三十五歲，自四門博士得御史，為李實讒，貶山陽令，有激而云。愿於隱士，不足以當此序也。

讀劉章稊誌跋

劉章《稊誌》，疑《陳簡齋集》二詩，為非簡齋所作。其一「敲門俗子令我病，面有三寸康衢埃。風饕雪虐君馳去，蓬户那無酒一杯」；其一「寧食三斗塵，有手不揖無詩人」。予謂此二詩怒詈誠太露，然詩人每惡俗人，山谷云「德人泉下夢，俗物眼中埃」，下句不已甚乎！劉評詩不當者甚多。

讀續釋常談跋

《釋常談》，古有此書而亡。歷陽龔頤正為《續釋常談》，釋人所常道之語也。石湖為之跋。然不皆常談，間有奇語。李密時民謠「匙貴於杓，鹽貴於藥」，成實論兔角龜毛蛇足鹽香，謂皆無者。東漢光武詔語「懸牛頭賣脯」，西漢卒更、踐更、過更、更戍，《左傳》客氣，《李陵傳》注眼語，《漢上》題衿眉語，《史記》毛遂目笑，《金鑾密記》鼻笑，皆不可謂常語也。「細作」二字，予讀《左傳》奏諜注中有之，則晉杜預時已有此語。龔引《北史·平鑒傳》及《報應録》一出處為始，則非也。

讀篔牕荆溪集跋

水心生於紹興二十年庚午，篔牕生於淳熙七年庚子，少水心三十年。荆溪生於慶元三年丁巳，少篔牕十七年。水心之卒，在嘉定十六年癸未正月二十六日，年七十四。開禧三年七月，水心罷江淮制置，閑居十七年。篔牕年三十五，登甲戌袁榜，為青田尉。時以書見水心，一見許之為晁張。荆溪年三十，登丙戌五榜。年十六時從篔牕，年二十四時以書通水心，為道學名實之説，以九鼎為譬，而詆夫名為學而實未嘗學者，頗似迎合水心。答謂以學致道，不以道致學，道學之名，起於近世儒者。其意曰：舉天下之學，皆不足以致道，獨我能致之云耳。回則謂朱、張、吕三大儒，未嘗有是説也。出於其門，名為舉鼎而實未嘗舉，以之欺世，未有事久而論不定者。顧何患焉？篔牕為文已成，而印可於水心，初藳是也。續藳學水心文，造語用字全似蹈襲，則不可矣。《薛叔似墓誌》云：「刮皮脱澤，晶熒流通。時永嘉經制宗薛士隆，理學宗鄭景望，公既叔事薛，且師事鄭，又與陳君舉數公博籌廣檻，得其粹完。」陳無己學南豐文、山谷詩，不如此模仿也。水心為卮胄一再出，有可議，而篔牕自寶慶召試，至端平不遠引，亦可憾也。荆溪祠天台六先賢於學，篔牕亦與，謂陳公之滯於三館也，鄉人囑以祠記諂權相，則謝不為；相所親啖以兩制而索其文，則拒不與；陛對失人心一疏，則觸忌諱不顧；端平用兵之議，則衆辨之，不隨也。回謂不為、不予、不顧三事，未為極節，不隨一事，端平初舉朝一辭也。永嘉諸人，嘉泰、開禧間出處乖剌，謂文足掩行，未也。嘉定亦不同端平者多矣，篔牕之心迹亦未也。荆溪之文稍不及篔牕，各為哭水心詩十，力量輕重不見。荆溪有云「韓、柳詞空偉，歐、曾見未親」，回則謂水心之見，尤其未親，而於韓、柳得一班耳。又云「受用終無盡，文詞莫太工」，回謂水心文惟其太工，所以不盡及古，何其言之戾也。篔牕祭水心有云「始見阜陵，則末年之冉冉；再遇光廟，則初元之怱怱。」荆溪祭篔牕又云「聯東闕兮，十年之冉冉。貳監胄兮，數月之怱怱」。水心誌篔牕母云「左腕乳褓，右手縫緝。」荆溪母事狀云「左提抱，右縫紉；左乳哺，右沐櫛」。文章機杼，果脱罄而已耶？歐公云「韓文雖高，不必似之」，荆溪嘗舉是言而自背之，何耶？水心文，予已取其記序、誌文評之，篔牕、荆溪皆長於銘墓及序記，如四六、疏文之類，皆可删。水心多以廋辭險語詆朱文公，尤不取象山，二人無此膽此弊，而荆溪於隆興張、吕、陸之祠，强為融會之説。祠之者，尊敬之也。為記文以示學者入門，則朱、張、吕為是，而陸為未然，不可以無别也。近世諸人，往往畏江西之黨，如包恢無知為《三陸祠記》，公然記九韶語，謂無極乃老子之學，非周子之言。夫論學且爾，則為政而行公田，宜其無忌憚也。四明、江西合為一，排文公之學，或者屈而調護之，過矣。然近人文，未有能過篔牕、荆溪者。篔牕諱耆卿，字壽老，仕至國子司業、直舍人院，端平三年卒，年五十七。荆溪諱子良，字明輔，嘗為兩浙漕、湖南漕，忤嵩之、清之，終司農少卿，寶祐丙辰致仕，年六十。皆台州寧海人，表兄弟也。

讀包宏翁弊帚集跋

包恢字宏父，一字道夫，號宏齋，建昌軍人。父揚，字顯道，號克齋。朱文公有《答顯道二書》，謂其忽略細微，徑趨高妙。人謂向見前舉程文，從頭駡去，如人醉酒發狂，當街打人，不可救勸。其二□詳道、敏道，亦有書答之，皆欲救正其為學之偏。三昆仲以陸象山頓悟為宗，以讀書窮理為障蔽者也。恢，淳熙九年壬寅生，慶元六年庚申年十九，嘗見文公於武夷。嘉定十三年庚辰劉渭榜三甲進士，初任光澤簿，次任建寧教。袁甫廣微為漕守，因相與崇象山之學。為浙西憲時，俗以包屠呼之，於包龍圖中去一字，謂其酷也。景定四年癸亥，年八十二矣，知平江府，兼發運使。賈似道行公田法時，諸人皆知不便而不敢言，惟給事尚書徐經孫嘗以書諫，惟知臨安府浙西帥魏克愚不肯奉行，苦言勸止，似道初患恢屢更民事，或不見從，馳書諭意，恢以為不可，則止矣。乃披襟任責不辭，且贊以為是。似道大喜，語朝士，謂包道夫答書，肯承當矣。於是先行之平江，而克愚重得罪，經孫遷翰苑而逐。恢老繆貪進，失人心，戕國脈，自此舉始。移紹興帥，召除刑部尚書，咸淳二年丙寅五月，除端明殿學士，僉書樞密院事。明年丁卯正月郊祀，恢老病不能拜，似道尋遣人給曰「臺諫有疏」，恢踉蹡出關遁，依舊予祠，其月四日也，年八十六矣。尋以資政殿學士致仕。又明年戊辰十一月十二日遺表聞，贈少保，年八十七。前輩謂保晚節難，恢豈不知？公田之非，得一端明僉樞，而遺無窮之穢，可鄙也。今讀其集，文晦冗而敢於誕，所為《三陸祠堂記》，梭山曰九韶，字子美，復齋曰九齡，字子壽，象山曰九淵，字子静。梭山疑《太極圖説》，以無極為老氏之學，周子《通書》與二程，俱未嘗言及無極。文公集有《答陸子美書》，回嘗摘抄二語以示學者，「無極即是無形，太極即是有理」。政不待恢阿黨私門也。恢所著《開闢洪荒説》有云：「昆侖圓通無形象無窮極，即所謂無極而太極也。」自言之而自違之，可乎？力辨象山非釋氏禪學，辭費氣餒[二]，他日乃曰「象山嘗聞鼓聲而悟」，然則非禪而何？少年初見文公，乃父亦出文公之門，而為左袒，學之所入不正，强為説而心不明，則臨富貴而失其守也。至為《太極圖策問》，謂太極未有形，今以一圓形而為圖，則是有形矣。回謂恢所疑如此，則是聖人以一奇一耦畫卦，亦非也。又誣詆《通書》似《道德經》，則肆無忌憚矣。或謂恢本教村學，兼善談命，健啖嗜犬肉，世道衰而怪物作，悲夫！邵子云，太極既分，兩儀立矣。其於太極片言而盡。朱陸二公，何其紛紛也？

[一]辭費氣餒：辭，原闕，據清抄本補。

讀鄭北山集跋

北山鄭剛中，字亨仲，婺州金華縣人，元祐四年戊辰五月二十三日生，紹興二十四年甲戌，以生日卒于封州，年六十七。政和二年辛卯貢辟雍，紹興二年壬子進士第三人，年四十五矣。八年戊午入察，九年己未以秘少從樓樞密賂出諭京陝，過從十一年，辛酉為川陝宣諭使，明年為端明殿學士、宣撫副使，在蜀六載。十七年丁卯，忤秦檜，謫潯陽，監濠州，徙封州安置，十九年己巳春也。葉水心謂中興成功業者不數人，而亨仲與焉，然後以無罪死烟瘴。文簡古，詩峭健，在封州詩尤佳，如「出巢燕老榴花落，抱樹猿啼荔子丹。」「四鄰酒熟人常笑，萬木秋深葉不枯」；一句如「芭蕉葉底稻田黃」，「茉莉背風香更幽。」「畫角樓前皆閣外[二]，虛棚竹上是人家。」「荔枝受暑色方好」，「小牕欹枕夢春耕。最愛縈回水自由」，「雨餘燕向花間出」。皆奇麗。五言如「花少蜂蝶瘦」，兩用之想，自謂得意。又如「棋低無對手」絶妙，蓋嘗與陳簡齋同舍，其薰陶有自也。回生於封州，而先君不生還，讀此集至「郡人酷嗜尖頭蓼、河豚魚」，及「每夜無燈，舂碓則燃松明」，為之灑涕。

[二]畫角樓前皆閣外：畫，原作「盡」，據清抄本改。

讀後山詩話跋

《後山詩話》二卷，回讀之，非後山語也。第一段《改太祖日》詩云「方離海底千山黑，纔到天中萬國明」，不如真本自然。北浪此聯淺露委弱，後山詩勁峭孤拔，不為此等語，亦不喜此等語也。內一段云：「唐人不學杜詩，惟唐彥謙與今黄亞夫、謝師厚學之。」回謂山谷少孤，後山皇祐五年癸巳生，少山谷八歲，必不識其父，此乃稱為「今黄亞夫」，非後山語也。又一段舉山谷「買魚穿柳聘銜蟬」詩下云「雖滑稽而有味，千載而下，讀者如新」，非後山語也，此殆好事者托名為之。其評吴僧《白塔院》詩，謂「到江吴地盡，隔岸越山多」為分堠界子語。然《後山集》《錢塘寓居》詩，有云「聲言隨地改，吴越到江分」。回故曰此詩話非後山所為。

讀後山詩註跋

後山元符元年戊寅，和魏衍《同登快哉亭》詩，任淵註《欒城集》，有此亭記。亭在黄州，不知此詩屬何處也。回近讀賀鑄方回《慶湖遺老集》，始知亭在彭城郡之東南隅，提點刑獄官廨也。熙寧初，魏郡李公持節作亭，郡太守眉山蘇公命曰「快哉亭」，下有爽塏數十步，即唐人薛能陽春亭故址。賀元豐六年癸亥為徐州錢監官，賦詩云：「飛亭壓城隅，空闊延四望。夙昔兩文雄，胡床此相向。」謂東坡與提刑李邦直清臣也。東坡時謫黄州，故賀詩又云：「麾車忽南北，榮辱生譽毀。」至元符戊寅，則東坡又謫儋耳，故後山詩云「來牛去馬中年眼，朗月清風萬里心」，懷東坡也。黄州之快哉亭，清河張夢得謫居，亦東坡命以此名。子由作記，亦在元豐六年，亭名同而地不同也。任淵不知徐州有快哉亭，蓋南渡後鮮有中原圖經耳。子由在徐州，又有邦直見邀，終日對卧南城亭上。詩云：「舊[illegible]半□□□□，清簟横眠似欲秋。聞説歸朝今不久，塵埃還有此亭否」，即快哉此亭者。回此過彭城，登覽黄樓遺迹，見所謂老畢篆[二]、大蘇碑猶存，而樓僅有破礎在瓦礫中，居人寂寞一時，亦不知快哉之何在云。

[一]見所謂老畢篆：見，原脱，據清抄本補。

全元文卷二一六

方　回　一〇

跋國史定菴胡公升丁巳雜藁

屈子之《遠游》曰：「惟天地之無窮兮，哀人生之長勤。往者余弗及兮，來者吾不聞。」吾晦菴先生釋之曰：「神仙度世之説，無是理而不可期也，審矣。屈子於此，乃獨眷眷而不忘者，何哉？正以往者之不可及，來者之不得聞，而欲久生以俟之耳。然往者之不可及，則已末如之何矣。獨來者之不得聞，則夫世之惠迪而未吉、從逆而未凶者，吾皆不得以須其反復斯斕，而睹夫天定勝人之所極，是則安能使人不為没世無涯之悲恨。此屈子之所以願少須臾無死，而僥倖萬一於神仙度世之，不可期也。」回每讀至此，未嘗不三復其言，而深悲之。歲賓祐丙辰，丁大全據言路，將得志用事，逐董丞相槐，嗾天府將卒數百人，持杖鼓譟，輿過大理寺以恐嚇之，然後擲置北關外。夫丞相有罪可罷也，小人作威蔑國體，若是則不可。當是時縉紳學校，咸切齒不平。端明尤公提綱史事，對客竊嘆，遄上疏列其事，丐去。吾州婺源胡公升為史館編校，尤公素所厚客也。大全怒逐尤公，或告公為尤公藁疏者，天府陰奉旨逮公簿責，籍橐楮閲視之無有，則以史事捃摭。寶慶以來一朝立傳，臣僚未嘗修纂，遽謂公為某人某人傳〔一〕，謗訕，索其藁，公對有理，猶坐他誣，謫九江，徙臨汝，又徙南安。今所存丁巳以後雜藁者，自謫居至今所為文也。和平粹密，古瘦清淡，幽而光，微而顯，如其為人。公生於晦庵先生之里，先生之高弟葉公味道，乃公之師。公被逮時，衣器書硯蕩盡，平生著述片紙無遺。嘗為《四書增釋》，訪求朋舊間，得所抄《中庸》、《大學》、《論語》矣，而《孟子》終不可復得。斯文者，蓋皆公之老筆也。夫人學聖賢之學，悟性命之理，而又閲世故、更患難，文之精奥，不言可知。回所獨喜者，公之壽也。屈子所謂來者吾弗聞，晦庵所謂願少須臾無死，以睹夫天定勝人之所極者，卒皆抱恨九泉，不及聞睹。公今年七十有六，巋然老壽為世全人，而大全及其黨焰消影絶久矣，獨遺臭有不可泯。公雖位下力微，顧外物去來，何足控搏，把玩也，出賈誼《鵩鵩賦》而天理之終定者，身及見之，則其胸中灑然當何如耶！回先君知縣獲托交於公之太師使君，嘉泰壬戌同入上庠，嘉定壬申先君升舍，選候廷對，過公先太師之居，公年十五，在侍傍見焉〔二〕，謂回貌類先君〔三〕，握手悲言相勞問。回生晚，後公三十年，獲拜父執，又得誦公之文，而有感於屈伸消長之際也〔四〕，書是説歸之，以托名於不朽云。德安使君煛，字然明。尤公，名焴。

〔一〕遽謂公為某人某人傳：原闕兩「某」字，據清抄本補。　〔二〕在侍傍見焉：焉，原作「為」，據清抄本改。

〔三〕謂回貌類先君：先，原作「見」，據清抄本改。 〔四〕而有感於屈伸消長之際也：感，原作「忒」，據清抄本改。

跋羅鄂州爾雅翼

宋興二百一十五年，淳熙甲午，新安存齋羅君願，字端良，次《爾雅翼》成。又九十六年，咸淳庚午，浚儀王侯應麟為守，始刊布之。回聞先生君子，南渡後文章有先秦、西漢風，惟羅鄂州一人。甫七歲，已能為《青草賦》以壽其先尚書。少長，落筆萬言。既冠，乃數月不妄下一語，其精思如此。以南劍州陞辭，孝廟大賞異，俾易鄂州，明年淳熙己巳卒。今《新安志》行於世，與馬班等小集僅文之十一，劉公清之子澄所刊。晦庵謂文有經緯，嘗欲附名集後。又謂羅端良止此可惜，蓋年四十餘，使老壽，進未艾也。《爾雅翼》者，序見小集，世未見其書，回訪求得公之從孫裳手抄副本三十二卷，俟躬自校讎，雖廋聞隱説，具能知所自來，可謂後世子雲矣。回竊謂近世學者，於天下書鑽研少而剽襲多，靡勞餘力，名義曉然，古人有終身不能通者，或開卷頃刻而得之。道德性命之類，有《三禮圖》，而陳祥道《禮書》為尤博，考論經傳草木鳥獸蟲魚，則許瑾、陸機、張揖、曹憲、邢昺、陸佃，不如此翼之為尤悉。是書皆前代所無，挾是以求為儒，易易哉。雖然，學陋俗壞，承弊踵訛，以無言道，以氣言性，以知覺言仁，以詐謀言智，以反經言權，以姑息言恕，以輪回言死生，以祠廟言鬼神，詖淫邪遁，先儒闢之非不至，而士之陷溺者，猶不自知也。以誤《本草》為世之害，而不以誤註《易》為世之大害，識者患焉。賢侯父子有德吾州，嘗以右螭直北門，是將攄所學陶天下，俾本末精粗，□無不一歸於是云。郡人後學方回敬識。

跋遂初尤先生尚書詩

宋中興以來，言治必曰乾淳，言詩必曰尤、楊、范、陸，其先或曰尤、蕭，然千巖蚤世不顯，詩刻留湘中，傳者少。尤、楊、范、陸，特擅名天下，三家全集板行，遂初先生尚書文簡公厥後□□□獨未暇及此。歲在甲戌，公之曾孫尚書都官郎之孫、滁陽使君之子，為古歙通守，博雅好古，善飛白、行草、八分書，詩有家法。以回嘗請益斯文，慨然有感，先以公詩二十卷鋟諸梓，命回是正訛僞。回謂光堯龍渡時，則有詩人陳去非、吕居仁、徐師川、韓子蒼之徒，所謂及聞正始之音者。至阜陵在宥，而四鉅公出焉，非以其渾大典正，與中原諸老並轍。誠齋時出奇峭，放翁善為悲壯，然無一語不天成。公與石湖，冠冕佩玉，度騷媲雅，蓋皆胸中貯萬卷書，今古流動，是惟無出，出則自然。近世乃有刻削以為新，組織以為麗，怒駡以為豪，譎觚以為怪，苦澀以為清，塵腐以為熟者，是不可與言詩也。舉是而泝沿上下其說，則於今而夢想乾淳之盛者，又豈止於詩而已哉。

跋尤冰寮詩

詩不過文章之一端，然必欲佳句膾炙人口，殆百不一二也。非有上下古今之博識，出入天地之奇思，則雖欲日煅月煉，以求其佳，亦不能矣。咸淳癸酉之夏，錫麓冰寮尤公來為紫陽別駕，回適亦奉岳祠歸，獲以壓汦進拜，首聞公下車有詩曰「累重無歌舞，官閑省簿書」，上一句蓋佳句也。自是時與酬唱，公佳句捷出。明年秋，某將之苕霅，又得公見示《晚鍾》詩，有曰「三條椽下歸空榻，百尺樓中透遠峰」，幕府有聯句《賦落葉》者，公一聯曰「蟻返愁尋冗，鴉歸喜見巢」，蓋皆句之絶佳者也。於是公與某痛飲，夜出《扣角吟》一編，退而讀之，佳句如猬毛雜出，而某之所謂三佳句□猶未以入集[一]，則是編也，公平生□藁遺者多矣。夫立德、立功、立言三者而一有焉，皆足以不朽。公之曾大父遂初先生，不朽人也。事高孝光廟，以姜特立之召□□丞相，出范村不能挽，得疾而終。公之伯父木石先生，不朽人也，事理廟，以丁大全擊董丞相，擅勢威虐，上疏訟之，由是去國不起。名節家傳，不但以文章照耀天下。公好學嗜古，恬退雅淡，所存詩雖不多，而句之佳者多，自足以為立言之不朽者矣。佐郡終更訪落收召，是必踐二父世官，且將立德立功以鼎足于青史，吾恐不得相從夫夜半飯牛者之歌也。

[一]而某之所謂三佳句□猶未以入集：原闕「某」、「三」二字，據清抄本補。

跋趙一溪詩

少陵謂太白詩清新如庾，俊逸如鮑。予嘗欲摘取庾、鮑集中所謂清新、所謂俊逸者，盡寘坐右，與太白詩日夕觀之，窮其源，見其脈，而咀嚼其味，庶幾神交與之俱化，以冗病未能也。歙邑□夫泉南趙侯自號一溪，年未逾三十，而詩集已前後數百千首。邑不可易治，詩不可易工，侯治此難治之邑，而詩每出輒工，尤不見其難，抑可謂天才矣。是集也，清新而不刻，俊逸而不放，飄然不群之思，與光風霽月，浮動天外，不可模仿。世有未嘗讀庾、鮑之詩者，讀一溪詩足矣，然則一溪者，固今之太白也。梅聖俞以郭功父為太白後身，使見一溪，又當何如其擊節耶。侯《高士軒近賦》，有「杯光浮冰雪，劍氣射斗牛」之句，胸中耿耿，是與使高將軍脱靴者同為宗英中一角麟。後有識者，必以予為知言。

跋昭武黃滌文卷

士所以異於衆人者，言立而不朽。場屋之□□□□暮萎譜於俚耳[二]，而從世俗之好，暫焉有聞，而卒泯滅於不朽之□也。是故為文不及西漢，為詩不過晚唐，足以名一時，不足以名萬世。宋有天下三百餘年，能言之士飈雜麟襲，文有西漢風，詩如唐之盛時，則其人有數，後世學者率不能進，於□□

自晝而嘆曰：「彼皆天下才也。」嗚呼！其然歟。今夫冶者之為器，鐘虡鼎彝，陳列宗廟，觀者以為混然若天成，而不知其爐鞲之勤、模寫之巧，非一朝一夕也。今夫匠氏之為室屋，千門萬户之宫，輪奂拖虹霓，觚棱切雲漢，豈神剜而鬼刻之？蓋亦聚而群材、集而衆工，一斧一斤之積也。然則士所以立言而至於不朽者，學焉而已耳，何天才之有哉！昭武黄君滌少於余十餘歲，得其詩文，若老於予者，篇有新語，語有新意。《金陵》一賦，凌《二都》、轢《二京》，駸駸乎相如。其詩有「半濃半淡四山景，快雨快晴三月雷。橋影不隨流水去，漁歌偏帶夕陽來」，千峰陳公賞之。近題鄭介公祠有曰：「當年不作南行客，他日應無北狩人。官似虱微言許大，肉如蟻飽道方伸。」□不但賞之，且心服之。前四句，脱灑融釋，儵然塵埃之外。後四句，痛快哀憤，有切於世道。由此進進未艾，是將可以不朽。夫作文之初，濡墨引紙，無一字可人意，至其成也，無痕迹之可窺。竟日思詩，思之又思，或無所得，而佳句驚人，不以思得之也。極天下之用力，而後自然無所容其力，眼中縱横短長，所見無非是物，夢寐食息不忘，則其所出有不約而合者矣。黄君勉之。惜乎其歸之急，猶不得朝夕相從，以窮究夫古人之所以不朽者也。

〔一〕場屋之□□□□暮萎譜於俚耳：萎，清抄本作「委」。

跋樓楚材詩

予昔贊幕金陵，一日僮持刺入，漫矣，視之，□□龍太初見半山例，書曰：「詩人樓楚材。」予請先以詩示，然後差日相見。蓋予晚進，不敢如半山以沙詩試君。既得君行草書一卷，與太初讀之，大抵多着題詩，如太初賦沙之類。又數日始見君，服古□貌癯，儼如長松秋鶴。君意以予為可語者耶？故不求知於他人，而獨於予求知。惜乎！予之無能為半山役，而君之□太初也。今試舉一二以俟知者。於牡丹云「看來固是最低樹，外此都無許大花」，於木犀云「秋香無比魁天下，仙種非凡□月中」，又云「滿閣浮世香俱有，與廣寒宮花對開」，於荼蘼云「春將結尾去時有，花在着身高處香」，又云「晴霄有月與佳色，春圃無花可比香」，於藕花云「房生裏面子虚實，柄折中間絲短長」，於楊花云「從來把得堅牢處，不是晴明不肯飛」，又云「名園不是無花卉，凌駕春風不似伊」，於瓊花云「一株種外無遺種，九個花間有細花」，於鷺云「混融月色江湖夜，照應蘆花島嶼秋」，又云「晚歸烟樹住猶見，曉向雪汀飛若無」，於鶯云「蝶成擒處身粘粉，花蹈翻時足帶香」，於雨云「野花狼藉桑麻長，除却他邊補這邊」，於雪云「吞氈固是真難事，要辨人生是與非」，於屏風云「有時移向西堂去，一座青山逐手來」，於畫石云「玲瓏不許多呈露，只借時人一面看」。其有一句佳者，如西湖之「鷺等魚船近了飛」，如芭蕉之「小心抽出大規模」，如雪之「除屏簇外少青山」，如菊之「矮婆娑地却禁霜」，如愛梅之「又欲其生樹上苔」，如牡丹之「器量不争正二月」。又有五言佳者，曰「雲掌日陰晴」，曰「野花香勝名」，曰「窠花盆是地，巢燕屋為天」。曰「天晴常網濕，船窄自心寬」，則漁父也。曰「不須憂暑氣，有我便無它」，則扇也。曰「要滿地卑處，常鳴石激時」，則水也。曰「着馬輕鞍重，隨僧皂衲斑」，則雪也。其他可取尚多，或有過於□□要為皆有思致。其分也，如十尺之物，可折為百寸而不差；其合也，如水之月與天之月，無少異處，用心亦良苦矣。雖平篆□星半□□取，辨桃認杏，坡老譏之，活法所在，又不可以一律論也。

跋吴古梅詩

龍翰

或問昌黎門人詩孰優？賀春圃之麗日也，湜溥濤怒之雄風也[一]，籍秋場之豐年也。島黄花寂歷，秋則晚矣；郊冰厓霜壑，生意不露者也。然則孟優矣，視韓何如？曰：月口星心，猶有斧鑿。昌黎《南溪始泛》諸篇，西山真公選以入正宗者，惟韋、柳可近之。《十琴操》亦詩耳，雖韋柳不能近也，而況於諸人乎！故曰「昌黎備四時之氣」。以文章大體言，天地同流、萬物皆備；以詩一端言，舒之不如翕也，腴之不如瘠也，麗之不如質也。自會者不求知，自得者不用力也。吴君式賢嗜奇學博，為詩有驚人語，如毛髮不可算。自趙明府所喜之外，五言猶有「寶刀重如命，命輕如鴻毛。妾心江岸石，郎心江上水」，及「亭柳拂棋局，瓶花落硯池。野燒經荒塚，斜陽照斷碑。」七言猶有「月侵鶴背夜巢寒，琴聲大勝俗人談。」「病骨痍於秋後葉，松子落敲山帽響。」與夫「等客不來僮睡去，自摇脩竹和新吟。」「胸次誰當有邱壑，便容携酒上樓來。」尤予所深喜者。然私竊有取於觀摩之義，欲其翕之、瘠之，而返於質，故書是說而歸其編云。

[一]湜溥滂怒之雄風也：原闕「湜溥」，脱「雄」，據清抄本補。

跋吳友梅詩

資深

物之初，未始有聲也，形相戛、氣相磨，而後聲生焉。莫盛於《韶》，足以儀鳳舞獸。老嫗之篪、牧子之笛，至微也，而或聞之者，為驚怛淒愴，何耶？是故詩人之詩，其盛者鍾律鏗鏘，享帝薦廟之樂也；其微者亦猶一吹一彈之成音焉。三百五篇□□寒郊瘦島雖微，可廢乎哉？吾讀吳君友梅詩舊矣，以《韶》喻之則褒[一]，以塢壁村落喻之則貶。吳君精於琴，君之詩其猶琴乎？夫琴斲以木[二]、弦以絲、徽以金石、吟之以指爪，亦聲也。而其聲與它聲迴□不同，則是凡天地間之有聲者，雖本於形與氣之所為，而其所以感人動物之妙，殆必有超於形氣之外者，以為其聲歟[三]。吾思其說而未之達也，試書之，以問吳君焉。

[一]以韶喻之則褒：原闕「喻」、「褒」二字，據清抄本補。

[二]夫琴斲以木：以，原闕，據清抄本補。

[三]以為其聲歟：其聲，原闕，據清抄本補。

跋汪崇亮詩

汪崇亮袖《白雲漫藁》見示，以英妙之年，為老蒼之作，與先祖太師旌德公詩，氣骨殊相似。第旌德公祖述後山[一]，而崇亮頗多近體耳。其《青溪主客歌》云：「野王手奏淮淝捷，門户歸來有旌節。伸眉一笑紫髯秋，袖中猶挾柯亭月。山陰主人載雪舟，掀篷繫纜青溪頭。平生耳熱欠一識，若為牽挽行雲留。一聲横玉西風裏，蘆花不動鷗飛起。馬蹄依舊入青山，柳梢浸月天如水。」此樂府之最佳者[二]，「溪鷺踏影立，風蟬曳聲過」，五字之佳者也。「夢回酒醒不知處，月静人稀方憶君」，絶句之佳者也。餘尚多佳處，崇亮勉之哉！夫夢寐食息不忘，是謂好。心會焉，心不能語，是謂悟。木之升、苗之碩，莫知其然[三]，是謂進。崇亮春秋甫二十有五，好而悟、悟而進，予知其將不可及也。然嘗聞之先生君子，感慨不可無忌乎凄楚，痛快須有餘，貴乎涵蓄，有李長吉、邢居實之長，而無其短，崇亮之進也，奚可禦哉！

[一]第旌德公祖述後山：清抄本「第」作「惟」。[二]此樂府之最佳者：府，原作「詩」，據清抄本改。[三]莫知其然：清抄本作「莫知其將然」。

跋汪君若楫詩文

中無主而不止，外無正而不明，漆園翁以言道，而虚谷翁以言詩文，詩文亦道之一也。胸襟必有自得之地，然後所謂善者聚焉而不散，存焉而不亡，故曰中無主而不止。析疑齋是[一]，從師取友，必得其人，則告我者必以善而所見的，故曰外無正而不明。吾鄉汪君作舟，以其學之餘為詩文盈編，中其已有所主耶？天地間怪奇粹精，將盡歸之。然外以求正於不能詩且不能文之予，則非所謂印證之確然者也。主於中而正於外，正於己而明於人，先後次序，君其加意於斯，則何但詩之工而已哉[二]。

[一]析疑齋是：析，原闕，據清抄本補。 [二]則何但詩之工而已哉：之工，原闕，據清抄本補。

跋吴蘭皋詩

予年二十餘，以詩遊於竹坡、秋崖二先生之間。二先生喜稱道蘭皋吴元倫佳句，「説着梅花便説君」，坡喜之。「人如中酒落花風」，崖喜之。坡今仙去二十餘年，厓亦十餘年，而元倫年六十，予亦老矣。細讀元倫摘藁如「泉幽照影清」者，予擊節喜之，淡静幽深，有賈浪仙之風。而「人世如無夜，勞生事更繁」，亦古人所未道。昔者山谷喜宛邱「漱井掃花」之詞，誠齋謂後來全集别有天珍，恨山谷未見者。予於元倫亦云。蓋坡、厓所見者，元倫中年詩，而予所見者，又有晚年詩。元倫進而予不進，則予徒老也，可耻哉。（以上《桐江集》卷三）

跋陳同年信學去官本末

陳後山送東坡去徐泮，好賢也。信泮有嚚訟犯上者，吾同年陳君去之，惡不肖也。孫莘老守徐，劉元城居言路，俱不能容後山，馮初心守信，陸雲西提學事白諸朝，留吾陳君，君竟不為留。後山之去迫於人，君之去斷於己，賢矣。噫！人孰無緇衣巷伯之心，為區區一官計而泯其天者，今之世夫豈少哉！君於是舉，賢於人遠矣。

跋程君師中時文贄卷

唐人應舉，必以文贄見諸鉅公。本朝試賢良以論策各二十五篇為進卷[一]，然後中書召試六論，而上親策之，時則其文也必古。其後試宏博，擬為箴、銘、贊、頌、書、檄、制、誥等，謂之詞業，尤以繳進，始分試三場六題，時則其文也必工。今之進士曰經義者，流弊已極，冗腐穿鑿，不古也，不工也。甚者，巧而已矣。故或場屋魁彥，致位卿相，奏議無一篇可觀，以時文之習誤之也[二]。程君筆力有餘，以此卷見示，予欲其勉而進於遠且大者也，於是乎書。

[一]本朝試賢良以論策各二十五篇為進卷：良，原闕，據清抄本補。　[二]以時文之習誤之也：誤之，原闕，據清抄本補。

跋所抄陸放翁詩後

呂東萊集《與周子充書》有云：「子直庶幾善道，而於事物自未盡諳悉，如陸務觀疏放封駁豈為過當。方人才難得之時，其詞翰雋發，多識典故，又趨向實不害正，推棄瑕使過之義，闊略亦何妨。公與子直素厚，如此胡不素語之乎？」予聞諸前輩，放翁入蜀從范石湖，後出蜀，携成都妓，剃為尼而與歸。趙汝愚嘗帥蜀，必為此事駁放翁也。翁四十六入，五十四而出，江西倉被召，至婺州而遽卧，家久乃起為嚴州，必於是被駁。東萊死之前一日，子充過府，翁出蜀之四年辛丑，東萊死，其己亥、庚子間歟？高宗嘗脩《孝宗實録》，此等事當詳著，予書諸此，以表汝愚不用放翁之故。後來韓侂胄力起放翁修史，殆以其嘗為汝愚所駁故耳。又《劉後村詩話》云：「放翁少時調官臨安，得句云『小樓一夜聽春雨，深巷明朝賣杏花』，傳入禁中，思陵稱賞，由是知名。」予考之此詩在《劍南藁》十七卷，翁六十二歲將守嚴州，朝辭奏事，至臨安府時詩也。翁子子適，寶慶三年來為守，明年予生之年之月，新安郡之宅堂及樓名書上棟，今毁矣。又始創釣臺書院，子適即所生郡學有世美祠。蓋翁之父佃至子適，凡三世守是郡云。

跋趙章泉詩

趙蕃字昌甫，曾祖南渡，居玉山，遂為信州人，號章泉。平生恬淡，而詩尚瘦勁，不為晚唐，亦不為江西，隱然以後山為宗，奉岳祠三十三年。劉後村所謂「一生官職監南岳，四海詩名仰玉山」，非虚也。寶慶初，召除太社令。予得其所刊乾淳間詩十册，趙内翰汝騰序，所引虚字用功等句，却未盡詩家變化之理。詩不欲肥，則必於助辭上著力，自是至難，然亦須渾成不露乃可。近人學之，乃至偏枯憔悴，全用之乎者也，作對殆刻鵠不成類鶩也。容俟少間，盡選佳句示兒輩。漫堂劉公宰表其墓。静春劉公清之子澄知衡州，以無罪去。章泉，舊師也，時為酒客，至郡未上，即棄官，因送子澄而歸，終身不出，年八十七。予嘗為公作傳。

跋阮梅峰詩

阮秀實，興化平人，號梅峰，早見知於趙昌甫，贈之詩曰：「青雲送遠龍媒老，白雪詞高鬼膽寒。」後遂知名。岳珂肅之尚書主淮東餉，甚傲倨。秀實妙年布衣登門，至令當廳上轎，如待行輩。然不能時文，嘗擬賢良進卷，有薦之者，遂自稱賢良，僑居吳門，豪現一時，游賈似道門最久。馮夢得號馮聾，陳彬號陳喊，皆能古文。孫德之有詞學，號孫風，而秀實號阮怪。平生用似道錢無數，而詆似道不直一錢，得右選官，不肯為。咸淳初，攝蕪湖茶局，得予詩大喜，稱賞予舊作「醉若山秀無舊侶，坐如泥塑有新功」。「坐久守宮緣素壁，眠遲促織韻空階。」以筆圈點相示，亦謂不當數用人名、故實，及拗平仄不律。予為學官時，秀實謁似道，似道不為禮，甚怒歸閩，乃訪予，求閩中監司書以行意，若可憐，年八十餘卒。

跋戴石屏詩

戴復古，字式之，台州人，號石屏，年四五十始以詩遊江湖間，見知於真西山。然早年讀書少，故詩無事料。清健輕快，自成一家，在晚唐間而無晚唐之纖陋。晚節以詩名重，諸公爭致饋贐，歸而成家，八十餘歲。豫章陳杰壽夫為予言：石屏詩亦非千載不朽之文，未為極致。

跋馮抱甕詩

尚論人物者，不貴夫崛起於一時，而必取夫文獻淵源之有所自。蓋功名可以偶然致，而學問文章須天性固有之，亦必濡染薰陶，得於父兄師友之教，則易為力也。抱甕馮君夢龜仲錫，普州安固縣人。五世祖鴻碩先生獻能，嘉祐二年章衡榜，與眉山二蘇公同年，後改名山，字允南，屢持麾節，以祠部郎中卒於朝。鄧綰嘗舉為御史，以素不識綰為何如人，辭不就。有《春秋通解》、《文集》十卷行於世，安定胡先生《春秋解》多取之。四世祖澥，元豐五年黄裳榜〔一〕，靖康元年，同知樞密院事、尚書左丞，史有傳。曾祖㧑，利州帥。祖宿，知石泉軍，拘歷家説不赴。父棐，嘉熙二年，以知眉州攝夔漕，一日罷，僑寓錢塘之北關喻家橋。淳祐四年歲在甲辰九月，右丞相嵩之起復，即上書叩閽，謂宣和六年甲辰九月初五日，李邦彦起復少宰，越一年，有靖康之禍，今嵩之又以甲辰九月初五日起復，於厄運恐未便。書上，降一官，池州居住。其年十二月改相，范鍾、杜範，太學生張彄、蔡德潤等四百餘人伏闕為訟其冤，即日放便，遄差知賀州，以母老丐祠，除諸司計院。六年丙午十月孟饗，除司農寺丞，報至而丁母憂，尋亦以時事拂膺相繼卒。徑畈先生徐公霖銘其墓。抱甕能刻苦不墜先訓，凡六薦鄉漕。咸淳甲戌，推恩授達州司户兼司法，未赴，諸公列薦幹浙西帥幕、帶行户部掌故，今為提舉、建德學事。兄坦，字伯田，俱有詩名，和予《寓屋十詠》，其議論宏闊如其人，察其所業所藴如其世。《儒家》一篇，則世之公論也，非私於子者也。

［一］元豐五年黄裳榜：五，清抄本作「十」。

跋宋廣平梅花賦

紫陽方回曰：據皮日休《桃花賦序》有曰：「宋廣平為相，其端資勁質，剛態毅狀，疑其鐵心石腸，不解吐婉媚辭。然觀其文，而有《梅花賦》，清新富艷，得南朝徐庾體，殊不類其為人也。」回自志學之年，從師取友，至今已七十二歲，讀《唐文粹》及《文苑英華》諸前輩所選古文，未見宋廣平所為《梅花賦》，諸類書無不讀，並無此賦，自開元以後至今，諸人為文為詩，亦未見有能引廣平《梅花賦》一二句者。近人撰《全芳備祖》，以梅花為第一類，自謂所引梅花事俱盡，如徐堅《初學記》梅花事，其人皆遺之，書坊刊本不足信如此。今乃於舊國子監得此賦寫本，以《唐書·藝文志》考之，開元二賢相姚、宋也，有《姚崇集》十卷、《宋璟集》十卷，唐人文集未有今板本。皮日休賦桃花時，尚及見《宋廣平集》而賞此賦，五代時，後唐西蜀，方有板行書籍，未知此等集皆嘗刊行否。晁公武《讀書志》唐人文集中已無姚、宋宰相文集，集中僅存者，惟張説、張九齡、李嶠、陸贄、李絳、武元衡六人耳。《中興館閣書目》集名，名存而書亡者不一，姚、宋集亦其一也，如此則無怪乎近世學者之不見廣平此賦也。廣平自垂拱三年，春秋二十有五，於東川為此賦，是歲武后擅唐，在大位之四載，歲在丁亥，逆推之，則廣平當生於高宗龍朔三年癸亥。相睿宗，未幾罷。玄宗開元四年丙辰，以吏書兼侍中，後罷政，兩為京都留守，十年己巳，為右丞相，張説為左丞相。二十年壬申致仕，二十五年丁丑卒於東都，年七十五。蓋姚崇之相，卒於開元九年辛丑，年七十二，其生當是高宗永徽元年庚戌，長廣平十三歲。而廣平再相，垂近開元之末。玄宗始初清明，賴此二相之力。日休謂「端資勁質，剛態毅狀」，此八字重複，「鐵心石腸」，此四字頗善形容。謂其《梅花賦》「清新富艷，得南朝徐庾體，不類其為人」，似亦為知言者。蓋唐人文襲六朝餘弊，至於元和，而後大變。此賦誠有徐陵、庾信之風，引傅粉何郎、竊香韓壽、九疑英皇、姑射神人、通德擁髻、緑珠墜樓、温伯雪子、東郭順子、靈均憔悴、曼倩詼傲、文君嫵媚、飛燕體輕十二事以況之，而繳之曰「口吻雌黄，擬議迨偏」，意謂世人之見梅花者，其所謂雌黄，未必皆中的也。然後斷以己見，謂凡草木皆無歲寒之操，而此花獨全君子之節，「措迹深隱，寓形幽絕，耻鄰市廛，甘遁巖冗」，此十六字非尋常語也。終之以「永保貞固」，乃廣平一生剛勁之氣，見乎其辭。其為宰相也，争大事不少挫，過於姚崇。未相在外，跋涉之時多；其既相，在相位之時亦少。視彼沾沾自喜以宰相為榮，而固位惜寵、不肯退者萬萬矣。「永保貞固」，信乎！其為永保貞固也已，而皮日休乃謂賦語婉媚，殊不知賦後一段，未嘗婉媚也。近世有謂王曾梅花絕句「雪中未問和羹事」者，為狀元宰相讖，淺近小器者之評。世人多未見廣平賦，而回幸得見之，是不可不詳本末以垂示來哲，亦庶幾廣平賦中語也。大德二年正月初三日庚寅回拜手敬識。

再考宋廣平《梅花賦》及《東川從父跋》，回以《唐書·宰相世系表》考之，廣平十一世祖晃，自介休徙廣平利人，生三子，恭、畿、洽，畿之後四世生弁，廣平七世祖也，為後魏吏部尚書，襲封利人，子六世孫元撫，衛州司户參軍，是生右丞相廣平郡文貞公璟，史無其字，表不書元撫有何兄弟，則仕於東川從父無所於考，姑舍是勿論。而評所謂《梅花賦》者，非惟世人罕見此賦，亦無有能為是花作賦而與之匹者。詩之佳者，則有之矣。今《初學記》有梁簡文《梅花賦》一首，其辭一無可取。初云梅花特早，偏能識春；次云裌衣始弛，羅袖初單。回謂江南雖暖，早春梅開之時，未可以去綿衣，則已夸矣。其末云「春風吹梅恐落盡，賤妾為此斂蛾眉」。花色持相比，惟愁恐失時」。擬之士大夫，則若惟恐後時不遇者，興寄淺矣。陳無己《賦梅花》云：「後時何所恨，處獨不祈憐。」惟此意可與廣平《梅花賦》相抗。大抵賦若詩，貴乎興多而比少。比徒以擬其形狀，不若興而有關於道理。王介甫梅花詩「額黃映日明飛燕，肌粉含風冷太真」，非不甚工，乃是廣平賦之土苴下陳。廣平引十二事為比，以為世人口吻雌黃，以己自況，而以隱身幽絶寓興焉，剛毅之氣可掬。二十五歲為此賦，勝陸機《文賦》遠矣。某為詩贊之曰：「廣平未第二十五，流落東川匪其所。官舍有梅無人識，不為隱憂不勝吐。宋公作賦意自況，百花未見鶯未語。蕙蘭杜若悉不然，芍藥芙蓉何足數。一相睿宗再玄宗，剛直突過相姚崇。力争大事誓溘死，燠哉萬姓寒沍中。假如不死謫嶺海，寧如凍梅隱榛叢。肯似後來楊與李，啼鵑一聲飛落紅。

宰相人人皆可做，鐵心石腸死不怖。然後可以致太平，不然不過隨風絮。士無窮達莫趣時，皆當熟此梅花賦。達為宰相窮忍饑，皆當如此保貞固。」

大德之年戊戌履端之後，晴人日甲申，書於杭鳳凰山北曲阜橋南。後八年，大德丙午十一月朔，讀此跋賦為之太息，書此以贈吾友新安俞唯道師魯。時方回年八十矣。謹識。

全元文卷二一七

方回 二

跋馮深居詩

馮去非，字可遷，南康軍人，號深居。父子兄弟一時知名，皆登科。去非嘗爲宗學諭，斥高巾大袖而身肥短。詩峭健，晚頗深晦。入金陵幕，日事詩酒，費用不計筭，乏則又求於士大夫，人不敢不饋，饋至，凡縑帛物玩，立令諸妾分之，錢以贖典，既而又乏，又典。俗士或笑侮之，不恤也。馬裕齋光祖、清溪祠先賢，去非爲贊，皆可觀，年八十餘卒，今亦無復斯人矣。

跋劉後村晚年詩

劉克莊字潛夫，興化軍人，號後村，以任子賜第，始受知真西山，最爲鄭清之所擢用，亦屢坐斥，晚為賈似道牢籠，至從官。既歸老，有「三生不可忘容堂」之句，豈欲以諛免禍耶，抑為孫兒地也。晚年詩予已句抄評之。年八十餘卒。此皆近世詩人老壽者，因選放翁詩，故牽聯書于其後云。

跋程舜俞詩

吾古歙州邑六，婺源為大，浮溪文晦庵學大之也。後進士得其芳馥一二，以立言於世，亦足以大振厥聲矣。程龍字舜俞，婺源人也。乙丑阮榜進士，初授黃陂縣主簿，再調吉州司理參軍，改辟建德府觀察推官，今為遥授贛州同知。和此詩語簡意裕，是生於大儒之鄉，所聞有自來者歟。紫陽方回書。

跋無名子詩

王維《輞川别業》，自孟城坳至椒園二十絶，維唱而裴迪和，無一言及世故，此蓋幽尋僻處所賦，法政當爾。昌黎為劉給事賦二十一咏，乃刺史州宅也，然專道林泉間興趣，於外務不毛髮沾。「洞門無鎖鑰，俗客不曾來」，此以見自無俗客，則自不必有鎖鑰。風致甚高，與夫用意以拒俗客者異矣。既曰：「朝游孤嶼南，暮游孤嶼北。所以孤嶼鳥，與人盡相識。」又曰：「郡樓乘曉上，盡日不能迴。」又曰：「吏人休報事，公作送春詩。」苟如此，則郡事全廢，簿書期會，一切不問可也。然必具道眼、識詩法者，始知昌黎為善立言，㬪之曾點舍瑟異乎三子者之撰也。近人修詞溢臀、氣味淺短，題山林意朝市，予病其然，而以語夫人，輒瞠若。予訝此無名子者，其烏龍馬目山中隱君子歟[一]？投予詩，隱其姓名。於《歸舟賦》云：「結亭倓小舫，四壁盡空空。他日揚歸棹，還應與此同。」可謂深會予意者，故表而出之。紫陽方回書。

[一]其烏龍馬目山中隱君子歟：清抄本作「其為鳳烏龍馬目山中隱君子歟」。

跋僧如川詩

韓子、歐陽子，於佛不喜其說，而喜其人。韓之門有惠師、靈師、令縱、高閑、廣宣、大顛之徒，歐之門亦有秘演、惟儼、惠崖、惠思，而契嵩之文，至以薦之人主。東坡、山谷，於佛喜其說，復喜其人，故辯材、浄東、林總、佛印、參寥、琴聰、密殊順、怡然、久逸老與坡游，晦堂、心死、心新、靈源清與谷尤相好也。士大夫嬰於簪紱，不有高人勝流為方外友，則其所存者亦淺矣。楊文公之於廣慧槤、梅聖俞之於達觀穎、無盡之於甘露滅、無垢之於妙喜杲，死生窮通以之。而吾紫陽晦翁，深闢異端，得「一志南杏雨柳風」之句，尤極口稱道，不啻己出。嗚呼！前輩遺風餘韻遠矣，其不可復作矣。夫自予來桐江，日從事兵革，顧嘗想望烟靄嵐翠之表，以為必不無幽子可與言者。南山報恩禪寺甲是邦，寓公府卿黄公宗仁暨諸禪流，舉今無竭禪師矣，如川主其席。予走筆題請疏曰：「南山一榻三條椽，仰眠如川見如川。借問此是如川否，只恐坐禪人不眠。」錢塘西湖名刹老衲，和此偈送之盈軸。既入山，實枵植廢，鼎新雲堂，如徑山靈隱，字作章草，詩有皎然靈澈風。問所出自，淳安之項氏子也。問所嘗從游，珍藏叟沅清溪而得師法，師則伊巖師玉也。初住餘杭舟枕山之順慶寺，東坡留題，所謂「問諜知秦過，看山識禹功」者，癯若不勝衣，訥若不出口，而繼予十咏，為伽陁體，世之以斯事自命者，返若有不及焉。予坐嘯六年，得此一方外友，庶亦可以澡吾心之埃。謂跋及前修，無愧支許，則未之敢也。紫陽方回書。

跋黄同叔詩

吾州名鄉故大府寺丞黄公，諱何，字景蕭，休寧縣人，生三月而孤。祖中理，祖妣吴氏，祖妣之弟舜選，二子曰俯、偁，號鉅儒，寺丞從之游，得其學，中乾道丙戌第，知處、岳二州，卒年七十四，時嘉定二年也。寺丞娶京西轉運嚴陵方公扔之女孫，因寓家於嚴，在郡治之西大樹巷不百步。咸淳五年，故大府卿行都尹帥魏克愚，以謫居歿於其家。予鬬之往來于懷，後六年假守，始盡知寺丞德業之詳，而識其曾孫架閣君龜從，字同叔。寺丞二子曰渙，通直郎致仕。曰閎，蘄州通判，子華，榷院，亦嘗倅蘄，即同叔父也。始寺丞之姊嫁邑人程公文夷，有子曰珌，寺丞察非常兒，挾以自隨，數十年以平生所得二吴之學及有鬬於程公大昌者，盡以授之。珌，世所謂玉堂洺水公程懷古者也。然玉堂豈惟得寺丞之學，以頹阰於世，凡要官美職，皆寺丞之力所逬焉。史丞相彌遠初拔舉，貿寺丞為考官。彌遠柄國，思報其後，以問玉堂，玉堂對謂珌即甥也，而不及言寺丞之子若孫，故玉堂以是鼎貴，而寺丞之門當彌遠時仕不少進。由此推之，學未嘗無種，其傳也以有質；仕未嘗無梯，其升也以有命。同叔典故該洽，為詩文必精思，賦予《寓宅十詠》，皆有遠意。因書其家世如此。寺丞之澤，當源源未艾云。

跋胡直内詩

方，淳安縣人。父順昌黄巖令，與回同榜。祖伯驥，己丑黄榜，浙西帥參，號坦軒，有集刊行。曾祖朝穎，壬辰黄榜國子正，知岳州，號静軒。

學周程，文歐蘇，詩黄陳，與治俱極，而章蔡亂之。南渡復矣，又厄於檜，誰實洗日濯月以有乾淳。迄慶元大儒歿，佹十三年，遠二十七年，清、嵩出入傾軋十八年，權歸官侍，循至全道又幾二十年，而亂極不可救矣。蓋江左百五十年，前七十年僅一檜為梗也；後八十年連梗六柄臣，皆仇正嫉是。稍知書，又陽進真魏而陰排之、下之。人視偏效蔽，梏於私[二]，痼於習，一時所尚，非萬世公論。學也，臨川而四明；文也，永嘉而東嘉。我覺子覺，詆濂喝洛，黄直卿、李敬子之守可移乎？昇闔言歸，肆力碑板，陳壽老、吴明輔奔其後而卒莫計也。至於詩，惟章泉、南塘有乾淳之風，四靈不復五矣，劉潛夫始亦染指四靈，後宗放翁，卒自名家。今之褒博，不講學，不論文，間一見為詩，曰我晚唐也。問晚唐何自入，曰四靈也。然則非四靈也，乃近時書肆所刊江湖詩也。青溪胡君方直内過予言詩，讀其《植芸》之編，鍛意鑄辭，亢幽致而抑浮俗，善矣。予猶欲君一掃慶元以來八十年之弊，力追乾淳。乾淳還，則元祐慶歷上至千古皆可坐而致也。無徒曰吾不為宋詩，黄、陳其宋詩乎？歐、蘇、周、程其宋之文、宋之學乎？

一　詩序無庸殽雜，得一二名筆拈出，足矣。

一　詩題宜有斟酌，非舉世皆知，難稱道號；非實可為師，難稱先生。有官實書其官，餘書其字，皆注其名。

一　詩意不專譏諷，洪覺範《天厨禁臠》誤人處極多，或以是釋杜詩，山谷不以為然，宜戒之。

[一]梏於私：梏，清抄本作「狃」。

跋許萬松詩

詩必擺俗好、棄少作而備衆體，則立言不朽。予淳祐中偶去靈隱冷泉，時京尹盡去楣間詩板，僅存者二：其一有云「石屋雨來春樹暗，海門潮起暮雲高」，此四明陳允平詩，蓋許渾體也。林洪可山亦以詩鳴諸公間，自謂晚唐，西湖上詩人争效之，予心皆未以為然。今三十餘年，未有晚進能以此體絶出前人之右者，洵一時之所尚，而不以古為師。猶之奕然，師第一手，不能過其師，必為第二手；苟僅師所謂第二手者，必又更低一着無疑矣。陳後山生於皇祐五年癸巳，少東坡十七歲，少山谷八歲。朱文公謂後山初見東坡詩，未甚好。東坡四十二歲知徐州，子由來會，後山時年二十五歲，有詩贈二蘇公，云「一洗十年新學腸」，是歲在丁巳[一]，王荆公得君改熙寧已十年也。其見山谷於潁昌，詩律一變，不知的在何年。今後山詩任氏註本，自元豐六年癸亥始，皆三十一歲以後詩，獨有贈二蘇公一篇為少作，蜀本不註。及眉山史氏續註外集，尚有少作可考。予細觀之，輕重縣絶，使不遇山谷，則安得黄、陳並稱乎？古詩有六義，風刺其一耳。老杜所以獨雄百世者，其意趣全古之六義，而其格律又備後世之衆體。晚唐者特老杜之一端，老杜之作，包晚唐於中，而賈島、姚合以下得老杜之一體。葉水心奬四靈，亦宋初九僧體耳，即晚唐體也，寇萊公亦此體也。近世學者不深求其源，以四靈為祖，曰倡唐風自我始。豈其然乎？山谷詩本老杜骨法，有庾開府，有李玉谿，有元次山諸人，亦未嘗考也。武林萬松許君庚，字伯先，與予論詩往來七里瀨數年矣，予始終執此説。近相與賡酬數十篇，曰「值雨花無怨，留春鳥自謀」；曰「思苦無一字，意來成數篇」；曰「花盡辜啼鳥，麻深没過人」；曰「硯潤浮殘墨，琴乾響斷弦」；曰「壯歲期加進，新吟未敢編」。頓超捷進，脱故習肩前修。蓋伯先生甫三十有六，視予少二十年。予所云三語，伯先之所優為者也，豈止丁卯橋家法而已哉！紫陽虚谷方回萬里謹跋。

[一]是歲在丁巳：是，原作「實」，據清抄本改。

孫後近詩跋

次皋昔胥會於杭，年五十一，今再相見，年五十九，而回年七十七矣。見教新詩一帙，第一首有「人事休兵後，秋懷落木前」《兵後績溪道中》之句，非近人晚進所能到也。如「蕭條同甲子，强健又重陽。《九日呈戴兄》萸菊數杯酒，烟雲千仞岡」；如「書帙載牛角，錢酒累杖頭[一]。《出游川上》山林留我輩，秔稌有今秋」；如「賦體應全變，儒風亦漸回」《寄衢教陳景山》；如「天已窮吾黨，人誰贖此公」《挽畢明府》；如「日載鷓鴣三十尾，魚為租入水為田」《溪上》；有類杜子美者，有類陳無己者，不具眼者不識也。近世之詩莫盛於慶歷、元祐，南渡猶有乾淳、永嘉。水心葉氏忽取四靈晚唐體，五言以姚合為宗，七言以許渾為宗，江湖間無人能為古選體，而盛唐之風遂衰，聚奎之迹亦晚矣。回有感，饒舌書此。承贈五言律三首，後山體，老懶尚欠賡韻。「去來身不定，好惡夢皆虚。兒女千山外，舟車一月餘。豈真休客擔，猶怯看家書。」《自平江歸》「椿庭才不起，槐府遽無情。」《挽吕道山》「此樓時自倚，吾鏡不須看。」《倚樓》「蟻螻穴中曾作守，鳳凰枝上已生孫。」「范蠡放魚謀國手，田方養馬愛賢心。」《高平章甫齋新第》「天下事須金罍落，人間秋又木芙蓉」。「頗賴青州從事力，許過絳縣老人年。」《壬寅生日》「落花滿硯慵磨墨，燕子歸梁急卷簾。」

[一]錢酒累杖頭：錢，原作「杖」。杖，原作「錢」。據清抄本改。

跋俞伯初詩　大德三年七月二十日

詩三體，唐虞三代一也，漢魏六朝二也，唐宋始尚律詩，三也。星源俞君□伯初見示詩百三十篇，唐宋體也，有格有句，有力有意，然頗得之易。先易後難，孰若先難後易？某年二十二[一]，歲戊申，以所作見右文吕公老先生[二]。又三年辛亥，年二十五，始得品題，命之字，贈以序，游江湖，謂某詩稍穩貼矣[三]。穩貼二字，一生受用不盡，詩自是□□詩話，自是一般聲響，自是一般風味，題目、稱謂、送贈、唱和，種種不同，然必字字穩貼乃可。某七十有三[四]，老矣，□以此一燈傳於伯初。大德己亥七月二十日戊戌[五]，方回跋。

[一]某年二十二：某，原闕，據清抄本補。　[二]以所作見右文吕公老先生：右，清抄本作「左」。　[三]謂某詩稍穩貼矣：某，原闕，清抄本補。　[四]某七十有三：某，原闕，據清抄本補。三，原闕，據本文作者自署寫作年代補。參見校勘記[五]。　[五]大德己亥七月二十日戊戌：亥，原作「酉」，原文年代有誤。大德年間並無己酉年，至大二年為己酉年，然此前二年（大德十一年丁未）作者已辭世，則亦不應為「至大二年」之誤。據文中「某七十有三，老矣」推斷，此文當作於元貞二年至大德九年之間，即作者七十至七十九歲之間。在此十年中，惟有大德三年己亥之七月二十日為戊戌日，作者時年七十三歲。因此，此文作於大德三年無疑。文末「大德己酉」，當為「大德己亥」之誤。

跋舒碧雲寓稿詩

讀用章《碧雲寓稿》詩，可喜者三。黟之長寧舒氏，□□來自淮陽，南唐時曰介夫、曰夷中，相繼魁進士，曰雄、曰雅，踵有大名[一]。用章曾祖諱擢，登嘉定庚辰第，伯祖諱叔寶，登紹定壬辰第。用章《感事詩六十韻》備書之。能述祖德，如陶元亮，一可喜。近世習為晚唐詩，用章獨稍近古，不隨時好，五言選體有韋應物步驟，律詩不專纖巧[二]，二可喜。學問文章以多讀書為根本[三]，詩其餘事。用章□歲□年三十七，深以詩料未多為慊。士莫患於自足，知其所短，必有進矣[四]。不耻下問，孔門所取，三可喜。里中七十叟根識□□□□□□□。

[一]踵有大名：踵，原闕，據清抄本補。　[二]律詩不專纖巧：不、纖，原闕，據清抄本補。　[三]學問文章以多讀書為根本：以，原闕，據清抄本補。　[四]知其所短必有進矣：短必有，原闕。據清抄本補。

跋江石卿詩文

至元二十五年八月十五日

石卿得一文稿，他人千言，斂以數語，十步而近，折旋二三，能簡又能委曲，一奇也。《古瓢詩丸》

如「西風野如赭，見者輒吐舌」；如「太傅數日別，劉公一紙書」；如「讀書三年艾，逢世四角輪」；及《再和全歸十絶》，皆氣勁律嚴，又一奇也。憂時而不怨，傷己而不戚，俯首默默，若無所有，又一奇也。負此三奇，猶欲求砭藥於予，豈知道有取於老馬非歟？予它年作文冗，卒以曾南豐為歸，作詩浮，晚獨喜陶淵明，至陳後山兼有二長，乃取此三君子集，行住坐卧自隨，終不近之也。其為學之根源，即自吾鄉晦庵先生，溯至於仲尼夫子而止。予年六十二，石卿年三十八，相與疾鞭此途可也，第予之日迫莫矣，石卿勉之。至元戊子八月中秋日回書。

跋茅山梁中砥柱所藏東坡和太白感秋詩

李太白，余見其詩，未見其字也。雖葛藴偽作以紿郭功父者，亦未之見也。蘇長公詩若字，則予見之不一矣，然未若今梁君中砥所藏《感秋》二詩之為真也。潯陽天慶觀，予平生屢至焉，嘗讀石刻，不謂今乃得見此本。細觀圖記，乃德祐儹國亡家，權臣之物流落燕市，而中砥集之以南也[一]。夫世之所謂尤物玩具者，閑人隱士好之則可，士大夫好之已愚矣。王公大人好之，而以力收術取，則貪痴之極，必有不勝其禍者，故蘇長公謂「鶴，人之所好也，而衛懿公以亡其國。法書名畫，人之所好也，而桓玄之走舸，王涯之複壁，皆以兒戲害其國、凶其身。」前輩有力却佳硯，戲謂一日呵出一擔水止直三文者，其人品豈不相去萬萬哉！今之見此本者，其毋恃勢而有垂涎之心哉！梁君名柱，學仙茅山，自號塵外道人。

[一]而中砥集之以南也：集，原作「售」，據清抄本改。

跋俞仲疇詩

甲申嘉平望後一日，自苕溪南渡，訪唐師善父子於料里山居。其邑人俞君錫仲疇，年二十五矣，酒邊出示《竹屋詩稿》，五言大聯皆逼唐人。「洗瓢魚隱石，掃葉蟻移家。」「野猿偷果去，村僕借書還。」「教僕掃枯葉，留僧煎早茶。」「荒店難尋酒，長途半趁船。」「蛩聲依壞砌，樹影倒寒池。」「半生長在旅，何日定還家。」賈島、姚合、魏野、林逋，欲道未道，餘料遺意，仲疇能剔决而新之，且律調皆熟，其用心亦至矣。于熟之中，更加之熟，則不可，熟而又新則可也。新之如何，料與意皆不必全似賈、合也，必出于己，而得於天，則所進豈易量哉！

跋曹之才詩詞三摘

曹君良史，字之才，錢塘人。衣冠佳盛，湖儆山酣，則有《咸淳詩摘》，兵火變遷，江淮奔走，之才則有《梅南詩摘》。予特以後摘爲多於前摘。「雲生畫佛壁，葉落病僧房。」幽迥而新異；「閑來閉門處，認得讀書聲。」平易而雋永。《丹陽》云：「深樹月昏神火出，斷烟雪霽獵人回。」《毗陵》云：「牆囶敗屋知無主，風響荒林似有人。」昔名邑佳郡，今野有荒磷，市無全區，何爲而至于此。雖前摘中有云：「駕犢渡溪水，夕陽滿田畈」，蕭散古淡，然未若後摘之感慨有味也。或謂詩作于全盛之時，題平而着語難；作詩於變遷之後，題險而着語易。予謂不然，老杜詩，世無敢優劣，惟山谷獨謂夔州後詩不煩繩削，蓋暮年加進于妙年，而老作冞深於少作也。之才展轉征旗戰鼓間，逾十年，則筆力益老矣。至如《鏤冰詞摘》，則以詩之餘，演爲刻雕流麗之作，以至寶丹之事料，生姜臼之文法，寄於少游、美成之聲調，予非閑於此者，故不敢辭。

跋方君至庚辰詩

睦之分邑，予宗兄天墉君，三十年前識之，嘗以絶句詩見知于吾州魏使君。予守睦七年，僅一見訪，今相遇杭邸，示予《庚辰詩稿》，以數計，殆不止一日一詩。於《夜凉感懷》云：「缺多圓少人如月，盛極衰來物易秋。」只此一聯，便足名世，似不必太多□也。東坡謂郊寒島瘦、元輕白俗。予謂詩不厭寒不厭瘦，惟輕與俗則決不可。君之稿，寒瘦者宜存之，自謂學楊誠齋而近乎輕俗者，宜删之可也。君名至，天墉，取元英先生詩話以自號云。

跋俞則大詩

故錢王鏐，有《陌上花》之歌，幕府有詩人羅昭諫，其鄉之人士，至今多能詩。俞演則大，年二十二，携詩稿一卷，清溪胡直内介之前，吾宗伯蛟峰尚書為之序，蓋已知詩之門户蹊徑矣。詩之門户，權之而銖兩差，量之而分寸舛，則輕重或偏而長短不偶。一首中必當有一聯佳，一聯中必當有一句勝，一句中必當有一字為眼。大篇貴爽逸，小篇貴古淡。鍛煉磨礱，不穩不已，則夫壯而老，日進、月進、歲進，當不止於今所作也。無一書不讀，以養其力；無一息不存，以堅其志，則進矣。謂吾言不然，君其問諸天目山之隱者。「殘燈吟夜雨，破榻卧秋山。」予欲易「吟」字為「挑」字，燈曰挑，榻曰卧，則大以為何如。

跋仇仁近詩集

予讀錢塘山村仇君遠仁近詩集三卷，《南山逢顧君際》首云：「久欲脱塵網，未有辟穀方。釋然山中游，世慮可暫忘。」末句云：「鷗鷺亦知幾，深入菰蒲藏。卧舟放中流，吾不如漁郎。」此詩不似韋應物，亦似儲光羲也。又云「高荷不受雨，傾瀉與低荷。低荷强自持，聚雨傾入波。朝雨尚滴瀝，晚雨忽滂沱。臨池卧以聽，雨聲静中多。兩耳本自清，奈此荷葉何」。此詩惟孟東野集中有之。然則詩不可不自成一家，亦不可不備衆體，老杜詩有曹劉、有陶謝、有顔鮑，於沈宋體中沿而下之，晚唐特其一端。九僧以前，四靈而後，專尚晚唐，五言古調、七言長句，皆不能不彼此相效。許渾水、鄭谷僧、林逋梅、魏野鶴，雪月風花、烟雲竹樹[一]，無此字不能成四十字，四十字之中，前聯耳聞目見，後聯或全是聞，或全是見，如此則一詩而二三古詩者多矣。周伯弜詩法，分頷聯頸聯、四實四虚、前後虚實，此不知情景之分[二]。如陳簡齋「官裏簿書何日了，樓頭風雨見秋來。是非衮衮書生老，歲月匆匆燕子回」，乃是一聯而一情一景，伯弜所不能道。老杜云「舟中得病移衾枕，洞口經春長薜蘿」，山谷云「霜髭雪鬢共看鏡，萸糝菊英同迸秋」，後山云「老形已具臂膝痛[三]，春事無多櫻笋來」，此一脈，自老杜以來知而能用者，惟三數公，豈掣鯨碧海與翡翠蘭苕故不同耶？仁近二古篇，予所絶賞。如「螢火惟知夜，燈花不待春。」「割蒲分坐具，貯瀑入軍持。風雨不出户，兒孫共讀書。」「荒城雨滑難騎馬，小市天明已賣花。」此律體亦非近世晚學可及也。予非知詩者，切謂嘉、端至今，能詩與能評詩之人皆鮮，故因跋是集發其狂言。

[一]烟雲竹樹：雲，原作「雪」，據清抄本改。　[二]此不知情景之分：知，原作「過」，據清抄本改。　[三]老形已具臂膝痛：已，原作「也」，據清抄本改。

跋戚子雲詩

予三十年前獲納交於檇李戚君叔開，嘗示予《岳陽樓》長句，鬼刻神剜，蛟翔龍挂，辭意譎觚，翰墨變幻，予驚嘆駭服，以為異人。其豐姿灑落，雷眸戟髯，有古俠士劍客之風。予意其當如太白，布衣召見，賦玉翁舍鴒以響于百世。今老壽，年八十，無恙，猶為處士。而其子讀書于會稽之五雲山，名曰明瑞，字曰子雲，復以詩鳴于江湖。予讀其吟卷，古詩十六，律詩十三，絶句十，怪也極天下之怪；麗也極天下之麗，又善押險韻。有是父必有是子，非歟？世之王侯將相卿大夫，不一傳而覆其業者，不可勝數。戚君父子皆無意仕宦，然獨有詩名，驟華盛而倏磨滅，忍清苦而終久遠，豈天之所以立數者以警世歟！或問何謂怪？「鵂鶹歡喜舞南風，老槐陰下吹箜篌」，怪也。何謂麗？「纔聽黄鸝便斷腸，望帝花飛春尚寒」，麗也。「藍田戰秦將，子嬰豎降幘。至今柏樹精，疑是卧龍魄」，此險韻也。如「舊夢不堪遊螘國，生涯只合在漁舟」，曠達飄逸，言近指遠，於予亦足以發。雖然，予常讀《易》，剛健中正，純粹精微，詩亦宜參此。磨之又磨，瑩之又瑩，痕迹俱滅。予老矣，不能進於是，子雲少予二十年，其進蓋未艾云。

跋張仲實詩

昔尤、楊、范、陸，以詩鳴于乾淳，惟張南湖、姜梅山頡頏其間，各有集傳于世。而南湖預謀誅韓，抗志忤史，謫没象臺，夫人冤之。士大夫閧約齋其號，功父其字，敬慕嘆仰至今，蓋其立言立節皆足以不朽也。予丁未入杭，訪南湖之孫及其老賓客張居卿先生于梅橋。居卿先生教余作詩，相期甚遠。今三十八年，前修零落，始識南湖從侄孫仲實。君年甫二十五，示余《採菊吟卷》凡三十首。如「島僧多佛相，海獸或人形。」「蜃氣晴連霧，珠光夜雜星。」「懷友書投越，思鄉夢到秦。」「呼猿來古洞，聽水向空亭。」「北藥南州見，春雷冬夜聞。」「采藥逢秦女，耕山得漢錢。」「乾坤猶戰鼓，兄弟自儒衣」。前六聯置之張文昌集中，卒未易辨，後一聯迫近老杜。又《鐵如意》云：「尋常多在手，緩急可防身。」細潤清密，淡而有味，予行天下多矣，未見有少俊英妙如仲實者。一卷之詩不為多，而佳句已如此，積之久，擴之遠，所至豈可量哉！然則仲實立言已足以不朽必矣，若夫建功造事，又將有出于立言之上者，則予何足以測之。仲實之名曰槙，其書室曰菊存，家世喜與名人文士交，而仲實詩友數十人，皆湖海勝絶。予老無成，後生可畏，書此良自愧也。

跋馮庸居恪詩　至元二十五年

普爲郡，賈浪仙之簿處，故今人士多能詩。予幸識三馮君焉。秀石詩如九轉神丹，抱甕詩如五銖古錢，庸居詩如千頃豐年穀粟。然則肖浪仙者，孟也；近浪仙者，仲也；不拘於浪仙者，季也。賦柴米鹽油醬醋茶詩七小絶，於鹽云「處約與虀友」，此最佳句，餘更鍛煉精熟，自日用切近，以進於不可知之神，其變化不難矣。

又跋

《詩》，有韻之文也，而爲六經之一。孔子定書自堯始，而存明良之一歌，删詩至平王東遷而止，而「思無邪」一語，門人以紀於魯論，此古之所謂詩也。漢有建安四子，晉有陶淵明，唐有李、杜、陳、韋、韓、柳，此後世之所謂詩也。予獨悲夫近日之詩，組麗浮華，祖李玉溪，偶比淺近，尚許郢州，詩果如是而已乎？蜀普馮君與其二君伯田、仲疇，皆能詩。過予紫陽山下，出短編示教，予讀，喜其「微熏初散溽，落景屢占晴」十字，有謝康樂意，它佳者不一，悉爲研朱加點而歸之。如「將步趨前哲，以進於六經」之詩，則求諸方册而返諸心，豈止是哉！至元戊子方回敬書。

「節物忙中改，流年暗裏加。」「夜晴流聖火，天近響仙環。」「猶有行春人，盈盈出華屋」；「萬事一如行路客，百年三換主園人」，皆佳。如《次楊華父》云「園户堅於戍虎牢」，尤奇也。方回再書。

跋周君日起詩册

新詩八十七首，筆力愈進。第前輩不甚為著題詩，又五七言律詩，不若為五七言古騷，則李杜之古樂府、陶謝韓柳之工而淡，可到也。陳無己盡棄少作在何年，不可不考。又詩格已高，猶未免俗。

跋鄭子封詩

睦為郡，擄吴會上游，其東偏有介山之邑，邑之水左入太湖，右入浙江，是名分水。予作郡七年，去官又三年，名人勝士無不識，獨未識鄭君子封。一旦相遇武林，以其詩若文見示。夫詩與文之分，猶分水也。雖分為左湖右江之異，其有不終會於海者乎？君之詩如懸崖怒瀑，君之文如峻峰急灘，將深而澄之，至於無聲之地，則湖也江也而海矣。斯天下士也，非分水一邑之謂士也。和陶諸篇極有奇思佳語，可謂今人而古學，凡墨筆所點皆是。但時用白樂天體，則不若專效韓柳以逼之，而後無不近乎陶也。「主聖如堯舜，臣忠似伊周」，非陶體，乃白體。陶所謂止酒，謂所樂止於酒而已，故曰「重味止園葵，大歡止稚子。」今和乃謂「止而不飲」，得無反騷否？「登山采蕨薇，亦足充三餐。入山刈芰荷，亦足禦一寒。」此亦非陶體。「我無一斗酒，何以博涼州。」看來少不得蒲萄二字，當云「我無蒲萄酒，何以博涼州。」「自恨無歌姬，娥眉横春山」恨字或可改。

跋王堯臣君謹詩

王君謹古樂府見教十篇，有張籍、王建之風，迫近李賀。予謂李太白三、四、五、六卷，自《遠別離》至《長相思》，有古題，有自為題。杜子美《兵車行》《天育驃騎歌》諸作，皆自為題。雖命題猶不蹈襲，而況於命詞乎？君謹名堯臣，所作無一語蹈襲前人。家真定，問其年，甫二十三，奇才也。下筆如有神，勉之哉！乃尊君實先生，與回至交，善論文，宜歸而求之。

跋楊逢原詩

楊君逢原以書生襲父職，任從軍於杭。從軍非其所好，予謂從軍之詩「杖藜携酒看芝山」，何不可者。比惠示古樂府四首，「薄雲漏日花溪雨，杖策香風散平楚。」《妾薄命》云：「穿妾嫁時衣，照妾嫁時鏡。妾貌蒲柳衰，妾心松柏勁。」《蒼鷹謡》云：「惜哉英物姿，饑亦附人飛。」《覽鏡面》云：「空照妾貌醜，不照妾心清。」唐人始有此作，年二十五，可畏也哉！

跋佛陀恩遊洞山詩

予年二十五，歲辛亥，過吴江長橋，有詩。今年七十七，歲癸卯，每歌「橘里漁歌半烟草」之句，不知平生幾度扁舟過太湖，然未嘗一游洞庭山。四明佛陀恩上人近游詩三十四首，開卷有云：「一百五日花欲飛，七十二峰先莫釐。」問「莫釐」謂何？乃七十二峰之第一峰名也。不行萬里路，不讀萬卷書，未可觀杜詩，此之謂矣。其詩清峭刻厲，如《會泉長老》「話舊心如壯，歸休夢已安」，淡而有味，下句尤佳。噫嘻！詩言志自唐虞始，佛法入中國，有僧自東漢始，後世儒逃於僧，多執詩人之柄，然亦千萬僧中有一詩僧也。

跋余好問丙申丁酉詩稿

作詩當有自得意處，亦當自知之，不待决於他人之目。好問詩不雕刻，可喜，然多信筆，不必皆工而近乎率。一句好，或一句偏；一聯妙，或全篇苟且。而用字俗，或以為不好則無病，以為好則無可取。

蓋年方四十，精鍛細敲，未見其止也。不知何人欲為板行流傳，毋乃太急乎？予勉為批點，去取恐不能得君自得之意。尋常泛然稱賞，則從恕；將欲刊板，則選擇豈可不嚴。且望雍容於仕，而沉潛於學，今之後生，吟三五十首[一]，刊置書房，無人肯買，而平生聚辨，止於此矣。故有能為五七言詩可觀，而問之以九經十七史、近世大儒性理，俱漠然無所知，可不戒也。然則棗梓之工，五十而後，未為晚也。

[一]吟三五十首：首，原作「詩」，據清抄本改。

跋劉光詩

大德三年二月一日

回最愛《麗澤詩選》，或云東萊呂成公所選也。三百五篇經，聖人選矣。成公所選第一卷，郭茂倩古樂府，選焉。第二卷，昭明太子《文選》詩，再選焉。第三卷，陶淵明詩，專選焉，徐庾諸人詩不選。第四卷至第十四卷，唐人王無功至許用晦四十二家，選焉。杜子美甫詩最多，李太白、元次山、韋應物亞之，韓、柳、元、白又亞之。第十五卷，王荆公《唐百家詩選》，再選焉，凡二十八家。第十六卷至三十五卷，始選宋人詩，分為九體。回謂後人學為詩者，讀此足矣。以毛詩、屈騷為祖，以《麗澤選》為宗，始不拘一家，終自成一家，真詩人也。回與同里劉君光元輝，幼皆好為詩。回七十三，元輝七十二。回偶竊一第，行路數萬里，故其詩放浪，多江湖之思。元輝早棄場屋，老於鄉閭，故其詩枯槁，多山林之意。回近詩甫削豪趨懦，而元輝寄辛卯至丁酉自選七年詩，選之又選，計六百四十首，令評之。大抵書無所不讀，而不以用之於詩，天真自然，薄世故，遺物外，葉落水涸，玉韞珠藏，於《麗澤選》中求之，尚陶慕杜，近韋逮梅，非專精此事四五十年，筆力未易至此也。然東萊此選之後，吾鄉朱文公老師，學通洙泗[一]，其詩法有陳後山之瘦勁，有劉屏山之温雅，後乎文公又有如趙章泉之善用虚字。元輝蓋亦得此傳云。大德己亥二月一日癸丑契生方回序。

［一］學通洙泗：通，原闕，據清抄本補。

題魏仲秉貞齋跋

《易乾》「元亨利貞」，文王言。所占之易，得此卦者，大亨而利。于貞《文言》分為四德，而于貞卦曰「貞者事之幹」，又曰「貞固足以幹事」。文王二之，孔子四之，貞之篆，則一也。愚謂占而得乾，動而貞，不占而體乾，静而貞；已占之後，於一事而貞。未占之前，以一心應萬事而貞。貞可忽乎哉？魏仲秉齋未有扁，愚敢銘曰「貞齋」。（以上《桐江集》卷四）

讀董仲舒傳

予舊讀《董仲舒傳》武帝第一策，有「性命之情」四字，下文曰「或夭或壽，或仁或鄙」。以夭壽論則似近通塞，與《中庸》之天命異。以仁鄙論則似帶氣質，與《中庸》之率性、孟子之道性善異。仲舒對謂：「發德音，下明詔，求天命與性情，皆非愚臣之所及。」「臣聞命者天之令也。」此一語與《中庸》合。「性者生之質也。」予初疑此語亦帶説氣質。「情者人之欲也。」此一語亦合《中庸》喜怒哀樂已發未發之旨。第三策仲舒對有曰：「天令之謂命，命非聖人不行；質樸之謂性，性非教化不成；人欲之謂情，情非制度不節。」讀至此，始知仲舒所謂生之質者非氣質之質也，訓為質樸之質，即孟子之道性善也。人皆有此天命之性，本自質樸，人皆有此人欲之情，未嘗不善，惟聖人有以教化制度之爾。仲舒又曰：「王者上謹於承天意以順命也，下務明教化民以成性也，正法度之宜，別上下之序，以防欲也。」既又引「天地之性人為貴」以終之。仲舒三策，子思、孟子以後有此一人，故專醇儒之稱，餘人皆不逮此，直至濂洛以迄考亭，此道始大明於天下。（文淵閣四庫本《新安文獻志》卷三五）

書石屏詩卷後

戴復古字石屏，黄巖人，早年不甚讀書，中歲以詩遊諸公間，頗有聲，壽八十餘。宋之南渡，江湖游士多以星命相卜挾中朝尺書奔走閫臺郡縣，餬口耳。慶元嘉定以來，乃有詩人為謁客者，龍門劉過改之之徒，指不勝屈，石屏其一也。相率成風，至不務舉子業，干求一二要路之書為介，謂之闊匾，如壺山宋謙甫一謁賈似道，獲楮幣二十萬緡，以造華居是也。錢塘湖山此曹什百為群，阮梅峰秀實、林可山洪、孫花翁季蕃、高菊磵九萬，往往雌黄，士大夫口吻可畏，至於望門倒屣。石屏為人則否，每於廣座中，口不談世事，搢紳多之，其詩高處頗清健，不至高九萬之純乎俗。劉江村最晚輩，本天台道士，能詩，還俗，而處士詩名遂絶唱矣，故因取石屏詩而詳記之。（清嘉慶十五年修光緒廿二年重刻本《太平縣志十八卷》卷一五）

野趣有聲畫跋　至元二十二年

野趣楊叔明舊與倡和，閲前作，倏十二年矣。叔明能畫能詩，筆愈益老，而鬒髮如漆，獨道貌猶未老也，豈胸中有所養而然乎？其無聲之詩，當求米元章、張彦遠輩評之。其有聲之畫，如《回溪道中》

「山東溪流窄逕遷，眼前景物入詩無。田中科斗古文字，柳下春鉏新畫圖。巨室儲茶供客販，小旗誇酒誘人沽。行行不記幾多里，回首林端日又晡」。此可謂五十六字溪山村落圖也。起句便能摸寫山徑溪流逼側之勢，科斗春鋤二句生逼江西，自是兩幅奇畫，儲茶誇酒一聯，村落中賈區飲肆在紙上歷歷可數。尾句收拾淡静，却少留不盡之意。全篇熟而不腐，新而不怪，詩妙至此，非胸中有所養不能也。予老矣，不能悉為提掇佳處，舉其一足以知其餘焉。至元乙酉月良之朔，謹書於孚舟亭。（文淵閣四庫本《野趣有聲畫》卷尾）

全元文卷二一八

方回 二

禘祫及感生帝説

「禮，不王不禘。王者，禘其祖之所自出，以其祖配之。諸侯及其太祖，大夫士有大事，省於其君，干祫及其高祖。」此《禮記・大傳》第一章也。鄭氏注曰：「凡大祭曰禘，自由也。大祭其先祖所由生，謂郊祀天也。王者之先祖，皆感大微五帝之精以生，蒼則靈威仰，赤則赤熛怒，黄則含樞紐，白則白招拒，黑則汁光紀，皆用正歲之正月郊祭之，蓋特尊焉。《孝經》曰：郊祀后稷以配天，配靈威仰也；宗祀文王于明堂以配上帝，泛配五帝也。」回按，此注大不可曉。《中庸》曰：「明乎郊社之禮，禘嘗之義。」文公註：「郊祀、天禘，天子宗廟之大祭。」則知郊自郊，禘自禘。今鄭氏乃以郊祀訓禘，非之甚者也。禘者，推其祖之所自出之帝，以其祖配之，祭於廟，既與郊祀天不同。而郊祀后稷以配天，所配者乃昊天上帝之天，非有所謂感生之蒼帝也。宗祀文王於明堂以配上帝，所配者即昊天上帝之帝，亦非泛配青赤黄白黑之五帝也，郊以天言，則圜丘露祭，與天相接，故配之以開國之祖，尊之也。明堂以帝言，則屋下之祭天之神，若主宰云者，以有天下之祖配之，亦尊之也。曰「嚴父」云者，以周公制禮時言之，故因周公而係文王曰「父」，雖成王、康王以下，亦皆以文王配帝也。其或曰成王則以武王配〔一〕，康王則以成王配者，乃後世拘嚴父之文，各私於其父，而曲證互取以成此説，其實非也。五感生帝者，漢儒讖緯之書出哀平間，鄭康成誤信之以釋經，紊亂遷就，無足采取。且帝王之生，固必鍾天地清明純粹之氣，非偶然而然，若乃拘於五勝相王之説，謂古之某帝以木德王，則感於青帝靈威仰而生，以火德王，則感於赤帝赤熛怒而生，此妖言邪説也，後世佛氏輪回之説所自起歟？或曰詩云：「維嶽降神，生甫及申。」〔二〕詩人之旨欲盛言乎賢者之生不偶然，若天實□□□□□，故以嵩高降神為喻，其謂泰山喬岳之氣降而為此人者，實亦謂其所禀得天地間高厚非常之氣，非果有一物投胎脱化而為申甫也。俗儒不得其意，而曰蕭何孕昴，傅説騎箕尾，下至西竺之説，蔓延滋甚。東坡學佛，故亦曰其生也有自來，其逝也有所為。信如此，則古今聖賢，其生也，必以某物之精英而來；其死也，必復還夫精英之元物者。世豈有此理也哉？佛氏又有修不修、悟不悟之説，或人而為畜，或畜而為人。若有一點之明爽不昧者，迷則墮于至惡之地，而謂之餓鬼；達則升於至善之地，而謂之天人。修則今世之窮丐為來世之侯王，不修則前世之帝后，或遂為今世之奴婢娼優。其説無稽不道，惑亂愚民，則未必非感生之言開之也。東萊編《家範》，其一曰《宗法》，首取《大傳》第一章，削鄭康成謬註，而取趙子《春秋纂例》所斷，謂此皆宗廟之事，不得謂之祭天，其説然矣。予詳味之，「禮不王不禘」一句，乃綱領也。其下乃別為三，曰「王者則禘其祖之所自出，而以其祖配之」也，此謂惟王乃禘也；曰「諸侯及其大祖」，此謂不王不禘也；曰「大夫士則有大事省於其君者，可以干祫而及其高祖」也，此又以明夫不王則不禘也。禘之為禮，天子立始祖廟矣，又推其始祖之所自出，於始祖廟祭之。不立所自出者之廟，遠也。以始祖配而群廟之主不與[三]，不敢褻也。或每年、或數年，則未可知。祫之為禮，則三年一合群廟之主，以始祖正東向之位，左昭右穆以祭之也。有祫而又有禘，天子有天下，其根源所從來遠也。諸侯有五廟，太祖百世不遷。魯周公、齊太公之廟，百世不遷，餘則四廟遞遷迭毁。今《傳》不言祫者，四時常祭則不言也。大夫士則必有功於國，為其君之省記而不忘者，特許祫祭而及其高祖，則曾祖之父，通計四世而已。意者非祫，則所祭如廟之數不得踰也。干之訓為逆，亦推而上之之意也。東萊所編《家範》，可謂有功後學，其禘說之詳，引祭法及趙子所釋，可以自檢。予於此，特敷衍之。是亦學者格物之一端也。由此考之，趙汝愚別立四祖殿，而太廟於太祖而下，一無所祧。以西為上，下至諸主接續為室，非禮甚矣。又永嘉諸儒，力爭祫祭，必正太祖東向之位，而四祖不與，其失彌甚。朱文公獨不然之，是也。李心傳《雜記》，偏徇非是。

[一]其或曰成王則以武王配：其，原闕，據清抄本補。　[二]詩云「維嶽降神，生甫及申」：云、嶽，原闕，據清抄本補。　[三]以始祖配而群廟之主不與：群，原作「郡」，據清抄本改。

詩總角突弁説

「無田甫田，維莠驕驕。無思遠人，勞心忉忉」，刺齊襄公不修德而求諸侯也。揚子雲嘗引此語，以見志大心勞之無益於事。第三章「婉兮孌兮，總角丱兮。未幾見兮，突而弁兮。」諸家説似無關於志大心勞者。蘇子由曰：「總角之童而至於突然弁也，豈其求之哉？其道則有所必至也。君子之得諸侯，亦未嘗求之矣，苟修其身而治其政，令諸侯不來，而將安往。」此説甚佳，東萊取之。東萊又廣之曰：「苟由其道而循其序，則小者俄而大，微者俄而著，厥德修罔覺，非計功求獲者所能與也。」回曰：天下之善為言者，固有言至近，而意已不勝其遠者矣。觀古人作詩之意，若但謂咏一童子「未幾見兮，突而弁兮」，有何深妙？蘇、吕二公發明，乃至於此。陳少南曰：「以興躐等而無次序者，亦佳。」

霍君澤字説

我名，而我字之，我從之，我意也。彼名，而彼字之，我説之，不知其意也。東平霍氏子，名潤字君澤，孰名之，孰字之，而求我為之説。韻書潤訓澤，澤訓潤，似無可説者。雖然，有説。富潤屋，不如德潤身，然後可以澤及生民，澤及子孫。《書》：「水曰潤下。」有小水，有大水；《易》：「上天下澤。」有大澤，有小澤。長江大河之潤，五湖七澤之澤，與蹄涔不侔也。予懋乃德，自涓滴始，泓涵浸漬，將有被其餘波者焉。是為說。（以上《桐江集》卷二）

離騷胡澹庵一說

《離騷》之蘊十有九：奇、古、辯、怨、閑、澹、潔、雅、雄、深、枯、淡、豐、腴、勁、正、忠、直、清。「指九天以為正兮」，奇也。「帝高陽之苗裔兮」，古也。「就重華而敶詞」，辯也。「國無人莫我知兮」，怨也。「聊逍遥以相羊」，閑也。「和調度以自娱兮」，澹也。「朝濯髮乎洧盤」，潔也。「奏九歌而舞韶兮」，雅也。「飲余馬於咸池兮」，雄也。「何所獨無芳草兮」，深也。「登閬風而緤馬」，枯也。「結幽蘭而延佇」，淡也。「思九州之博大兮」，豐也。「曰兩美其必合兮」，腴也。「雖體解吾猶未變兮」，勁也。「彼堯舜之耿介兮」，正也。「阽余身而危死兮」，忠也。「何桀紂之昌被兮」，直也。「朝飲木蘭之墜露兮」，清也。楚詞之蘊十有二：險、恠、艱、窘、隱、約、徧、急、巧、譎、豪、放。「乘日月兮上征」，險也。「棄鷄駭於箱籠」，恠也。「犯顔色而觸諫兮」，艱也。「執棠谿以剸蓬兮」，窘也。「筐澤瀉以豹鞹兮」，隱也。「願假簧以舒憂」，約也。「破荆和以繼築」，徧也。「孰契契而委棟」，急也。「仳偁倚於彌楹」，巧也。「同駑贏與桀駔」，譎也。「采撚枝於中州」，豪也。「律魁放乎山間」，放也。

離騷胡澹庵二説

「《國風》好色而不淫，《小雅》怨誹而不亂，若《離騷》者可謂兼之矣」，此淮南叙楚詞之大略，然不及《大雅》與《頌》，何也？或曰：「《大雅》既明且哲，以保其身，屈原諫不行，懷沙自沉，非明哲保身之道。頌者美盛德之形容，以其成功告於神明。楚懷襄疏遠忠直，屈原賢且忠以憂死，懷襄終以敗亡，盛德成功安在哉？」澹庵胡氏以為或者之言過矣，如離騷經淵源堯、舜、禹、文、武、周公之道，嘉橘頌：典則淳深，雖告神明可也。就令不得與清廟比，獨不可有閟泮宮也耶。然則淮南之論，不及大雅與頌，其言疏矣。嗚呼！不幸不生於仲尼之前，不見取於孔氏，而列於大雅與頌也。韓愈論文章氣格，以《離騷》首軻雄之目。柳宗元自叙為文，亦言參之《離騷》，以致其幽。

離騷胡澹庵三説

《離騷》、楚詞，要皆本乎幽憂而作，大抵兩漢文章若司馬犬子犬子謂司馬相如、揚子雲、劉子政、班孟堅、張衡之徒，率自《離騷》、楚詞出。蓋靈均所著則曰《離騷》，後之依仿而作者則曰楚詞，而《離騷》為至。虚谷曰：「關雎樂而不淫，哀而不傷」，孔子之論也。淮南子得其微旨，謂「《國風》好色而不淫，《小雅》怨誹而不亂」。以此二語指《離騷》未為不然。而澹庵胡公推衍發明，謂《離騷經》淵源帝王之道，可以方大雅，而嘉橘頌亦不減有悶泮宮，斯篤論矣。予學詩，年五十六七矣，讀其説，有契於心，乃親筆記之。

天下夕陽佳詩説

予行天下多矣，每登臨高勝之處，惟向西為尤佳，而佳景亦多向西，錢塘之涌金門豊樂樓、金陵之賞心亭、武昌之南樓、漢陽之秋興亭、巴邱之岳陽樓、江陵之仲宣樓、長沙之定王臺、鍾陵之滕王閣，無不西向。其所以勝絶者，在夕陽欲落未落之際，其景不可以尋常論也。故杜牧之詩曰「夕陽無限好」，白樂天《岳陽樓》詩曰「夕波紅處近長安」。予於嚴陵寓居，得舊扁「西齋」二隸字，因其名賦詩曰：「偶得西齋字，向西開此齋。人間詩眼少，天下夕陽佳。」蓋謂天下之佳，無過於夕陽，惟西向則得之，而人間所少者，詩家眼耳，故不識此景。必具詩眼者，而後識此句此景也。或謂詩中不合用「天下」字，近乎時文。老杜詩曰「天下兵戈滿，江邊歲月長」；又曰「閬州城南天下稀」；又曰「越女天下白，鑑湖五月涼」；又曰「天下郡國向萬城，無有一城無甲兵」。黄山谷詩曰「湘東一目誠甘死，天下三分尚可持」。陳後山詩曰「天下寧有此，昔聞今見之」；又曰「欲行天下獨，信有俗間疑」；又曰「若無天下議，美惡併成空」；又曰「一為天下慟，不敢愛吾廬」。洪覺範詩曰「妙句麗於天下白，高才俊似海東青」。陸放翁詩曰「天下不知誰竟是，古來惟有醉差賢」；又曰「國家科第與風漢，天下英雄惟使君」；又曰「信哉天下有奇作，久矣名家多異才」。其他用「天下事」與「天下士」者不一。譬之問天下何物最大，而答曰道理最大。即今詩意，謂天下何物最佳，曰夕陽最佳也。但恨俗人不具詩眼，則不識耳。近人常傳詩一句曰「天下名山僧占多」，亦是此意。餘不能一一詳録，姑記諸此，以發一笑。

滕賓日字説

婺源滕君嵎之字曰賓日，俾同郡方回萬里衍其義。回取《堯典》讀之而嘆曰：法始於伏羲，成於堯。堯之命羲和也，雖曰歷象授時之事，其所謂寅賓寅餞者，乃伏羲先天易離坎之位，邵堯夫所謂心法者也。天地無光也，月星無光也，皆以日而為光。故離中虛，離為日，日出於卯，而天地之夜於是乎旦，萬物捨暗睹明。人之一身，戴乾履坤，左離右坎，豈惟得天地之健順以為心，又且得乎離日之明以為心，是則乾健坤順離明，皆心之全體也。坎則以月而受乎日之光，與兑、震、巽、艮皆心之一體。日之出矣，旦氣清明，當此時也，君子以自昭明德，與日而俱新焉。堯所謂寅而賓之者，外以敬夫日之日，而内以敬夫心之日，即孔子大象之意，即伏羲先天之意也。然不止是也，晝氣不梏則不與日俱昃，夜氣有養則不與日俱晦。旦旦而日又出，則吾德之新與之無窮矣。君父切齋先生為宰，有令名。祖溪齋先生，早有聞於朱文公家庭之學。世載其聲，何假於回之説，而回姑竊文公餘論，以復於君。是為滕賓日字說。

鄭播君稷字說

予同郡子程堯希古來言，信之貴溪象山精舍生徒鄭子播，字君時，或怵之曰君字宜避，則改字之曰「稷翁」，求字說，予考之《書》及《史記》帝舜命官之辭，有曰「棄黎民阻饑」，《史記》作「始饑」，《今文尚書》作「阻饑」。汝后稷播時百穀。」孔安國訓「時」為是，鄭玄讀「時」作蒔，如此則是字虛，蒔字實。從乎虛之是，無義可取；從乎蒔之實，則種蒔而已，其義亦淺。然則是字可改也，而君字似不必改。昔宣和中禁人臣不得以君主天王為名，此衰世小人建明之所為，治世不宜循此弊，開此端。稷者五穀之長，帝舜取之以為官名。棄者稷之名，姬者稷之姓，其官曰稷，亦曰農師，子不窋世為稷官，後者諸侯人臣亦得稱為君，故曰班瑞群后，曰肆覲東后，是也。予謂稷字可用，稷字之下聯以翁字，則未可。翁者老人也，古人年五十則字加父。鄭子年未五十，富於春秋，甫為郡學副貳，而先自稱翁，不若待五十而加父之為當也。今予定其字曰君稷。古稱謂君公爾汝，本無輕重。東坡先生為文與可作《墨君堂記》，以竹專此君之稱，始有君公爾汝之辨。然今人上自官府，下至市井，稱張公李公張君李君，未見其為重；朋友至交，雖官達亦相爾汝，未見其為輕。君稷君稷，予實字君，不必如世俗拘士之好事所避也。若夫巖石之號，取揚子雲所褒君家谷口子真躬耕之謂者，令予大字書之，予不能書大字，宜求之他人云。

汪蒙元悦心説

理義悦心，芻豢悦口，烹炰羊牛鷄豚，以腴其齒頰，猶有待於外也。一物有一物之則，不失其則，謂之理。一事有一事之宜，不失其宜，謂之義。此人心之所固有，非有待於外者也。予亡友汪君遠翔之冢子，其名頤，其字蒙元，其讀書之室曰「悦心」。蓋謂頤者養也，理義之養，非芻豢之謂也。然則斯可謂無待於外者矣。而且介曹君清父，求予説以自壯，則無乃猶有待於外乎。

汪巽元復心説

予亡友汪君遠翔之季子，曰巽元，其藏修之所曰「復心」。象曰復其見天地之心乎。蓋謂造化以生物為心，自一陰生而至於十一月，生生之物剥於上，而一陽之生意已復，於下，無終窮之理也。聖人觀此一卦，取以為修身改過之象。然天地無欲，故必復；人之心有欲，故有復有不復而有迷復之戒。遯翁之師曰病翁，以此卦初九「不遠復」為三字符，願吾巽元終身佩之。

王一初名字説

古有姓氏名字稱號官爵贈謚之異，以別親疏貴賤，不相越也。《史記》書黃帝姓公孫，又曰黃帝二十五子得姓者十四人；又曰自黃帝至舜、禹皆同姓，而異其國號，分五帝為有熊、高辛、高陽、陶唐、有虞氏；又曰禹姓姒氏，契姓子氏，棄姓姬氏；又曰禹姒姓，其後分封用國為姓，故有夏后氏及斟氏、戈氏之類。近世鶴山魏文靖公用《漢紀》著《古今考》，於高祖書姓劉氏，則闢之。謂《左傳》有云「因生賜姓，分土命氏」，姓自姓，氏自氏，馬班乃混而言之，蓋姓一氏不一，魯三桓，鄭七穆，同姓姬而異氏，不通婚姻。後世殽雜無辨，智為輔，婁為劉，范雎為張祿，項伯為劉纏，或冒外姓，或祝異姓，族譜不分，而姓氏亂矣。子生三月，父名之。冠，字之。名不以日月隱疾山川，五世親盡以王父字為氏，五十而後字加父。《春秋》書字為褒，君前臣名，父前子名。鄭子産字子美，或不能知，以楚通於中國之名，與本國之名不同。孔子稱弟子皆名，弟子稱孔子字。孟軻也，而字未聞，後乃有小名小字。漢高祖字季，太史公不書名，班史書名邦字季，註《史記》者謂季本其名，後改名邦。史漢顯人多有名無字，或史臣追補之。斛律金本無名，學畫屋而後名金。唐房玄齡名喬，尉遲敬德名恭，各以字行。或一名二字，陶元亮又字淵明，蘇子瞻和仲，陳無己履常，秦少游太虛，張厚之忠甫，皆是。或字其臣，子房而不為屈。或字其父，彦輔而不為慢。然古庶人無字，近世雖執事圉圄者亦有字，且以為諱，而名字亂矣。稱者何？趙岐序《孟子》曰「子者」男子之通稱，此非五等子男之子。孔、顔、曾、孟，以至老、莊、荀、揚諸子，非聖賢不能臻此。《論語》曰：「邦君之妻，君稱之曰夫人，夫人自稱曰小童，邦人稱之曰君夫人。稱諸異邦曰寡小君，異邦人稱之亦曰君夫人。」朱文公集註引吴氏説，謂此不知何謂，或夫子嘗言之。予謂王侯自稱孤寡不穀，禮君天下曰天子，朝諸侯，分職授政任功，曰予一人。凡例昭然，各有攸當。自稱貴乎謙，相稱貴乎實。周天子在而魯哀公稱予一人，漢有帝而曹操稱孤。厮役稱僕射，婢妾稱夫人，旁行敷落稱經，抱朴聱隅稱子，今之人自稱相稱，豈不厚誣？號者何？三皇號皇，五帝號帝，三王號王。唐虞夏商周秦漢，由有國之號，為有天下之號。古之封國，其號有萬，至戰國而七王僭號。後世有年號，有尊號，有私署之號，有寓言之號，有荷蓧丈人、北山愚公，秦有樗里，趙有主父。烏有先生，微斯文學。妾婦則飛燕太真，盗賊則緑林長白。僧有號，道有號，里巷有號，軍旅有號。而近世標榜特多，元次山、白樂天之號，更易不一，已謂醉翁，又六一居士，謂涪翁，又山谷道人，鉅公名士可也，今則巫醫卜祝，皆立齋顔庵扁，下至負擔之夫亦有之，恬不為怪。官則唐虞百、周三百六十，後世九品十八班，一命以上，皆出朝廷。爵則公侯伯子男，《春秋》於其卒皆書公，惟楚子僭王、臣僭公。周之衰有封君，如東周君、西周君、春平陵嘗君。漢大王小侯，亦有奉春稷嗣等君，胙土食采實有是物。乃若贈謚，則皆視其生前若功若德，而易名錫寵，眉山紫陽俱贈太師，人無異詞。公不及謚而私謚，黔婁之康、陶令之靖節、河汾之文中子、横渠明誠中子，雖私實公，否則雖有九重之命，其公實私。顧今之或官爵贈謚俱無之，而君之公之且動輒相之，上朝下市無爾汝交。嗚呼！風俗之壞至此，何時而復淳耶。世道之敝至此，何時而復古耶？松江王君月友，名其子曰一初，字其子曰一初，號其子又曰一初，字同名則似無字，號同字則似無號。以是操嚴君平之術，而聳人之觀聽。逾年有陳生者，名藏一，字藏一，號藏一，臨川人，寓居杭之吴山，游諸公間，以其名號字之皆一也，人頗奇之，王君殆以是期其子乎？雖然，採藥者無姓無名無字，終號桐君；藥不二價，韓伯休返以是知名。王君之意，非逃名，乃立名也歟？予欲戲以君之子為三一居士，如之何？如之何？

僧汝舟濟川字説

僧名汝舟，字濟川，求字説，似無可説者。今夫刳木為舟，成矣，舟能自濟乎？維楫帆檣舟之諸物具矣，舟能自動自飛而濟乎天地之間。凡有形皆物也，善用之則死物皆活物。不遇劍工，太阿、龍泉死物也；不遇醫工，參术、薑桂皆死物也。以死心為禪心，何嘗死。悟者死而不死，不悟者雖四肢百骸活潑潑，亦死也。予嘗習佛言，摩訶者大也，般若者智慧也，波羅密者到彼岸也，是為濟川之説。

家頤孫自觀字説

君子之學，於其身無一而不察也。手足耳目鼻口為其一身之所用，而口為甚。《易》震艮之卦，中虚外實，下動上止，象口之頤，一言一語出乎此，一飲一食入乎此。人有血氣則有嗜慾，或縱恣放肆，而不於此乎察，則刑辟生脣吻，蠱毒納咽喉，一慎不慎節不節之間，利害禍福判焉。口為自養之門，心為自觀之鏡。自養之際有正不正，自觀之後去其不正存其正。此所謂有不善未嘗不知，知之未嘗復行也。此所謂中庸之獨也，己獨睹人不睹，己獨聞人不聞之時也。己事也無與乎他人也，以自己之心察自己之中[一]，獨復而不遠復者也。不然則習矣不察，自貽伊戚與自求多福，孰得而孰失哉？眉山子家子名頤孫，字自觀，佩乃翁性存先生過庭之教，口顧心，心顧口，所謂自觀者在乎察之而已。若夫天地養萬物，聖人養賢以及萬民，心體具完，當自初九靈龜之戒始。

[一]以自己之心察自己之中：中，清抄本作「口」。

趙朴翁字說

《書》曰：「若作梓材，既勤樸斵，惟其塗丹雘。」孔子遂以梓材名其篇，何也？梓者天下之良木材者，已成之器也，樸者木之未成器者也。斵者以斧斤削治之而使之成也。樸不斵則梓不材，梓之材則不可以有樸而無斵，必既斵矣，則漆之朱之，棟清廟、柱明堂，千門萬户之宫成。字書樸，亦作朴讀。孔子所定書，則梓之為材，不貴樸而貴斵，明矣。老子之言道德反是，曰「見素抱朴」，曰「復歸於朴，朴散為器」，曰「道無常名、樸。雖小，天下不敢臣」，曰「化而復作，吾將鎮之以無名之樸。」無名之樸曰我無欲而民自樸。其字四為樸，三為朴，其義則一也。蓋老子七言及此，皆取譬於未斲之木，木不斲則器焉得成？此無他，孔子用世者也，故欲削治之人材而成其器，皆可以有用。老子欲避世者也，故欲天下之人材不必削治而泯其器，悉歸於無用。由今觀之，學孔子者斲，章甫縫掖，可以修身，可以治人。學老子者樸，星翁羽衣，可以養身，不可以及人。三山趙君良器，近浙西廉使參政徐公琰子方為改字曰朴翁。愚欲其如梓材之樸，加之以斲而成其器以有用，不可捨孔子趨老氏，而有朴無斲，置是器於無用也。猶之玉焉，其在石也，亦名曰璞，不琢不雕雖卞和之玉，誰其識之？必也玉人加剖鑿淬磨之功，而後君子比德，學以知道，六瑞三采，遂成大器。君其於此，忍袖斲泥之手乎哉？

俞伯初復庵詩并説　大德六年[二]

婺源汪口俞君肇伯初來杭告歸，見示新詩十二首，不學晚唐，可喜，年始三十七，學進未艾，又求所謂復庵説，俾為韵語，益知其篤意於學，尤可喜。余丁卯年逾不惑，除學官遭煩言始歸而讀《易》，今三十五載矣，試為君誦所聞可乎？九月下五陰食上一陽，為剥。十一月一陽來反於五陰之下，為復。本謂天道，而聖人皆以人事明之。「初九，不遠復，無祇悔，元吉。」象曰：「不遠之復，以修身也」。繫辭又斷之曰：「顏氏之子，其殆庶幾乎？有不善，未嘗不知，知之，未嘗復行也。」予謂猶人行路出門，當東誤西，數步而返與數十里而返，異矣。贊曰：陽剛一爻，上剥下反，居卦之初，其復不遠。凡占得之，有過當知。知而速改，無或緩而。過孰能免，速復爲急，無至於悔，斯爲元吉。「六二，休復吉」。象曰：「休復之吉，以下仁也。」孔子以復之初爲顏子之仁，而以二下從乎初之仁。有仁人在下位，而上能屈己尚賢，禹拜善言、周公吐握是也。贊曰：初不遠復，是爲仁人。二無五應，下比其鄰，善復如此，於皇休哉。屏去陰邪，吉祥大來。人有當親，勿嫌其卑。我思仁人，屈己下之。「六三，頻復厲，無咎」。象曰：「頻復之厲，義無咎也。」伊川以頻爲屢，横渠以爲顰蹙，漢上以爲水涯，朱文公從伊川。贊曰：頻失頻復，至再至三。來之來之，幾何弗殆。震極不中，險躁而動。斯人之心，乍操乍縱。幸而復也，猶勝於迷。以其終復，亦免顛躋。「六四，中行獨復」。象曰：「中行獨復，以從道也。」易千變萬化，每卦二五爲中，中孚卦，四陽夾二陰，三四爲中。復卦，上五陰六四，一爻爲中，虞翻、鄭玄、漢上並如此説。孔子謂以從道也，而不言吉凶。朱文公謂獨與初應，正其義不謀其利，明其道不計其功。伊川謂柔弱終不克濟，恐非。贊曰：陽上五陰，此獨處中。下應初陽，惟道是從。凶耶吉耶，聖胡不言。於道當復，功非所論。從道反善，無凶之理，凡占得之，當復而已。「六五，敦復，無悔。」象曰：「敦復無悔，中以自考也」。敦，篤厚，坤體也。無助無援，終以自成，可無悔而已。横渠謂當剛興柔危之世。南軒謂柔而遠於陽。贊曰：復莫如初，二比四應。下仁從道，各反其正。五德尊位，處坤之中。篤厚自將，亦成復功。柔遠於剛，僅可無悔。劣於二四，聖以垂戒。「上六，迷復，凶，有災眚。用行師，終有大敗，以其國君，凶，至於十年不克征。」象曰：「迷復之凶，反君道也。」予謂迷復反君道，舉其大者言之，人君治國之道無他，復善而已，凡人皆然。朱文公謂此是極不好底爻，十年五年三年七月八月三月，想是象數中自有個數如此。贊曰：君長之道，莫大於復。迷復不知，有如上六。天災人禍，師敗君凶。無一而可，事極途窮。十年弗征，舉數之極。一敗塗地，符堅王邑。三陳九卦又曰：復，德之本也，復小而辨於物，復以自知。此三句，小而辨於物，尤為精奥。學者於六爻三陳之句及全卦彖辭熟玩復理，臨事應物於此，心方動之初，喜怒哀樂欲發未發之際，必辨之。貴乎早辨，毋遂非毋式過，則以亞聖配享大成至不難矣。知之非艱，行之惟艱，宜相與勉之。

[一]大德六年：據文中所言「余丁卯年逾不惑……今三十五載矣」，及作者生年考訂。

皇甫師曾元魯字説

學力有餘，天資不足，參也魯，於一貫之旨，無所疑而諾。學力不足，天資有餘，賜也達，於一貫之旨，有所待而覺。此皇甫之命名，所以不敢師端木而師曾也。字曰元魯，家本南京。從濮寓杭，授徒為業，事親至孝，年二十二，俾婺源趙山長然明求字説。忠為一，恕為貫，宜已知之。雖然，曾可師也，魯者氣質之性，不可師也。師曾宜如何？論孟諸經所載曾子言行，及《漢書·藝文志》、隋志、唐志世所傳曾子，或二卷，或十八篇，如晁公武《讀書志》所考者，皆有可師。近績溪汪澧元刊行曾子子思二書，予家亦有此本，但非漢志的本。然則參也竟以魯得之，又當深味伊川先生之説。或問畢竟如何謂之魯？曰：「惟其魯，所以能三省，惟其三省所以能一。」唯曰謀忠，曰交信，曰傳習，天資有餘者不屑於此」。學者宜知學力之所以然哉。

天竺僧道成性存字説

天地之性人為貴，何以貴？性善也。而或曰：有性不善，何也？有天地之性，不能無氣質之性。張子曰：「形而後，有氣質之性，善返之則天地之性存焉。」程子曰：「論性不論氣，不備。論氣不論性，不明。」千古氣性不分，至二先生一旦而決。伏羲六奇畫乾，六偶畫坤，天地之性具兹二卦。堯舜禹執中之傳曰：「人心惟危，道心惟微。」人心，氣質之性也；道心，天地之性也。有心之名，而未有性之名。商湯曰：「若有恒性」，為第一，性字之始，伊尹曰「習與性成」，為第二。周召康公曰「俾爾彌爾性」，為第三。至孔子言性始大備，《論語》「性相近也，習相遠也」。《周易》「各正性命」是也。至子思言性又大備，「天命之謂性，率性之謂道」，皆是也。至孟子而後言性愈益大備，「性無有不善，水無有不下」，七篇皆是也。告子不識性，公都子不識性，楊朱墨翟不識性，荀卿不識性，揚雄不識性。指氣質董仲舒「性者生之質」，涉乎氣，退之五常是矣，而三品之分，涉乎氣。佛曰：「作用是性，在乎執捉，在乎運奔。」第言其形之運，未判是非，涉乎氣。天紹絶學，周、二程、張、邵言性始精，而陳了翁、胡康侯、胡五峰、郭白雲諸人又小差，朱文公、張宣公繼作，其言性一毫無遺憾矣，勉齋黄氏釋之詳矣，所以答李貫之李公晦者至矣。性即理也，理即道也，子曰「成性存存，道義之門」，本然之性，人皆得之，成性也存存者，存之而不已也，彼朝存之而暮亡之，暮存之而朝亡之，非存存之謂也。杭上天竺僧道成字性存，請以是葛滕為説。

潘友文涣字説

大德八年[一]

武夷潘君早中童子科，今年已成人，回同年乙科進士陳此竹天應建寧鄉前輩引之來見，其名易風行水上之卦也，其字曰友文，就求字説。此竹年七十二不為其説，而遜令七十八之方回為之，鄉飲酒禮先長者，不敢辭。文者何文也？堯，聰明文思；舜，睿哲文明。純亦不已，文王之所以為文。孔子曰「文不在兹乎」，此皆聖人之文，未易及也。要之文，經天緯地，包周官六德六行六藝於其中。君取風行水上涣然成文之義，則自老泉蘇公之説始。老泉之説，不過指後世文士之文取其自然者而言。君於斯不敢自以為涣然成文，而謙其辭曰友文，則又卑以自牧之意。天下之善士，皆當以文來納交於君矣。回甚敬之，甚慕之，亦豈可不少勗之。人生十年曰幼學，中童子科賴資質之力也。二十曰弱冠，君今年二十一，則不可無學問之力。回嘗以易卦數之，蒙為第四卦，謙為第十五卦，童蒙之求，君策勳矣。蒙至謙十一卦，君之齒自蒙至謙亦十一年。宜知艮下坤上所以然之故，而屈己以友四海之文，六爻皆吉，謙亨有終，不可一毫自矜大也。回冒獻此文，則亦足以為君之友矣夫。

［一］大德八年：據文中所言「七十八之方回」及作者生年考訂。

柴性初道存説

《易繫》有云：「知崇禮卑，崇效天，卑法地，天地設位，而易行乎其中矣。成性存存，道義之門。」前太學上舍三衢静德柴氏一桂，名其次子曰性初，字道存。文公釋之曰：「窮理則知崇如天而德崇，循理則禮卑如地而業廣。」又曰：「成性，本成之性也。」回謂「窮理循理」四字極精。性初者，賢愚同一初也。静德之祖潛心先生清江使君，乃龜山先生高弟，逸平先生徐公誠叟存之門人，與羅仲素諸公交。柴氏世守龜山之學，與紫陽同一源流，人而欲完其性之初，捨窮理循理何以哉？

四子名字説

長存心，字中全。心之全體能存，則能全矣。今年三十二次正心，字中立。此《大學》正心之正，非《孟子》勿正之正，兩字異義。正也者，敬以直内而已，能正則能立矣。今年二十九次高心，字中尚。范文正公謂嚴子陵不事王侯，高尚其志；又曰先生之心出乎日月之上；又曰先生之風，山高水長。生於嚴陵，故取此義，以為百六知縣先兄後出繼已十年。今年十六次明心，字中虚。《易》離明也，離中虚，心體也。今年十一

郝氏三子樞機權名字説

昭穆定世緊，史法也；名字取義理，師法也。故知郢州兼管内安撫使郝公諱鎮，命子名從水傍，金生水也。第三子名彦澤，字潤甫，名其三子曰樞、曰機、曰權，從木傍，水生木也；此所謂昭穆定世緊也。樞，户牡也；機，弩牙也；權，秤錘也，皆器物也。一器有一義，一物有一理。植中樞，周無隅。北辰為天之樞，一日一夜天運周而不爽。人心亦有是樞，不止於户也。樞之字，可曰子周。千鈞之弩，不為鼷鼠發機。凡可以發動而利於用者，皆謂之機。不密則害成。人心亦有是機，不止於弩也。機之字，可曰子密。巽以行權，又曰巽稱而隱。註《易》者謂反經而合乎道，又以稱為稱，揚而作平聲，皆非也。合道則不反經，稱乃古之稱字，合從去聲。惟朱文公以為既能稱量，又能隱伏不露形迹，則得巽順之道，可以行權。人心亦莫不有是權也，又何止於稱哉。權之字，可曰子巽。此三者所謂名字取義理也。史法，一史官可為師法。非知道之士不能為。樞以運大事，機以發大事，權以平大事，未有不敬謹而後可者也。故曰周、曰密、曰巽，皆古先師之言云耳，尚敬謹之哉。

石氏四子名字説

天下之物寶莫貴於玉，而玉之所出皆生於石。空青丹砂、雲母水晶、琉黄鍾乳、金銀銅鐵錫鉛汞，皆石産，而玉為冠。祀天地日月用之，祀宗廟山川用之，朝覲會同聘問用之。人見其為成器之玉，而不思夫孕精育粹，非石無以為玉之胎也。石姓始於《左傳》石碏，前行省郎中石公國瑞，有四子當冠，命方回名而字之，輒取石中生玉之義，次序其説。玉之為物貴矣，尤莫貴於手之所執。古圭字今從珪，周禮天子搢大圭，執鎮圭，公執桓圭。長子小名引源，欲名曰石珪，字桓玉。執此圭者，王之上公。桓謂琢其玉以雙植為文，宫室兩柱之象。前朝有相王禹玉，亦名珪，相人可為也。《禮記》笏天子以球玉，注美玉也。又曰天子搢珽，注笏也。次子元源，欲名曰石球，字廷玉。玉珽用球玉，其字從玉傍廷，異日得近人主，猶玉笏歟。周禮琬圭以治德，以結好，王使之瑞節。諸侯有德，王命賜之，使者執琬圭以致命。蓋琬圭之首圓，其象仁。第三子慶源，欲名曰石琬，字德玉。為諸侯受德賞，何不可者。禮琰圭以易行，以除慝，亦王使之瑞節。琰圭者，判圭頭之規而方之，其象義。諸侯有不義者，王命使持琰圭之節執之。今之風憲將帥近之。第四子善源，欲名曰石琰，字方玉。浙西道廉訪徐公琰，字子方，是也。征伐擊搏，以是期之。雖然，生玉者石也，玉之成器則有待於玉工碾之以機鐵，礱之以水沙，非一朝一夕而後登繅藉，故曰人不學不知道。四子妙年進學，予欲玉汝於成。凡經傳玉字，皆實惟此。

一玉字虚而有味，故引之。

三孫名字説

我先祖朝議三府君，生先君兄弟五人，先君經幹通判居長，皆從玉傍命名。先君登嘉定甲戌上舍第，實始大方氏之門。不肖孤歸自廣東封州，用先君所命小名不敢改。幸竊世科，亦生子五人，皆從心上命名。今長子存心，有子曰守孫。次子正心，有子曰燕孫。第三子高心，以為先叔父貢元九府君位先堂兄知縣百六府君後。歲丁酉七月四日，舉男，來求名。予年七十一，見第三孫，亦一幸也。使乃命各從玉下為名，心傍為字。物莫貴於玉，自玉其身可也。人莫靈於心，心無愧於中可也。守孫名曰玉韞，字惟深。燕孫名曰玉成，字惟温。新生第三孫名曰玉振，字惟清，幼則且呼玉孫，長而後用雙名及字，祖父之業勿替引之。

贈邵山甫學説

學所以盡夫固有之性也，盡性在窮理，窮理在致知，致知之要莫切於讀書。天下之書多矣，今之所存九經及《左》、《公》、《穀》、《儀禮》，先讀注，次讀疏，帝王聖賢體用具備，此乃學者之律令格式，近世諸儒解説，即又所以申述律令格式之意者也。參伍以考之，左右以覈之，至於旁通吻合而後無疑。其有疑者，幸而復得周、張、二程、邵康節、謝上蔡、楊龜山、胡文定公父子、朱文公、張南軒，吕東萊以發明於其後。學者壹是以此為主，而用以是非取舍乎子史集之所云，則胸中先有一定之權衡，而謏聞淺見、邪説異端不足為吾惑矣。是故，經，約也。注疏，博也。若子若史若集，亦窮日夜之力讀而攬其大綱，博也。其主則在乎經之大旨與夫諸大老先儒之已斷而不可易者，約也。類書、韻書、稗官書，博之助也。學之入門，則《近思録》與《真西山讀書甲記》，約之又約者也。約而博，博而約，日進不已，著見菁華，發露光怪，則文與詩皆是也。古人以為能言之類，蓋言而至於能，則異於不能耳。古之經皆文也，皆詩也。後世下筆未易及經，則分為兩途。文自先秦、西漢而後，始有韓昌黎，次則柳子厚，又其後有歐、曾、蘇。詩自《離騷》降為蘇、李，而建安四子，晉宋間至唐參以律體，其極致莫如杜少陵，若陳子昂、李太白、韋、柳皆其尤，宋則歐、梅、黄、陳，過江則吕居仁、陳去非，至乾淳猶有數人。今之學者必也所得既飽，而後於此用力，取其文若詩效之，初如書字摹臨古帖，至其熟則不必摹臨而似之矣。若如近日江湖言古文止於水心，言律詩止於四靈許渾，又其實姑以藉口藉手未嘗深造其域者，識者所甚不取也。蓋何特此言典故止於杜佑《通典》，言治亂止於《資治通鑑》，言性理止於《四書》、《語録》，然亦未必淹貫通洽也。其於經若注疏，無不茫然若望洋，則世之為士而言學者，豈非欺父兄誑朋友，且自欺自誑其身世，自喪其固有之性，而至於泯無所聞也哉。又有一説，學所以必本於經者，蓋以佛老之説亂天下之能言者久矣，濂洛之緒既明，楊墨之波已涸，能言之士惟昌黎韓子、歐陽子、南豐曾子之學。一出於經，餘不無環異之資、魁傑之彦，迷竺黨聃，没溺鬼道，混深衣田衣羽衣而為一，亦宜引而避之。然則其惟朱文公所學為不可及乎？孟子而後惟兹一人，而其餘事文與詩，凡翰墨一句一字無不造深詣極。今之學者捨是不以為準，而馳卑騖近，不亦徒勞矣乎？嚴陵邵君崧山甫，乃祖精通禮易，擢第通籍，至會稽宰，不食其德，詒後之人，察山甫氣貌當遠大。小予二十許歲，故告予平生所學本末以贈之，其亦以轉語夫郡之可與語者焉。

故家名閥説贈滕賓日

孟子喜言故家，晉裂為南北，世尚王、謝、崔、盧名閥，而近人忽之。予戊子春夏間，偶至吾州之婺源，故帥參告院溪齋滕先生之孫嵎字賓日來訪，聞所未聞，見所未見，不可不記。溪齋字德粹，暨弟字德章，皆入學登第，並朱文公門人。其父行有愷，登第，信州司户，曰溪堂。其侄行有武，子入學登第，不及禄，曰萬菊。天下所共知，溪齋事迹有墓誌所不書者，蓋凡兩薦於鄉，皆書魁，皆第四人。其禮部試破句「則予一人以懌」，滿場皆曰「慰人君欲為之心」，是時壽皇無恙，「慰人君」三字考官病之。最後得溪齋卷獨曰「遂人君欲為之心」，乃為經魁。初衆議擢為都魁知舉，某人欲自位置，前三人故屈焉[二]，此聞所未聞也。溪齋年八十，寶慶三年丁亥，自福建帥幕告老，以紹定元年戊子卒。西山真先生景元為墓誌，鶴山魏先生萃父篆額焉，蒙齋袁先生廣微書。今獲觀蒙齋親筆，比率更書微有鋒芒。

劉後村潛夫送溪齋《歸老詩》二首，親筆甚楷，妙年所作。其後一首有云「他山開藥竈，某水捞魚船」者，刊本删之。戴石屏式之親筆《晦翁亭》詩有云「故鄉風俗應如舊，前輩風流尚可傳」，字獨肥，語亦平正，賓日謂石屏一短小老子，今江湖間亦罕有此詩人。賓日之先大父乃溪齋之第三子，曰切齋，仕至饒之傍縣宰，名與予祖名同，湯東澗伯紀記文親筆亦可觀，今斯人亦不可作矣。此見所未見者也。予三十年識溪齋第四子賓日之叔父堂長鈞，今老矣，獲識溪齋長子之孫瓊、第二子之子岵，又獲識賓日，韻骨清聳，詩律妥穩，議論學問，文獻典刑，可仰也。昨於談次俾予為賓日字説，旅寓殊未暇，究思，故書其所謂聞所未聞、見所未見者，歸之以見夫故家名閥之不可忽，如此亦以表予之意，所以景慕欽羡乎先正大老之門者，不敢自同乎流俗，而莫之别也。

［一］前三人故屈焉：三，清抄本作「二」。

俞好問字説

雪之敢村俞君名裕，字好問。以好問則裕，對自用則小而言，《書》仲虺之誥云爾。裕德有餘也，小德不足也。一事一物，一義一理，有所不知，不求於師，不取於友，而自以為能，自以為智，謬妄訛舛，為害甚大，其止於小德不足而已哉。信矣乎好問之勝於不問也，好問者不一問也。子入太廟每事問，孔文子不耻下問。《易》九二「學以聚之，問以辨之」，其問甚多，則所得愈富，所得既富，則所以蓄其德者充斥盈溢。問之有益於人也如此，故曰裕。然問也者，求所以知所不知也，既知之後，法當若何？曰行。《書》曰「知之非艱，行之惟艱」，譬之路，未知何者，豈可不問於人？問而知之，豈可不行？問燕路而知燕路，當北行而至於燕。問粤路而知粤路，當南行而至於粤。問而不行，如不問也；行而不至，如不行也。孔門弟子無不好問，惟顏子鑽堅仰高，行之而至。宰予之寢，則知而不行，冉求之畫，則行而不至。此顏子所以首德行之科也。近世大儒教人，必曰知行雙進。俞君勉之，顏何人哉？睎之則是。

李師善復初字説

近世大儒釋《論語》第一章之第一字，曰「學」之為言，效也。人性皆善，而覺有先後。後覺者必效先覺之所為，乃可以明善而復其初也。今參知政事張公可與之婿李君名師善字復初。其所以名，《書》所謂主善為師是也。其所以字，朱文公所釋三十五字是也。可以為師，人效於我；不可無師，我效乎人，所謂學也。《禮記》文王世子學記篇，學有效音，字亦作效。《韻書》效訓為象，斅訓為教。為彼之師之謂教，彼以我為師之謂象。故曰有所效於彼，而求其成於我；以己之未知，而效夫知者，以求其知；以己之未能，而效夫能者，以求其能。此李君命名之義也。必師乎人之善，則足以明乎天理之善，而去人欲之不善，吾之本性復矣。曰復初者，復乎天命之性也。天降衷而人秉彝，其初豈有絲毫之不善哉？此李君命字之義也。覺有先後，師善為難，性無不善，復初為難。抑《易》有復卦，「初九不遠復」，聖人以修身許顏子之仁。「六二休復吉」，聖人以其下從於初爻之仁而取之。此之所謂復於初，與李君之復其初不同，然初為仁而仁下之，則師善之意未嘗不同，此又別一說也。因為序之。

三山林君名字齋説

吾友三山林君，名德載，字敬輿。《易・大象》曰「地勢坤，君子以厚德載物」，君之所以名也。坤六二，《文言》曰「敬以直內」，《説卦》曰「坤為大輿」，君之所以字也。至厚而載萬物者莫如地，而君子不過一眇然之身，以其德之厚配夫地之厚。地有形而德無形，地之所載有物之可見也，德之所載不知其何物也。曰君子出而負荷天下之重任，國家朝廷、宗廟社稷、民庶生靈、九垓八紘、五岳四瀆常危而不安，此其所載之物也。而其所以載之者曰德，不徒曰德，而又曰厚德，然要其德無可量度，方寸之中，一敬而已矣。有形之載，地為輿；無形之載，德為輿。地之載不能載地外之物，君子之輿載天地，一敬而已矣。伊洛言敬，曰主一，曰無適，聖人之極功也，予將從其門徑之易入者求之。坤第三畫，陰變為陽，艮下坤上，謂之「地中有山，謙」，地大於山，山小於地，而山高於地，地卑於山，以大下小，謙之義也。伯益曰謙受益，此善言伏羲先天之易也。孔子言益謙、流謙、福謙、好謙，而又贊六爻無不吉，此善言文王周公後天之易也。其義蓋取地大於山而能下於山，君子體之。為遜、為讓、為不伐、為不矜、為不自滿，假而名曰謙，不過一敬而已矣。載物以德，修德以敬，敬自謙入，愈謙愈益，愈積愈厚，故予又以謙益名君之齋，而別為之記矣。世之人以謙為可忽，謙者少而盈者多，故自滿之士雖載小物不勝任，君涵純毓粹，蹈中履和，由謙入敬，由敬進德，異時以其身為天下國家之輿，豈易量哉。（以上《桐江續集》卷三〇）

全元文卷二一九

方　回　一三

吴尚賢詩評

一　詩未問工不工，且要對屬親切，輕輕重重得其平，又復情多而景少，淡多而麗少。今示下漁磯詩，略評一二，可與令嗣觀之，勿示本人。

一　第一首中四句，「楊柳池深魚乍出」，如何解説？「桑麻土潤燕初歸」，此一句謂春後燕子來也，稍有味，上句冗矣。後兩句又云「一年春草風前緑，萬點桃花雨後紅」，草何必風前緑，自來詩人不敢以桃花對春草，前兩句冗，後兩句又弱。豈不曾讀老杜、陳簡齋詩，兩句景即兩句情，兩句麗即兩句淡。「紅入桃花嫩，青歸柳葉新」，此一聯也，「轉添愁伴客，更覺老隨人」，即如此續下聯。簡齋又有一句景對一句情者，妙不可言，下聯如或用故事，或他出議論，不情不景，其格無窮。

一　「漁携網近鷗斜去」，此句不工，乃是兩事。下句云「人過橋東影倒行」，却只是一事，詩不如此作。

一　第三首五言律中四句云「岸近田多損，潭深石叠平」，多字輕，叠字重，不偶。「村春林外急，釣艇柳陰横」，四句皆述景物。杜詩「村春雨外急」却妙，此云「村春林外急」無味。此公作詩，全不於情上淡上着意。賈島「鳥宿池中樹，僧敲月下門」，妙矣。繼之曰「過橋分野色，移石動雲根」，工矣。予猶恨其四句皆景。鳥已宿於池中之樹，忘機也。有僧夜至，不期自來，故敲門之敲字，工而意長。却又如何夜間過橋移石，毋乃太多事乎？晚唐近人，四句皆景者，予所不取。周弼詩體謂四實四虚、前後虚實為三體，予亦不敢謂然。多於淡，少於麗，情懷有餘，景物不足，始是詩之謂也。

一　第四首「竹牖迎風翻貝葉，銅爐温火養龍涎」，此一聯似佳，然迎風看佛書，未足為奇，下一句好，貝葉對龍涎，一佛書一好香，言其表字亦可喜。其題曰《梅雨稍霽》，立詩題亦合精審，此亦未穩[一]。

一　第五首《麥飯》絶句，第二句不可曉，光武滹沱之意[二]，口焉得有玉食未瑩。且評此五首，它可以類推。

[一]此亦未穩：穩，原闕，據清抄本補。　[二]光武滹沱之意：意，清抄本作「急」。

劉元輝詩評　大德三年三月初四

劉元輝光號曉窗，少回一歲。序其詩屢矣，近録辛卯至丁酉七年所選詩六百四十首，寄來近半年，讀之方竟，摘句佳者書之。此其未契予心者，亦註其下，寓規，非敢立異。文章天下公器，亦概與諸公論云耳。大德己亥三月初四日，同里生方回書。

觀淵明工部詩因嘆諸家之詩有可憾者二首　　三百五篇既删後，寥寥正派有傳否。如何更歷晉唐世，惟見推尊陶杜流。應是二家詩尚古，故能千載世無儔。未知相襲迄今日，倒指伊誰號獨傻。　　大雅寥寥迹已陳，觀詩徒重兩眉顰。蛙鳴蟬噪衹喧耳，鼉撲鯨呿尚駭人。豈但出言無補世，或猶挑禍自戕身。惟餘陶杜知其道，便只蘇黄駁未純。

評曰：前詩四句鋪叙，謂三百五篇之後，如何只有晉陶唐杜，未立議論。第六句斷之曰：「應是二家詩尚古，故能千載世無儔。」然不曾説破陶杜所以妙處，但謂尚古而已。不知尚古作如何古？末句「未知相襲迄今日，倒指伊誰號獨傻。」恐是元輝可直下承當耳。假如高論君子，挾堯舜以議湯武、桓文，已有性之、身之、反之、假之、安仁、利仁、假仁之説，不待多贅。如學問，挾孔孟以議後世周、程、張、朱子，一掃不足數可乎[一]？論詩只論詩，若兼論躬行，則節義之士與知道之士，有不在陶杜下者。唐詩固是杜陵第一，然陳子昂、宋之問初為律詩，杜之所宗，李太白、元次山，杜之所畏，韓柳又豈全不足數乎？後詩「挑禍自戕」之説，恐皆不然。「便只蘇黄駁未純」，未可如此輕易立論。東坡下獄謫黄州之前，詩誠好駡。黄州七年之後，以至入朝宅牧，過嶺過海詩，亦漸漸深詣，但格律寬耳。如《和陶》豈不佳？今人若不宗之，自是一説，未可輕詆之也。山谷詩宋三百年第一人，本出於杜，以元祐史官謫蜀道，以《承天寺記》謫宣州，非詩之罪。黄、陳二老詩各成一家，未有能及之者，然論老筆名手，黄、陳之外，江西派中多有作者，吕居仁、陳簡齋其尤也。簡齋不在派中，虚翁豈非亦以其詩冇格風味，可入此派耶南渡初有劉屏山，乃後有范、楊、尤、陸、蕭東夫。至於朱文公遠選體卓絶。近世又有趙昌父善用虚字，不可謂世無人。詩本一小藝，而人品不同，亦或與世俗相高下。六朝衰弱，而獨有東晉之陶，唐太宗身致太平，而尚有徐庾。未幾即有陳、宋，至開元而有李、杜，然杜陵不敢忽王、楊、盧、駱，李邕、蘇源明、孟浩然、王維、岑參、高適，或敬畏之，或友愛之，未始自高。蓋學問必取諸人以為善。杜陵集衆美而大成，謂有一杜陵而天下皆無人，可乎？只如韓、柳以後，元、白而下，晚唐漸漸凋零，歷五代至於歐陽公，文風始大變革，蘇梅詩一掃九僧體，豈可不考？曾南豐謂不能詩，寔大有幽深平淡古詩。前慶歷，后元祐，宋文極盛之世，最下者亦非都杭後人所及[二]，其弊乃一時。許與四靈，争學許渾者，有以誤晚生小子也。元輝欲矯時弊則可，歸罪元祐二公則不可。陳後山詩學老杜，不尚老杜，元輝固未嘗熟之。不尚蘇可也，並掃黄則恐不可也。回他日當面見請教焉。

歐九文稱最，陳三語獨高。

回曰：元輝亦服歐陽文忠公、陳後山耶？其偶得歐九、陳三之對耶？「清鑑風流歸賀八，飛揚跋扈付朱三」，舊有此體，劉後村以柳七對陳三，即見後村不才[三]，柳耆卿豈可與後山作對？

讀東坡詩　詩不宗風雅，其詩未足多。氣如存篤厚，辭豈涉譏訶。饒舌空吾悔，吹毛奈汝何。為言同道者，未許學東坡。

回曰：東坡以詩為舒亶李定所劾，下獄，當路欲殺之，神廟察檜詩蟄龍非有他志，乃舍而謫焉黃州七年後，詩未嘗再為譏訶，但詩律寬而用事博，學者自不可學。元祐臣僚被謫，乃熙豐小人用事報復，宋之存亡攸關，坡過嶺過海，不為詩也。名高衆忌，視死如歸，故詩曰：「九死南荒吾不悔，兹游奇絶冠平生。」元輝責之太甚，千萬世東坡自不朽也。

讀後山詩感其獲遇山谷　開户覓佳句，平生苦用工。然非豫章叟，誰識後山翁。無復才相忌，由來道本同。嗟予生較晚，不預品題中。

回曰：有一朋友過回，見此詩亦曰不然，回問何以不然，曰：「後山縱不值山谷，亦必不無聞於世。」回退思之，後山為文，早師南豐，不知何年以詩見山谷，聽山谷説詩，讀山谷所為詩，樊棄舊作，一變而學豫章，然未嘗學山谷詩字字句句同調也。意有所悟，落花就實而已。然後山平生詩，初不因山谷品題而後增價也。

問田夫　清晨出柴扉，偶逢耕田夫。為問爾田間，近曾得雨無。田夫忻忻言，旱勢漸覺蘇。昨午雲四合，一雨半日餘。高下粗沾溉，芃然藹菑畬。老夫聞此言，欣懌當何如。

回曰：此詩絶好。元輝學陶，故於此體短篇尤佳。然嘗論之，學前人文章而效其體，形似之而精神胸腑不相似，未可也。江淹雜擬於淵明云：「開逕望三益」，此語全不似非惟語不似，江淹為人又豈可望陶之萬一哉？柳子厚學陶，其詩刻峭束縛，羈縶無聊之意，殊可憐，形似之而精神非也。韋應物學陶，其詩登山臨水，僧交道侶，語意瀟淡，然本富貴宦達之人，燕寢兵衛，豈真陶乎？兼少年本豪挾，形似之而胸腑非也。回嘗謂老杜初學選體，有幾詩步步曹劉，後來縱横變化，自為一體，為拾遺棄官而後，不用古樂府題，篇篇自撰新名，《北征》而下，秦川蜀道歷歷如畫，夔峽湘湖，筆尤老健，瘦鐵屈盤，而哀怨痛快。太白初學選體，第一卷古風是也，第二卷古樂府，以後及諸五言，有建安，有嵇阮，有陶，有謝，神出鬼没，不可捕捉。黄、陳皆宗老杜，然未嘗依本畫葫蘆，依老杜詩。黄專用經史雅言、晉宋清談、《世説》中不緊要字，融液為詩，而格極天下之高。陳又余與黄不同，許渾詩到後山面前一句説不行，故曰：「後世無高學，舉俗愛許渾。」所以譏晚輩委靡衰陋，可謂直矣。挽曾南豐《别三子》詩，可見無一字俗，無一語長，年四十九而死，除正字。詩中四句，下「端能敢恨、肯著寧辭」八虚字，近時詩人惟趙章泉頗得此法，詩律精深。黄、陳名同而法異。回嘗言，作詩先要格律高，學前賢詩，不可但模形狀，意會神合可也。元輝亦暗宗後山，故回及之。

我愛陶元亮，忠肝義膽存。不忘一飯報，況受累朝恩。解印彭澤縣，歸田栗里村。貧非無粟在，宋粟不堪飡。

回曰：此等詩當忘言，且陶元亮年六十三以死，刺史王宏之酒亦不拒也，劉裕後何曾不吃飯來？用夷齊周粟事[四]，恐徒多紛紜。陶淵明，晉穆帝永和八年壬子生，宋文帝元嘉八年丁卯卒，實年七十六歲，以其詩考之，班班可見。今虛谷謂陶年六十三以死，不知何所本也。俟考。

元日[五]　　忍睹瘦如鬼。

回曰：可畏。

饑民[六]　　親朋半古人。

回曰：一句佳。

過門皆紫服，傳刺各紅腰。

回曰：此謂舊時賀正人，著紫衫，名刺以紅束，然太俗。

一聯思入律，半夜起挑燈。

回曰：太苦。

梅雨　　數日市中幾鬼出，今朝門外始人行。

回曰：亦過當。

幾本敗蓮村老嫗，千村木落野頭陀。

回曰：此戲筆未典，可去之。

早春郊行　　渴覓村莊一甌水[七]。

回曰：暗用崔護事。

園花看剩蝶，山果拾遺禽。

回曰：好是好，太窮相。

充國戊申奏，許渾丁卯詩。

回曰：當考。

等閑寫出何其易，着意吟來恐不然。

回曰：此非可以誨後進，信乎方囗規矩一一中，非老手筆不可。

山村　　久無客過犬驚馬，俄有人傳虎食牛。

回曰：下句新。

居家如在旅，開鏡似逢僧。

回曰：居家如旅，元輝與人素寡合。開鏡逢僧，髮果盡禿否耶？

自題曉窗晚稿　　從教嫌我□[八]，未肯癖于奇。但覺前修遠，稱提更有誰。

回曰：元輝不當有此言。前修指誰，所取者陶杜詩之外無其人，則近世誰可為稱提之人，而何必要人稱提。

松緣孤苦能多壽，柳為風流易得秋。

回曰：有味，但「松孤苦」無出處。

無名于世免招忌，不飲與人殊寡歡。

回曰：元輝為人真如此。

出常嗟寡友，居更病無隣。豈是不諧俗，政緣誰可人。

回曰：太絶物，元輝左右實無鄰，元輝獨一家，其餘皆山林。

簡出　　遍歷山川成《史記》，因思此老頗堪嗌。

回曰：此却不然，男子生而垂弧，矢志四方，司馬遷不可忽，元輝無以己廢人。

誰復心知我，慵將面看人。

回曰：元輝真如此。（以上《桐江集》卷五）

[一]一掃不足數可乎：足，原闕，據清抄本補。　[二]最下者亦非都杭後人所及：都，原闕，據清抄本補。　[三]即見後村不才：不才，清抄本作「集」。　[四]用夷齊周粟事：粟，原脱，據清抄本補。　[五]元日：清抄本作「饑民」。　[六]饑民：清抄本作「元日」。　[七]渴覓村莊一甌水：甌，清抄本作「甂」。　[八]從教嫌我□：教，清抄本作「容」。

周子無極辨　周氏《太極圖說》無一句可解，舉世尊之，虚闊不務實如此。

無極而太極，聖賢嘗有是言乎？曰有之，《易·繫》曰「形而上者謂之道」是也。周子以無極而太極一句，盡此一句是也[　]。太極本無極，聖賢嘗有是言乎？曰有之，「上天之載，無聲無臭」是也。周子以太極本無極，盡此二句是也[二]。無極而太極，即是「形而上者謂之道」。太極本無極，即是「上天之載無聲無臭」。且無形者，理也。而理必先于事物之有，有與無相為用，而無與有不相離，此儒者之實學也。謂之無形而有理，故曰無極而太極。謂之有理而無形，故曰太極本無極。太極者，萬事萬物之根柢，而所謂太極者，不可以形求也。道為太極，道不可以形求；心為太極，心不可以形求。邵子、周子之言一也。周子之言渾全無罅、明白無疵，以私意偏見觀之者，妄為詆訐，非也，非也。謂徑畈徐霖景説，後同。

[一]盡此一句是也：盡，原作「畫」，據清抄本改。

[二]盡此二句是也：盡，原作「畫」，據清抄本改。

老子無極辨

老子曰「常德不忒，復歸于無極」，《道德經》惟有此「無極」二字。然是章三更端而一意，「知其雄，守其雌，為天下谿。知其白，守其黑，為天下式。知其榮，守其辱，為天下谷」，此不過自下者人高之耳。堯允恭克讓，光被四表，格于上下。舜謙受益，禹不矜不伐，天下莫與爭能，莫與爭功。苟有一毫加於人上之心，此匹夫之所以不能為堯、舜、禹也。然老子有意安排，非堯、舜、禹自然之比也。雄也，白也，榮也，非不知之而不居；雌也，黑也，辱也，而居以守之。人皆丈夫而剛，我獨如婦人而柔；人皆尚潔白則可污，我獨尚暗黑則能晦；人皆好尊榮如王侯，我獨喜卑辱如僕隸。為天下谿，為天下式，為谷，言衆人皆屈而下于我也。谿谷，地之最下，可容衆流。式，非法也，如式負版者，升車必式之。式天下無不俯而敬我也。三言一意，隨韻換字，如《詩·麟趾》一篇，三章而三致其意，無輕重也。為天下谿，常德不離，復歸於嬰兒；為天下式，常德不忒，復歸於無極；為天下谷，常德乃足，復歸於朴，亦三言一意也。嬰兒者，人之初；無極者，天之初；朴者，地之初，皆返本還原，復歸於初，而不累於末之意。使智巧無所施其力於我，以全其真，此老子之旨也。周子之所謂無極不如此，以為無此形而有此理，以為有此理而無此形耳。蓋周子專言理也。老子以無極、嬰兒、朴並言，則已涉於人物氣質，此所以不同也。且老子嘗謂先道而後德，今乃詭然以常德自名，何也？意謂吾能守雌、守黑、守辱，即吾之躬修身踐，無乖離，無爽忒，無虧欠，所謂恍惚，其中有物，杳杳冥冥，其中有精者，吾皆收視返聽，而歸於此境矣。處衰亂之世，以求全軀命之計，無極二字，周子偶然與之同，而其義不同。柯山之人以此指周子為希夷之人，則非惟讀周子之言未徹，其讀老子亦未徹也。

莊子無極辨

「無極」二字，見於老子者一，見於莊子者四。莊子所謂「天之蒼蒼，其正色耶？其遠而無所至極邪」，此語此意，迴與老子不同。故其一曰：「大而無當，往而不返，吾驚怖其言，猶河漢而無極也。」其二曰：「孰能登天游霧，撓挑無極。」此皆大空之上無所終窮之義。老子之所謂無極，前曰「嬰兒」，而後曰「朴」，舉三者而並言，吾常析其說：以為嬰兒者人之初，雖生矣，猶混沌也，未智也。無極者天之初，雖形矣，猶混沌也，未散也。朴者地之初，雖塊然矣，猶混沌也，未雕也。老子欲夫人謙沖退托以下人，復返於未智、未散、未雕之初，三言一意。莊子淺而老子深，皆非吾周子之所謂無極也。無極二字，偶與之同，而旨義不同。大抵老氏之學貴無而賤有，無名天地之始，有名萬物之母，常無欲以觀其妙，常有欲以觀其徼，判有無而為二，以無為始而有為母，以無為妙而有為徼，二之也。當其無，有車之用；當其無，有器之用；當其無，有室之用。謂車則轂中之竅虛，器與室則容物容人之所，空而虛，專貴乎所謂無者。殊不知車轂之竅無堅韌之木以為之外，器之大甕小缶無郛郭以為之外，室之上棟下宇無瓦木土石以為之外，則所謂無者又焉超於形而無所管束歟？故賤有而貴無，而不知有與無不相離，有與無相為用。其曰「有物混成，先天地生」，混成之物曰道，由混成而生天地[一]，不相離也。生天以包乎地，則混成之道在天之氣之中；生地以附乎天，則混成之道在地之形之中。今其說析混成之物與天地而二之，有惡乎天地之意，謂天地既生而道始凝也。人生於天地之間，而有不善之人；物生於天地之間，而有不善之物，則皆惡之而欲絶滅澌盡之。甚至謂有大患者為吾有身，生之為累不如死之為樂。以制器為不然，故捶符破璽、剖斗折衡，而廢棄乎舟輿甲兵。謂堯舜治天下、行仁義、立法度為不然，故欲返乎結繩之俗，而不知茹毛飲血之不可以久常。至于莊子得老子之意而肆為怪誕，其論道曰神鬼神帝、生天生地，在太極之先而不為高，在六極之下而不為深，先天地生而不為久，長於上古而不為老。將以廣乎老子有物混成之言，而迂闊支離如此。則道也者自為一物，而天地又自為一物，道而不貫於天地之中耶？天地之為天地，氣與形而已，而氣與形之中，無復此道以為之根耶？故釋氏傳燈之徒，作為有物先天地、無形本寂寥之言，又別指識心見性為一閃爍光明恍惚之物，有無判而為二，為天下後世之禍久矣。莊子者以道為一物，以太極為一物，以神鬼天地又為一物。尤於老子而兩言無極，謂太空之上無所終窮，亦與老子意異。吾周子所謂無極者，乃無形而有理，有理而無形，與莊子、老子之旨，迥乎其不相侔。而崛强虚驕之晚生，誣吾周子為希夷氏之人，故不得已也而辨之云。

［一］由混成而生天地：原為「由混成而生曰天地」，據清抄本删「曰」字。

漁隱叢話考

《苕溪漁隱叢話》前六十卷後四十卷，吾州績溪胡仔元任所著也。仔父舜陟，號三山老人，仕至待制廣西帥，死於静江府獄中，實秦檜殺之也。而羅鄂州願《新安志略》不書。回嘗見其族孫示予家傳六大袠《靖康圍城中奏議》，戰守事甚多，故詆郭京尤力，後兩帥廬州，文臣之善用兵者也。檜之殺之，殆以此故。元任寓居霅上，謂阮閲閎休《詩總》成於宣和癸卯，遺落元祐諸公，乃增益纂集。自國風、漢魏、六朝，以至南渡之初最大家數，特出其名，餘入雜紀，以年代為先後。回幼好之，先君所藏川本，在八叔父元主家，回師也，晝夕竊觀，學詩實自此始。後又求麻沙本觀之，一再亡，一再買，不一本矣。閎休《詩總》舊本予求之不能得，今所謂《詩話總龜》者，删改閎休舊序，合《古今詩話》與《詩總》，添入諸家之説，名為《總龜》，標曰益都褚斗南仁傑纂集，前後續刊七十卷。麻沙書方，捏合本也。元任以閎休分門為未然，有湯岩起者，閎休鄉人，著《詩海遺珠》，又以元任為不然。回聞之吾州羅任臣毅卿所病者，元任紀其自作之詩，不甚佳耳。以其歷代詩人世次為先後，非不善也。於諸家詩話有去有取，間或斷以己説。視《皇朝類苑》中概取而並書者，豈不為優。近回著《名僧詩話》，實用元任條例。元任歷官事迹，當俟續書。

古今類總詩話考

《古今類總詩話》五十卷，題曰左宣教郎任舟集録，録有紹興丙寅年序，婺板也。序文似非深於詩者。其第一卷曰詩體，二曰詩論，三曰詩評，至四卷詩仙以下，多不述出處，必不得已曰某人云，他則若出於己所云者，不如胡元任《叢話》，明寫出處以告人也。

詩話總龜考

《詩話總龜》前後續别七十卷，改阮閎休舊序冠其首。閎休《詩總》不可得，而閎休舊序全文，在《漁隱叢話》後集第三十六卷中可考。閎休謂宣和癸卯官彬江，類得一千四百餘事，分四十六門，而《總龜》今序删去此語。如「栗炮燒氈破，猫跳觸鼎翻」，所引六聯，即今序，猶襲用之。按今《總龜》又非胡元任所見閩本《總龜》矣，元任所見全去閎休舊序。今予所見序，乃間用閎休語，而文甚不佳。序之尾曰「歲在屠維赤奮若」，即當是紹定二年己丑書坊本也。書目引《南軒東萊集》，便知非乾道五年己丑。所謂作序人華陽逸老者，書坊僞名。所謂集録益都褚斗南仁傑者，其姓字不芳，中間去取不當，可備類書談柄之萬一。初學詩者，恐不可以此為準也。

詩海遺珠考

《詩海遺珠》九卷，凡六百二十七條[一]，九華湯岩起夢良分教潭陽日所集也。阮閎休家池州之桐陵縣，夢良乃其鄉人。謂胡元任《叢話》為非，不當厠以己作，説固然矣。閎休在宣和末，以時禁略去元祐諸公，而元任益入《叢話》，此豈可謂為佞哉。夢良自序，蓋淳熙十三年丙午。取閎休家所有書，抄録而成，曾慥《宋百家詩選》中語或全抄入。其人家標總，書宋詩人一百六十餘人，有蘇仲豫而無叔黨，有江端友而無端本，清江三孔、昭德諸晁皆不與，王立之父王棫非詩人也，張山人作十七字詩者，詩之優伶也，則皆書之。予初疑是有其事即書，無者不書，然中間亦各有其事。且凡他人詩話，皆不標出其名，如以為己所云者，舛剌如此，殆未可輕訾胡元任也。如山谷《荆州十詩》「閉門覓句陳無己，對客揮毫秦少游。正字不知温飽味，西風吹淚古藤州」，謂後山惡其人，以生人對死人，未幾果卒。不云是何人語。按是年建中靖國元年辛巳七月，東坡卒於常州，而山谷未知，有云「玉堂若要真學士，須得儋州禿髩翁」，前輩謂之不敬，回則謂山谷詩更有犯時忌處，如「死者已死黄霧中，三事不數兩蘇翁。豈為高才難駕馭，空歸萬里白頭翁」，使見任宰執見此，豈不嗔忌？而指坡穎為難駕馭，又豈不為坡穎之累。少游死，無己生，聯以為對，此却不妨，古人初無忌諱。適是年十二月二十九日，後山亦卒，故有後來之論云。

［一］凡六百二十七條：凡，原闕，據清抄本補。

詩苑類格考

《詩苑類格》三卷，李邯鄲淑所著也。上卷冠以真宗五七言八篇，次以沈約、鍾嶸、王通、上官儀、劉允濟、孫翌、殷璠、釋皎然、元微之、孟郊、李翱、姚合、杜牧、皮日休、司空圖、顧陶、釋虚中、李慮、徐生、徐衍、邱旭、張洎二十有二人議論。中卷采古詩雜體為三十門，下卷別録詩格六十七門，蓋亦有可觀者。如魯國孔融文舉，拆六字為四言詩二十四句，曰離合體，謔浪之所為耳。回謂詩亦本不拘體，體其形似而已。山谷之嚴，東坡之活，猶之禪也，全在飽參。淑所引有「風織池間字，蟲穿葉上文。」「僧房嵩岳色，公府洛河聲。」「乘舟向野寺，着屐到人家。」「洞庭秋葉落，天目瞑雲飛。」「蝶飛逢草住，魚戲見人沉。」一句如「院開松裏雪」、「厨牕燕往來」，此等新語，看之如易，而得之甚難。在學者苦思多作，悟解成就，自不見痕迹也。淑字獻臣，李康靖公若谷之子，屢入翰林，歐陽公集中具見劾文，平生招人言不一，又以鄭州為周陵詩，有「不知門外倒戈迴」之語，為包拯、吴奎論奏。《西清詩話》謂其後為人所戲，謂令祖能作詩者是也。

瑶池集考

《瑶池集》，通議大夫徽猷閣待制秦鳳路經略安撫使知秦州郭思所著，蓋詩話也。一曰詩之六義，二曰詩之諸名，三曰詩之諸體，與李叔詩格相類，凡八十一體可無述。四曰詩之諸式，凡二十九式五曰詩之景，以至十五曰詩之諸説。舉歐陽公與王荆公對言，而曰：「歐陽永叔情實而葩華，此文之全於才者也。王舒王誠意而粹熟，此文之全於道者也。」予一讀此語，便見其繆。元祐黄、陳、晁、張、秦少游、李方叔諸公，無一語及之，惟引蘇長公「軟飽黑甜」一聯，及「筆頭上挽得數萬斤」語，於歐、蘇皆字之，而於荆公獨王之，蓋宣靖間時好。荆公詩雖工密，然格不高，立言命意有頗僻處，又焉得謂之全於道。南渡後諸家詩話，未有一人拈出此集者。予得之錢塘書肆，乃士夫家録本也。「行人問宮殿[一]，耕者得珠璣」，劉貢父以為蜀人楊諤詩，而此謂之黄子思詩。如謂拗聲拗字大為不可，即是暗排山谷。且郭多主老杜，杜詩有拗聲拗字者甚多，此非公論也。張芸叟婿司馬朴一聯「滿地烟含芳草緑，倚欄露泣海棠紅」，書以為詩之景。芸叟集煞有好詩，却不書，足見此人全是惡元祐者。自書己作一聯「猿戲山花暖，人行塞柳青」，全無滋味。其他所書佳句亦多，然二十九式曰渾成、曰雄特、曰雅健、曰和熟之類，與分杜詩為神聖工巧者，又何以異哉。此人無詩集傳世，屢稱先子其父乃善畫山水人郭熙，坡、谷皆有詩稱其畫，河陽温人。

[一]行人問宮殿：問，清抄本作「間」。

張天覺律詩格考

《無盡居士集》七十卷，律詩格上下在第六十八、六十九卷，本江西僧明鑑所編，有曹輔子方紹聖三年序。是時無盡方以左司謫金陵，起帥南昌，至大觀而後為相。此所謂律詩格者，决非無盡所作。

商英之為人雄辯詭譎，自謂得兜率悅之傳，天下號為相公禪，其立朝首為章子厚所引，元祐間以呵佛罵祖語斥，偶以代蔡京，稍反其政，遂得人望，疵百而醇毫毛耳。其於詩雖不深，其論詩亦不當如是之陋也。何謂陋？其論六義比興有曰：「興者乘興而作，故謂之興。」予故曰此決非無盡所作也。無盡好為人題畫像贊，言博而肆，以此推之，其肯作此等律詩格哉？邢者得之邢公美大夫處，殆後人不識文字者誤增入耳。

詩人玉屑考

《詩人玉屑》二十卷，建安魏慶之醇甫所集也。淳祐四年甲辰黄易叔暘為序。魏號菊莊，黄號玉林。黄亦有詩話及《中興絶妙詞選》行世。序謂《玉屑》勝《漁隱叢話》，不然也。《漁隱》編次有法，先書前賢詩話、文集，然後間書己見，此為得體。他人與《玉屑》，往往刊去前賢標題，若己所言者，下乃細注出處，使人讀之如無首然。又或每段立為品目，殊可憎厭。況又不能出《漁隱》度外，其前載諸賢詩評，不過增南渡以後諸公議論，如朱文公、楊誠齋、趙章泉語，吾無間然，嚴滄浪、姜白石評詩雖辨，所自為詩不甚佳。凡為詩不甚佳，而好評詩者，率是非相半，晚學不可不知也。其詩體、句法之類，與李淑、郭思無異。其後歷叙三百篇、漢魏，以至南渡，人別為異，即《漁隱》條例耳。閩人有非大家數者，特書之，亦可删也。

竹莊備全詩話考

《竹莊備全詩話》二十七卷，開禧二年丙寅處州人新德安府教授何汶所集也。第一卷載諸家詩話議論，第二十六、二十七卷摘警句，中皆因諸家詩話為題，而載其全篇，不立己見己説，蓋已經品題之詩選也。《木蘭詩》、《焦仲卿詩》，見古樂府。鄭愚《津陽門》詩、劉義《冰柱雪車》詩諸名輩大篇，膾炙人口者俱在，可資話柄，亦似類書。乾淳以來鉅公詩則未有之。汶、群、從、澮等七人登科，洋、湑同慶元丙辰榜。

可言集考

《可言集》前後二十卷，金華魯齋王公栢字會之之所著也。魯生慶元三年丁巳，祖師愈嘗登龜山之門，後與朱、張、吕三先生交，仕至中奉大夫、直焕章閣，為乾淳名卿，文公銘墓。父瀚師吕，亦逮事朱，仕至朝奉郎，主管建昌軍仙都觀。魯齋年十五喪父，初自號長嘯，其詩文曰《長嘯醉語》。紹定二年己丑，年三十三矣，始棄科舉之學，見撝堂劉公炎。端平元年甲午，以長嘯為非持敬之道，改號魯齋。二年乙未，見船山楊公與立，始聞何公基北山之名而見焉，基字子恭，勉齋先生黄公高弟，遂北面師之。平生著述精確峻潔，鑽研文公諸書良苦，足為勉齋嫡孫無忝也。咸淳甲戌七月初九日卒，年七十八。　此集專以評詩，故曰《可言》。　前集七卷，一、二、三卷取文公文集語録等所論三百五篇之所以作，及詩之教、之體、之學，而及於騷。　四、五、六、七卷取文公所論漢以來至宋及題跋近世諸公詩，皆顛撲不破之説也。後集十三卷，各專一類，而論其詩者二十三人，曰濂溪、曰横渠、龜山、羅豫章、李延平、徐逸平、胡文定、致堂、五峰、朱韋齋[二]、劉屏山、潘默成、吕紫微、曾文清、文公、宣公、成公、黄毅成、黄勉齋、程蒙齋、徐毅齋、劉篁嵲、劉漫塘。　附見者五人，曰劉静春、曾景建、趙章泉、方伯謨、李果州。其第十五卷，本是續集一卷，專取漢唐山夫人《房中樂》，然則其立論可謂嚴矣。予嘗私評章泉詩，當在漫堂上，欲擇其精者，别出示人。　近人無能及者。　顧此亦未足泥文公、成公於「思無邪」，各為一説，前輩謂之未了公案。「詩三百，一言以蔽之，曰思無邪」，自古及今皆謂作詩者皆思無邪，文公獨不謂然。《論語集註》謂「凡詩之言善者，可以感發人之善心；惡者，可以懲創人之逸志」。觀此固已謂詩人之言[三]，有善有惡，作詩之人不皆思無邪矣。　猶未太痛快也。　文集第七十卷《讀東萊詩紀》乃有云：「孔子之稱思無邪也，以為《詩》三百篇勸善懲惡，雖其要歸，無不出於正，然未有若此言之約而盡者耳。非以作詩之人所思皆無邪也。」今考東萊所説，見《桑中》詩後，謂詩人以無邪之思作之，學者以無邪之思讀之。文公則辨之曰：　彼雖以有邪之思作之，而我以無邪之思讀之。二公之説不同如此。又雅鄭二字，文公謂《桑中》、《溱洧》即是鄭聲衛樂，二雅乃雅也。成公謂《桑中》、《溱洧》亦是雅聲，彼桑間濮上已放之矣。　予嘗詳録二先生異説於思無邪章。　今魯齋但紀文公之説，而不紀成公之説，雖引成公《讀詩記》所説十有三條，而《桑中》詩後一條不録，無乃以文公之説為是耶。別見《魯齋詩説》，則謂今之三百五篇，豈盡夫子之三百五篇？秦法嚴密，詩豈獨全。竊意刪去之詩，容有存於閭巷浮薄之口。漢儒病其亡逸，概謂古詩。取以足數。小序又文以他辭，而後儒不敢議，欲削去淫奔之詩三十有二，以合於聖人放淫之大訓。予晚進。未敢遽從，竊謂《桑中》、《溱洧》非淫奔者自為之詩，彼淫奔者有此事，而傍觀之人有羞惡之心，故形為歌咏以刺譏其醜，譬如今之鄙俚，如賺如令，連篇累牘，形容狹邪之語，無所不至，豈淫者自為之乎？傍觀者為之也。文公以淫奔之詩出於淫奔者之口，故不惟不信小序，而大序「止乎禮義」之言亦致疑焉。蓋謂《桑中》《溱洧》等作，未嘗止乎禮義也。予妄意以為采詩觀風，詩亦史也。鄭衛之淫風盛矣，其國豈無君子者與好事者察見其人情狀，故從而歌咏之。其所以歌咏之，蓋將以揚其惡，雖近乎戲狎，而實亦足以為戒也。文公以為淫奔者自為是詩，則其人亦至不肖，太無耻矣，惡人之尤也，聖人何以録焉。成公謂詩，雅樂也，祭祀朝聘之所用也。桑間濮上之音，鄭衛之樂也，世俗之所用也。《桑中》、《溱洧》諸篇，作於周道之衰，雖已煩促，猶止於中聲。孔子嘗欲放鄭聲，豈有刪詩示萬世，乃收鄭聲以備六藝乎？此説不為無理。而文公則謂鄭風、衛風若干篇，即是鄭衛，大雅、小雅若干篇，即是雅。二南正風，房中之樂也，鄉樂也。二雅之正，朝廷之樂也。商周之頌，宗廟之樂也。變雅無施於事，變風特里巷之歌謡，必曰三百篇皆祭祀朝聘之所用，則未知《桑中》、《溱洧》之屬，當以薦何等之鬼神，接何等之賓客耶？予謂此□説者，内翰尚書王應麟與予屢商略之矣。作詩不必皆思無邪，讀詩則皆當思無邪，文公之説也。作詩之人、讀詩之人，兩皆思無邪，成公之説也。因是遂辨雅鄭二字，而及於三百篇，或用為樂，或不用為樂，三節不同，所以謂之未了公案，學者不可不細考也。予考十家所裒詩話，始於胡苕溪，博也，終於王魯齋，約也，欲學詩者觀是足矣。

[一]朱韋齋：原作「諸韋齋」，據清抄本改。　[二]觀此固已謂詩人之言：人，原闕，據清抄本補。

鄭清之所進聖語考　一

淳祐十年庚戌四月初四，太傅右丞相兼樞密使魏國公鄭清之，投進潛邸《聖語》一卷。其第二件曰：「上在潛邸，臣時為國録。一日，史丞相彌遠，以私□□浄慈寺飯僧親戚人皆往，獨留臣於寺閣上，屏去左右，密語□曰：『濟國公所為悖繆，恐誤社稷，至今五六年，迄不□皇儲之□，蓋兩宫之意，已不在濟邸矣。彌遠日夜憂之，今聞沂邸皇侄，事俞兩國，極其恭順，朝謁時步履端重，儀止可觀，彌遠每於奏事，見主上目送之。今欲審擇一講官，以輔成德性[一]，且察其行事之實，徧觀庶僚中，惟足下忠實謹畏，可任此責，切望留意，不可露以一線也。』臣再三遜避，丞相曰：『言出彌遠之口，入足下之耳，可得辭乎。謹之諱之，各自為家國計。此先公事業，足下可以當之。』先公謂越王浩也。不數日臣遂兼沂邸講官，每遇講退，丞相必邀至相府，凡上舉動言語及課程之類，訪問甚悉。一日忽問臣曰：「畢竟天資大略如何？」臣對以所為氣象事皆好，難枚舉以對，一言以蔽之曰不凡。丞相甚喜。洎上登極後，丞相於賜第置酒款密，起立肅容曰：「上君德聖度，真可敬仰，向日足下不凡二字，可謂涵蓄，彌遠每思之，極有味也。今日所以置酒，乃為宗社賀。」因及越王事，丞相曰：「先公兼兩邸講官，能識孝宗於二王並立之中，極力輔成，為藝祖得神孫，為天下得英主，今日捨昏立明於一夕之間，以繼孝宗之聖，事體難易，又與先公不同。」臣因謂韓琦不動聲色，措天下於泰山之安，殆不過是。」回曰：此鄭清之所進，名曰《聖語》，然此一件，乃寄彌遠、清之耳語。彌遠因謀廢立，清之密受意旨，真贓實款，於此可見。所謂浄慈寺閣之謀，世未有知之者也，清之欲以此固理宗之寵，邀功保位，遺後肥家，故一再形之奏論。淳祐五年五月，先已上進，至是再録稿本，乞降御筆批付史館。清之自謂潛邸時事，非獨史臣不知，而今日同列亦不多知之，然則使天下後世知之自此始，而後彌遠、清之萬世罪案，不可磨矣。回按嘉定十四年辛巳六月十三日，詔以皇侄福州觀察使貴和為皇子，賜名竑，授武寧軍節度使，進封和國公。先是沂靖惠王柄薨，無子，以宗室希瞿子，賜名切，為沂王後，即貴和也。是年九月初二日，以理宗為沂靖惠王後。十五年壬午五月初十日，皇子竑加檢校少保，進封濟國公，理宗為邵州防禦使，而清之除兼魏惠獻王府教授，在嘉定十六年癸未十一月，此即浄慈寺閣密謀之後不數日也。清之嘉定十年丁丑吳潛榜第二甲太學下等上舍，初任峽州教授。十四年十二月，差充國子監書庫官。十六年三月，除國子録，既兼邸講，十二月遷宗學諭。十七年六月，遷太學博士。閏八月初三日理宗登極，當月除諸王宮大小學教授，九月遷宗學博士，又遷宗正丞、兼權工部郎官，十月兼崇政殿説書。寶慶元年九月，改兼權兵部郎官、兼國史實録，當月二十四日超除起居郎，十一月兼樞密院編修官。二年七月，權工部侍郎、兼給事中，九月除給事中，兼職並依舊，升同修國史實録院同修撰。蓋一任教授，即内擢，不出都門，登科二十年而至從官。紹定元年四月，除翰林學士知制誥、國史實録落同，十二月除端明殿學士、僉書樞密院事。三年十二月，除參知政事、兼僉書。四年四月，兼同知樞密院事。六年十月，彌遠卒，拜右丞相、兼樞密使。端平改元，下令易楮，出師三京，敗績，内忌真、魏，故遲召用，而天下鄙薄怨怒之矣，然未有知浄慈寺閣之謀者也。二年六月，拜喬行簡右丞相，轉清之為左。三年九月，明堂風雷罷相，自内祠經筵，改外祠閑居，老而不死，不勝落莫，然理宗猶時用牙蹔，往來計事。至淳祐四年甲辰，清之用詭計密奏，謂有一大事，非面奏不可，乞奉内祠，備經筵，一望清光，言之而去。是年十二月，以觀文殿大學士、洞霄祠，除醴泉觀使侍讀，再除少保，進封魏國公，至則密奏：二京出師，實臣主議，當陛下之身，而失亡祖宗積累府庫，異時國史書之，臣與陛下俱不能無責，願思所以復其舊者。理宗憮然有省，内惑其説，清之遂得因循再相。七年四月，自少師奉國軍節度使醴泉觀使、兼侍講，拜太傅右丞相、兼樞密使。九年閏二月，拜太師左丞相，以趙葵為右丞相，葵卒不至，清之辭太師，乃獨相。至十一年十一月二十一日卒，年七十六，以兩鎮節度使、太師齊國公致仕。凡再相五年，閨門擅事，昏耄貪濁，禁中由是因近習、納私貢，豐内帑，宦官女謁，牢不可破，皆清之之所為也。此所進《聖語》者，一進於淳祐五年之五月，謀相也；再進於淳祐十年之四月，又老將死，而為患失之計。彌遠所謂兩宮之意不在濟邸者，豈不密與宰相議之，彌遠於此若謂主上嘗有密旨令選皇侄講官，庶乎可信。今詳清之所書，初無上旨，彌遠自以己意私囑小臣，清之奉命承教，以不凡二字密達彌遠，不待甲申之秋，而濟邸已亡矣。嗚呼！寧考晏駕，世有公論。彌遠柄國二十七年，窮凶惡極，而此之廢立，且有大逆之罪。清之寒生竊第，附麗卿，衮饕富貴逾三十年，泯絶綱常，崇植禍亂，逆黨之魁也，皆當赤族。宋文帝徐傅之誅，魏了翁誦言之矣。而清之之相，逆種相禪，心甚忌真德秀，而尤甚忌魏，其以此歟？回故著之於此，定净慈寺閣之謀，為彌遠、清之萬世罪案，垂戒永久焉。光宗兄魏惠憲王愷生吳興郡，三柄追封沂靖惠王。沂邸即魏邸也。清之再入相，詭計因得之少傅[二]，呂文德當是戴埴所言辛巳至癸未三年事，此云五六年，清之老昏舛誤耳。

[一]以輔成德性：成，原作「臣」，據清抄本改。　[二]詭計因得之少傅：因，原作「回」，據清抄本改。

鄭清之所進聖語考　二

鄭清之所進《聖語》有曰：「上親政未幾，一日内引面諭：『近日言路，可謂稍通，士庶無時不上書，且皆以卿比司馬光。』臣再三愧謝曰：『臣之視光，何啻霄壤！固不待言。但臣不願有此，且毁譽何常之有？今天下見聖意向臣，故譽臣。他日君意厭臣，則必毁臣矣。臣既塵宰席，一日留身奏事。』上曰：『洪咨夔有章疏，論邊帥張可大因臺官初除致饋，乞與降官罷任。此雖舊習，在今日去貪，不得不行，亦由卿痛絶苞苴，以身先之。除命下日，咸謂卿有楊綰之風。」臣再三遜謝。」回曰：寧宗之儉，古之所無也。繼之而稍有所過，侈之名彰矣。彌遠之惡，亦古之所無也。繼之而稍有所革，善之名亦彰矣。惜乎！清之暫焉而不終也，矯焉而不誠也。彌遠之誅侂胄，景獻太子實與其事，景獻死，濟邸繼，謂彌遠所為甚於侂胄，亦有除君側之心。而其言露，其術疏，彌遠鷙毒一發，綱常澌盡。使孔子屬辭比事，當有臺下子卒之書。使後世觀魯文宣之終始、公子遂叔孫得臣之朋比，而史鄭之罪不可逭矣。彌遠之初入樞府也，在所有士不曾見之謠，至今傳以為笑。嘉定更化，實未嘗更，惟一陳宓能發其心事之微。□立理宗也，以利己而已，少有違言，彌遠其不為爾朱榮乎？論其貪，則相府受饋無異侂胄，論其淫，則納茗肆之妓，休而生字之，又侂胄之所不為。清之之相，猶張商英略反蔡京之政，而天下翕然譽之矣。然當是時，天下屬望以為相者在真、魏，雖理宗之意亦然。清之忌此二公，遲遲其召，以貢舉考士紆真於內，以督府行軍黜魏於外，此其心術之陰賊莫甚焉者也。晚節再相，賄賂公行，才不如彌遠而繆過之，司馬光、楊綰之譽，特一時未定之論耳。細味清之所以對理宗者，亦有縱横之餘風焉，蓋其胸中本無學業，偶叨柄任，故終以誤國而不能致君善乎。淳祐中，湯漢伯□之奏曰：兩十年來，君子之聚，莫盛於端平之元，然不幸當國之人愚闇無識，名為用賢，心實忮忌〔一〕，陽進其身〔二〕，而陰沮其言，凡開邊易楮、税畝建督，種種悖繆，皆其愚冥自用，盡郤正諫。一真德秀早使登庸，金甌未闕，太平可致，而乃多為曲折，而後與之以共政之空名，其他亦皆落落引去。政端平迄無善治者，正以一相非才，賢者不得行其道之故耳。臣嘗謂太祖皇帝之天下壞其半者，蔡京、王黼也。高宗皇帝之天下壞其半者，鄭清之也。漢又於咸淳初，論史彌遠不當配享，謂彌遠養疽於前，清之潰決於後，皆近時儒者所不能言。嗚呼！清之幸遇鄉相，參詭謀、致揆路，净慈寺閣不露一綫之囑[三]，二老奸者於寧宗何有哉！於理宗何有哉！為理宗計者，宜於親政之後，明正彌遠之罪，發棺戮尸，播告天下，謂予嗣大行為之後，天也。以立己為私恩而不討賊，則是無父無君，而何以永天命，服人心？彌遠之家悉誅，清之亦與從坐，如是則寧考在天之靈可以少慰，濟王將無辭於上帝，祖宗將亦不至於赫怒以降威矣。計不出此，顧以相臣之位，酬奸賞逆，福力盡而沴氣應，哀哉。

[一]心實忮忌：忮，原作「技」，據清抄本改。　[二]陽進其身：進，原闕，據清抄本補。　[三]净慈寺閣不露一綫之囑：囑，原作「祝」，據清抄本改。

鄭清之所進聖語考　三

鄭清之所進《聖語》後有録曰：「淳祐十年四月十三日辰時，宸批曰：嘉定癸未，進士唱名，寧考臨軒，太母御看閤[一]。朕在潛邸，侍立集英，濟王忽入殿後，内侍來云：『聖人在簾裏，要看觀察揖。』朕面簾立久之，以此知屬意於朕已非一日。即位之後，每侍宴慈明，朕之於太母，飲食之必進，衣服之必供，令朕共桌而食，趣膝而坐，一意奉承，乃人子之職所當然者。太母極其慈愛，始終無間。又一日與朕云：『官家凡大臣奏事，須與反覆商確。寧考聖斷甚明，宰執奏事必有聖語。只因韓侂胄用事，一日與朝士有約，諸以珠玉名畫，奏請某事，適寧考弗從，侂胄不遂所圖，既而進説云，陛下對臣下之言，或恐有錯，不可不謹。所以後來臨朝，多是淵默。』此亦得於宮庭宴語之際者，因筆及之。」回曰：淳祐十六年庚戌，清之再相之四年，年七十五矣。四月十三日，早朝奏事，理宗語及簾間諦視事，退朝之後又親批以付清之也。嘉定十六年癸未五月初二日，賜蔣仲珍等五百四十九人及第出身，是日有簾間諦視事，又在净寺慈閣史鄭密謀之前數月。彌遠與宮中謀之久矣，獨沂邸講官未得其人，故遴擇至冬十一月而後得清之也。然則彌遠所謂「兩宮之意已不在濟邸」者，於中宮為實，於寧宗為誣也。以寧宗目送為屬意，彌遠何不密叩榻前，顯揚上旨。此事始末，無寧宗一語，簾間諦視，非寧宗意也，乃彌遠陰謀已定，待中宮諦視而後决也。逮得清之為講官，有不凡之目，則决然廢立無疑矣。中宮主之，宰相謀之，一國子録與聞之，此後世所當知也。回聞之三衢張道洽，寧宗在位三十年，前以侂胄十三年，後以彌遠十七年，未嘗自處分一事，恭儉有餘，明察不足。凡侂胄造御批、逐正人、禁僞學、開邊隙，寧宗不察也。彌遠與楊后、景獻誅侂胄，函首送北，寧宗亦不知也。獨有立濟邸為皇子出自寧宗獨斷，而竟扼於奸逆之臣，抱恨而歿。或云寧宗一夕被酒，因言將以某日立濟國公為皇太子，以故遂及於禍。五六十年以來，知之者不敢言，言之者不敢書，凡群公諸老所奏乞為濟邸立後者，皆其末也。禍本所在如此，悲夫！理宗之於濟王，勢不兩立，故殺之而不為立後，則無道甚矣。

〔一〕太母御看闔：闔，清抄本作「閤」。

鄭清之所進聖語考　四

淳祐十年四月十三日奏事，鄭清之又言：「蜀梓潼帝君，風著靈響，至甲子年後，祈禱藐然，廟令虔叩其因。一夕，見夢曰：東南生聖人，上帝遣我專往衛護，未得歸也。執政僉曰：此事却多有聞者。」回曰：世所傳梓潼化書，蜀之奸人所偽為也。廟曰靈應，在梓潼二水來朝之地，故號曰九曲，或曰七曲，蜀人稱曰靈感，帝君封爵至忠文仁武孝德聖烈王，幾於如人主之謚，蜀士大夫之過也。其先撰七十四化，每化為七言八句律詩而不工〔二〕，又衍至九十四化，謂出於降筆，而神姓張名善勛，周成王時生於吴之會稽，娶墓中死女仲氏，夢授大洞籙法，成王召為醫師。成王時安得有道家符籙之法，已不可以欺愚人矣。至第十六格非化，遷司諫撰為王若曰：若尚書所謂命者，有曰「寘爾言路，毋易所守。」成王時，安得有言路二字？《尚書》誥命，惟瞿汝文老筆乃能仿之逼真。此何人斯，妄誕無狀可笑也。第十九歸□化，悟佛果而逝。成王時，釋迦猶未下生，安得遽有西方聖人？節節誣罔，至七十三化，忽謂之桂籍化，主人間科第，封蔭爵禄□，士子之困場屋者，願登一名如登天然，故相與神而事之。新學小生不暇考訂經史以證其繆，庸人淺夫而又崇信神怪而怵於禍福，故為其所惑而不悟。紹熙間，廣肆枝蔓，為九十四化，則又謂嘗生為司馬温公、張魏公，其説愈益乖剌。世之扶鸞懸板，如大仙紫如等事，無非作僞，然未有梓潼之作僞盛大昌熾者也。甲子以前，有善為作為降筆之人，窟穴玆廟，故人以為靈。甲子以後，其人死，廟史弗能嗣也，故又因理宗甲子生，而創為不根之説。清之欲以諛其君也，而引及此事，其不學無識可見。其聽於神之謂歟？而天地之間，未嘗有此神也。同時執政參知政事謝方叔、同知樞密院事吴潛、端明殿學士僉書樞密院事徐清叟，同聲一辭，附和清之，皆諛君也。

[一]每化為七言八句律詩而不工：不，清抄本作「文」。

鄭清之所進聖語考　五

是日奏事，清之又言：「陛下御極之日，自沂邸宣召，空中忽有十數鶴翔舞其上，若導引然，如此者多，恐史館欲知之。」回曰：此乃丁謂故智，謂所以號為鶴相者，此也。澤國多鸛雀，每天日晴霽，常有數十輩旋空中，極霄而上。吕居仁詩有云「江村過雨蓬麻亂，野水粘天鸛雀飛」是也。俗亦名鸛，而頂不朱。鶴之朱頂者，出於華亭，與鸛雀異頂而同貌。凡道士為醮，必妄指空中鸛雀，謂能感召仙馭。不意清之亦讀書者，而一日之間殿陛對揚，肆為邪説者不一，吁！可嘆也。以此談帝王符命，與狐鳥何以異哉？（以上《桐江集》卷七）

全元文卷二二〇

方回 一四

歙縣柳亭真應仙翁廟記

上有所好而下趨之，一時之習俗尚焉，而士或由之而不知，此其與時而變者也。命之所以賦，性之所以受，有善而未始有惡者，其亦可以變乎？曰：「雖千萬世不變也。」周衰而先王之教微[一]，治管、商、申、韓、儀、秦功利刑名縱横之言，以干時取寵者，不可勝數。尚黄老、宗無為者，宜反乎是矣。而其弊，又有燕、齊方士以怪誕附會，而神仙之説興。漢至數世，崇儒而明經者，流於災異，愈訟愈下[二]，乃有讖緯之學，近乎星翁歷史之所為。又其後佛法入中國，晉則清談浮虚，唐則詞章工巧纖絶，此豈非世變之可駭者乎！然竊嘗怪之，賈誼，讀申韓者也；董仲舒，言災異者也，治安、天人之策，忠君安上，為世儒宗。王謝扶弱晉，摧奸刊難，蓋亦清談人物。顔魯公之學出入浮屠、老子，大節凛然。宋廣平雖亦為賦，不害為剛腸相。此其故何耶？無亦於可變之中，而有不可變者存乎其間耶？吾宗方氏，得姓遠自黄帝之世。周有方叔，漢有方賞，而東都有洛陽令贈太常方公。按《新安志》及唐左臺監察御史張行成所撰碑，又參以他傳記，公名儲，字聖。公祖紘，本河南人，漢大司馬府長史，以王莽亂避地江左，遂為丹陽郡人，家歙縣之東鄉。公幼失父，明孟氏《易》，善星文圖纖，太守周歆舉孝廉為郎中，出為勾章長，遷阜陵陽翟令。母喪，負土成墳，種松栢佳木數千本。元和中，大尉鄭宏、司空第五倫，舉賢良方正對策第一。今劉昭《補註後漢五行志》，兩見公對策言雨旱事，拜博士，遷議郎，尋為洛陽令，章帝當郊祭，以公知天文。問之，公勸毋往。帝發時，風景明淑，公稱疾不從行，既而雨雹如斗，死者千計，使者召公，已死。帝哀傷之，贈太常。喪歸家，發視之，惟隻履，與舊所遺履合。又公令洛陽時，尚書張林使賨憲殺人誣吏，公發白其奸。今回以史所書同時官爵、姓名、年數旁證之，大概良是。公既歸葬，民世世祠之。宋明帝時，贈龍驤將軍，祠以大牢。政和七年，賜廟額曰「真應」。漢丹陽之歙之東鄉，今為建德府淳安縣。而今之歙之南曰「柳亭」者，舊有公廟。歙績溪兩邑民，水旱禱必應。進士許君民極嘗買田募僧守視，又一新其廟，以妥靈焉。俾回記之。回謂公本明經學、兼圖纖，而其死近乎世所云神仙屍解者，此一時習俗所漸。而公獨精其業，上下世變，何特於公？此所謂可變者也。若其孝於親，忠於君，與夫不畏强禦之大節，則天理之在人心所不可變者，不與彼而俱變也。嗚呼！風氣日降，習俗移人，而天理人心之不可泯者如此。使後世天資之高者，皆得生於三代盛時，而其學一出於先生之正，則其所成立，又豈止如今兹所觀而已哉！

[一]周衰而先王之教微：王，原作「生」，據清抄本改。

[二]愈泝愈下：泝，清抄本作「沿」。

宋氏實輝樓記

歙縣而北有豐溪，豐溪之源，大山長谷、深林茂麓，予友人宋君復一世居之，而予嘗館穀於是。君之祖時會好古博識，君之父鼎慷慨喜功名，至君又兼斯二者。予之去而宦學四方[一]，君未冠也，後二十餘年歸，君之祖塚木已拱，君之父以捕盜得勇爵，有聲江淮間，而君亦能自亢其家矣。君時一過予，予未嘗不興感於突弁之詩，且深喜夫伐木之不廢，而麗澤之有益也。君嘗取韓子足己無待之義，以名其所居之庵，而藏書樓則又求予名之。予思之既久，而後以書告之曰：有餘與不足為對，君之所謂足，將以求夫學之至於有餘，而無一毫闕然不滿之處者也。《易》天在山中之卦，其《大象》以謂「多識前言往行，以畜其德」，而其彖傳則謂「剛健，篤實，輝光，日新其德」，君必如是，而後可以言足。夫多識前言往行者，讀書之事也；剛健篤實輝光而德以日新者，讀書之功力也。古之所以貴於格物致知者，莫切於是矣。心之為物方寸，而欲以貫乎千萬世之悠遠，塗之人一匹夫而欲以為堯舜，非以讀書為事不可也。主之以乾之剛健，而又止之以艮之篤實，由是以明其明德，而與日俱新，則所以讀書而用功力者，又必如此而後可。否則怠懦偷弱、苟且卑陋，以自晦自昧其本然之天，是則紙上之書與胸中不相入，雖藏書千萬，奚益哉？蓋大象示人以其事，而彖傳教人以其工力所當施之方。古之成書以刀筆，編以簡策，學者有不易致，然事難而功力易者，教有素也。今之書梓刻墨模，一切以紙，其事易而工力反難於古者，務名之意勝也。君其無務藏書以為名，心必深體天在山中之象[二]，而服行乎象傳之説，則讀書之功力至，而讀書之事可以無愧君之所謂足。予知其富於趙孟，而貴於王公矣。卦之象曰：「不家食，吉，禄於君也。」曰：「利涉大川，功於時也。」可以占矣，請名斯樓為實輝之樓，而述其言為記。題是扁者蜀宇文十朋信仲[三]，予為方回萬里。

[一]予之去而宦學四方：宦，原作「官」，據清抄本改。[二]心必深體天在山中之象：心，原闕，據清抄本補。[三]題是扁者蜀宇文十朋信仲：扁，原作「篇」，據清抄本改。

在亭記　大德四年閏八月十九日

悟死生之理者，必知生我者之不死。極至誠之心者，念及已往之人如或見之。《中庸》論鬼神，謂洋洋乎如在其上，如在其左右。朱子此章《或問》謂鬼神之義，孔子所以語宰予者，見於祭義之篇，其説已詳。鄭氏口鼻嘘吸、耳目精明之釋已明。程子、張子，更以天地萬物屈伸往來為説，而謝子祖考精神，即是自家精神，其説尤密。非悟而誠，其曷臻此？是故周公、成王郊祀后稷以配天，宗祀文王於明堂以配上帝。后稷生於唐虞之世，而至周代商，不死也。文王九十七乃終，至子孫三世矣，文王亦不死也。何也？周公、成王乃后稷、文王之遺體也。廟有九七五三，以至士庶人之祭其祖考者，以祖考之遺體，祭祖考之鬼神。精氣為物在墓，游魂為變在天，所以不死者在我之心，悟此理而極其誠。分寧南麓先生余氏二子其勉之。二子曰震翁，曰泰翁，南麓諱瀛，字先登，生嘉泰十四年辛巳三月，嘗詣舉不第[一]，鄉里稱善人，卒元貞元年乙未五月，年七十五。二子負土成墳，其表親李垓，携二子所撰行實見示。南麓諫通家丞相章公鑑早退，章公之相僅一月許。邑大夫趙公良淳以節義，其後趙公果死于霅川。舉此二事，足以知南麓之為人。二子求名墳亭，名之曰「在」。《中庸》之說與《論語》「祭如在」，此正說也。不在其身，而在其子孫，又别是一說云。大德庚子閏八月十九日。

[一]嘗詣舉不第：詣，原作「請」，據清抄本改。

秀亭記　至元十八年三月望日

桐江之水至清也，山至奇也。山水之間，其林壑至幽而深也。沿歙浦，溯浙濤，上下泳游，繆沙玉石，星燦弈布，蝦鬚魚鬐，黛曳錦摇。紺苔之髮，翠藻之縷，可俯舷仰視而細數。至其遇迅灘，扼湍瀨，雷吼雪噴，旋渦跳沫，牽者僂，篙者呼，足蹈檣如飛猱，寸攀尺進，一失手磴撞磯觸，老黿饞蛟相賀於淵狀矣。夾以穹岸，束以峭壁，危峰怪岫，障日滃霧，試嘗捫蘿危陟[二]，穿榛曲步，高拄青霄[三]，下入異谷，種橡蓺茭之土，無一席之平，而枯椿斷崖，隔徑絶蹊，横如脩蛇，偃如寢虎，間與斫畬掘苓者值，有木客毛人奔麕急鹿之意，互駭而交愕乃者，偃武節，蕩兵氛，疑衲子梵場，羽流隱洞[三]，必有陰專環而私擅勝者，究求探討，無修廊巨闕、金飛碧耀之觀，無燠房凉牖、茗樹藥窩、談禪問道、憩憊滌霽之所。非頽邱敗塚之慘愴，即蕪社荒祠之圮落。顧問蕘夭紡嫗，亦有腴貲大姓、朱户華軒、退官寓公、名園珍墅，可寓目者乎？率瞠然不答。夫如是，余雖為太守七年，於兹境與心違，事隨影瘵，未嘗有一日之樂也。僑寓之北，子垣之東，峻阜孤圓，夷址中削，煩痾之暇，獨盤礴臨眺其上，腦鼻芬馨，齒舌津液，耳納佳韻，目眩殊彩，臂指便輕，髮毛颯爽。更譙治寺之丹堊，市樓里閈之黑白。牆仞塔級，酤簾思旌。絢竹樹而飛烟霞，經水雲而緯坂隰[四]。風帆沙鳥之去來，旅鞍征帽之出没。臺釣翳弋，餉榼樵鑱。葩卉競而陽春媚，電霓駕而時雨作。氣肅景朗，綺織綉組。黄稻栗而丹柏楓，□冰霜而縞雪月[五]。塵銷雨霽，瑶鏤瑜雕。盡去鴻於無壁之天，熄疏燈於欲暝之野。角遥吹其如怨，笛孤起而忘歸。余於是嘆而笑曰：「異哉！此亦足以忘憂矣。」而太守不知，乃延賓客，致父老，而徵其故，曰：「此所謂秀亭者，三植三廢，今二百餘年矣。亭之興復嘗有記乎？」曰：「無之。」嘻！是邦也，水至清也而激，山至奇也而刻，林壑至幽深也，而閴寂惟斯亭也。挹清斂奇，擢幽拔深，無激刻閴寂之病，而有千幻萬化、不可名之秀。民何獨不然，齟齬於險阻之域，杌隉於冥昧之區，茹凄酸，攬凉瘠，憂叢而樂潰，秀安在哉？據之要會而通其塞，納之宏敞而明其晦，生意姸好，嘉氣娟净，冶思澤態，騰菁發華，樂至而憂遣，秀者出矣。無位之士，憂樂惟己，憂人之憂、樂人之樂者，太守責也。余曰：「與同志觴詠於斯，或能登邦人於樂而脱其憂[六]，如斯亭之足以穎脱群秀否乎？抑昔人有亭而無記，摭其秀，不裒其實。余也蔭茂木以代亭，繪太空而作記，物易朽而文難磨，蓋不以甍椽錯檻秀，其秀於一時，而將以精鈎神索，實其秀於無窮也。」至元十八年辛巳三月望方回記。

[一]試嘗捫蘿危陟：清抄本作「試嘗捫蘿陟徑」。[二]高拄青霄：拄，清抄本作「挂」。[三]羽流隱洞：流，清抄本作「士」。[四]經水雲而緯坂隰：此句原在「餉榼樵鑱」之後，據清抄本移至「絢竹樹而飛烟霞」文後。[五]□冰霜而縞雪月：此句原在「瑶鏤瑜雕」之後，據清抄本移至「黄稻粟而丹柏楓」文後。[六]或能登邦人於樂而脱其憂：或，原作「其」，據清抄本改。

平實記

吾嘗觀諸海矣，有潮焉，突如來如，舟楫危之；有蛟蜃之氣焉，罔燕雀以為樓臺也而啗之。又嘗觀諸地矣，一榻攲斜，寢處不安；柱礎之下容鼠穴，穹屋廣厦鮮不陷者。吾然後知人才用世，平不平繫安危，實不實繫存亡。不實之患，甚於不平。不平者出入於公私理欲之間，挽其偏而還於正，猶可為也。不實者如以錦綉覆坑阱，純乎人偽而殺人之不恤矣。惟平而又實者，其國家生靈所賴以治安長久者歟？《書》曰「王道平平」，《詩》曰「周道如砥」，而何以不平為？《易》曰「無妄之往，何之矣」。《大學》曰

「誠其意者，毋自欺」，而何以不實為？季文子三思而後行，以私意立孟孫氏，三家盛而公室衰，不平者也。晉文公譎而不正，請隧求田代衛，狩天王於河陽，不實者也。君子誅其不平之心，則不可恕，然且恕之，謂其猶有功於周魯，未至於全不實也。周衰而顔、曾、思、孟之學不行，齊物之見，肆為誕謾，少恩之意，至於慘刻，申唱韓和，鞅緝斯熙，六敗一勝，魚爛皆亡。其論皆高而虚，其緒餘猶且王衍誤晉、朱異亂梁。嗚呼！人才出於學術，帝王學術賴孔門而存，孔門學術至戰國而絶，人才之弊一至於此。近世周、張、二程傳不傳之學，平實之極者也，而皆不大用。王安石異端之淺者也，而相熙寧。前是宰相用事，雖趙普未免不平，如韓范則平且實者。安石嘗見周子而語不契，二程、張不用，用吕惠卿、章惇之徒。青苗免役，皆崎嶇嶮巇不平之政；《三經》、《字説》，皆詭異繆悠不實之書。一出於其不平且不實之心，卒至於喪靖康之天下者，荆舒也。趙鼎稍崇洛學，猶保東南天下之半；秦檜祖述荆舒，忘讎而棄中原。乃有朱子者出，以洛學為己任，不取臨川，亦不取眉山，不取雜霸，謂陈亮亦不取逃禪，謂陸子静惜乎！其亦不合於世。韓、史、鄭、賈，皆迷國罔上，大不道，又不足以為荆舒之靡矣。今之士有能自修以接前哲而俟後人，則莫若由朱子以泝孔門之學，八聖至孔，九賢至朱，膠杏壇之斷絃，反瓜坑之寒談者，吾文公先生也。其再見李延平而歸也，自謂為學始就平實。世道平實由於人才，人才平實本於學術，學術平實根於見識。此番陽葉君所以取朱子平實二語，既以自佩，又以自規也。抑朱子所得之平實，精氣化而遊魂逝矣，尚可得而竊取之乎？曰遺書具在，知道之言，如平地無一步不可行，如實地無一步不可立，求則得之。君名張邁，妙年嘗領鄉書，携朱子年譜來求譜記末。或謂朱子誨人，不躐等以為高，不驚虐以為妙，君蓋服膺於此矣，而老生何足以知之。

心境記

世之人喜新而惡常，厭夫埃坌卑湫之為吾累，而慕夫空妙超曠以自為高，則山經海圖、崖梯波航之所傳聞，足以幻世而駭衆。其説以為扶桑之東，有三神山，長生之藥所自出。崑崙之巔曰「閬風」，其中有五城十二樓，西王母居焉。代之五臺清涼，蜀之青神大面、凌雲三峨，兜綿之臺，金橋金燈示現之地，四明有補陀，落伽大士之島，天台有劉晨、阮肇桃花之溪，則又皆其近在中國而間有至焉者也。是以幽人逸客之有志於斯者，或欲棄捐世事，嬴糧而從之。惟晉陶淵明則不然，其詩曰：「結廬在人境，而無車馬喧。」有問其所以然者，則答之曰「心遠地自偏」。吾嘗即其詩而味之，東籬之下，南山之前，采菊徜徉，真意悠然，玩山氣之將夕，與飛鳥以俱還，人何以異於我，而我何以異於人哉！「盥濯息檐下，斗酒散襟顔」，人有是，我亦有是也。「相見無雜言，但道桑麻長」，我有是，人亦有是也。其尋壑而舟也，其經邱而車也，其日涉成趣而園也，豈亦抉天地而出其表[二]，能飛翔於人世之外耶？顧我之境與人同，而我之所以為境，則存乎方寸之間，與人有不同焉者耳。昔聖門之言志也，子路則率爾而對矣，「求，爾何如？赤，爾何如？」則亦各言之矣。然後點也鏗爾舍瑟而作曰「異乎三子者之撰」，然則此淵明之所謂心也，心即境也。治其境而不於其心，則迹與人境遠，而心未嘗不近。治其心而不於其境，則迹與人境近，而心未嘗不遠。蜕人欲之蟬，不必乘列子之風也。融天理之春，不必吹鄒衍之律也。以此心處此境者，桐江馬君天驥也。觀其境而知其心者，前太守紫陽方回也。於是撫絃琴而為之歌曰[二]：境而仙乎，敷落其天乎。境而佛乎，華嚴其國乎。境而隱乎，石其漱流其枕乎。農其家，不嗇不奢，我境桑麻。儒其居，奚槁奚腴，我境詩書。境之圃，蔬可以俎，莫狐予侮。境之泉，釣則有鮮，莫蛟予涎。匪宫珠兮室貝，匪玉堂兮門金。問世之雌風安在，曰九萬里斯在下矣，此所以為心境之心。

[一]豈亦抉天地而出其表：其，原作「而」，據清抄本改。　[二]於是撫無絃琴而為之歌曰：撫，原作「援」，據清抄本改。

重修嚴先生子陵祠堂記

朋友之益甚大，道德之澤無窮。先生以足加帝腹，年六十餘。光武年三十五，蓋年長一倍之老友，非耿、鄧將相偶也。能取友然後知講學，知講學然後大明理，大明理然後善處事。驅雲臺之彦，膺赤伏之符，博約麗習，有自來矣。然天地之間海田陵谷，漢之為漢，今復安在？建武以來，寢廟宫府，為烟為埃，豈有過而問之者。先生釣游故處，更幾兵火，巋然如昨。歲在柔兆困敦，東平府嚴君忠傑，提師次於桐瀨，自以為先生之裔孫，輸泉粟，飾祠像，而一新之。余謂先生之生也，以薰陶之餘力，能使潛龍故人起布衣有天下。其殁也，一漁翁之居，千古常存，雖萬乘帝王不逮。故歌《伐木》之章，則知牧野之出師，不如蟠溪之問道；賦《黍離》之什，則知宗周之盛業，不如首陽之清風。朋友之有益於人，而道德之不泯於後世，如此哉！歌伐木之章，得子陵之心事。

南氏榮親堂記

先王之所以治天下者何也？法也。今儒者之說曰：法始於伏羲，成於堯，而大備於周，故天下之治，至於周而極。治極矣而變，始變於周末，大壞於秦，不能復於漢，再壞於魏晉，而盡覆於南北之分裂，故天下之亂，亦至於南北而極。然則是法也，何法也？其隆焉而興也，今之《易》與《書》、《詩》《禮》、《春秋》尚可考也；其污焉而替也，自《太史公書》而兩漢三國，自東西晉而至南北八代之史亦可考也。然嘗疑之，卦一奇一耦未畫以前，所謂父子、君臣、夫婦、朋友、長幼之倫，有之乎？無之乎？曰：「是不待畫而已有也。」結繩洪荒，未有書契以前，所謂有親、有義、有別、有信、有序之理，有之乎？無之乎？曰：「是亦不待書契而以前無不有也。」嗚呼！我知之矣，謂法也者，足以制乎人之情可也。人性之所固有，法不能毫末加也。師道立則善人多，豈本無是善而强之以善哉？國雖靡止，或聖或否，民雖靡膴，或哲或謀，或蕭或艾，天理之在人心，固未嘗一日泯也。試嘗觀諸田父野老、不習文墨之人，扣其所謂三連六斷、仰盂覆碗之義，彼蓋懵然無知，而其身之所謂水犁火耰，即乾之健，原稌澤秔，即坤之順，日出而作即震之動，日入而息，即艮之止，由乎卦之德而不自知。玉帛不必設，鐘鼓不必陳，五射之法、五御之節、六書之品、九數之計，今學士大夫有所不能通，然敬者禮之理[一]，和者樂之理，止而發射之理，範而驅御之理，公權論筆書之理，石慶數馬數之理，在我者無一法之不備也。故曰：「天以是賦於人，謂之性；人以是率而行之，謂之道。」性也，道也，本無待於教也，而情汩之，故聖人有修道之教焉。教之為法，以其知教夫不知，以其能教夫不能，而其良知[二]、其良能[三]，亦未嘗以其教之或廢而至於澌盡絶滅也。故無文王猶興，孟子其有望於戰國之士焉。建德榷貨都提舉真定南公居磐，字仲安，先大夫招撫，諱貴，年五十未有嫡嗣，偕夫人孟氏鞠養王氏子忠若義子。然逮生提舉，長相友，疾患相援，同爨居三十年。提舉仕且達，舉先疇生産中分之，而其半亦不自有，以庇其宗而奉墓祀。夫捐財，難也，非同氣而視如同氣，尤難也。昔陶唐之世，以異母之象，不能事舜。平王東遷，王澤未竭，已有咎軔鄭寤之爭。何聖人不能化下愚，而九代之司寇，無所施其巧。提舉生長戎馬間，伊洛之學，上蔡龜山負而南，為朱、張氏，百五十年矣。北方之據臯比者為誰，其師承淵源為如何，而提舉之所以處家庭、蹈倫理，有古人所不能及之風，吾乃今知道心人心，相為勝負，徇其情，迷其性，則人心勝，雖三五之化不能無嚚頑。全其性，若其情，則道心勝，雖無六行六德之興[四]，未始無賢哲。提舉二子，長大用、次大有，其長仕於江閩，已為省郎。作堂於家，士大夫歌咏其事，名曰「榮親」。吾又知南公是父是子不以人爵為榮，而以天爵之在內者為榮也，故喜而為之書。

[一]然敬者禮之理：敬，原作「敚」，據清抄本改。

[二]而其良知：原為「而其知良知」，據清抄本删改。

[三]其良能：原為「其能良能」，據清抄本删改。

[四]雖無六行六德之興：無，原作「不必」，據清抄本改。

居竹記

大德二年二月初八日

士莫大於尚志，子莫賢於克家。家之所由來者遠，而承之以志之遠，志之所期者遠，而家之所以光前裕後者愈益遠，此理之必然者也。蘇長公云：「可使食無肉，不可使居無竹。」士不慽於食之無肉，而惟恐乎居之無竹，則其志遠矣。食必有肉，雖豹胎腥唇而不足，奢啖侈嚼，必不器瓦杯而友菅屨。居必有竹，則非天下之高人勝流，不足以升其階，世之塵頭俗面之物，望風而退舍矣。士之志，宜在此而不在彼也。《孟子》曰：「士尚志。」《易》曰：「子克家。」志之遠者家之遠，君子以是觀人焉。華亭縣修竹鄉曹氏武惠王之後，自汴南徙，所居據九峰三泖之勝，厥壤宜竹，如其鄉名。予友古睦元同居士邵君婿其家，為予言曹氏家世之盛。內子之弟和甫，字仲達，祖守齋先生提舉府君，年八十餘以壽終，考梅渚先生司户府君，前太學兩請甲戌進士，蔚為一時聞人。仲達今年二十有五，俊特英發，於太父樂靜堂之餘地，貯飾園廬，植竹千箇，以居竹扁其書室，蓋有取於蘇長公之言，其意若曰：吾之先及吾之身，豈不世世而食有肉；吾之身與吾之後，不若世世而居有竹。古二十而冠，三十而仕，五十而後為大夫，所以有士冠禮，而無大夫冠禮。仲達以逾冠將仕之年，居是竹也而安，異時雖為公卿，當常不忘是竹。後之人居是竹也而久安，孫曾雲來常奕葉保有是竹[一]，是則以尚志之士，為克家之子，曹氏豈不愈益遠而與是竹相為無窮哉。旹大德二年歲戊戌二月初八日，通議大夫前建德路總管兼府尹紫陽方回記。

[一]孫曾雲來常奕葉保有是竹：清抄本作「孫曾來雲奕葉保。」

黄巖州新孝行坊記

夫孝，天之經也，地之義也，人之行也。唐明皇訓曰：「孝為百行之首，如三辰在天而有常，五土分地而為象。」然親壽及期頤，子年逾知命，萬中無一。唐長安百二十坊，坊南東西門皆有名，見程泰之《雍録》，然為一賢士專扁榜，未聞也。天台黄巖，邑陞為州，城南東野杜居士希大，字與名同，母陳氏夫人，年九十有三，東野年五十有三。近三十年間，辭官侍養，斷機之譽過於孟母，班衣之樂侔於老萊。浙東廉使蒲兀臺王公，過廬而式焉。父老列狀，自州上之路，臺省宣差奉訓大夫大原木八剌公率僚屬創建孝行坊於天長街，華表揭於前，華第臨於後，而申旌表門閭之請。回竊聞州有九峰之山，泉水甘，竹樹茂，柑橘富。北門潮汐，享巨舶之利，南門之外，大有之宫、委羽之洞，黄石方石，亘古不變，宅神仙而胚將相。杜氏祖曰杜伯，歷陶唐至周，國於杜，漢有御史大夫杜周，晉有征南將軍杜預，唐有杜祁公佑，佑孫羔遷黄巖[一]，曾孫三人鶚、犖、衮，曾孫丞相祁正獻公衍衮，九世丞相清獻公範鶚，四世贊善大夫杜孝子誼[二]，又三世為東野。山川風氣之美，氏族家世之盛，固有自來。陳氏夫人髮不雕，貌不臞，撫下恤衆，好施廣愛，善隣睦姻，持恕行謙，强健康寧，無老耄態。東野前朝軍功帥幕，後三署巡檢，就一、去一、未赴一，尚義慷慨，捐財急難，孝行有坊，是母是子，宜頌而兩美之。

[一]佑孫羔遷黄巖：佑，原闕，據清抄本補。羔，清抄本作「高」。　[二]四世贊善大夫杜孝子誼：誼，清抄本作「諳」。

水村精舍記　大德十年三月一日

婺源城西二十五里石梘，吾友子俞子師魯，字唯道，累世家焉。築水村精舍，俯視其水，趨彭蠡湖，出大孤山，注楊子江，入於海。歙郡城大街坎下，子方子回，字萬里，累世家焉。新安水至清，合黄山三十六峰之水，過汝灘、嚴灘，達浙江入於海。楊子江、浙江殊波異瀾，其入於海則一而已矣。吾二人亦猶是也。然歲不同，居處不同，其至於學海則一而已。學海者何？伏羲、神農、黄帝、堯、舜、禹、湯、文、武、周公、孔子、顔子、曾子、子思、孟子之垂世立教，董、韓、歐、邵、周、二程、朱、張之著書立言，皆是也。然回也老矣，於斯道徒有望洋之嘆。唯道年方盛壯，養氣浩然，視蓬萊、瀛州一蹴而跨其上，於聖人之道，梯層樓而制鰲□耳[一]。雖然，唯道奥於《易》也，精舍乃為玩《易》之所。堯夫八卦，兑澤坎川，先儒謂坎下一畫閉而成兑，川壅為澤之象也。回謂兑下一畫决而成坎，非澤流為川之象乎？《易》萬變無窮，一動一静，消息盈虚，不過或出或處、或嘿或語，唯道所深得，坎水歟？兑水歟？嘗時措而用之。大德十年三月一日方回記。

[一]梯層樓而制鰲□耳：□，原闕，據清抄本補。

鹽官州延恩院記

鹽官舊縣陞為州，西北二百六十步，僧舍初曰光明菴，次曰西藏院，後曰延恩院。曰光明菴者何？杭城古佛刹，祥符第一。所謂祥符橋猶存，前禮部貢院，今明慶寺，皆是。祥符僧紹賢，祥符中至鹽官，結草宴坐，夜有光明，衆異之。創建光明菴，為始祖。曰西藏院者何？佛𦐂五千八百卷，琛宇瓆軸，輪而轉之，天聖丙寅慧雲佛子倫，建殿堂門廡畢備，寶藏靈驗最多，改名西藏院。曰延恩院者何？建炎南渡，始賜今額，而賢倫之輩□□益大，端平間燼於火，越七十年，甲乙數傳，復仍舊貫。今住持曹潤師悉力募緣，觚棱金碧，輪奂朱丹，鐘魚鼓鐸，朝鏗暮鏘。院前有土山，左有放生池，竹木之蔭、禽魚之樂，游人坌集。皇祐中部使者蘇才翁留題「絮憁燕簷」之句，石刻在焉，文士高仰，絶唱難和。嘗考之前史，泰伯始變吳俗，《西漢書·地志》註始見鹽官，佛生西域，東漢法始入中原，乃後禪律論授受薄海内外，而斥鹵作鹹之陬，豈不以人性好善之。故孔子之道行，天下無一所而無學；釋氏之教，行天下無一所而無寺。其徒可寧、可仁、文表、宗授、智仙、志净、行一，皆宣勞者，有引弗替，其在後之人。銘曰：身之資衣，衣必有篋。篋之所置，架鋪庋設。飲可無榼，食可無缽。榼缽是安，于几于榻。天宇九重，閬寥空闊。使非有地，何以生物。演説無生，是為佛法。佛法不無，必有假托。如飛以來，殿堂樓閣。乃鐘乃魚，乃帑乃闥。海昌延恩，賢創倫拓。維今潤師，楹棟朱雘。倍百前人，賀萬燕雀。華封之祝，迴向金闕。如長明燈，終古無竭。聖人萬壽，衆生同樂。潤師之潤，油然雲作。

覺喜泉記

《九成宮醴泉銘》，歐陽率更書，而醴泉之名千百世不朽，以其字也。靈隱冷泉亭，得駱賓王、宋之問之句，而冷泉之名千百世不朽，以其詩也。歐陽公為孤山僧惠廛賦《山中樂》，蘇長公名其泉曰「六一泉」，而六一泉之名亦千百世不朽，以歐、蘇文章甲天下也。泉不能自重，賴人以為重。吳隱之所酌，貪泉不貪；柳子厚所穴，愚泉不愚。人重則泉重，明矣。天目山之東南峰[一]，吳門天紀行恢長老居之，回之詩友也。一入山數載不出，隻身之外無侍者，年三十六，力修苦行，時以佳句見寄。鄰僧智俊、太用、祖意、大喜、崇清五上人，俾回記其所居之泉，曰「覺喜」。回粗讀佛書，通曉覺喜之意，然不敢捨本來面目，出□譏言。又自知無妙畫佳吟、大手筆詞藻，足為斯泉之重。虚翁拈醉翁之調，而歌曰：山行六七里，漸聞水聲，潺潺然瀉出於兩峰之間者，覺喜泉也。有菴巋然，臨於泉上。結庵者誰？山之僧曰行恢也。虚翁為誰？紫陽方回也。

〔一〕天目山之東南峰：南，原脱，據清抄本補。

景疏庵記　大德七年五月廿一日

景疏庵者何？景慕於江西撫州疏山禪師之為人也。吉之新淦匡仁禪師，遍參老宿，晚住疏山，平生葛藤甚多。其曰「尋行數墨，語不如默。舍己求人，假不如真」，乃厥初入道之門。其曰「咸通年以前，會得法身邊事，謂之枯椿。咸通年以後，會得法身向上事，謂之非枯椿」，乃後來見道之的。天目山西峰之下，平齋先生端明文靖公之曾孫曰智俊、曰大用，兩人孿生，為大覺寺僧，結廬名曰「景疏」。回竊考之，寶慶之初，真西山、魏鶴山、洪平齋，以濟邸事去國。端平更化，平齋先生召居言路，稍伸其志，擘權臣死黨一空，天下期司馬君實之相，而天嗇之年，不偕宰輔。真、魏繼至，一俾知舉，一俾督師，亦不與共政。寶慶、端平之君子，天壤不朽；彼柄國者，萬世遺臭。而三翮之遷，實根於此。淳祐辛亥，年廿有五，恕齋以西掖退居天目，回往往見授業館穀至道宫三日。寶祐戊午，恕齋參謀淮閫，預知木綿庵鬼之不終，密語鶴山仲子湖北倉使魏公去勿留。嗚呼！高曾家世如此，而二僧有所羨於枯椿非枯椿之學，何歟？枯椿者，死法也；非枯椿者，活法也。吾儒之學，上窮性理，下綴詩文，必得活法。釋氏雖枯槁其形，寂滅其情，活潑潑處，一口吸盡四大海水可也。智俊、大用及第祖意三僧，皆能詩，求回為是記。歸弄木蛇，必有超乎臘月蓮花之上者。旹大德七年癸卯五月廿一日紫陽方回記。

九峰寺重建佛殿記

古睦城西過社遺少北，曰九峰菴。寶元二年初建郡，于城東與廣智寺鄰者，曰法善寺，相傳以為清涼法眼禪師受業之地。法眼當南唐李後主時，其道盛行，則法善之為寺久矣。政和五年，九峰僧智月稍闢棟宇，猶菴而不寺。紹定二年，始請法善廢額來合，然稱曰九峰法善寺。余守郡七周星，屢至焉，嘗馳騎環其山視之，於畬壤耕疇中拔起如大荒城，無附麗。逮尋門得逕，入老檜巨松間，升高閣四望，乃見諸峰環列者九，掩應幽邃，蔽虧重複。去城市曾不數里，而有深谷茂林不可窮之勢，若人迹所不至者。余嘆焉，以為斯寺之美，以山而美；山之美，以峰巒而美；而峰巒之所以美，實竹樹為之美也。周行軒廡，讀壁龕諫議江公民表所為菴記及蘇少公之子仲□所為法眼贊，字畫遒偉，詞義典古，刻石皆僅餘二尺許，而有千萬丈昂霄拂漢不可屈之氣。余又嘆焉，以為斯寺之重，以士大夫而重；士大夫之重，以文章學問而重；而文章學問之所以重，實名節為之重也。寺主僧指南，余至郡之明年丙子，俾領法席，越四夏去。初建菴時，凡逾四己卯二百四十年，而佛殿之垂圮者復新。視其故，益穹博。法眼遺像舊寘之諸天殿，今崇餙羅漢閣後僧伽殿以奉之。木石斤斧，金碧彩繪，鬼剜神抉，人莫之知。余於是三嘆焉，以為斯寺也，有借美於山者，有借重於士大夫者，然非得是僧以昌大之，則初隆於寶元之開創，再隆於政和之增廣，荐隆於紹定之更張，一旦或替，未可知。指南勤儉幹勤，諉曰「數之偶然」，余獨謂此豈偶然。心至力到，能使斯寺其隆有加，如余前所謂美且重者，將加美加重而不朽矣。美之者存乎天，重之者托乎人，隆之者求乎己，可也。天下事皆然，豈獨此哉！指南號斗峰，桐廬吴氏子。予不能以賁助，而徒以空文為紀歲月，其能為不朽之助乎？

九峰法善寺千佛閣記　至元二十三年八月

兩儀一氣，萬形一理，千百億衆一心，斯閣之以千佛名也，一佛也。什一為十，什百為千，而以千佛為一佛，何也？今夫大海兩點，非摩醯首羅，孰知其數。自一二點至千百億點，莫非雨也。恒河沙、空中塵，吾不知數，然此沙即彼沙，彼塵即此塵，非有二塵二沙也。中國之聖人曰堯、舜、禹、湯、文、武、周公、孔子，西方之聖人曰佛釋迦未來〔一〕現、前、過去千百億劫，千百億衆，莫不有是佛心；自已滅度後，未來千百億劫、千百億衆，亦莫不有是佛心。聖人能盡其心，光明圓滿，如既望月；凡民不能盡其心者，如弦月，如晦月，如物食月。非心有二也，盡不盡二之耳。宇宙間氣無二氣，理無二理，心無二心。人之生氣也，所以生理也。天之理，有善有惡。以是賦於人之謂性，人得是理而有諸方寸之謂心。儒者曰「知性盡心」，不知此，焉能盡此。佛者曰「識心見性」，心即性，性即心。不識此、見此，焉能無所不盡。子思子曰「喜怒哀樂未發之謂中」，本然之心也。曰「戒謹」，曰「恐懼」，所以盡其心。六祖曰「善惡都莫思量」，亦本然之心也。然且曰「戒生定，定生慧」者，亦所以盡其心。然則堯、舜、禹、湯、文、武、周公、孔子八聖人，一心也。西天七祖、中華六祖，非有七，非有六，其心一也。五百大阿羅漢、五十三善知識，非有五百，亦非有五十三，其心一也。試嘗登是閣也，一合掌頂禮頃，無二佛見，無三佛見，無十佛、百佛、千佛見，見一佛是見千佛。彼不以一佛見，而以千佛求者，枚而計之至千，屈指舉名號而誦之至千，發聲是名，執著障礙，終不見佛。古睦九峰法善寺主僧指南，節用劬躬，侈大棟宇，回嘗為佛殿記。今又得僧録某勸率檀施[二]，撤羅漢舊閣，新之莊嚴千佛。參知政事史公弼題曰「清凉寶閣」，謂「法善」，故嘗受業法眼禪師也。法眼者，五宗之一宗。禪有五宗，實非五宗；閣有千佛，其實一佛。輪奐之穹，刻繪之嚴，游者自見，無事於書，乃為説偈言曰：千百億化身，非一不能化。見一不見千，是善見千佛。若以千見者，二萬手足指。一身具九竅，為千數者九。乃至毛孔髮，終不可數計。我以一見千，千身同一心。四大海内外，河沙諸國土，言語不相通，人面殊醜好。千百億萬衆，本心非有二。盲聾喑啞跛，男女各異相，止是形相異，心未嘗不同。所以學佛人，反照求此心。如此山九峰，九峰同一山。數四復數五，勢若無是處。千人各成佛，千佛心相印[三]。世人但修心，即證無上果。至元丙戌秋八月方回記。

[一]西方之聖人曰佛釋迦未來：釋迦未來，原作「未示」，據清抄本改。　[二]今又得僧録某率檀施：某，原闕，據清抄本補。　[三]千佛心相印：佛，清抄本作「千」。

全元文卷二二一

方回 一五

建德府南山禪寺僧堂記

佛事在東南，浙右為盛；浙右，錢塘為盛；錢塘之盛，莫盛於靈隱。徑山聚其徒千五百，至二千衆，故其衆僧所居之堂，視天下無加焉。古睦號浙右名郡，然其地山多而田少，其為田秈多而秔少，其民士農多而工賈少，其風俗儉嗇務本多而浮遊逐末少。歲徵衣食租税，不如浙右一縣之盛，能以旃檀為佛奉者鮮矣[一]，故佛事在浙右為劣。虚谷居士為郡，觀蒲鞋法眼補處，及南北山道場，奇峰邃壑、茂樹清泉，固有他郡之所無。土木丹碧、鐘魚擊撞、單鉢巾履、雲輳飈集，亦無彼蘇杭湖秀之所有[二]。歲在丙子，報恩光孝禪寺虚席，諸山舉請於郡，由冷泉蒙堂延無竭禪師如川主之。始至，廩且不給，告谷曰：「吾將新僧堂。」谷謾應曰：「諾。」厥四年己卯春鳩工，秋九月立植，明年庚辰，谷為萬里役而歸，則川告曰堂成矣。谷問堂若何？曰「吾堂制一如靈隱」，谷心異之。夫以睦之為郡，素不能競浙右之佛事，而川之主斯寺也，乃能化而為靈徑之僧堂。非川能自擅其橐與夫願力足以感檀者之至，殆不能臻是也。谷於是合掌作禮，而與川言：「若有人刊鬚劚髮、田衲跌履，坐一夏、二夏、三四夏，以至八九十百夏，是可為僧否？」曰：「是可為僧。」「可為佛否？」曰：「為佛否也。」「若有人捐珠割金、賫帛擎粟，捨一錢、二錢、三四錢，以至百千萬億錢，是可為堂不？」曰：「是可為堂。」「可為佛不？」曰：「為佛不也。」「若有人盡四大部洲衆為僧，化十方世界諸珍寶為堂，以多於恒河沙數精乳香飯、無上妙味為供，供者、受供者，皆得為佛不？」曰：「為佛不也。」谷聞佛說六波羅密：一曰檀波羅密，六曰般若波羅密，而同泰之檀非也。達磨與語不契，去而面北九年，遂開中華五祖，蓋彼以檀為檀，而我以般若為檀也。川乎，僧也者，學為佛之人；堂也者，學為佛之地；領是僧、宰是堂者，學為佛之師也。是人是僧，佛不在僧；是地是堂，佛不在堂。然則其惟師乎？以身施者檀力，以財施者檀貲，以法施者檀道。力與貲有竭，而道無竭也。川其以法施者歟？試嘗問堂中僧，頂後有眼則仰見星斗矣，腦後有眼則俯見山河矣，以兩不盲者為眼則見僧於堂而已。川，淳安項氏子，叔祖肄，由舍法宰江之湖口。初肄業法眼，尋遍參諸方，嗣前住平江萬壽伊巖，師玉實，楊岐九世孫，嘗說法餘杭舟枕山。成此僧堂，無人檀相，無我檀相，無僧相，無堂相。以谷言為然，請為記。

[一]能以旃柂為佛奉者鮮矣：旃，原脱，據清抄本補。

[二]亦無彼蘇杭湖秀之所有：杭湖，原作「湖杭」，據清抄本改。

徽州東門觀音堂記

佛法入中國，自東漢明帝時始。初惟知有釋伽牟尼佛耳，其後所至僧寺，位釋伽佛、彌勒佛、彌陀佛而三之，阿彌陀、華嚴、無量壽，又有所謂諸菩薩，而觀世音有千手千眼之異，謂觀見世間音聲而往救其苦，《傳燈録》有西天二十七祖，有南華六祖，有曹洞雲門法眼，為仰臨濟五宗，而佛之徒不勝其衆矣。初惟知有《四十二章經》耳，其後蕭梁時分為三藏，至五千四百卷，曰經、曰律、曰論，而禪學之興，又各有問答喝咄，最多者龍樹之《華嚴經》，本十萬頌，中國譯傳四萬五千頌，最簡者鳩摩羅什之《金剛經》，尤易曉者莫若六如偈，而佛之説不勝其衆矣。僧之至漢地者，初惟有摩騰、竺法蘭耳，華人祝髮學佛自此始。其後始有維摩詰，曰白衣處士在家出家[一]。東晉廬山慧遠建白蓮社，許劉遺民等與會十二僧而六士，今之不剃染道人是也。又有所謂白雲宗，號優婆塞夷，而佛之小支別派，尤不勝其衆矣。徽城入東門之右，倚北向南，萬山堂之下，舊蔣氏居，其屋地甚深，今為道人任普誠所有。創外門三，施茶東西廡二，中為大殿，左鐘右鼓，奉觀世音。後為樓，奉無量壽佛。每月朔，集善士奉《金剛經》，上為九重祝壽，下為百姓祈福。本路總管通議劉公為主其事，前任僧録通議廣智沈公、僧判佛心俊辯何公實綱維之，今任僧録通智廣慧寶公、僧判正宗宏教郝公又協成之，施者輻湊。其徒孫普和、介學録楊復書來求記。余謂徽俗極美，號為江左佳郡，今則户口未富，人物殊鮮。辛丑七月十三夜之火，罄州治及城市之半，乙未九月初一之火，僅存州治、州倉、州學、紫陽書院，餘悉烏有。丙子，歸附已定，而二李之叛，城空逾月，茅葦齊簷。庚寅，績溪柯賊竊發西坑山寨，攻之半年乃下，泉口松原，相挻而起，鄉民不入城者凡兩三月。户口所以未富，坐此四變故也。予讀朱文公之書，生晚惟識其畫像，然尚及識左史竹坡吕公、吏部秋崖方公、丞相訥齋程公，其餘名卿士大夫不可勝數。今則晚進後生，豈惟不知户口之盛，雖前輩人物之盛，有不能言者。盖四變兵火盜賊也，一大變者，士類漸不以讀書為事也。惟此道場誦經供佛、感召和氣，當可免兵火盜賊之災。總管通議劉公，崇重學校之心，尤有加於崇重庵寮之心，必將使學校讀書之士，尤不少於庵寮誦經之士。彼所謂西方極樂悟苦空，此所謂天下至聖贊化育，不妨自分兩途，徽之人物，雖朱文公復生不難也。成就此道場香火，其善心之緒餘，一毛端四大海水，誰得而識之。是為記。

[一]日白衣處士在家出家：曰，原脱，據清抄本補。

臨安縣琅壁土地廟記

古宗廟之制，有七廟、五廟、三廟、二廟、一廟之異，事見陳祥道《禮書》。乃後人祭祖禰[一]，同姓之廟也。魯哀公就孔子宅為廟[二]，歷漢唐至今見《孔氏實録》。後天下皆祀之，異姓之廟也。三代時稱，學者不可不勉而學之歟。昔大德癸巳四月初一日己未奉議大夫紫陽方回記[五]。

間始竣厥事。稽考神諱炤，唐避武后改名昭。嗚呼！神之所以為神，學者敬之可也。杜少陵逸俊之起畏，率父老于□日必葺，大化更而無兵寇之患者，神之賜也。聳丹青，妥陶甓，牲酒告成，五六十年隘。淳祐乙巳，里人撤而新之，水旱疾疫，禱輒應。土風重蠶，辦香紙，署神位，歸祀。蠶大獲，憲使洪害，□宋明字景休。」而李延壽《南史》無傳，姓名見《賈希傳》中。來求記者謂神在唐封泰民侯，舊廟極人，宋世祖中書舍人，臨海王子頊敗，為亂兵所殺。時鎮荆州為參軍文集有《唐虞炎序》云：「為宋景所暴疾而歿，歿而為神。祠前有土墩掘起，即神之墓。」參之晁公武《讀書志》、沈約《宋書》，明遠，上黨曹廟於柳，皆是也。杭州路士友《新福昌鄉琅壁土地廟》曰：「此鮑參軍明遠也，因祈雨道涉吾境，感廟。生而為人，死而為神，文人才士亦然。屈三閭廟於岳鼎，昭明太子廟於池陽，張曲江廟於韶，柳儀廟、子張子夏廟次之，而澹臺子羽、列子廟，以至陳大邱十二廟，共二十一廟，天下州縣無一所而無之意為之。回讀王存《九域志》，以開封府禹廟第一[三]，倉頡伊尹廟、陳胡公廟[四]、穎考叔廟、蘧伯玉廟後遍於蜀，人心所不能忘。然古功臣有配享而無特立之廟，聖如孔子，後世以禮法廢，後君順弟子年，詔立廟沔陽，則以習隆、向充等奏，謂漢興以來小善小德而圖形立廟者多矣，後主始從之。諸葛祠無異姓之廟，蓋自此始。《蜀志·諸葛武侯傳》，侯初卒，所在各求為立廟，朝議以禮秩不聽。景耀六

[一]乃後人祭祖禰：禰，原作「稱」，據清抄本改。

[二]魯哀公就孔子宅為廟：原作「魯哀公就以孔子宅為

廟」，據清抄本改。　[三]以開封府禹廟第一：以，原作「一」，據清抄本改。　[四]陳胡公廟：胡，清抄本作「和」。　[五]昔大德癸巳四月初一日己未奉議大夫紫陽方回記：考大德間無癸巳年，至元三十年為癸巳年。存疑。

徽州重建紫陽書院記

紫陽山去古歙郡之南門五里而近，故待制侍講贈太師徽國文公朱先生，郡人也，合山與人，稱曰紫陽夫子，若洙泗先聖然，此書院之所以作，而名之曰紫陽也。始郡守上饒韓公補作書院，在南門之外，倚山瞰溪。陟其門，朱榜金書，折旋過風泉雲壑軒，拜夫子祠，趨而橫入左右齋廡中，而肄講為明明德堂，前為書樓，後為宸奎閣，而其上又為披雲之閣，閣之後最穹，為大成殿。更六政而後大備，紀有文，刻有圖，傳於世。至元十三年丙子冬，去始作時三十有一年矣。諸生綿蕝妥靈，鎮帥設險固圉，撤城外瓦屋為柵[一]，郡檄俾遷於南門之內江東道院，實古郡學遺趾也。明年建祠於道院西為外門。十五年，按察使者至，謀諸總府，以書院地與古郡學地兩易，以溪山偉觀為明明德堂，而書其顏。得向之名進士深於夫子之書者三人，前判官汪君一龍、曹君涇為之師，前堂長許君豫立為學正，相與撙縮租入，以其年冬，經始興復。賴趙君白、總府趙公謙，皆捐貲率同僚為助，而士亦醵泉相役。平窪卑亢，據亥揖巽，為先聖廟。前門後殿各三楹，而從祀之廡各倍之。講堂東西齋廡之數如廟制，而在其西又西偏，足莅重屋為三，以大其門，又別為小重屋三，面水西山，以仿披雲之莅。服具器備，以十七年仲春丁祭告成。於是諸生相與言曰：「昔之書院西向，挾紫陽山於其左。今之書院，若廟、若祠、若堂，皆南向，得紫陽山之正。學者俯而讀，仰而瞻，由是以想夫子步趨謦欬，將必有得其正傳者，庸詎知書院之遷，非風氣之所宜乎！」然回聞之，土有廣狹，勢有向背，棟宇有隆殺，儀文有盈縮，皆物也。有不物者焉。先聖有言：「殷因於夏禮，所損益可知也；周因於殷禮，所損益可知也。其或繼周者，雖百世可知也。」尚忠質文，建寅丑子，可以隨世損益[二]，曰綱、曰常，百世千世一也，則何損益之有。古之祀也，以尸以主，而後世肖形以像之。古之坐也，以席、以几，而後世高座以華之。古功臣與食於大烝，而後世享先聖也，以其門弟子及賢者侑之。漢孔廟不出闕里，許天下建原廟，以唐正觀始；唐釋奠惟侑顔子，加以孟子，自宋元豐始；宋初止有四書院，詔郡縣皆立學，自慶歷中始。近世所至有廟學、書院，而又升曾、思之侑，自濂溪至東萊，俱列從祀，而又無不專為之祠，益從今尚損與古違世也。抑所謂雖百世可知者，亦能從而損益之否乎？回嘗陟古兖之郛，觀魯之泰山與洙泗之水，而識孔林之所在。漢高祖引天下兵至，而聞弦歌之聲。魯共王欲壞其宅，而得蝌斗之書，卒全護之，歷世無恙。歟今魯也，紫陽今洙泗也。夫子之教，百世千世與紫陽不朽。士欲與之俱不朽者，其亦有道矣。文足徵也，獻足徵也。五典五禮、六德六行，待其人然後行。天地之常經，萬古一日也。

[一]撤城外瓦屋為栅：瓦，原作「凡」，據清抄本改。

[二]可以隨世損益：隨，原作「垂」，據清抄本改。

黄堂記

邵武黄氏、蘭溪范氏，皆南渡中興以來相門也。邵武之黄，其先自江州入閩。建炎初，丞相潛善薦其從孫中於思陵補官，後為紹興五年進士第二人，仕至端明殿學士，謚簡肅。端明以一澤貤其從子，曰向，累官知婺州，將視事卒，葬於蘭溪縣西七里之黄塘，因家焉。婺州之子曰六合，令皓，孫曰一新。曾孫曰居士洽，今七十有三矣。蘭溪之范，其先有大宣義者，隱深山中，其没也無它親，一鄰翁為舉葬事，而養其襁褓子至長，遂為儒，曰四少保。四子：伯推官仲，承信郎，贈少傅，叔曰處仁，紹興二十一年進士，仕至樞密院檢詳，季曰處義，紹興二十四年進士，嘗為殿中侍御史，仕至秘書監、右文殿修撰。少傅生嘉則，贈大帥蜀國公，四子，鎔至大理少卿，而鍾至丞相，謚文肅。檢詳、秘監之後，內班行、外帥守無數。前所謂黄婺州之曾孫居士者，實范丞相之從侄，秘監之曾孫，以為黄氏後者也。范丞相之長子主簿濟，其女嫁新昌王氏待制福帥夢龍之子，寡而歸，有奇訟。丁大全當國，興羅織獄，凡閫家大閥競財，悉摟以入內帑。范氏子弟無不連逮，居士雖後他姓，亦絜四子避寓嚴陵，捐田二十畝，募僧廬於黄氏之墓，扁曰「黄堂」。兵興僧竄，廬欲仆，田且蕪。居士身携幼子，歸耕老墓下。其長子應蟾客予塾，為予言顛末如此，曰「願有記也」。或謂以范後黄，姓殽。予曰：立嗣不拘同姓，漢以來然矣。或謂以塘為堂，名混。予曰：王謝里、朱陳村、鄭鄉、孟亭、韓門、蘇堤，以姓識地，或識室，皆可也。顧近世為人後者，視其所後恝如，而專意肥所生之家，孰有如居士之謹烝嘗、保松楸者乎？抑居士之堂不專在姓，蓋黄堂乃太守故事，其有意乎子若孫復婺州之舊，非耶？以范後黄，以塘後堂，權也。居士盡為後者之責，義也。黄與范，皆相門也。而望其後人克繩祖武，姑曰無墜，乃二千石之門，謙也。是可書以為記。（以上《桐江集》卷二）

江南浙西道肅政廉訪司題名記

至元二十八年春更化，夏，諸道提刑按察司更名曰肅政廉訪司。肅政者，唐御史臺之别名也。天下三大有司，莫重於中書省，莫重於樞密院，尤莫重於御史臺。省以總國政，院以治兵政，而臺有廉訪司分領諸道特隆其名曰肅政，則凡天下之為政者，皆當於此改視易聽，肅然而後可也。夫廉訪司本一道風憲之寄，而以唐之臺名冠之，可謂重矣。自檢之謂廉，泛謀之謂訪，則又合二義而加重其名焉。考典故而立名易，振風采而責實難。前乎是，提綱刑獄者，牽制於柄國之人，時則官可傎取矣，罪可傎免矣，廉訪之職可舉矣。肅其心而後政可肅，廉其身而後人可訪，此名實之説也。司置使二人、副二人、僉事四人，以分司一員監臨各路。三十年春正月中奉大夫大使東平徐公嘗任中司參大政，自吴門移治於杭，以總各路分司之政，書司官姓名于石，後之覽者，將因名以求其實云。

太平路修學記

學也者，所以養天下士之地；士也者，所賴以共治天下之人。天下士養於其地，而地有所未稱，可乎？此其責在有司。共治天下將有賴於其人，而人或有所未稱，又可乎？此則非專於有司之責，為士者不可不自盡其責也。當塗學冠江左，乃逍遥潘先生之故寓。殷序周庠，豈如他官宇可僦且貿者，坐是傾圮穿漏逾十餘祺，前總管何公琸嘗率先作興，今總管辛公仲實、總同陳公特立，總判梁公楝，皆篤意修復。會至元辛卯冬，予友朱君葵為博士，竭力起廢。肅政廉訪僉事昔班敦勉勸成，提學李公浩檄用學廪，而睨者猶以官宇為疑。梁公首為移文辨析，郡上之宣閫省府刊誤籍，而後癸巳夏秋僝工竣事。禮殿祀廡、論堂肄舍、内庭外門、先賢之祠、小學之序，俎豆什器，帟庋庖湢，罔一不舉。楹桷户牖，朱丹黝堊，上蔽下甃，塗塈煥飾庀役。十有五旬，公給私助縻楮幣緡五千、米石百五十，既而總府宣差公獨爾迷失自省還任，尊經閣之後曰復禮堂者，又撤而新之。

士之養於此地者，亦可少塞有司之責矣。士之責宜如何？學晳齋四郡先達陳公鈜更名，其一曰「致知」，行臺治書侍御史李公處巽篆其扁。性無有不善，學不可無師，故《中庸》有率性修道之目。

學莫患於知不至而意徒誠，故大學欲先致知，而後誠意。生而知之，學而知之，見而知之，聞而知之，皆知道也。而知道之端不一，《易繫》仰觀俯察，知幽明，原始反終，知死生，精氣遊魂，知鬼神之情狀。吾夫子知損益，知百世，又欲知命、知禮、知言，孟子知性、知天，又自謂曰我知言，皆知道之謂也。天地之間物有則，事有理，必知先儒所謂考察求索，於其然究其所以然，窮其根，造其源，由粗會精，因頴悟微，悠久積累，融液貫通，是非邪正，窮達進退，了然於胸中，而後可以誠意，行其所知。否則小技以為巧，異端以為高，黑白薰蕕混殽雜揉，知不至而意徒誠，猶之不知路而以誠趨之，必迷；不知藥而以誠餌之，必危。是故致知以知道，如郛之有闞，闞之有閾，越此闞閾，可為賢人，可為聖人，共治天下將有賴於斯人。扼此一界限而不能度，不名為人。士不可不自盡其責者，此而已矣。雖然，行而不知，罔也，知而不行，惰也，無罔無惰始之終之，事也，敬也者，又所以貫乎始終者也。博士上饒人，與予講此熟矣。新養士之地而新其所養之人，此新民平天下之道也，有司學士宜交盡其責焉。

釣臺書院清風堂記

清風堂者，桐廬郡釣臺書院之講堂也。凡郡縣學講堂曰明倫者多矣，而此獨曰清風者，何也？孟子曰「伯夷聖之清者也」，又曰「聞伯夷之風者，頑夫廉，懦夫有立志」，子陵先生其庶乎伯夷之清風者乎。伯夷父孤竹君，武王父西伯。子陵西都老儒，光武南陽宗室，均北面事人者也，故等夷耳。商無紂，武王不得有天下，太公望焉得而封於齊，周公旦焉得而封於魯。漢無莽，光武不得有天下，鄧禹可平世文學椽區區侯霸，而可三公乎。萬乘之主乘其時，權也。一介之士守其志，經也。伯夷寧殺身以成仁，欲明萬世君臣之倫者也。子陵不屈道以伸身，欲明萬世朋友之倫者也。一為龍逢、比干，一為巢父、許由，無以時易志，無以權廢經。望旦裂土，禹霸秉鈞，心有所不安則不為之，而豈有意於清其風以聳動乎天下後世之觀聽者哉？首陽之山，富春之瀨，清風不殊，萬世永賴，皆所以明人倫也。初作堂為是名者，前郡守趙與歷。捐私帑重建堂者，郡人山長駱正大、方文豹，而前郡守方回為之記。

徽州路修學記

盡其力以興學易，盡其心以講學難。土木宮室之學，學之地在人力。性命道德之學，學之天在人心。盡其力於學之地者，猶幸而有其人，而盡其心於學之天者，常患於無其人也。今庠序遍天下，至聖文宣王冕十二旒，服十二章，大成殿納陛十二門戟二十四，侑食從祀爵公侯伯，近世加以治鑑史經世數二賢，又加以周、二程、張、朱文公、張宣公、吕成公七大儒。師有寢，生有館，書有閣，膳有庖，此土木宮室之學，天下之所同也。獨徽學先聖殿之左，又專為吾徽國太師文公祠，異乎天下之學，何也？文公邦人也。回枌榆晚出，諸生俾記學之所以垂弊復興者。運逢因繼，蹂為營屯，論堂肆舍，以革以鼎，而罍洗俎豆三獻分獻之區、廟之東西廡、内屏外闔，仰穿俯蕪久矣。今則一旦塑像繪新，龔斲密荆榛剗，丹雘俢塗，平楹直如砥如矢。總管府使君真定侍其公同朝愛民而禮士，盡主維之力。鎮守府使君廣平成公弼整軍而禮士，盡贊成之力。教授鮑君壽孫與正録而下，發廩割俸，裒貲醵材，盡經營之力。仲夏鳩工，季秋竣事。殿之右再創周二程張祠，增祠廣漢、東萊，吾文公舊祠名藻加嚴。雖然，此學之地也，垂弊復興，盡其力也。性命道德之學學之天，諸生亦嘗講聞否乎？吾徽學專祠吾文公，豈私於鄉先生乎？自羲畫以來，有孔、顏、曾、思、孟之言，不可無周、二程、張之言，吾文公陟衡嶽，沿婺渚，參考互訂，無一[illegible]無論著。由吾文公之言，上達於周、二程、張之言，又上達於孔、顏、曾、思、孟之言，心學也。吾文公於《中庸》首章具言之。此心未發，人所不睹，己亦不睹，人所不聞，己亦不聞，以敬存養，而非寂滅之浄，于以涵位育之全體。此心既發，人所不睹，己則獨睹，人所不聞，己則獨聞，以敬省察，而無過差之動，於以充位育之極功。所賦之命、所受之性、所由之道、所得之德，粹美不雜，渾完無虧，學者於斯而不盡其心可乎？乃歌曰：刻我石，學之地，我既我力。肅爾衿，學之天，爾既爾心。

潤學重修大成殿記

至元二十九年九月初一日

堯舜以執中之學傳，後聖夏商周三代宗其道，享國垂二千年。孔子以求仁之學傳後人，漢唐宋三代宗其道，享國亦逾千年。天之相斯文也，既生孔子於前，以集先聖之大成，又生朱子於後，以集諸儒之大成。故學之大成殿祀孔子為先聖，從祀之廡增三十四人至朱子而止。然孔子之後逾百年，復得孟子，而異端闢。今朱子之後亦將百年，未有可以從祀大成者繼之也，則吾道之無傳，豈不甚可憂哉。

宣城昌君士氣分教潤學四年，而僅一稔適□□□□寬耆下學廪出入勿會計，以其贏修凡學事，遂修大成殿，始壬辰仲夏，訖仲秋，貽書紫陽方回請記。謂南渡學燼於火，始創中緝終繕者，程公邁、劉公子羽、吴公潛力也。又自耆工若財之數，以為佛老之宫布天下，搜環究奇，郡國不過一孔廟耳，而坐視頹圮。回竊謂今瞿聃之徒外熾内微，政不足與之較也。夫不以吾道之無傳為憂，而以宫廟之劣於二氏可恥，將競其文，不競其實乎？學堯舜者必自孔子，學孔子者必自朱子。孔子之四勿即精一之傳，仁之全體也。朱子以為心之德、愛之理，當理而無私心，則仁在是矣。是故鬭穀於菟之忠、陳須無之清，皆不得為仁。二子之行迹也，未知其心，果出於天理之公歟，抑人欲之私也？所以由、求、赤之事功，而皆未以仁許之，世固有所立甚偉，而心不仁者。仁矣而日月至焉，或在或亡，亦終不與傳道之科。然則孔子集先聖之大成，顔克、曾省、思修、孟養得其傳。以氣論性之學、箋傳註疏之學、論譔詞章之學，少醇多疵，失其傳。惟周二程張，再得其傳，而朱子翼以張吕，集諸儒之大成，傳至於此，亦盛矣。庠序飾而燈火微，方册具而弦歌絶，小慧立異，邪見生疑，吾凜乎懼斯道之再失其傳也。噫！堯舜之中、孔子之仁，有人心則有道心，古今一也，而敢以無傳少來哲哉。鄒耆兩無有之嘆歷千四百年，而濂洛興。揉氣質變習俗，至睂至道，躋世太平，將以是望天下士，不特潤之士為然也。是役也，廉司總府主維甚力，代官徐君碩至之七日同告厥成，其勿替引之。至元二十九年九月初一日記。

重建成信侯殿記

托孤之難，未若立孤之難也。幼而長之，蒙而訓之，宗祏危而安之。托孤固難，死而生之，滅而興之，血食絶而續之，立孤尤難。周成王十三踐祚，姬旦攝政，四國流言，七年而復子明辟，此所謂幼而長之、蒙而訓之以安其宗祏之危難矣哉。夏羿浞之變，后緡方娠，自竇而逃，一成一旅，遺臣靡立，少康不失舊物，此所謂死而生之滅而興之以續夫血食之絶，不亦難之尤難者乎。是故漢霍光擁佑昭帝，可以謂之托孤矣，保養幼主功為大，不如丙吉張賀之有恩於宣帝，始可謂之立孤。垂死而生，幾滅而興，德為大。今廣平府故洛州肥鄉縣，春秋時立趙孤，近世封成信侯諱嬰之里也。周簡王之三年，晉景公時屠岸賈攻殺趙同、趙括，趙氏盡矣。而趙武者，趙朔之庶子也，侯與公孫杵臼匿而藏之，後祈奚、韓厥言於景公，復立趙武。《史記·晉趙世家》、《春秋内外傳》、劉道原《通鑑外紀》所書不同。然成季之勳、宣孟之忠，若一髮懸千鈞，迄至於有社稷，不墮厥緒者，誰之力歟？肥鄉之程侯也。則肥鄉之人祀之，又豈止一鄉一國之善士歟？侯之廟在南方甚盛，曰祚德，封爵不止於此，而肥鄉如故，南北異也。侯之後世居肥鄉程君玉，欲新侯廟不果，蔣君思為玉養子，繼父志一新之。穹殿四楹，雕飾完美[二]，元貞初元季秋鳩工，期年落成，用中統楮幣為錢百五十萬有奇。其里人省郎王君英為求記，而金玉總管府副總管姚君文龍、省宣使程君起宗，俾予書之。夫食人之禄，存亡繼絶，忠臣也，程侯宜書。為人之後肯乃堂稷孝子也，蔣君思亦宜牽聯得書。是為記。

[一]雕飾完美：雕，原作「肸」，據清抄本改。

四峰堂記

天地人之道，易而已矣。易，變也，有變有不變，有易有不易。不易不變，其體也。不容不易，不容不變，其用也。以變訓易，易難知，而變不難見也。天道陰陽，陰變陽，陽變陰。地道柔剛，剛變柔，柔變剛。人道仁義，仁變義，義變仁，故曰易變也。而曰有變有不變，有易有不易，何也？天圜而動，北極居北，南極居南，北斗以杓指四時，二十八宿為日月五星之次舍，萬古不易者也。一晝一夜，天行三百六十五度四分度之一而又過一度，為歷法者歲久必差。寒燠雨暘，旦暮而異，福善禍淫，若有物焉，則天道之變易者也。地静而方，九州四海，五嶽四瀆一大，塊為土，濕為水，燥為火，堅為金石，秀為草木，萬古不易者也。山有崩落，川有移徙，潮汐有盈虚，土壤有肥瘠，頑石出水，大阜生雲，倉廪梁棟始於芽甲，鳥獸魚鱉孕育無窮，則地道之變易者也。於是天地之中有人焉，君君臣臣父父子子，長幼有次第，匹偶有夫婦，講習有朋友，萬古不易者也。皇而帝，王而霸，忠質文異尚，子丑寅殊時，以瞽鯀為父而有舜禹，以堯舜為父而有朱均，太公伐紂而夷齊非武王，比干諫死而箕子、微子歸周，孔孟不得位，顔夭原貧，盗跖横行，儀、秦詭辯，亭長取天下，屠販侯王，多欲雜霸，苟且為治，黨錮於東都，老莊於晉，佛於齊梁，詞章於唐，世異事殊，千端萬狀。君子於此内學外行，斟酌寛嚴，劑量損益，語默屈伸，進退出處，將有為也，隨時不同，則人道之變易者也。是故古之聖人作易，預知天下後世之變，畫為八卦，重為六十四卦，析為三百八十四爻，揲之以蓍，一卦有六十三變而一不變；始于伏羲，中於文王周公，終於孔子。俾天下後世，於是易也，不占而静，則觀象玩辭，可以窮理盡性；占而動，則觀變玩占，可以避凶就吉。嗚呼微矣。《易》之《説卦》有曰「天地定位，山澤通氣，雷風相薄，水火不相射，八卦相錯」。説者曰此伏羲卦位也。又曰「帝出乎震，齊乎巽，相見乎離，致役乎坤，説言乎兑，戰乎乾，勞乎坎，成言乎艮。」説者曰此文王卦位也。伏羲之卦位以明夫天地大全之易也，乾南坤北，天上地下，離東坎西，日生月出，艮兑震巽各據一隅，不變也。地天交泰，水在火上既濟，澤山咸，風雷益，交互相資，則不容不變也。味八卦相錯一語，則知天地之全易，變而有不變焉，不變而有必變焉。文王之卦位以明夫四方、四隅、四時之易，專指地而言，而天之氣行乎地中者也。震離兑坎東西南北四方，以指夫春夏秋冬之四仲也。乾坤艮巽四隅，以指夫四時季孟之交也。四方四隅不變，四仲、四孟、四季，則八卦流行為八節十二月二十四氣，而後庶物備、歲功成。味出震成艮等語，則又知地中有天之易，變而有不變焉，不變而有必變焉。睦之分水王氏世宦達，徽猷閣待制葆真先生諱升，以布衣受山陰陸公佃奏薦至從官，深明易學，逆知靖康陽九之厄，所著《易解》，寓以微言。五世孫森林叟，世其先業，得辭變象占之四道，林叟又築讀《易》之室三間，據西北，面東南，乾坤艮巽，四峰環於户外，因扁曰四峰堂。然則此文王易之四隅也。小而言之，一室之乾坤艮巽耳。大而言之，則西北乾晉，西南坤蜀，東北艮燕，東南巽吴。又大而言之，則晉之西北皆乾，蜀之西南皆坤，燕之東北皆艮，吴之東南皆巽，地皆數萬里，震兑離坎四正之位皆然。天地至廣，未可以小觀也，然不於其形於其理，則小可以知大。林叟歸而求之，四峰之突焉而起，與四峰之間窪焉而平者，八卦之位也，不變者也。以理求之，則出齊見役説戰勞成，春生而夏長，秋收而冬藏，少陽而老陽，少陰而老陰，時變也，氣變也。吾之此生，觀四時四氣之變不能百年，少變壯，壯變老，歲八卦變而天地之功成。吾齒髮屢變，而猶不為聖賢之歸乎？守道知命，法易之不變者，應事物，察時義，法易之不容不變者，易之全體大用在吾胸中，運之而已。嗚呼！微哉！

叢書堂記

多藏書而不善讀，雖萬卷吾以為不足。善讀書而不多藏，雖一卷吾以為有餘。李繁之書萬卷者三，書之多者莫如也，新若未觸，見嗤當時，為父家傳，誕而不實，則豈非多藏而不善讀者乎？張良之書一卷而已，書之少者莫如也，僨秦蹶項，為帝王師，功成身退，漢庭一人，則豈非善讀而不多藏者乎？同郡友人黄君宣字仲宣，卜築歙城之東山，以叢書名其堂。叢之為字，始見於《易》，其在韻書訓之曰聚，乾卦之「方以類聚」、萃卦之「觀其所聚」是也。叢天下之書而聚之，是謂藏書。藏而不讀，不如不藏；讀而不精，不如不讀。前史所志藝文經籍，一寒士之家焉能效其萬分之一。匡衡鑿鄰壁而讀，猶有書也；王充游書肆而讀，則並書無之。是故多藏不如善讀。按叢書之名本韓退之語，然退之始遊京師，所携書止一束耳，未見其為叢也。其《進學解》自叙謂口不絶吟，手不停披，記事提要，纂言鈎玄，則讀書之法也。沉浸醲鬱，含咀英華，作為文章，其書滿家，則讀書之效也。有所觝排攘斥，則屈所當屈。有所補苴張皇，則伸所當伸。旁有所搜，則諸子百家之長。遠有所紹，則七聖一賢之説。崇正黜邪，障頽繼絶，昌黎所謂讀書如此。漢唐以來一人，學者仰之如泰山北斗。書云書云，徒叢云乎哉。嗟乎！聚必有散，世之好聚帑庾財賄者，往往有悔。聚名畫，聚法帖，聚難得之書，亦雅道之一癖。近世衲子號曰叢林，得其師一指禪，用之不盡者，吾聞其語矣，未見其人也。予雖老，與吾仲宣尚皆勉之。

全元文卷二二二

方回

一六

野塘記 為王御史作

古之君子必素有可耕之資，而後以其所負出而應乎人。天下國家之用，合則進，非謂缺於口體衣食之奉，而饕其禄利也。不合則退，故雖屏居畎畝，亦未嘗有饑寒乏乏之憂。伊耕莘，葛耕南陽，三聘三顧而後起，不輕就也。使非有湯、先主之遇，亦退而耕耳。顔淵貧，未至都無可耕，聖師不可為吾何為，故終於不出。陶元亮貧，亦尚有可耕，故嘗試一出，知其不可為也，而終於處。後世之士苟有可耕，如伊葛之得所從捨其耕，如顔之不可出守其耕，如陶之出而不可久返其耕，無若彼蘇秦然，徒以無二頃田之故，能取六國相印矣，而不能退也。嗚呼！井田廢而孤寒之士生，不能有一犁之土，苟求而幸得，啗餌而迷穽，無亦惟是以一飯誤千金之軀，痛哉！行臺監察御史膠東王公庭弼邦直，學者以野堂先生稱之，今觀龔學古所繪圖，乃野塘也。御史嘗長均房帥幕十餘年，而後入言路，第見其廉於進取如此，不知其家有良田在沂水之上，野塘與田接壤，其廬之堂有曰萬卷云者，有曰歸老云者，蓋其志欲退休而讀其所藏之書，良以素有可耕之資，可以仕亦可以無仕，不專以仕為急也。紫陽方回久與御史同官新定，偉其意，題其圖，為之歌曰：野塘之水兮其色油油，以畜以泄兮灌我良疇。弋有鳧雁兮盟有鷗，我出而仕兮可則進。脱如不可兮還我鋤耰，水之上兮山之下。稷黍棗栗兮野塘之塢，秋收其實兮於粲滿筥。車既脂兮馬不前，退而家食兮孰予敢侮。我思野塘兮緊古之沂，有懷其人兮瑟聲希。可由求赤兮賢寧不睎[一]，登之廊肆兮佩玉黼黻。否則豈無春服兮，咏雩風而與歸。

[一]賢寧不睎：睎，原作「希」，據清抄本改。

止所記

金華吴君功甫分教鹽官，與吾宗方君韶卿同里，相遇武林，邂逅談咏，知功甫讀書之室曰止所，因共紬繹止之所、止之義、止之時，而回次叙其文記之。《詩》止於思無邪，《禮》止於毋不敬，《大學》之道在止於至善，故君臣父子各有當止之所。然有止之義焉，有止之時焉。義者心之理，當止而止，則一武不可過，一毫不可不及，此心之規矩準繩也。時者身之位，當止而止，進退去就，視可否而立則，酌輕重而制中，於是心之理，著而為應事接物之權衡。是故聖人於《易》曰「艮其止，止其所也」。斯言也，兼心之理與身之位言之。乾兑離震巽坎艮坤，錯綜上下，一卦有六十四爻，凡卦之二而遇六爲柔，得位而中，凡卦之上爲過高，無位而多悔吝。離震以柔爻居二者，八不皆吉也。獨艮之居二，八爻皆吉，足以敵坤。遯用黄牛，咸不隨腓，旅之得，小過之退，漸之磐，謙之鳴，純吉無瑕，如蹇之匪躬，重艮之不拯，又有忠臣直士，正義不謀利之志。山立屹如此，其故何也？承剛順君也，履柔納下也。身之所處當位而得中也，此出仕之臣，得位者之艮止也，吾功甫是也。六十四爻之上，乾猶戒亢，惟四爻吉，坤猶憂戰，惟二爻吉。獨艮爻在上，處乎事物之外，以止爲體，無求無競。大畜之天衢，損之得臣，賁之白賁，頤之由頤，蠱之不事，剥之不食，蒙之擊蒙，重艮之敦，艮八爻無不吉者，此致仕之臣，去位者之艮止也，不肖回是也。然則一定不易，心之理，止之義，其邦畿千里，維民所止之止乎？萬變不同，身之位，止之時，其孔子仕止久速之止乎？内不爽於心之理，外常察乎身之位，各當其所止。所哉所哉，止之時義大矣哉。

普同塔記

至元二十四年五月二十六日

人自其一身以至一髮一毛，皆中虚而外實，包天而肖地。其體四、其骸百、其臟五、其腑六、其竅九、其脈十有二、其俞穴大谷小谿三百六十有五，無不虚貫實而實輔虚。虚爲天之流行，實爲地之凝結。總言之，心之虚最靈，爲清、爲明、爲神、爲聖，位乎身之中，而身之實者，以其重厚沉濁之質，囿於其外。天虛地實，相依附而生，虛者還天，實者還地，厥初之妙合者，相離焉則死。古辟王作，深察夫死生之際，智不去惡，力不全愛，實中之虛，根理成性，吾與庶民同乎此。受者既已還為天之太虛，虛外之實孕氣成形，雖要其終必還為地之積土，而非假以久遠，則猶弊而未腐，毀而未泯，由是制為邱壟掩埋之法，安厝封樹，各私其私，此人道之終事也。世季俗奪，或不皆然。錢塘故大都會，承平時城東西郊日焚三百喪有奇，月計之萬，歲計之十二萬。畝一金而歲欲十二萬穴，勢不可，故率以火化為常。宴笑佚游，朝居華屋，疾病奄忽，暮畀烈炬，孰不痛怛於斯。一旦有出乎意表者，又大不然。吳芮遠孫貌𢢦有似樊崇，暴黨事極報烝，其為痛怛，抑又甚焉，則與其不忍於凌陂之歌曾，未若儕之綿上之融風也。三茅寧壽觀道士三山劉祖華，其亦悟夫理性形氣之虛實，人我不殊，捐私泉易地十畝於西湖之赤山，為石塔曰普同之塔，高廣深各丈有二尺，界乎其內，納凡既燎者之骨，其徒居左，餘衆居右，惟革除鼎布以來胤嗣於其所先，配儷於其所偶，輿僕於其所事，交朋於其所知，蓋有訃而莫臨，暴而弗殣者，不止蔗節瓜犀之感，獨此之得其所托，獲沾寒食之酹，若表南陽之阡，豈不亦仁人之所為哉。雖然，虛還天以廟饗，實還地以墓藏，禮也。厚藏為過，不墓為不及。浮圖之甃而茶毗之歸，自釋氏始，本非中夏之令典，自老氏者亦不得已折而從之，予自孔氏又為之文，悲夫！祖華儒而隱於黄冠，求予文者，其從父汝鈞，予詩友，予為紫陽方回。塔成之年至元丁亥五月二十六日記。

聖泉亭記

泉何以名聖？龍為之。龍何以能聖？泉為之。夫人之所知也，而惡知夫氣脈之有會聚歟？而又惡知夫精神之有感通歟？建德縣卜君元英為令尹六歲矣，歲告稔，惟玄默敦牂之六月不雨，七月戊午朔，郡徧走群望。壬戌之夕，令尹偕尉王濟陟烏龍山，民遥見陰蘿幽嶂間炬火魚貫上，烏道縈折，星明螢滅，至明旦乃始知長吏躬迎聖泉得古禱應上公之遺意，有志乎民而然也。又明旦甲子大雨，雨始盛，令尹適與前太守方回遇，言夜半至山龍所居泉，所潴狀，而未以雨為足也。既而尉送泉還山，有片木出古湫之底，取視，則昔人所書聖泉二字，亭腐而扁淪者，令尹乃議復其舊而識之。丁卯處暑，癸未白露，而至再至，三至，四五民庶其無饑矣乎。今夫泉成聖於龍，龍養聖於泉。崖洹不減，川溢不增，其處也德聖。挹彼而雲，注兹而霖，其出也功聖。龍以泉隱體，而泉以龍顯用，其相為聖也如此。抑龍所以樂此泉，匪山曷凝？泉所以嚮此山，匪人曷格？山巍然甲一郡，内坎外艮，得蒙之聖，氣深脈厚，靈物憑焉。人萬物之靈，心之精神是謂聖，信則感，誠則通，甘澤降焉。求諸泉，求諸龍，又博求諸山，而後知神宫奥宅繇元造之所鍾然。又必返求諸人，而後知山有泉，泉有龍，非此之靈足以交於彼之靈，則所謂聖迹者將韜晦遁藏之不暇，豈凡心之所能動哉。嗚呼！厓漱不盗，孺纓不濯，廣以貪病，永以愚惡，吾無以議為矣。瀵然同流，泛然側出，不如吾之泉，不忒其則。温泉冬湯，冷泉夏雪，不如吾之泉不變其節。鹹泉熬鹽，淡泉化鐵，不如吾之泉可以澡三伏之烈。酒泉致醉，醴泉愈疾，不如吾之泉，可以豐百昌之實。磊斯山兮泓斯泉，曷為而聖龍所淵。復舊亭兮識豐年，後有禱者尚勉旃。以迹求聖良獨難，惟人孔靈心即天。

新修建德縣記

今建德府本漢丹陽吴郡之分地，吴割富春縣置建德縣，自黃武四年始。時已割歙縣置新都郡縣，猶隸吴郡，晉宋因之，梁隸東陽郡，隋廢唐復。初置睦州、嚴州，睦治雉山，在今淳安，嚴治桐廬郡縣隸之，自武德四年始。七年嚴廢縣省，後復為縣，隸睦州，自永淳二年始。又其後徙睦州治建德，自神功元年始。歷錢氏及宋，復號嚴州，而升州為府，則又取縣名以媲之，蓋縣先州而有府，因縣而名，可謂古縣也已。縣故有唐進士張秉所撰縣碑，紹興中郡守董公弅重修縣志，謂碑已不存。庭中大樠樛枝密蔭幾千載物，賢令岑公象求有詩，亦近三百載，詩與樹今俱存也。夫以甚古之縣，其興廢不一矣，書事之石，當存而不之存。其歷世之戰爭攘奪，亦不一矣，一木之種、一咏之發，意未必長存，而乃相與俱存，則今縣尹卜君之修營肸飾，與予之紀識，可以存可以無存，皆未可知也。至元十四年歲在丁丑夏四月君視事，軍南趨北還，過城下未息，市里戞戈鎧聲，縣間宿止大將，垣缺藩拔，馬牛羊豕穿房序，胥曹訟卷訊，犴鞫械徙它所。朽桷腐瓦卧草棘什五六。君心經意緯，圭�櫕植顛，率屬勸甿，乃大興役，十七年十一月訖明年正月竣事。予過其外，重門耽然，層樓翼然。望其中，靚深整嚴愈於曩，俾司工者枚之以間計六十有八。近民、道愛、清白三堂，仍故扁，存古也。君法當更代者弗至，先嘗考學宮矣。復棟是宇，是其用心所存，抑又古也。是可以傳遠無疑，而不知予之文將如張碑之易泯乎？或亦可如岑詩之與樹俱永乎？勿剪勿拜，存乎人心，而予之所以托斯名也。君名元英，將仕郎，董視簿邊君完，將仕佐郎，提總宣差君合剌，進義校尉。

務本堂記

元貞元年

古之民有四，而士出於農。治國以士為本，富國以農為本，工商亦國之所資，末矣，而非其本也。後世於四民之外，奇衺譎觚，惚恍謬悠，加以佛老之徒而六，捨本逐末者争趨之。今夫通都鉅邑，或數萬户無弦誦聲，兒女子不識耒耜機杼為何物。怪僾異倡彈絲吹竹，蒼頭廬兒連駟列騎，灑削鼎食，馬醫擊鐘，肆侈齊姜，僮多邛卓，空青丹砂，象齒翠羽，氍毹犀珠，璧玉綺綉，眩麗耀珍，誇眥崇賄。田畯生而罔識，與褐之父睨之，乃若萬緇千黄，鉛墀珠宇，匪織匪犂，解衣精饌，果報談三身，敷落演五天，求福田利益，覬羽化超昇。其淺者，梵唄魚螺，符呪鉛汞，奔走王侯，脱傜遁賦。飭材者竭藝，通財者傾帑，錢鎛沾塗，韲鹽酸冷，則亦剃祝簪戴從之，苟以飫粺養慵，是孰使之然哉。雖然，此特吾南方近歲之所見爾，中原風俗殆不其然。濟南古郡，天下耕桑詩書務本處也。章邱之翟氏昆季三人，長居正定甫，次居禮節甫，次居中道甫，高昭曾穆，畎畝膏腴，師矩友規，燈火方册，上奉二親，下教諸子，惟本是務。農以耕桑為本，而勤儉又耕桑之本。士以詩書為本，而孝弟又詩書之本，此其一心一身一家之本。則然要其極，宗廟邑都非士不治，粢盛倉廩非農不富，豈止一家之本而已哉，乃國於天地一世之大本也。今六合一貫，幸遭逢崇本抑末之明時，務本者可以勸矣。若夫錦川綉江之間，嘉山秀而清泉潔，美木茂而芳草馨，濟南故多名士，當能與四方之士大夫登堂而賦之，他日有繪斯堂為圖見示者，予亦或援筆焉。元貞改元乙未歲在大火蒼龍心一度謹記。

問道亭記

致知之學始於問。問一事知一事，問一物知一物，以問為耻，則容有一事一物之不知。天下萬事萬物不勝其多也，欲枚而問之，不亦難乎？道一而已矣，貫乎事物，是故不如問道。然問道尤難也，非問道者之難也，必有知道之人始可以答未知道者之問，而世之知道者未之或見也。古之知道之聖人至孔子而極。《易繫》曰「一陰一陽之謂道」，又曰「形而上者謂之道，形而下者謂之器」。臨川氏不信大傳，以下一句排上一句，謂陰陽非道，乃形而下者。永嘉葉氏不信大傳，略不詳上一句，謂道者陽而不陰之謂，一陰一陽非所以謂道。此二人於文意尚有未通，焉得知道？惟明道程氏曰：「一陰一陽之謂道，道非陰陽也。所以一陰一陽者道也，如一闔一闢謂之變。」吾新安朱氏縷析此語，謂陰陽是氣不是道，所以為陰陽者道也，一陰又一陽循環不已乃道也。故《説卦》有曰：「聖人作易，立天之道曰陰與陽，立地之道曰柔與剛，立人之道曰仁與義。」天以氣言，地以質言，人以理言，其曰與者，三陰而又陽，陽而又陰，柔剛仁義亦然，猶一闔一闢之説也，此其所以為道也。子思曰：「率性之謂道，人與物皆得天命之性，率是善性斯之謂道。由於氣而汩其性，人所以有愚人偏於氣而戾其性，物所以有惡物。」子思之言尤精。孟子曰：「夫道若大路，然可行之謂通衢，斯之謂道。不可行為旁蹊，則非道矣。」孟子之言亦精。昌黎韓氏先言仁義，然後言由是仁義而之焉之謂道，道也者行仁義而已。斯言亦當。前聖後賢言各有指，體用兼該，本末一貫，乃如老氏所謂有物混成先天地生。言體而不及用，其謂失道，而後德架虚鑿空，非所謂道也。釋氏之徒言有物無形，認心為性，并本體而失之。其謂六道輪回，肆誕聘罔，非吾所謂道也。嗚呼！斯道也知之而以修己教人為聖賢，不知而日用之為百姓，無所知而妄言之謬行之為異端。休邑趙君彌忠隱居樂道，藏息之所有曰醒心者，有曰風雩者，有曰翠侍者，所從入之途築一亭曰問道，意有所欲造步不可不進，行欲有所適取不可不審，此所以有道之問歟，答之者誰歟。問鑄金得鑄人，問足所涉之道，而悟心所求之道，僕雖晚學敢不誦所聞發之。

徐氏道悦堂記

君子之道一，而有不同焉，非道有二也，論道之與行道，不同也。今夫勸人以農，隴桑畎麻植採紡績，如是而温；澤稻陸粟耕耨斂穫，如是而飽。孖竭此力則孖享此奉，非徒欲誘之而為是説也。至如農之為農，筐筥機杼耒耜錢鎛，凡衣食之源，非不舉室終歲效勤致瘁，而温飽者百不二三，然亦卒無所歸咎，而不敢赭其園、蕪其田，弗復藝蒔，此其故何也？勸人以農，論道者也，論道者原其常；農之為農，行道者也，行道者通其變。昔者子思子論誠，孟子申之以教，夫子之居下位者，信於友獲乎上以治其民，終事也；明乎善誠其身以悦其親，始事也。此猶勸人以農，兼脩為效驗而言之，為人子而知此道，則不當有一毫為利之心。處焉而家，盡其在我；出焉而官，盡其在人。置身於規矩準繩之中，養老於温清定省之際，此己之所當為。《離騷》之歌、黨錮之傳，叔季接迹，持閨門之行，而覬朋好之游。談千鄉黨之譽，而想軒墀之步武，苟萌此義，則世之是非黑白未可知也。譬之農，豈惟雨暘不皆時若，而有豐歉之異，抑亦賦役獄訟出於吏而所以梗夫農者，其故萬端，農之道非不盡，而饑顛寒踣者比比，此固非農之罪也，而亦豈勸人以農者其説有所欺於我哉？桐江徐子愚以前上舍教授上饒而歸，嫡母太夫人許氏年八十有一，名其戲彩之所曰道悦，予於是設為農説以記之。熙寧中黄魯直教授北都七年，陳無己元祐中連為徐潁州教授，當是時，有子愚家仲車先生者舉進士不仕，後起家教授山陽。三鉅公皆嘗以冷官奉母，黨論興，正途塞，卒皆不居公卿之位，豈非良農之水旱者乎？子愚名晞顔，年逾知命，有八男子，家不為貧，季路米、茅容鷄，顧易具也，是穮是蔉，將必有吹噓而上之天者。（以上《桐江續集》卷三五）

孚舟亭記

亭以舟名，亭之肖乎舟者也。舟以孚名，《易》兑下巽上之卦，曰中孚也。兑為澤，凡天下之水皆是也。巽為風，為木。水上風行而木浮焉，乘舟之象也。以二體觀，二五剛，得中而實。以全體觀，三四柔，居中而虚。卦之六畫，亦舟之象也。然則何以謂之中孚？孚者，信也，誠也；中孚者，由中之誠信也。巽居上以誠信順乎下，兑居下以誠信説乎上，相孚之義也。《易》有畫則有象，有理則有義，象則舟而義則孚也。孚之為字，上從爪，下從子，兼有象羽禽以足轉所卵而煦之，如巽兑之相孚，時至而啐殼出雛，誠信之至也。是卦也，中虚者誠信之本也，中實者誠信之質也。莊子言虚舟而謂無心，老子言車器宫室而謂當其無之之處為有用之處，彼蓋不知虚實相維之道，於吾儒之易未始有闘也。非實則何以為外輔，非虚則何以為内容。兑以上之一畫，巽以下之一畫，合而成虚，為舟之腹心。巽以上之二畫，兑以下之二畫，對而成實，為舟之首尾。上不以誠信順乎下，則何以格下？下不以誠信説乎上，則何以從上？象也。巽順兑説而彼此感應，風動澤受而内外交際，義也。或問予之作是亭也，將以玩春華、延秋魄耳，而揆夫《易》之孚舟以為名，不已迂乎？雖然，予嘗為區區之衣食謀，南浮沅湘，北泛濟泗，大河長江、洞庭彭蠡，粤之海，蜀之峽，吴之震澤胥潮，無不至焉。當其急，黑飈雪浪，桅仆柂傾，與垂涎摩牙之蛟龍争一絲之命，蓋瀕死者屢矣，而每幸免，是必猶有誠信一念可質鬼神，故未嘗無險難而卒無患，未嘗無困乏而終無憂。自今以往，坐卧於孚舟之亭，念念思之上、法巽順、下參兑説，人以誠信感乎己。己必以誠信應乎人；己以誠信感乎人，人亦當以誠信應乎己，此觀象玩辭之事，不敢不勉。若夫揲蓍諏筮，而成小過之卦六爻皆變者，則當以此卦驗諸身，而玩其占焉。世有知易君子，當以予言為然。

建德府兜率寺興復記

佛法入中國以來，僧吾齊民，寺吾勝壤，日以益夥，吾未易數計。然其法不過析而為三：有禪僧、有律僧、有講僧。故其寺亦三：曰禪寺、曰律寺、曰教寺。古兜率寺建於唐中宗時，後為蒲鞋陳尊宿所居，亦禪也。而其徒或牓曰團寺，問之則曰團者聚也。敬天下之所同敬，尊天下之所同尊，自斗食以上官若吏聚於斯，未仕而為士已、耄而為父老聚於斯，與夫奔走百執事工伎倡優及凡祝髮者皆期而聚焉於斯。蓋吾儒之説，古聖人禄位名壽，一本於德，而佛者之説，則謂佛之願力甚大，人之精神無所不通。隆棟邃宇，蓮其座奉三大像，如君辟之殿，墀之下班列行分，如群下之會朝。於焉虔祈莊禱，是可以降休隤祉，遂臣子葵藿之願，當其效華封人之祝，而舉嵩岳之呼，豈不鞠躬跽息、舞手蹈足、扣額稽首以請。振揚梵唄，鳴擊器用，焚膏爇燭，熏然馨香，恪儼震肅，日就天臨也。是意也，潦水澗毛，尚可以羞神明、徼福祥，而況於報上之誠心乎？良以正覺大慈天下之所同敬，然據九五、臣億兆，天下之所同尊。夫既敬所敬，尊所尊，而團其人，則當極夫敬之尊之之事而重其地。某昔至郡，則所謂團寺者弊甚，更一周星，愈益圮剥。考故吾州尚書羅公汝楫舊記，僅存夫殿像與二力士奮拳杵立於閫外而已，餘悉草棘。一旦有慧燈者及吾門，則咤曰寺且復矣。曰何以復？曰非燈能復之也，復之者僧録法濟也。其所以能復之何？一曰歸侵疆。寺左右故地廣袤，民奪爲室廬，今案籍如故，藝桑麻栗芋蔬果，可貨食屋，其上猶有餘。二曰集群力。郡僧三千人，醵泉五百，得百五十萬爲倡，檀施始源源而來。三曰殖崇産，歲租入舊無幾，籲之總統，釋教所新益田爲畝若干。嗚呼！正已往成見，在慮將來。敬敬尊尊備矣，後之人忍墜之乎？抑物莫不有數，此寺紹興甲子羅公爲郡，更五年己巳而後守蘇易簡興復之。至元辛巳回去郡，又五年丙戌而僧録法濟興復之。前後兩記，皆歙人之嘗爲守者，歲月亦稍相似，則又豈偶然也哉。僧録法濟張姓，開封人。佐之者僧判智顗，羅姓，江西人。致力請田者前上饒教官徐君師顔，舉慧燈者如川，皆郡人。楹礎若干數，游者可觀，此不書。

琴書堂記

琴書堂者，新安郡雲岫居士劉公伯證燕休之所也。娶予先君之第三姊，勤勞起家，眉壽偕老，然其居三燎於火。淳祐元年辛丑大火，琴書堂再造，甚偉，殖貨益饒，有雙竹之祥。予先叔父元圭和句特警拔，居士大喜，親書揭之。景定元年庚申大火起於鄰堂，自是不如前。至咸淳六年庚午又大火，則堂不能復矣。居士長子文蔚，先姑所出，次庶子曰子申，姑命為長子，後當火之三，子申年甫十五，孤苦艱危，不絕如髮，歷十餘年始克自立，琴一張，書千餘卷，屋數楹，始復乃祖之舊，與兄秉懿先嘗析居，仍合為一。孝友愉怡，謹脩待定，琴書堂復成，室宇園疇，盡還舊觀。居士暨先姑積德好善，報在子孫，天理之不可泯如此。郡守康公天錫為書其顏，屬予為記。予謂古之琴有歌有弦，今之琴弦則是矣，而歌弗傳。古之書，且讀且編。今之書，以刻以摹，動千萬篇。今琴視古為太簡，故操琴甚易，聽琴者莫辨。然今書視古為太多，故著書甚易，而業書者或莫之專。於斯二者而得其意，則琴固在徽軫之外，而書亦不在紙軸之間。玄之又玄，盍求之天，子子孫孫，勿替其延。是為記。

澬南耕舍記

畢昴之分，大梁之次，古常山郡有澬水焉。澬水之南，風氣清淑，土宇寬曠，滹沱在其東，井陘在其西，上黨在其南，燕代在其北。昔人百戰必争之場，而今也千橐射息有耕無戰。真定趙侯卜築於斯，號曰澬南耕舍，介南徐韓炳求紫陽方回記之。回謂三代之民四，士農工賈，耕者一而食之者三，猶患不給。後世之民七，曰僧、曰道、曰軍，皆不耕，耕者一而食之者六，故不給尤甚。豈侯欲矯是弊也，而將以躬耕為事乎？古之士蓋亦耕矣，伊冀沮溺皆是也。然不為老農，仲尼垂訓；並耕而食，孟子闢之。況夫班品穹崇，勛閥殊異，民庸昌大，治最流聞，有如侯者，而可以一旦解簪紱，親耒耜，歸馬廄閑，騎牛阡陌，吾未之信也，曰是不然，士大夫患無此志，有此志，追廣受於東海，從羊裘於嚴陵，是不難耳。陶元亮彭澤棄官，耕於下潠，其自賦嘗謂「田家豈不苦，弗獲辭此難」。劉凝之求田納禄，耕於康廬，題其像者謂「身在菰蒲中，名滿天地間」。豈可謂今世無其人哉？易用九戒剛，而上九剛之過者也。易乾上九為三十二上九之首，故於此設亢悔之教以為例，他卦上九惟艮居外體者八而皆吉，以其止也。履之其旋元吉，以應柔也，大有之吉無不利，以乘柔也。訟之三褫以至未濟之濡首，以過剛失之者十有二卦，而晉與益抑又甚焉，求晉而不已，則初登於天，後入於地，求益而不已，則莫益之，或擊之。近世貴極人臣者，眷未嘗不隆於上，威未嘗不震於下，而不測出於意外，豈非所謂知進而不知退者耶？士大夫而知此，則幾於道矣。侯之耕舍可以歸歟，不必沾泥塗潦而後謂之耕也。凉風至而稼穡茂，夕日下而牛羊歸。予未得游於濱南，故缺其賦咏，而姑為是記云。侯名瑗，同知高郵路總管府事，弟名瓛，同知浙東道宣慰司事，故相門皆名卿。

建德府南山寺旃檀林記

佛氏善效其説，與儒者或不能不同，而其徒與士大夫風俗未始大相異。《易》之理難明也，乃以龍喻乾，以馬喻坤，於一物取一象，而《易》可推。聖人之德難言也，故孔子以天喻堯，子貢、孟子以日月、宫牆、泰山、河海、麒麟、鳳凰喻孔子，而聖人可知。旁行之書，非六經、《語》、《孟》比也，於其種嗣根器之偉者，以龍喻，以象喻，以獅子喻，以苾芻摩尼喻，以薝蔔優鉢曇花喻。其聚僧之所曰選佛，其為之侍者而處於將僧未僧之間，則曰選僧，而又侈其牓曰旃檀林。亦猶國家用人用將相大臣於已官者未官者也，於士乎取上登一名，謂之擢桂，故取士之地世謂桂林。釋氏之法異於儒，而其取人之說合乎吾儒之說者如此。古睦南山禪寺，自無竭禪師如川主之，陶虚鑄空，新其聚僧之所，檐宇靚崇，履鉢昌庶。予為文以記，猶懼其離於有相也，既予歸紫陽山下，龍集癸未，再以書求記。所謂旃檀林者，按圖故礎為數六十，露庭風牖，篁砌柏厢，凡將未僧之衆，與夫亞於座席而各執佛之事者，饑饘垢浣，炎浴涼爐，纖舉悉備。且不惟是，丈室舒嘯，有寄傲之穹闕，為楝三，給薪買鄰山為頃半，捍水作石堤為丈百，浚塘溉新粳，闢園蒔豆麥，莊農佃叟，户加室增，實首捐私泉十二萬，而後檀者踵至。或謂斯皆有相之所為，而出於好名者之所不能自禦。然予嘗謂近世士大夫貪惡廉，進惡退，絨默惡直諫，阿黨惡至公，則詆曰是皆好名，世道以是潦倒泥腐。今釋氏之法盛行，而乘以射利者無所能亦無所畏，視事如監司守令，馬前後呵殿有騶從，案牘有胥吏，笞撻有卒徒，凶酗饕淫，不啻跖蹻，顧視吾川獨勇於為善，則箝制之以為好名，亦近世不肖士大夫妒貪之術耳。嗚呼！均是人也，能言之類一也，則其說釋與儒烏得而獨異，雖曰均是人也，上智下愚殊趍也。中人以上，中人以下，不侔品也，則釋之徒與士大夫風俗焉得而不同。然則說與儒者合，吾見一川矣。曾不能變其徒之風俗，將有如近世士大夫之弊，則予未見百川也。是旃檀林中必有讀吾文而興感於斯。

善應庵記

予所居縣曰歙，渡紫陽山下溪西南五十里曰航口，其地隱僻，其人古直，孫居士復興家焉。其近鄉有為尉於信之貴溪者，曰吴君雷孫，其子曰謹，於杭袖書過予，言孫居士尋與書皆來。書曰居士幼甚貧，事母黄氏孝，母歿誓終身廬墓。積儉累勤，買田十畝，築室十間，田以供粢，盛屋以祀其先，時延道友飯之，繪世所謂觀世音者奉之。大人尉貴溪之日，為請於三十六代天師張真人宗演書善應庵三字扁之。僻隱之地，輪蹄隔絶，古直之人，巾屨追隨，竹樹茂密，溪山奇勝，請予記。予謝曰：耕疇居宇如是其眇也而可記。古有廟祭，無墓祭。骨肉斃於下陰，為野土之死，而致生之，不智也，故不祭於墓。其氣發揚於上，為昭明焄蒿，悽愴之生，而致死之，不仁也，故祭於廟。其祭也薦血腥之禮，燔燎膻薌以求諸天，報氣也。饋食之禮，黍稷肺心醴酒以求諸地，報魄也。反始用情謂之二禮，故有陽厭，有陰厭，於廟不於墓，而孝子之心盡矣。且祭必用尸，周之東而廢尸而用主，今之禮無一而古，重墓祭而輕廟祭，卜尸迎尸，懵莫之曉，以紙若木，書其先之稱謂近於主，稍飾則畫素肖形，曰影堂，又過是則凡鬼神無不刻梓冶金為像，而其事侈矣。子貢廬孔子墓，三年而去。後世有以終身廬先墓、廢廟不祀為孝者，皆非古也。居士即墓為庵，若混乎廟墓之祭為一，為善而應，理所必然，事葱嶺之神而庵之，命名書額乃出於陽平都功之教，又似乎混佛老而為一者也。若之何為記？曰不然，墓祭漢以來尚矣，墓有庵，以歲時烝嘗，猶不失古意。今之祭，然香明燭爇幣，非報氣乎？酹酒瘞牲，非報魄乎？祭不以血食而以菜茹，則佛老之説，俗不可鐫。然《易》曰隨時，兵興已來，百頃千楹之家，頃刻羽化，惟佛老之徒得全，桀者托於佛老而恣，庸者依於佛老而苟，中人藏其身於佛老之間，亦可以粗安田里，而無他虞。居士好善，於世無求，方之奔競官路，走趍公門，顧財賄而不知止，陷刑辟而不知悔者，固有間矣。他豈無稱？儒生而叛孔氏者，惟口惟腹，蝸戰蠅營，視居士亦或愧焉。且居士知方使君之名，求文以壽斯庵，此一節亦不可不書也。是為記。

肅齋記

昔河南程氏繼孔孟絶學，教學者求道入德曰敬，既為之訓曰「主一之謂敬」，又為之訓曰「無適之謂一」。學者能至於主一而無適，乃敬之極功。初學之士或難之，至紫陽朱氏集註《論語》第一篇之第五章，本程氏説，亦曰敬者主一無適之謂。至為敬齋箴而後有曰不貳以二不參以三，則主一無適之義始明。大抵心在乎此，則不可又適乎彼，方主乎此事則不可又雜乎他事，此其義雖甚易知而未易行也。全此敬於成熟之餘者，固必能主一而無適。持此敬於操存之初者，如之何遽欲主一而無適哉？朱氏晚節别為之訓曰「敬之為義，惟畏字足以盡之」，蓋有取於太公之丹書「敬勝怠者吉」，子思之《中庸》「戒慎乎其所不睹，恐懼乎其所不聞」。怠則不畏，不戒慎則不畏，不恐懼則不畏。人於天地之間罔有所畏，則蕩然自肆，人欲恣而天理滅矣。是故惟畏可以訓敬，而初學者易以入門。雖然，猶未也。朱氏之高弟曰勉齋黄氏，又以肅訓敬，引《洪範》之肅以明之，謂肅亦畏字之意，敬自内出則貌恭，恭既外形則心愈肅，故曰恭作肅。而記禮者亦曰心肅則貌敬。以畏狀，敬而又以肅狀畏，初學者所以防閑束縛之方不在兹乎？今夫震擊雷霆，談説神鬼，聞者莫不肅然，何也？肅即畏也，畏即敬也，皆人心之本體而因事以發見者也。常人於此僅有斯須之肅、斯須之畏、斯須之敬，君子則不然，常如是肅，常如是畏，常如是敬。静則暗室屋漏，儼然若思，動則出門使民，如臨賓祭。善學者由肅入畏，由畏入敬。貫程氏、朱氏、黄氏三言而一之，於求道入德亦可以弗畔矣。夫真定石君鬱文卿好學，妙年從師以肅名其讀書之齋，近俾予為記以析其義，而予哀是説以復焉。然則肅而畏、畏而敬，所以涵養其心，而徒敬無事則流為異端。故先儒教人，尤貴於致知，求之於方册，而古人與俱如易之畜德；求之於朋友，而今人與迪，如易之兑習則幾矣。君年甫四十三，嘗為湖北宣慰司上幕，尹鹽官、富陽二大邑，皆有聲，今將尹武岡，以是肅為政，其不有如時雨化之者乎？

三勿齋記

心一而已，而有人心道心之分，有未發既發之分，有忿懥恐懼好樂憂患之分，有惻隱羞惡辭讓是非之分，心豈若是其多端乎？心統性情，性静情動，聖人教人以養心之法，制其動之不善，以全其静之善，不得不分别言之也。昔者孟子與公孫丑論不動心之道，十有四問，十有四答，其七問而七答也。有集義養氣之説，雖養氣也，寔養心也。心得其養則其氣浩然，心失其養則其氣餒。故曰「志，氣之帥也」。何謂心得其養？孟子之十有四言盡之矣，必有事焉，而勿正心，勿忘，勿助長也。有此一有，勿此三勿，則集義而義集矣，養心在是，而養氣亦在是矣。西京趙氏、河南程氏，以心字屬下句，臨川陸氏以心字屬上句，新安朱氏以為屬上屬下皆通。必有事焉之事，如有事顓臾，如昭事上帝，如請事斯語，如從事於斯。必有云為，必有注措，一舉一動，無非義者，此集義之綱也。然是心也，苟或毫髮覬望有所為而為之，則不為義，故設為勿正心之戒。傳曰「師出不正反，戰不正勝」。孟子曰「忠信不二，非以正行也」。蓋懸揬預期，邀譽計功之謂。此心既除，然又恐其流於怠惰，苟且荒唐繆悠而莫之救，故又設為勿忘之戒。忘也者，不耘苗者也。人之一心，扶左而右危，起東而西仆，勿忘可也。過於勿忘而無以禦之，或至於矯枉詐偽，詭遇行險，故又設為勿助長之戒。助長也者，揠苗者也。一勿利心也，二勿放心也，三勿戕賊之心也。一勿不戒，莊子鴞炙時夜之謂也。二勿不戒，釋氏槁木死灰之謂也。三勿不戒，截鶴續鳧，割肉啗口，愛子而衣裘裳，延年而餌金石，無益有害，甚矣。學者之於此心，能體認孟子一有三勿之訓，三綱正三目舉，義為心主，心為義主，不淫不移不屈，豈不所謂大丈夫者哉！膠西王君玹德玉，宦學江左，講明心學，有志有氣，東嘉孔君文杓端卿以三勿名其齋，屬予記之。予敬誦所聞，抑予謂味七問七答之養氣，又當味八問八答之知言。養氣者，乾之剛。知言者，離之明。剛孰有如天者乎？明孰有如日者乎？剛不挫於人，明不惑於人，儒者之能事畢矣。（以上《桐江集》卷三六）

全元文卷二二三

方　回　一七

萬山軒記

干世者患出山之太早，又一出而不復入也。避世者患入山之不深，又一入而不復出也。入而不出，古有之，今未之見也。出而不入，則於今多見之。然則勇於避世者，雖未敢盡以為賢，急於干世者，其賢否可知已。士大夫非無用世之心，出處有時，進退有命，當外觀内省而自謀之。謝安石之在東山，晉室安危繫焉，一出而内難平、外患弭，然猶東山之志始末不渝，海道一舟，竟違雅志。後世當途之士，雖負大聲名，未至如謝公之於國家決不可無，則莫若常以邱壑泉石之念寘諸胸中，可仕即仕，可隱即隱。高唐陳侯忠正之才高而氣剛，春秋五十有九，官甫至郡貳，嘗屑仕吾州，愛其山而樂之，以萬山名其軒，所至揭焉。侯之説以為入山不復出，過於矯激；出山不復入，過於奔競，皆吾所不為也。時止時行，山不在目，而常在其心，所謂每飯未嘗不在鉅鹿下也。是心也，孟晉迷復之失可以免矣。若夫萬山云者，非謂枚一十百千以至於萬也，猶之萬人萬事萬物，舉成數而言耳。噫！侯之宦游萬山之間，去之久而不能忘，愚家居萬山之間，非不欲老焉，而未即歸，其不有愧於侯之高風也。是為記。

豐山亭記

古歙大州也，婺源大縣也，汪氏大姓也。迴嶺之下有豐山焉，豐之為言大也。州大縣大，姓大山大，宜必有大丈夫藏修其間，而友人汪君茂春令以文記其豐山之亭。君之説曰：媲歐暨蘇，非建紹大詞臣乎？吾家浮溪老，大文章也。嗣濂紹洛，非乾淳大儒宗乎？吾鄉晦庵翁，大學問也。吾非不早負大志，吾亦欲遠希大賢。青衫初筮，里社相鄰，黄紙再除，海壖于役。弓刀警邏，桴鼓徼巡。既重之以簿領之勾稽，又責之以弦歌之撫字。嘅一身之餘幾，叢四職以并兼。三千食客之封君，八百家僮之巨室，貫耳雕題之會，蠻琛島驢之衝。此是而彼非，左恩而右怨。多争而少讓，面譽而背疵。勞心而勞力，畏首而畏尾。得情勿喜，實繁望廷尉之徒，知幾其神，莫甚見督郵之耻，大丈夫於此不遠復可也，而可以迷復乎哉？東阡西陌吾其田，上棟下宇吾其宅。栽桃種李，豈必河陽，撫松采菊，是亦柴桑。惠蘭無澧浦之悲，橘柚非汎洲之貨。菰蒲芰荷之沼，鯉泳龜浮，梨柿橡栗之林，鹿呦猿嘯。粤蕉岷芋，渭竹庾梅。后土洛陽之花，神農雷公之藥。唯力是視，具體而微。不豐於爵位，而豐其甘旨以奉親，不豐於泉布，而豐其饌羞以娱客。釃緑醑兮勞農耕野，剔青燈兮聽子讀書。此吾所以因山築亭，有取於豐大之義。蓋謂豐於天理，則吾之大丈夫者，非世俗豐於人欲以為大者也。吾觀於《易》，離下震上，明動相資，所以致豐明而不晦。動而不静，不可以保豐，如日在天，懼過乎中。吾之仕，將進而窮乎？寧退而通乎？同郡方回高其識，壯其言，神游其亭，為之謡曰：識象外之意者，可與言易。豐之彖傳，可以象測。物盛而大，皆不可極。天地日月，與時消息。酒飲微醉，花看半開，焉得深於理者與之歌觀物之吟，於斯亭而和之以歸去來乎？

有有堂記

天之所以界於我者，豈獨我有之，人有之，物亦有之，豈獨聖人賢人有之，雖愚不肖之小人亦有之。《中庸》曰「天命之謂性」，此專指天所賦而言。曰「率性之謂道」，此兼指人與物所得而言。曰「修道之謂教」，此則專指聖賢之所以異於凡人庶物而言。由夫天之所賦、人與物之所得者觀之，則天所與無不公，人與物所受無不同。故曰豈獨我有之，人有之，物亦有之，豈獨聖人賢人有之，雖愚不肖之小人亦有之。如將由夫聖賢之所以異於凡人庶物者觀之，則情欲之累，為桀紂蹠蹻始有而不終有，氣質之偏，為禽魚草木，僅有而不全有。若聖與賢，氣質清明，情欲浄盡，於是獨能有夫凡人庶物之不終有且不全有者也。嗚呼！性也道也，固有之有也，同有也。至於修以為教，而性存道備，則豈非保有之有而獨有者也？此趙氏有有堂之所以作歟？吾嘗患乎世俗之士素所固有失亡澌盡而無遺餘，非所當有經營搜抉而不知紀極。煽門户之勢焰，闢田疇之膏腴。南金明珠、美玉麗錦以肆侈奢，法書名畫、古匜珍鼎以崇玩好。戎鑽李核，崇鬬萍虀。鍾乳三千，胡椒八百。殊不知此皆外物也。暫聚者必忽散，乍來者必倏去。一旦莫之能守，則煙消灰滅，甚者骨且朽而名尚臭。孰與夫秉彝物則固有此天保而有之，黠鬼所不能瞯，大盜所不能奪者哉？孔子曰季氏富於周公，又曰齊景公有馬千駟，此世俗所謂有也。孟子曰人皆有怵惕惻隱之心，又曰大人者不失其赤子之心者也，此吾黨君子所謂有也。然則此趙氏有有堂之所以作歟。抑又岀亡而為有，聖門以為戒，有若無，曾子以是美顔子。趙氏名彌忠，學甚博，文甚奇，而不自眩耀，年與予皆將七十，而能以謙下人。予嘗為作《問道亭記》，今又為記斯堂。乾下離上，卦曰大有。有則有矣，良賈深藏，有而若無，不亦善之善者也。若夫有名萬物之母，老氏之所謂有；有物無形本寂寥，釋氏之所謂有；近理亂真，皆不合於古聖賢之言，亰勿論可也。

不老堂記

古今人情不甚相遠，好之極，愛之至，則必有過美溢褒之辭。古堯舜以上皆年百餘歲，彭鏗年八百餘歲，李耳年二百餘歲，而後世謂上壽百二十，謂七十者希。然則《詩》所謂永錫難老，俾爾昌熾，俾爾耆艾，萬有千歲，眉壽無有害，其無乃相與為欺歟？曰不然。君臣父子夫婦兄弟朋友之間，下事上，卑奉尊，以其惻怛忠厚之心，形為祝贊願望之語，故詩六義有頌焉者此也。《易》所謂原始反終，精氣游魂，則萬古不易之定理。《道德經》曰「物壯則老」，又曰「死而不亡者壽」，其言天地能長久，非羽流所謂不死者也。《莊子》非全書，《列子》乃僞書，亦皆言死生壽夭，未嘗言世有不老不死之人。至《列仙傳》、《黄庭經》、《真誥》等作，始謂人可不老不死。五代王建據蜀，道士王喬者僞撰《靈寶度人經》以惑世，始謂枯骨成人，髮白再黑，齒落復生。龍漢開皇之年，敷落鬱羅之天，妄註繆釋，謾誕詐諼，缺世之愚人以鍾呂爲不老不死而飛昇者。饒之德興董君守成，儒者也。介其邑人李君重魁來，亦儒者也，求予爲不老堂記，且謂蘇文忠公爲董君毅夫隱括陶靖節《歸去來》爲長短句者，即其五世祖，儒者也。而以不老名堂，則似乎捨儒而從老氏，且陶蘇二詞曰「神仙不可期」，曰「神仙知在何處」，皆有寓形宇内之嘆。斯堂也，無乃遂以神仙爲實有，而欲學之乎？曰非是之謂也。昔朱文公以詩辭胡籍溪、劉共父在朝之招，有「浮雲舒卷，萬古青山」之句，胡五峰聞之，疑其有體無用，爲賦「青山不老出，雲雨洗塵埃」之句，意蓋取諸此耳。山體也，雲用也。分二詩味之，文公之意主乎處，五峰之意勸以出，合所謂萬古不老四言，味之則體定而用殊。山有不可變之色，士大夫雖有可行之時，終必有不可移之節，此之所謂不老者，山色不與時而少變也，非彼數息服氣，辟穀餌藥，養内外丹，煉陰陽神，以求夫延年益算而不老者也。董自號曉峰居士，無復日五色夢，以不老之娛自娛，而亦不知老之將至，取先生君子所云「我今忘我兼忘世」，及「一川風雨要人看」者，引壺觴自醉而浩歌焉，亦足以爲一代之豪哉。

棣華堂記

《易》之初畫，一陽奇，一陰偶，為兩儀。其再畫也，為四象。四象之上又畫焉，老陽加奇而加偶，老陰加偶而加奇，少陽加奇而加偶，少陰加偶而加奇，是為乾兑離震巽坎艮坤而八卦成。説者以乾坤為父母，兑離震巽坎艮為六子，而有長男、中男、少男，長女、中女、少女之分。由是言之，盈天地之間，父生母育，凡圓頂、方趾、横目而為人者，皆吾之兄弟也，而況九族五服之内所謂兄弟者乎？由曾高祖父以及己，而至子孫，曾仍雲來，其沿無窮，其初一人之身也，猶之卦六十四出於八，八出於四，四出於二，二出於一。萬有不齊之初，一而已矣。君子知此之所謂一者，則可與處兄弟之間矣。杭新城之羅氏，自襄陽徙，由漢及唐末，而諫議大夫給事中名隱字昭諫，以風節詩章顯聞于時。又十世生夢孫，夢孫生勝祖，勝祖生子二，卯成、文寶，卯成生一子天錫，文寶生三子應龍、應新、應卿，今四又生八，新城祖業累世不分。卯成今年七十有六，主其家事，文寶嘗為别邸杭城，往來憩息，仕為迪功郎、兩浙制準，乙亥之變，歸鎮鄉邑，罄蓄儲賑鄰里，平生尚義，嗜善樂施，弛逋年五十七而卒。應龍與予文字交，謂家有堂曰棣華，請予記其説於壁。是詩也興而兼比，或以為文武治内之雅，或以為周公作，則成王時，或以為召穆公作，則宣王時。詩有作有述有頌古，詩之先後不可必考，「鄂不韡韡」之義，以況兄弟之上覆下承，則不可不講。或謂「鄂不」二字當作「萼附」，大抵以謂花與蒂之相附，弟必順承其兄，兄必蔭覆其弟，安樂相輯睦，患難相扶持，不特大而有天下者當然，小而有一家者，亦莫不當然也。雖然，論其華萼，不若論其本根，植物之在地也，何必棠棣，根本固則華葉茂。《唐風》「有杕之杜曰『其葉湑湑』」，「其葉萋萋」」，亦所以興兄弟杕杜也，棠棣也，焉有不深培其本根，而能責望其流行發見之茂盛者乎。予嘗謂人生而皆有孝弟之心，管蔡之失，為一時私見所蔽耳。今之教子弟者，不必人人皆為碩儒，要當從師取友，通古今，識道理，化氣質，屏物慾，使皆知乎萬物之所由生同乎一氣，一家兄弟子孫之所以衆，出乎一人之身，則雖或纖微擘觸，有乖離析異之萌，亦自然有所不忍矣。噫嘻！此豈非務學讀書為根本之謂歟？同田為富，分貝為貧，羅氏之後，尚世永保之。

餘干州學記

大縣升州，以民多也；縣學升州學，以士多也。自元貞二年丙申始，饒之餘干既升州，州學置教授一員，自延平祝君宜孫始。民多則户口盛，故州置守，重其名以臨之。士多則風俗美，學置教授者亦所以重其名。而以己之所知教乎人，以己所㕛授乎人，乃風俗之所由關，則其所任，尤有所重而不輕者矣。夫升與降為對，而實宜副其名。升州置守，其名重於昔矣，户口有降而無升可乎？此為民父母者之責也。學置教授，亦名重於昔矣，風俗不升而或降可乎？此為民師表者之責也。此循名責實者之議，所以不容己也。餘干風俗何如哉？三代而下人物議論，惟諸葛孔明、張柬之、范文正公、韓忠獻公、張忠定公、趙忠定公有伊周之風，明道似顔子，伊川似孟子，而南軒張宣公似明道，晦庵朱文公似伊川。張忠定公卒於是邦，其臨戎有范文正之勞，而不計孔明之利鈍。趙忠定生於是邦，其立君有韓忠獻之功，而不幸乃有如柬之之冤死。張忠定有子宣公，如明道，如顔子，而嘗侍養於是邦；趙忠定有友文，公如伊川，如孟子，而嘗講學於是邦，此餘干風俗之所以盛也。祝君為教授之明年，大德改元丁酉夏，具學事本末，俾愚為記。且其言曰：縣升州匪以榮州官，縣學升州學匪以榮學官，名升則實當與之俱升，州官當思所以養其民而升其户口，學官當思所以訓其民而升其風俗。是邦也，兩真相、兩真儒，無以加矣，而又何升？學者而欲遽為兩真相兩真儒，未易及也。階而升焉，得為斯四大老之事業問學，亦可矣。然則將欲為四大老，其又何階？南溪柴公中行之風節，嘉定去國外補，痛詆權史不屈，雙峰饒公魯之性理，《石洞紀聞》等書有功考亭不少此，其階也學。舊在琵琶洲，厲揭良難，紹興壬戌令杜師旦遷於羊角山之左，租入歲石二百餘，厄湖潦七八載，祝君裕梠植仆，戟門、論堂、齋廡、先賢之祠、小學之序，一時改觀，又至揭扁牓鑄祭器，罔不一新。逮秋冬又修宣聖廟，楹棟瓦甓，丹堊焕然。州官六員賴張主扶持之力甚，至爵位姓氏見題名記，此不具書。工費間架之數，不枚書。雖然，餘干風俗甲天下，愚粗能言之矣，山水登臨之美甲東南，記不一言及之，何歟？曰：樂山者見其静，樂水者見其動。登所謂養正堂而懷前修，遨所謂筆峰亭而覽絶景，劉長卿、張祜、錢希白、楊大年之詩具在，學者能之，是亦餘事，進於斯道，則祝君當舉由求赤點言志之章相與訂之。（以上《桐江續集》卷三六）

徽州路總管許公德政記

至元二十五年七月甲申

太原許公治歙之三年秋，郡校汩紫陽精舍博士諸生詣郡人方回，出衙袖書，臚列公政迹以告。其說謂士復除征役法也，饕悍吏故沮格，公力行之，而後儒紳吐氣。士幼教夙成，古也，近人漫不省，公建立小學，書俾民子弟就傅，而後風俗化。等威殊絶，勢也，公卑躬和顏，誘接寒微，而後下情達。賕謝請托，近態也，公飲歙水而已，絲髮饋不及門，而後四知之徒稍革。民租入提大綱可也，公親視概量，塵粃塗須眉，而後無飛走攫攘。課耕桑，行阡陌，壺漿隻鷄亦人情也，公徒行素膳，犯潦霧，窮聚落，至病痁不自恤，雖杯茗庚以價而後。遐嶺僻塢，耄倪驩駭，以謂不惟今人所無，求之古人且希有。新舊楮幣之並行也，以新易銀，或患數夥，公自賚春如，維揚言所領郡無百金之家，無千石穀粟之田翁，梯山焚舍，無平疇及頃者，稔歲猶掘蕨糜葛不粒食，時宰念其誠懇，視他郡銀減什八。子肖客遴，僕愿卒畏，和氣格庶，徽休下羅，估寬榷羡，非盛德其能臻此。《魯泮》頌僖子，其為史哉。回作而對曰：政本德，德本學。國其四民，士農工賈，《易》首四卦，乾坤屯蒙。長其民，賈説而頌之未也，工説而頌之未也，農説而頌之未也，通國之士以為可頌矣。乾君也，坤相也，屯岳牧也，蒙士之師也。德形而政足以服天下之士，用也；學成而德足以為天下之師，體也。聞諸今行御史中丞鎦公伯宣公之學，出於左丞昝齋許公，左丞之學，出於朱文公。藏修之室，額曰「蒙泉」，以止乎禮義之艮山，發為剛中之坎水。以果決不可遏之行流，為生育無窮之德。公之講此，有素矣。師道士心立而志，服正乎蒙，經綸乎屯，直方乎坤，而以順承乎乾，非歆所得私也。公名楫字公度，嘗為江西道提刑按察使。頌曰：

帝命下土，裂壤而城，誰謂城百，蔑一其貞。大鹵之原，赫赫厥英，揚之水斯，克肖其清。乃纓乃綏，公至于學。閱爾書數，篤爾禮樂。于郊于野，噢咻其户。吏無漁女，勿粟我馬。公之瘠矣，彼甿之腴。匪手摩拊，髓液不沽。維心孚享，有蒙者泉。出初養終，淵淵其天。匪我求且，士說而服。父之師之，夷典稷粒。此邦之人，曾耳孔億。何以報之，求壽兹刻。

至元二十五年戊子七月甲申通議大夫前建德路總管兼府尹方回撰。（天一閣影印明弘治本《徽州府志》卷一二）

姑蘇驛記

姑蘇山在今吴縣西三十里，昔吴王闔閭築姑蘇臺於是山，高見三百里。秦屬會稽郡，漢改吴郡，東漢分置吴郡於闔閭城，隋平陳置蘇州，唐因之。宋太平興國中改為平江府，而紹興初有舊姑蘇館在盤門内河西城上〔一〕，其下有百花洲，州名用姑蘇山名之一字〔二〕，臺與館用姑蘇山名之一字，古迹所從來舊矣。舊姑蘇館今改為驛〔三〕，若姑蘇郡、姑蘇臺皆一新之，新之者誰，嘉議大夫平江路總管真定董侯也。《詩》曰：「周雖舊邦，其命維新。」《康誥》曰：「作新民。」《易》革去故、鼎取新。四序推迁，一寒一暑，舊而無以新之，則乾坤之生意不幾於息乎？東南郡蘇杭第一，杭今設行省。南海百蠻之入貢者，南方之數百郡之求仕者，與夫工技貿易之趨北者，今日杭而明日蘇。天使之馳馹而來者，北方中原士大夫之仕于南者，東遼西域幽朔之浮淮越江者，今日蘇而明杭。是故蘇為孔道，陸騎水舫供給良難。大德五年辛丑七月朔，淮浙閩海溢動百里，潮高數十丈，為患已甚，而蘇之颶風尤惡，吹郡治離平地，起虛空而後墮。吴長洲縣亦然，僧寺鐘樓二十四[四]，撤其樓，擲其鐘。居民之高者，咸不免朝棟梁而夕瓦礫[五]。太湖之水幾入葑門，市井荒凉，傳舍蕭索。如是三閱月而董侯至，爰鳩百工，築登削憑，首新郡治，次新姑蘇馹。曰館，曰馹，曰站，名三而義一，新三站而其地一。馬站曰光遠，傍為思政亭，水站曰賓賢，傍為通波亭，以至遞運站，鞍轡舳艫，僕從烝徒之須，無一不飭。帷幬瓶盎坐卧飲食之器[六]，無一不具。而百花洲以娱過往賓客，至者翹首駭目，憩勞息倦，發喜生欣。高則摩雲之鴻、梁漢之鵲，攀摭于九霄之上；遠則飛雪之棹、順風之帆，睇盼于千里之外。橘柚汀洲，蒹葭浦嶼，漁榔響而浩歌，織杼鳴而幽嘯，可以拓詩思助酒豪者，悉與衆共之而勿靳。侯又開馹馬大路，平廣十餘里，出城與盤門外橋相接，大[七]「姑蘇馹」三字扁之，而他題顔皆侯老筆。雖然毅而寬，廉而明，先有以新乎己之心，而後舉措云為，使人改視易聽，有以新乎民之心。僉謂侯至郡未几，男女異路，貞信有别，獄訟鮮少，道不拾遺，城社屏迹，巷無鄭聲，酤糴烹庖，物饒價平。究其所以然，則知侯公退之暇不入内閾，清坐絃歌，每過夜分，作善教二十四条，父老刻梓，大抵以觀課農桑、敦厚風俗為急務。所以新己之心者既至，于新民之心何有。　昔晉文公崇大諸侯之館，館如公寢，是以得諸侯，為中夏盟主。銅鞮之宮數里，而諸侯舍于隸人，趙文子是以見訊于子產而壞其垣。無忘賓旅，古今重事。姑蘇驛之新，宜大書，宜特書。侯名章，字文卿，學者稱為小菴先生，嘗守當塗，年六十有五，博學，尤精于《春秋》云。（明洪武十二年抄本《蘇州府志》卷四七、臺灣影印民國二十二年《吴縣志》卷二五、清光緒九年《蘇州府志》卷二三）

［一］而紹興初有舊姑蘇館在盤門内河西城上：門，原作「州」，據《吴縣志》改。　［二］州名用姑蘇山名之一字：用，原脱，據《吴縣志》補。　［三］舊姑蘇館今改為驛：改，原作「政」，據《吴縣志》改。　［四］僧寺鐘樓二十四：鐘，原脱，據《吴縣志》補。　［五］咸不免朝棟梁而夕瓦礫：瓦，原作「元」，據《吴縣志》改。　［六］帷幬瓶盎坐卧飲食之器：之，原作「土」，據清本《蘇州府志》改。

復學田記

古今井田法，行井田九百畝，中為公田，八家皆私田百畝，故民歌之曰：「雨我公田，遂及我私。」天之耳，雨澤萬物也，豈有先後公私之異哉，而其民所歌乃爾。然則尊君敬上，先公後私，人情之常也。自什一法廢，富連阡陌，貧乏置錐，惟學校往往有恒產。廣德之建平，民俗醇，士風古，學有田三千畝有奇，山若地亦夥。至元乙亥，衿佩于歸，而產籍出於罔利者之手，征入無所考，職教事者皆以更置不常，間欲爬梳，隨出輒没，豪民猾胥交相為揄。大德癸卯春，故大理卿安定胡公之孫定國，奉省檄來典學事，剛毅清明，廉頑立懦，橫經講説，以道正人。視學産蠧弊，慨然以興復田為己任。松山六十餘畝，邑民據之，儒生豐登里長湯瓊發事，聞于憲司，追理得咸淳印券為證，彼畏刑肆誣，冀以自逭。定國閣二載，役役二千里，求直于儒司，奉使於省府，公道大明，卒復于學。定國嘗翩然高舉而去之，省府俾還職。其再至，氣益勵，志益堅，躬履阡陌，括田四百餘畝，該租賦米稻五百餘石，絹五百餘疋，立田甲，造砧基，垂久遠，土毛之入，增復舊額。人情天理不容有一毫之私，苟一私間之，則四端之是非皆泯，萬事無不舛矣。古者所謂公田私田，以事論，未必以心論也。至後世，有以公滅私之説，有公爾忘私之稱，則以心論矣。建平百里，三十年餘有人焉，私其林麓，而為家之薪樵，私其膏腴，而為己之菑畬，是誠何心哉？胡公定國以一公破百私，不茹不吐，此心可以對越宣聖衮郕諸公而無愧矣。

（一九六三年《天一閣藏明代地方志選刊》本《建平縣志》卷七）

分水縣治記

板圖混一，大州為路，置總管府，大縣為州，餘置尹。浙西道府七，今建德路者，隋宋睦嚴州也，甲杭乙蘇，在七府為下。縣六，今分水縣者，唐武德四年，割桐廬縣兩鄉為之。户才萬，在六縣為下。自武德辛巳創縣，至政和丙申，四百九十六年，而後重修縣治，可考，時則偰良弼為令。又自政和丙申，至今元貞丙申，百八十年，而後縣治復新，時則臨沂李侯讓為尹之明年也。自唐以來，豈有幾七百餘年而縣僅一修者乎？蓋亦不一修矣，而未有文以記也，故以泯而無傳。今前廳後堂，中亭外門，左右廡，亢爽弘邃，孟春僝工，仲春竣事，歷百八十年而成於一月之間，是可無文傳之遠哉？寓公何君玉芝、孫君紹伯請於前守臣方回，謂侯輟俸倡役，視直售材，執藝者驩趍，好事者樂助，此一可書也。又謂侯廉明勤果，崇儒校，益學畬，役平訟簡，吏肅民懷，於是役也，莫不鼓舞，此又大可書也。邑長岳合難，簿尉崔世傑、陳起，寅恭協和，克底於成，俱可書。是為記。（清順治六年重刻本《嚴州府志》卷二）

元鹽官州記

浙西道總管府七，杭為大。杭縣九，鹽官為大。大而升之為州，宜也。鹽官見《漢書·地理志》，本文及註三十四所，猶鐵官、工官、服官、圃羞官也。元貞元年五月，中書省奏准縣户五萬至十萬以上升中州，設官六，户四萬以上升下州，設官五。浙西東、江東三道升三十三州，而鹽官為中州。户口多則賦訟繁，賦訟繁則權任不可以不重。權任不可以不重[一]，則名位不可以不隆。今左轄别駕，既隆且重，凡六同寅，徵科聽訟之間，固已新其官儀，有以鎮厭讋服之矣。期會應酬之際，欲上辨而下治，則不容不分其劇而均其勞[二]，此今日作新之意也。鹽官民俗淳古，自錢氏至今，不知兵革，户口所以繁衍。升州以來，衆賢侯克新其民，廟學新而儒氣盛，倉廩新而國用饒，鎮守軍營新而居民便，政教風俗與之俱新而又歲事比登，潮患頓息，撫摩培養，益豐益裕，日新不已，海隅之民幸矣哉。州官奉直大夫達魯花赤聶古伯公、昭信校尉同知州忙古沙、忠顯校尉同知州劉公仲，並從事郎州判申繼賢、徐宗庶等，相繼亦已可觀，鎮守千户宋瑞、州教授吴孟陽諸賢，相與聿新之，州之氣概，新而又新矣。州新升，不可無記，始事必書，古史法也。抑書事者石也，衆賢之可書而不朽者非石也。以己之心新民之心，民心之石將與甘棠無窮焉。尹雖設而未上，衆賢交承之不齊，竝復紀以題名之石，庶日月先後有所考也。繼此而往，凡一政一事之當人心，將自有大書之筆。（清道光二八年重刊本《海寧州志》卷一、清康熙抄本《海昌外志》）

［一］權任不可以不重：原脱，據《海昌外志》補。　［二］則不容不分其劇而均其勢：則，原作「順」，據《海昌外志》改。

脩學記　大德九年十二月初三

大德癸卯四月既望，淳安縣尹李承事原署事之明日也。晨入學，奠謁先聖先師，招諸生坐堂上，告之曰：「學校，教化之本也。顧瞻文廟，屋瓴榛塞，廊壁蘚剥，堂棟橈而門簷頽矣。上漏下濕，弗葺無以隆廟貌、起瞻視也。余捐俸若干倡之。某脩某齋，某脩某廊、某門、某厨、某殿、某堂，諸生勉為之。」言未既，士胥以勸。屋之壞者，選良材易之；瓦之毁者，陶新瓦益之。不浹日，塗墍丹雘，一新落成。邑人士述其故，且徵記於前總管府尹、通議大夫紫陽方回萬里。回惟假守七年，去郡三十有五年，八十之老，焉能發揚顯光。勉為之記曰：此郡名卿士大夫不一。如黄公蜕殿試第二人，方公逢辰殿試第一人，何公夢桂龍飛第三人。内而為卿監、尚書，御史，外而為郡守、監司。其所以取此美官者何也？以高科也。所以高科者何也？以其學取之也。是故生而為人，不可不學。縣之有學，髫齔可游，不待弱冠，三遷孔易。桑梓近只，父師密邇，府學太學，他日可升。鼂、董、公孫，舉首爰登，以羽以翼，化鯤摶鵬。雖然，以高科取美官，可也；先有心於取高科，不可也。學焉而仕，可也；先有心於仕而後學焉，不可也。李侯禮士愛民，年甫四十，學未艾，官亦未艾。侯名原，字文德，瀛州名家也。大德九年乙丑十二月初三日，通議大夫、前建德路總管兼府尹方回撰。（天一閣影印明刻本《淳安縣志》卷一三）

全元文卷二二四

方　回　一八

進德齋箴

凡物必不可無名，有可以一字名者，其有不可以一字名者，則不容不以二字名。《易》六十四卦，聖人豈不欲皆以一字為名，然噬嗑、中孚、同人、無妄之類，皆以二字為卦名，意義貴乎足而無餘，則名不容不二也。人名、州名、縣名、山名、水名、城名、鄉村屋舍器用名，飛潛動植，凡萬物之名皆然。士大夫齋名，命意取義，豈可不足。實字而一言，不若加虛字為二言而足之也。惟仁與義，若可以一字名，如仁人義士云者。若道與德以一字名，則道人德士流於異端矣。必合如程氏之明道先生、晁氏之昭德先生，以上虛一字為用力之地然後可。儒者之學，性命心氣當致其知，單舉特標曰性齋、命齋、心齋、氣齋，可乎？杭人陳吉甫以德名齋，予友張仲實為作記，其説固亦雅矣。予謂德之上當加一進字，曰進德齋，必如此而又如張文潛所作《進學齋記》，以用其進之之力，則得其所為德者矣。仍為之箴曰：

欲為仁人，當居乎仁。欲為義士，當由乎義。仁人義士，成德之名。居仁由義，所以求進乎德而底於成。猶之道也，揭以道堂、道宇、道館、道室之號，乃老子之所謂道耳。吾儒則修道而後可以深造，故昌黎於彼曰道其所道、德其所德，將合仁與義言之，則進與修不可以不力。

熙山箴

熙，廣也，心廣體胖，可也。自廣狹人可乎？熙，和也，和順積中，可也。和不節可乎？武林蔡君潭浚父，魏冠褎衣，周規折矩，其居無山，而牓曰熙山。有山無山不足計，熙之名義，不可不講也。人惟有一心，而天理人欲異焉。如是而為天理，可廣也，不可狹也；可和也，不可咈也。是之謂熙之善者也。如是而為人欲，而廣充之，而和同之，則其所謂熙，得無不善乎？紫陽方回為之箴曰：

一字二義，一心二岐。一理一欲，一公一私。此疆彼界，其間毫釐。曰廣曰和，古以訓熙。浚父之山，熙以命之。可廣而廣，無自狹。其當和而和，罔敢咈而。如秋宇廓，如春日遲。曠放迂闊，浮蕩娛嬉。此則不可，宜克宜治。静養動察，惟敬之持。欽哉熙哉，如之何勿思。

一齋箴　并序

伏羲畫卦，始初為一畫。蒼頡製字，厥初亦惟一字。伏羲之一，為奇，為陽，為剛，為乾，復配以一，則為二，為偶，為陰，為柔，為坤。揉其一而圓之為天圓，折其一而方之為地方。降而加之，為兩儀，為四象，為八卦，為六十四卦，為四千九十六卦，而萬萬無窮焉，一實為之祖也蒼頡之一，横其一，則有中，有東左，有西右。縱其一而交之，則為十，而中心為中，東左、西右、南上、北下，四方之位判焉。加以四圍則為田，而井田之制出焉。帝王建國，其中為都；臣庶立家，其中為堂。而負北嚮南，左龍右虎之制出焉。近之為尋丈，遠之為千里、萬里、萬萬里，無極焉。一實為之主也。然則伏羲之一，即蒼頡之一，而一畫之始、一字之中，乃天地人之心歟？雖然，論一之形，畫與字是也；論一之理，心是也。心之一，敬是也，誠是也。敬之終事為誠，誠之始事為敬。故惟精惟一，終始惟一，協於克一，聖賢屢言之。至近世諸大儒有云「主一之謂敬，無適之謂一」，而又云「不貳以二，不參以三。」盡之矣。「故一分造化，心起經綸」，君子以為名言。吾州祁門友人汪君元卿，其祖母吾宗伯吏部秋崖方先生之姑，其姑嫁秋崖先生之弟，生子貢孫，與予同壬戌牓。其從姑嫁秋崖先生，壬辰別頭甲科，文章氣概名天下，元卿學問有所自來。比卜寓居於金陵之北門，扁曰「一齋」，予輒以此發其一之之義而箴之。至其依郭負村、穿池築圃、山奇水異、竹茂樹密、風高月朗、烟化雲變之狀，予尚能一詣其所，為大篇以賦之。箴曰：

伏羲之一，畫卦攸始。乾兑離震，巽坎艮坤，皆根諸此。蒼頡之一，製字所起。一二三四五，十百千萬，俱出於是。字即是畫，畫即是字。一字中間，天地人心，厥象著矣。聖安而行，賢者克己。不左不右，不南不北，不偏不倚。執中傳心，敬耳誠耳。以此求仁，以此貫道，以此窮理。天以一蒸，地以一峙。人保此一，方寸之内，純粹精美。變化百為，酬酢萬事。苟以不一，差之毫釐，繆以千里。於斯一齋，左圖右史。一在齋乎，一在心乎，告於汪子。

古齋箴 并序

孔子定《書》始堯舜，皆曰若稽古，則此所謂古，在堯之前。至繫《易》推言伏羲、神農、黄帝，又曰上古穴居結繩，則此所謂上古，又在伏羲之前。邵堯夫《經世書》，堯即位甲辰至今壬辰，僅三千六百四十九年耳。數雨算沙，古事何極，而況堯以前之古乎。經世以十二萬九千六百年為一元，一萬八千年為一會，三百六十年為一運，三十年為一世。堯之生，當已會一百八十運之末，去混沌始分之時，已六萬四千八百年，其果然乎？《漢書》謂三統上元至伐紂之歲，十四萬二千一百九年。又謂漢太初元年距上元十四萬三千一百二十七年。宋有一家星書，謂上元甲子之歲，日在虚宿四度，距景祐元年甲戌，積一千十五萬四千九百五十年。劉道原《通鑑外紀》，則謂開闢至獲麟，二百七十六萬年。以此數書相較，皆不可强合。然則堯以後年數可考，堯以前年數不可考。以孔子定《書》繫《易》之意，為法古之可以細考者，自堯始。古之可以略考者，自伏羲始。伏羲以前之古，鴻濛希夷，先儒盤古之説，自不一端，其莫可考也夫，其亦不必深考也。夫濟南張君受益，嘗以喜聞過名其齋，予為之記。又別為古齋以扁其燕居之室，而求箴焉。予再四叩其説，則曰吾之所謂古，不如是拘拘於年數之間也。顧吾之好古有三，專心致志者得之讀，觸目興懷者得之游，寄情寓意者得之玩。古莫古於書籍，《易》起一畫，《書》首二典，《詩》美刺，《春秋》褒貶，吾精覽熟復，以此四經為據，决諸子諸史諸集之醇疵是非。《三禮》惟《儀禮》古而不完，《周禮》為劉歆竄改，《禮記》雜漢儒言不純古。近世朱氏四書，吾服膺焉，以窺關洛之正傳，異端邪説莫我敢伺，庶幾見古人大旨。此一古也，得之讀者也，非專心致志不可也。古莫古於山川，過鄒魯而知孔孟萬世永賴，登泰山而想七十二代之封禪，與夫秦侈漢誇，今皆安在。堯平陽、舜九疑、禹會稽，后稷公劉豳邰，文武豐鎬，吾采其風聲，而究其所以治。周九鼎輕而七雄並馳，夕陽亭一言而十六國迭起。六朝宴安於江沱，五季僭竊於遐僻。吾臨其戰爭之場，而弔其所以亂。齊景公不如西山之餓夫爾，朱榮不如湍石之嚴子。勿拜之木、不唾之地，其骨秀，其名芳。此一古也，得之游者也，觸目亦豈可少哉。至如古器物之好，則王通嘗失言焉，其言曰「古之好古者聚道，今之好古者聚器」。器可聚也，道如之何而可聚？先儒固以此譏河汾之不知道矣。聚器之弊，世誠有之。古王者有天球河圖、赤刀琬琰、離磬崇鼎，諸侯有夏后氏之璜、封父之繁弱，以為鎮國之寶。後世不復知此，陳庭之矢、汲冢之簡、岐陽之鼓、豐城之劍，以資博識可也。韓宣請環於子産，魏丕求玉於吴質，顧凱發羽化之儆，桓玄輟寒具之設，則少戆矣。故蘇眉山於石幼安之畫苑、王晉卿之寶繪堂，直以爲二子之病，作記以諷之。淳化閣帖，黄長睿疵其半僞；宣和博古圖，洪景盧笑其多訛。近日法書名畫，以木刻御府名家印，罔利於市，自米元章已爲無李論，而所至山水圖輒以爲真李成。吾於此别其真贋，博觀約取，庋藏一二，時出閲之，朋友取去，亦無顧惜。此又一古也，得之於玩，而非玩物喪志之謂，亦吾情之所寄意之所寓而已，非真有所執著於其間也。然予深知受益之爲人，當於古人中求耳。勗古心，行古道，於古誼尤高，急人之私如救焚溺，揚人之善如甘飴蜜，又有在於三好古之外者，顧今人未盡知也。箴曰：

古書籍兮，吾其讀。朝明窗兮，夜殘燭。嚅嚌雋永兮，梯高邱。感慨惻愴兮，瞠吾眸。古聖賢之蹤可追兮，吾捨是其將焉求。古器物兮，吾其玩。罟離粗益兮，柝豫棏涣。吾聖師觀於廟兮，感欹器而永嘆。苟貪多而鬬靡兮，則未有積而不散。蘭亭之闕於辯才兮，不知一旦有蕭翼也。世已無昭陵之真迹兮，又焉知復有定武之石也。形而下者有盡，形而上者無窮。無窮之古，撑腸飫胸。有盡之古，盍相與一笑，付之太空之風。

勉齋箴

《易》稱伏羲、神農、黄帝，《書》紀堯舜禹湯文武周公，暨周衰而有孔子，自天地開闢以來，歲年亦久矣，生靈亦衆矣，而人之得號爲聖人者，不過此數人而已。惟聖人不勉而中，不思而得，生知而安行者也。下聖人一等，則必擇善而固執，學知而利行，故《論語》一書，無非聖人所以勉學者，與夫學者自勉相勉之言。今之人既不能自勉，又不能交相勉，間有一二能出一語以勉人，則或者聞乎勉己之言，深以爲諱，如是則甘於自愚，而又相率天下之人皆爲愚人而後可也。潤之金壇張君光遠德輝，其先高祖本濟南人，是爲南渡文簡公諱綱，名臣也。今德輝以勉名齋，與黄文肅公之齋名適同。古之命名而同者多矣，於齋名乎何嫌。紫陽方回爲之箴曰：

騏驥之不行兮，不如跛鱉之千里。荆軻之猶豫兮，不如蜂蠆之有尾。饑食渴飲人禽同兮，所不同者精義而明理。辟穀服氣而長生兮，寧朝聞道而夕死。井九仞而不及泉兮，山未成一簣而止。浚之深而崇之高兮，亦在乎勗之而已。生知上聖固懸絶兮，抑堯舜與人同耳。愚可明而柔可强兮，毋自咎乎質之不美。吁噫美質固易得兮，唯至道其難聞。學者之用其力兮，非苦骨而勞筋。初旁收而並蓄兮，博載籍而窮典墳。外資師而取友兮，内紬繹於心君。又繼之以明辨兮，羌縷析而毫分。四者至而誠不篤兮，將無墮於虚文。致其知雖多途兮，望聖涯尚其無垠。惟力行以終之兮，在克艱而克勤。吁嗟予求道之荒唐兮，夜若夢乎壇之杏。覺而發其遺編兮，童讀之雪領。自説樂不愠至知命兮，垂萬世之深儆。聖所以勉乎人兮，庸可求仁而僥倖。顔拳拳於四勿兮，曾孜孜於三省。賢所以自勉兮，尤務理直而欲屏。在子張之十九兮，或交勉之互請。蓋苦口起死於膏肓兮，而甘言平地之機與阱。嗚呼噫嘻物則秉彝兮，人而不仁。今之淺夫兮，以藝自珍。小數狎物兮，大閑逾身。擇術未謹兮，立言未醇。眩耀兮毗兮，張皇鋪陳。一語規之兮，作色怒嗔。不勉而中兮，惟古聖人。汝不自勉又不欲人之勉己兮，是之謂横目之凡民。

觀省齋箴

善於觀天下之人，不如自觀；勤於省天下之務，不如自省。是謂近觀内省。觀猶淺也，省則深矣。是者如此，非者如彼，或善或不善，觀而見焉，故曰觀之力猶淺也。是者吾充廣之，非者吾克治之，必為善，必不為不善，省而擇焉，故曰省之力則深矣。此聖門心學也。三衢毛君士穎，以觀省名其齋，紫陽方回為釋其義，而寓之規曰：

心之未發，鬼神莫窺。寂然不動，罔云罔為。君子於此，奚力之施。敬以直内，儼然若思。心之既發，矢去川决。川不有防，矢不有括。十目未睹，獨見而察。慎其獨也，古之心法。我觀我心，幾微之間。我省我心，非有二天。視其所萌，審而後安。此所以樂行憂違，而欲净理完者歟？

稱隱齋箴

吾友汪君巽元讀書之所曰稱隱山房，因為其齋作箴焉：

物有輕重，事有是非。才有高下，量有廣微。銖兩千鈞，拱把十圍。或塵而眇，或岳而巍。了然吾心，不露其機。譎此之扃，鍵此之扉。以區別品藻，莫之敢違。而所以抑揚低昂，亦莫或窺吾之幾也。此聖人之能事，而賢者之所希。蓋取舍與奪默識於內，而臧否毁譽罔顯於外。能隱而不能稱，則表里一歸於聾聵。能稱而不能隱，則黑白察察者亦非。所以避憂患而遠害，是故胸臆貴乎明，而言論褒貶不可以不晦。噫！此巽之所以行權也，在昔繫傳九卦三陳，巽以終之，此一德也，以處事接物待人。自履至井，有八德焉，先以此反己修身。八為經，以窮理而盡性[一]；一為權，斯精於義而熟於仁。不然原缺賈而已耶，豈不能用權較錐刀之利，卒為凡民。

[一] 以窮理而盡性：理，原脱，據清抄本補。

熟齋箴　并序

天之生物，時至而熟。百穀百果，加灌溉之功焉，則其熟也為尤美。人之食物用物，資於人力而熟。烹庖牲牢，煎膗魚鱉。醖曝酒醤，調胹鮓醢。燠煨榛菽芋栗，熬煉脂膏蜜飴。炮炙附烏芥苓，鍛冶金鐵銅錫。煮治絲枲縑素，矯揉皮革筋角。得其所製之方、所造之術，而劑量斟酌之，則其熟也為尤精。其有習於當世之一能一技而熟者，古之人如伯牙之琴、由基之射、郢之斤、扁之輪、佝僂丈人之承蜩、庖丁之解牛、扁鵲秦緩之醫、季主唐生之卜，以至近世張旭之草書、裴旻之劍舞、米嘉榮之歌、韓擇木之隸、李陽冰之篆、吴道子曹霸韓幹之丹青、董元李成范寬之水墨、諸葛鼠鬚之筆、李延珪潘谷松烟之墨，皆造玄極微以名於世。雖邇日兵火更革，善書善畫、善奕善算、善方脈、善占驗、善説虞初九百，亦往往不無習熟之人，而予嘗評之矣。熟天之生物而至於美，有人焉，畦叟園丁能之。熟人之食物用物而至於精，有人焉，竈爨老媪、市井淺夫皆能之。熟當世之一能一技而至於造玄極微，亦有人焉，然未必皆吾儕士君子之所可能也。苟如此，則吾儕士君子之所熟者，其將果何事耶？潼川楊廣文剛中以熟名齋，紫陽方回為箴以遺之，蓋以明夫學聖賢之學者，其所熟在此而不在彼也。箴曰：

德成而上士，而熟其所當熟，其不為聖賢者幾希。藝成而下士，而熟其所不當熟，則將無君子之棄而小人之歸。雖然，熟於一藝，閭閻之人足以養其身。研於性命道德之學而熟於仁，乃不免顏原之賤貧。嗚呼！吾寧熟於此而賤貧，不願熟於彼而為閭閻之人。

齊希説道存齋箴 并序

格物而物格，致知而知至，上用力下見效也。齊君希説以道存名其齋，其義甚大。若曰存道而道存可乎？飲食起居，道未嘗不存，百姓日用而不知。學者欲用力以存道，而見道存之效，非也。道也者，不可須臾離，視之無形，聽之無聲。然道亦不在器之外。老莊氏以道德而毀棄仁義，以有物混成、先天地生為道，而不以日用常行為道，似乎以有形有聲為累，而欲返求乎寂滅恍惚，歸於無形無聲，所以齊彭殤，一死生。吾之所謂道，當然之理必見於事，本然之性必發於情，君臣、父子、夫婦、兄弟、朋友之倫，立於天地之間，而萬世不相紊者，道在其中也。希悦於事之所施行，察焉必不違乎當然之理，於情之所著見，察焉必不戾乎本然之性。由人己俱不睹不聞，以至於己獨睹獨聞，一以敬存其心，則可。若乃泛然立名，謂吾存道而道存，則渺茫闊大，無所據依憑藉以為身體力踐之地。彼異端所謂孔子見温伯雪，子不言而道存者，無其事。後世禪學有此，吾儒烏有是哉？此之存亦非彼之存也。故為詩以箴之曰：

我飯一盂，我飲一觴。我衽我衣、我寢我床。適口安體，弗喪厥常。道有於斯，罔有不臧。事君以忠，事父以孝。夫婦閨門，朋友學校。兄友弟恭，是為五教。契為司徒，上行下效。日用常行，道無不存。不於堯明，不於桀昏。視聽言動，此以物言。四非四勿，乃以則論。曰情之性，曰事之理。曰物之則，顯用微體。匪珠匪玉，可匱可匭。我存我心，敬而已矣。

遜齋箴　并序

遜，一作孫，順也。《易》云「巽入也」，曰巽德之制，曰巽稱而隱，曰巽以行權，其義奥而博。文王三陳九卦之終，事未究也。音同乎巽，而字別曰遜，則其義止於謙，退不競而已。士之務進彼者，非有甚高難行之事，然順而遜亦可以為成人矣。濟南馬君名克敬，字順之，而又以遜扁其齋，其將以造於《易》之巽者乎。紫陽方回為之箴曰：

儉而不奢之謂遜，崇愷之步障，不如平仲之豚肩也。謙而不伐之謂遜，季路之率，不如趙文子之吶也。恭而不敖之謂遜，原壤之夷，不如正考父之傴也。退而不争之謂遜，陽勒之漚池，不如伯倫之雞肋也。名曰敬，主於内，遜之根。字曰順，行於外，遜之文。於斯扁，齋曰遜，入聖門。然則上天下

（缺）

肯隱齋銘 并序

天目山洪君起堂，求文識其肯隱軒，紫陽方回謹言。君家先大父端明公平齋先生，寶慶初為濟邸事，斥史彌遠歸隱於書者十餘年。端平甲午，遂出為臺諫第一人。淳祐辛亥，回以左史吕公竹坡先生書謁君先父端明。後峴先生於在所時〔一〕，為考功郎兼直舍人，院以煩言去。尋入天目山從之游，館於至道宫時〔二〕，挽至飲席，以所讀書字字行行指示所謂肯綮節目教之。一日，座間偶及淮閫賈似道奸詭詐譎特甚，謂異日必誤國。其先見之明如此，世所不知。今世所傳公與賈不合，在淮東漕之後者，非也。公豈惟不合於賈似道，以前諸相皆不合也故以是難進易退而常隱

於書，朝廷日少，山林時多，為一世正人。區區者幸獲末第，則不可復見，而公仙去矣。大抵嗜美仕者必廢書，閒居不仕必有讀書之暇。是之謂隱於書，本無他奇説也。銘其軒曰：

太極儀象，一畫其初。積奇乾蓋，缺偶坤輿。龍圖肇始，鳥迹衍餘。縱橫上下，左右實虛。注（缺）覯止，偏傍燦如。字從意造，文用言舒。恒性王播，道心帝臚。典謨淵邃，誓誥枝疏。三綱同軌，六藝異閭。姬田既耒，孔畎攸鋤。辛柄八設，治經九攄。麟感仁獸，鳩歌摯雎。百王藥石，萬世菑畬。周弗炎矣，秦乃爇諸。金馬天禄，玉堂石渠。漢大蒐采，唐勤補苴。冑庠儒館，册府仙居。縹囊蘭揭，緗帙芸儲。服其黼黻，佩厥瓊琚。歐虞褚薛，賈董嚴徐。從列訪問，相臣詔除。安世三篋，惠施五車。負笈擔簦，釋屩離蔬。刊削豕亥，改更魯魚。化漸島卉，俗革戎鐻。名達外史，譯通象胥。胡甘短製，韓曳長裾。避逃廊肆，憩偃郊墟。商嶺綺季，蔡津溺沮。簡編塞棟，卷軸充廬。經耕子鑿，史畋集漁。道咀德嚼，理吸義嘘。市與有虎，宊寧無駕。豆芋糲飯，韭菁寒菹。是之取耳，其不偉歟。相如駟馬，浩然蹇驢。焉能浼我，孰敢侮予。畏影滅迹，刻名泯譽。朱金糞土，竹素璠璵。筮曰未吉，姑隱於書。

［一］後峴先生於在所時：後峴，清抄本作「從峴」。

［二］館於至道宫時：宫，原作「官」，據清抄本改。

月泉銘

陳深太博，陳著之子

四明陳汝資為婺州月泉書院山長，將行，紫陽方萬里為言月泉之義以送之：

泉出於地，天一生之。月出於天，日光所為。月之照物，明發於外。泉之照物，清在於內。人之方寸，其内至清。至清無欲，其外至明。則兼有夫月與水之光精者也。故月之與水能照萬物之形而已，而心之在我，則能照萬物之理焉。是故君子之學，莫大於養心。子方子回以告子陳子深。

密齋銘

劉晦叔密齋，方萬里既為記，又為之銘曰：

時行物生，機緘孰扣。上天之載，無聲無臭。老安少懷，端倪莫尋。聖人之道，惟幾惟深。生而知之，如羲皇易。洗心不用，退藏於密。學而知之，如節之初。言語為階，曾是可疏。性同氣異，理一事萬。氣有萬殊，性則一貫。補罅窒隙，疏者密諸。矯弊揉偏，其惟敬乎。密之又密，以幾於聖。變化氣質，而純於性。爻在卦中，卦在蓍中。吾之心亦猶是也，以應天下之萬事，未嘗不明白而疏通。

趙觀父石心銘

予與趙觀父邂逅於倪淵道之舍，其自稱曰石心，謂予銘之。銘曰：

石之石，木可以鑽，金可以鐫，火可以燃，溜可以穿。夫何故？石，物也。心之石，不可鑽，不可鐫，不可穿。夫何故？心，非物也。方寸之中有孔子不磷之堅，而孟子所謂浩然者也。嘻！其觀父富貴不淫，貧賤不移，終身勉旃。

謙山銘

《易》艮下坤上，地中有山，謙。山，高物也，而在於地中，高而能下者也，能下於人之謂謙。是卦也，六爻皆吉。而象則又謂一謙而四益。予先姑之孫劉子申所居負山，予名之曰謙山，且冄而為之銘曰：

若古君子，維正考父。三命循墻，亦莫予侮。彼其不然，一命而舞。山雖曰高，高不至天。地有高者，臨山之巔。謙歟盈歟，吾子勉旃。

普福觀鐘銘　大德六年十月初四日

宣授清寧抱一凝妙法師提點普福觀開山住持静境居士周静清，築觀之十八年，大德六年壬寅十月初四日甲子，鑄鐘高七尺，徑四尺有六。江東道紫陽山虚谷居士方回為之銘曰：

非氣無形，非形無聲。天以氣運，形聲風霆，草木動蕩，山川震驚。海鯨萬彙，有蒲牢鯨。蒲牢遇鯨，厥音乃鏗。鞔革為鼓，不打不鳴。槌以打之，在人手擎。鑄銅為鐘，不撞不𨍭。人手撞之，響撼穹清。十洲三島，群仙整纓。大千世界，弗夢弗醒。幽陰黑暗，罔魄弗寧。器而不用，空有器名。有以用之，始為器成。特懸大器，撞匪寸莛。人手三合，斯聳群聽。紙之墨之，萬卷仙經。庋而不讀，疇通仙靈。氣也利貞，聲形元亨。學我此道，通誠復誠。

東平張才卿謙齋銘　并序

戒慎恐懼，極恭致敬，去高就下，抱實若虚，之謂謙。然時義有六謙之不同，全卦大象又不同，何也？以全卦及大象言之，謙、剥二卦，皆五陰一陽，而謙與剥，三上相易。剥之上，乾之剥不盡者也。今退而來三，故曰「天道下濟而光明」。濟，坎也。光明，艮也。剥之三，坤上也，今進而往上，故曰「地道卑而上行」。謙剥一移换之間，損上之有餘，故虧盈、變盈、害盈、惡盈。益三之不足，故益謙、流謙、福謙、好謙。其曰「裒多益寡，稱物平施」，皆取象三上相易，尊而光卑，而不可逾，則專指下體。艮之三，尊於一二。艮，止也，所以光。山雖在地中而卑，然誰能一蹴而越之。謙之極致如此，非以盛德居大位，未易臻此。若夫時義六謙之不同，則當以無位有位論。九三陽剛，正而不中，功臣之位也。艮體之上，知止則可。韓彭英盧不終，光武功臣皆保其身。先儒以周公當此一爻，非吾儕所敢望也。六四，相臣之位也。其曰撝謙，功臣謙於下，柔君謙於上，一舉手間不敢忽則吉也，亦非吾儕所敢望也。六五，柔居尊位而陰虚，故曰不富。惟謙也，故不必富，有力而能用。四與上之鄰，在二不應，或猶不服，利用侵伐，謂謙德之至，天下莫敢當也，非人臣之事也。上六居高亢之位，其曰鳴謙，固有聲矣。而内應於三，私也，虚象也。實象則以之用兵，不可以大得志也。然則吾儕為士，則當用初六自牧之謙，自之為言，自己之學，賤而在下，無事任，無功業，無可矜伐，戒慎恐懼，如牧牛羊，自鞭其後，此吾儕之所當為也。六二鳴謙，以謙著聞，士之已仕，而為在下之臣者也。於五無應，則未必見知於君上。三剛乘我，則勛閥之臣壓乎吾上。柔中而正，則上不干尊位，近不阿權勢，貞固自守，中心泰然。此一爻乃東阿張君才卿平昔之事也。才卿名宰相孫，仕中原嘗字民百里，佐幕二府，過江一為學官，棄之，今年六十有二，以謙得名，信乎鳴謙貞吉者也。昔吏今民，鳴謙貞吉，未之敢希，則姑為初六之卑，以自牧者也。愚讀《易》有年，兹有撰緝諸家之説，求教於才卿，而銘曰：

君之學，謙之初，愚昔也，窺無所為之謙也，自克自治，省躬修己，愈下愈卑。君之仕，謙之二，愚昔也，知有所㠯之謙也，無應無隨，守道循理，不高不危。學而仕，仕而學，行止以時。愚老矣，不復仕，則於初爻之義，退而求之。（以上《桐江續集》卷二九）

全元文卷二二五

方　回　一九

先祖事狀

自紫陽泝歙溪，舟行四十五里，曰深渡，又二十里，曰小溝口。水出休寧山中，合於歙溪，入錢唐江。歙之方氏，皆東漢賢良、洛陽令、贈太常方公儲之後。回先高祖以上，家於斯，世為歙州歙縣人。後更名徽州，先高祖七府君諱之宗，州學學諭，妣吴氏。先曾祖六府君諱敏，妣朱氏。先祖三府君諱安仁，字伯蒔。特授承務郎致仕，妣吴氏，封孺人。高祖葬小溝口，以上皆葬小溝之源中。南渡前水東有重屋十三間，故居也。宣和庚子，以睦寇毁，遷居水西，在今高祖墓前。高祖、曾祖皆游學汴京，先祖當高、孝之間，奉曾祖遷居州城甘泉坊西，卜室北向，前後各為重屋三，而為土庫東南陬，效隱者韓伯休，市藥物自給，始葬曾祖、妣城東問政山興道原。先祖娶年三十，先祖妣年二十，合古禮，生五男子、三女子。五男先君四府君諱琢，字元章，以太學上舍登嘉定七年甲戌第，仕至承直郎、廣西經幹，權融州通判。次七府君諱珌，字元善，劬躬約用，公篤如先祖。次八府君諱琢，字元珪，屢亞卿選，博學工詩文，州學直學。次九府君諱琛，字元獻，文雅蘊藉，喜賓客，嘉定九年丙子鄉貢進士。次十府君諱玠，字元純。三女，大先姑嫁吴顗，二先姑嫁江容，有甥應元，鄉貢進士，三先姑嫁劉伯證，皆士人。先祖為人剛毅直諒，治家教子嚴，待親友里黨樂易[一]，糶不二價，不過取贏，人以其誠，其求必詣。回嘗見先祖遺墨，歲計會子本出入數，雖日益增饒，而輒以為睦姻任卹[二]，貲亦不靳，以故宇不加闢，婚嫁外，田不盈頃。郡人至今言長者，必歸之。初郡更睦寇，徙治溪地曰新州，久乃復舊，膴仕高貲，多落遠郊外邑。尚書羅公汝楫，紹興中始居城東北，子鄂州願、孫似臣，俱擢第，而章元崇與先君繼之。猶是先祖及妣以大禮恩疏封，先君所與交皆天下名士，而元圭、元獻二叔父又皆以舉進士有聲，縣人望士曰輳門。歲時之會，男婦女婿十六人，奉觴為壽，先祖色莊儀肅，先祖妣慈顔盎如，中表健羨。然自先君嗜書業文，取解入學，升舍策名，衆為喜，先祖輒大不懌，得無謂治平以來，不善事荆舒章蔡，不黨檜、不媚侂、不阿遠者不貴，貴即為百世憸人，賢者决不願附憸人，守正争是非，即必播徙黜謫，與其仕而知名，不若隱而無名之為愈耶。或請先祖身既為通籍官，宜筍輿者，先祖不改其度，千秋錫宴，即輟兵衛哄導，甫還，即有所過從，徒步如故。守貳或召私宴，辭弗往。年逾八十，愈清健，未嘗一日有疾，不服餌，亦不好佛老，庭闈燕處，相敬如賓。回不逮事先祖、先祖妣而得之長上所言如此。二繪像舊藏元善叔父家，云極肖似，夢寐間如存也。先祖以紹興十四年甲子九月初九日生，以寶慶三年丁亥正月十六日卒，年八十四。先祖妣後十年甲戌正月二十五日生，以先祖卒之年十二月十八日卒，年七十四，合葬於問政山曾祖墓之山陽。先祖卒之年五月十一日，回始生於封州，回生三歲為紹定二年己丑十一月十二日，先君卒於封州。又明年，回始護歸。回年三十六歲，為景定三年壬戌，竊進士第。又十三年，為德祐元年乙亥，以太常寺簿，兼莊文府教授，補外為朝奉郎，知建德府軍府事、兼節制往來駐戍軍馬，尋除秘書郎，加直秘閣，依舊任兼都督府參議官。郡事之暇，追思家世，譜牒散亡，先祖墓銘墨本諸叔父家皆屢厄於火，今或不存，故書此大概以遺後人，而先祖五男子之子孫，別繪為圖焉。

［一］待親友黨里樂易：黨，原脱，據清抄本補。

［二］而輒以為睦姻任䘏：輒，原作「輙」，據清抄本改。

先君事狀　至元十九年正月

先君諱琢，字元章，徽州歙縣人。曾祖考七府君諱之宗，妣吴氏。祖考六府君諱敏，妣朱氏。考三府君諱安仁，授承務郎致事，妣吴氏，封孺人。淳熙元年甲午十一月十六日生，慶元元年乙卯，鄉貢進士，嘉泰二年壬戌試江東漕，補入太學。嘉定七年甲戌，以中等上舍殿試袁甫榜，中第五甲第一人，升第四甲，授楚州州學教授，改蓬州，辟四川總領所措置糴買、兼準備差遣。嘉定十二年己卯，以紅巾之變，出峽。明年，坐蜀事，為言者論列，尋授吉陽軍軍學教授，入廣，辟昭州龍平縣令，改辟廣西經略司幹辦公事，嘗權通判融州，官自迪功郎至承直郎，舉員及格，經略司檄委買馬於邕州橫山。嘉定十七年甲申，廣西提刑錢宏祖挾私憾，誣劾對獄。逾年寶慶元年乙酉，坐謫封州。紹定二年己丑十一月十二日卒，年五十六。

歙縣水南六十五里孝女鄉，小溝口之原，先君之曾祖考妣墓，及故居在焉。紹熙初，族人之才者，私以售之凌氏，暮夜盜葬。三府君訟州縣，戹扼於吏，先君年甫冠，兩詣饒州，訟於江東提刑司，得直，乃以其業委先君。從弟五府君諱政，居守。五府君足跛，因是治生稍裕，後以其子仲通偕先八叔父，遷君柩至自封州，諸弟以是業之復，先君力也，遂葬先君於小溝口。

徽州南渡後，鄉貢額一十二人，而《詩經》不與。先君赴尚書禮部陳請，慶元元年乙卯，符下江東轉運司，牒州取《詩經》一名，是歲先君遂中解。選徽州鄉貢，取《詩經》自此始。是後吕左史公午、丞相程公元鳳、運管陳公慶勉、壽昌令朱公渙，皆以《詩經》起鄉舉[二]。嘉定九年丙子，先九叔父琛預貢。至寶祐三年再見乙卯，而先十叔父玠子之崇，復中是選。蓋先君早有聞於四明，舒公璘實為吾州詩舉之祖云。

先君入太學外舍，未有校定。嘉泰四年甲子，公試經魁入等，當年私試中三分。明年，開禧乙丑改元，追升內舍，坐齋守季，為行試文，中程為藝外舍，嘗守三季，中三分為有校定。由是而公試入第二等曰正升，先四等後三等曰進升，如先君曰追升，此外校法也。鄭清之當國，其侄僅有私試一分，密囑學官私取，不從，乃降旨一分為有校定，而外校之法濫矣。嘉定二年己巳，先君舍試中平等，是年內舍額增至一百三十人、内校十三人，自此始，先君兼有私試一分，成内舍平校。嘉定四年辛未，以鄉舉該兑，同左史吕公午到省，惟吕公奏名。是秋先君舍試入優等，以一平一優升中等上舍。凡升上舍上等，取旨推恩，俗謂釋褐狀元，或即除國子録，或視第三人受幕職，中等免省，下等免解，見該免解者，亦與免省，然必升上舍一年始奏名。先君待年，為前廊國録。嘉定七年，始赴殿試，此内校法也。賈似道當國，采譽釣恩，首私放兩優三人，中等上舍不待年不到殿，並與釋褐。下等上舍不待年不到省，即到殿，甚者泛引恩數，亦與釋褐。而内校之法，尤不勝其濫云。

先君初授楚州教，前知徽州王公鈆時為四川總領，拉先君入蜀，因改授蓬州教。自入太學，聲名已盛，至為前廊，學者甚衆。上饒應公彌正，時亦從永嘉章公挺之學《春秋》，後添倅吾州，為回詳言先君徒及所以厚遇之意，感嘆不已。在蓬利州，蜀士執經，皆喜得師，臺閫争剡薦，利路帥曹公彦約，尤深相知，所刊《朱文公師友問答》，委先君訂正，今行于世。

先君之在四川總幕，以公直稱。嘉定十一年戊寅七月，總領太府卿王公鈆召，以知興元府楊公九鼎除太府少卿代之。餉管錢宏祖者，與先君不相能。明年己卯春，調戍卒之闕外，萏比人給絹一疋、錢十八貫三伯文，而吏剋其三百。衆推卒莫簡、張福為變，行數十里而還，九鼎舁金帛迎犒之，不止。先君偕同幕白九鼎，取吏剋錢三百者置之獄。先君起如厠，叛卒入，得九鼎霤槽中殺之。破獄縱囚，欲殺剋錢吏，吏以先君獄之為憾，嗾叛卒害先君。利州士從學者，匿先君于其家，得免。追之時矢，貫舟中几，先姊為回言如此。是時訛傳先君為賊所殺。安公丙起為宣撫，用將張威平賊，刳心肝祭九鼎。

而九鼎子亦免，求附先君舟出峽，先君舟小狹，又懼浮言，謝不敢。同幕嗾之，以為怨，又以嗾錢宏祖，後乃有廣西之難。

先君嘉定十三年庚辰歸自蜀，始營屋上北市。先七叔父主治役作，回見䒮㮄器，皆書曰「庚辰方宅」者，此也。先君四弟，七叔父曰珌，字元善。八叔父曰琢，字元圭。九叔父曰琛，字元獻。十叔父曰玠，字元純。三已分室外居，惟九叔父侍先祖于䒮宅。先君于先祖田宅無所取，平生銖積至此，僅有田三十畝。先嫡妣孺人俞氏，生先姊百一小娘，明年辛巳秋，以蜀俸嫁先姊百一小娘，得婿曰江濟之，戶部侍郎紹帥綱之侄，知漢平鎮之子也。親迎留館，而冬入廣。七叔母周氏嘗與回言：先君好施，見貧乏者，多解衣與之。先嫡母劬而儉，置家具什物絲粟愛護，先君或以與人不吝。濟之號且齋，受侍郎奏補恩，仕至改官知江州德化縣，亦為回言：先君名震一時，而胸次恢疏，以故與時多忤。先君之入廣，經略胡公榘實招之，提刑錢宏祖初同在四川總幕，嘗戲先君：「吾異日當舉汝。」先君亦戲答：「吾豈受汝舉者。」既而復會静江，亦已各忘前事，遂舉先君京剡。嘉定十六年癸未冬，將赴班，帥檄委如邕買馬，先君固辭，而宏祖力為甘言挽留。舊總幕有任子，疑謂先君嘗忽視之，以書介楊九鼎子潛詣宏祖泣以告，謂九鼎死，先君獨生，乞為修怨。當宏祖挽留時，包藏深矣，而先君不察其奸。横山二卒盜馬生事，先君申經略司行下處死，非先君擅殺也。宏祖即悔舉按劾，謂先君以二卒淫妾擅殺。都司疑其事，白廟堂下，經略司體實，宏祖懼不實得罪，且疑先君中朝有援[二]，即又誣為先君實殺七人，虛撰死者五人姓名。十七年甲申六月，寘先君静江府獄，偽為款狀，上之朝廷。宏祖尋代為經略，又多賫黄白至行在所，賄都司言路，求必殺先君而後已。言路中適有宏祖親家，遄以風聞朋助，都司坐先君罪，追毁除名，勒停竄廣東封州。于時單騎之官，先八叔父走静江，訪死生，獄無由通。謫命至，先君出獄，見八叔父立道傍，相視流涕。宏祖猶欲殺先君，會一日宏祖妻卒，受客弔，答拜仆地，宏祖亦卒，先君乃免，寶慶元年乙酉冬也。先君隨身裝囊，非有朝旨拘籍，宏祖擅没入之。當是時，有董其姓者，迎宏祖意，醖釀逞私，尋為叛兵刃烹。王揞者造端故人，亦年未四十，暴卒于邕。鶴山魏文靖公了翁，為欝林州僉書判官，《陶君薰墓誌銘》略曰：「君主管邕州溪洞，司機宜文字。有被帥檄主互市，擅殺人於邊鄙，傳聞失實，使者雖命君究詰，實以書請屬，君持不可，曰：『所殺二人耳，餘皆不實。』使者大怒，寮吏亦有先同後異者，君不為改。」回今考先君《嘉定七年甲戌進士題名小録》薰字南仲，全州清湘縣人，第四甲進士出身。其為邕之溪桐司機宜，嘗三攝州。鶴山所謂主互市者，即先君也。使者，謂錢宏祖也。其謂殺人邊鄙，傳聞失實，先君之冤明矣。殺人非擅，而傳之者與聞之者皆失其實，可知也。宏祖為一路刑獄使者，誣帥司幹官以擅殺人之罪，外以公移命南仲究詰，而内以私書請屬，即宏祖之欺天罔人、悖虐不道，又可知也。南仲持不可，報曰不實，宏祖大怒，南仲終不為改，則首尾一節，仲先君之冤，闢宏祖之妄，南仲可謂勁正君子，宏祖可謂凶酷小人矣。《鶴山文集》行世，若揭日月，孰謂先君之冤天下後世不知之乎？南仲初筮潯州理掾，去邕改辟昭州教，丁母憂，復辟欝林元幕。紹定二年十二月除夕卒，年七十二。寶慶經筵陶崇宗山，其宗也。

先君初入蜀，先嫡妣、先姊從行。及入廣，不挈家。封州之謫，隻影就道。先姊從夫如郢州，主長蒔縣簿。先嫡妣家居，與一妾俱。先君夙與鄉人績溪戴適之厚善，適之諱泳，多男。嘉定十四年辛巳六月十一日，又生男，先君時未有子，許以為先君嗣。十六年癸未蔣仲珍榜，適之登第，主旌德縣簿。其冬如宿約，以子歸于先嫡妣，先君遥謂令名曰元老，是為先兄，行第百五。先君在封州，得所生妣胡氏孺人，肇慶府人，以寶慶三年五月十一日巳時，生回于謫所，行第百八。嗚呼！先兄祝于嫡母之手，不識先君。回為先君親子，不識嫡母。一時家門患難如此，尚忍書諸筆哉。生回之年正月，先祖三府君致政承務卒，十二月先祖妣吴氏孺人卒。訃至，先君慟哭嘔血。明年紹定改元戊子二月初五日，先嫡妣俞氏孺人卒，先君自是凶耗而病，循至大故。回時未免乳，已生兩歲有半，懵未有知。先君斂而目不瞑。回既長，凶先所生妣語前事，及讀先君所書囑付遺墨，未嘗不痛滴血淚也。先君在封州貧甚，一再自營茅屋，日惟蔬飯。市無藥肆，呻吟烟瘴者五年。嫡妣買鬻□幣遺價往返，動數千里，無濟於穽，家愈益落。賴同年進士方公雷震，字聲甫，興化軍人，時為封州僉書判官，兩攝州事，與先君篤叙宗年之好。宗學上舍趙公希夔，字龍友，為州學教授，始亦月餽先君楮幣二緡，後不能繼。回之在孕，先君指腹與聲甫約，女也以為聲甫子婦[三]，男也或謫死不歸，望聲甫致母子二人于鄉。及先君卒，聲甫過滿，當泝檄如五羊，特為先君留數月治葬，如先君治命，差排軍王政及家僕胡三送先所生妣同回以紹定三年庚寅四月二十九日達于徽州。今聲甫所與先九叔父書猶在，回謹藏之，而聲甫官轍所到，回未詳知。龍友之子與堈，字茨翁，登淳祐十年庚戌第，咸淳初為江東倉幹。回適亦從辟入幕，同寅三年，嘗于賤生之日贈詩更酬，追舊傷感云。

先所生妣同回初歸，育于先九叔父之家，九叔母李氏之兄景芳，世名醫，善治傷寒，回歸之明年辛卯，景芳就太醫局試如行都，而九叔父忽感是疾，他拙醫不能理，其年四月二十七日不起，僅得年四十三。先是七叔父已育元老于其家，遂合回母子為一，及雇僕一人，以先君三十畝遺田之租，節縮歲入，膳回一門四口，以至成長。而先八叔父教回讀書績文，以至偶竊名第。嗚呼！先君不幸，遭大誣，中奇禍，歿身嶺表，而其心事無瑕，天或者猶矜之，故得友官手足，不負所托，扶竪其不肖孤，有程嬰、杵臼之風焉。回書此，不勝哽咽。先君謫非其罪，鄉先達內翰程公珌、及紹興帥汪公綱，以其冤誦言于衆，錢宏祖既暴死，士大夫多不直之。丁亥初[四]，郊以濟邸事坐謫者，丞相史彌遠深所惡憤，以故赦無叙，放並移，止卜，許死者歸葬。方公聲甫以紹興三年庚寅正月初九日，葬先君封州報恩寺法堂之右。而初六日夜市失火，焚百餘家，先君之屋爇焉。聲甫又急命吏卒救護先君棺柩[五]，以訖襄事。後端平初，陳乞歸葬，尚書符始下。先八叔父以端平三年丙申九月如封州，先七叔父盡以先君遺物易新楮幣，得四百緡充費，其年十二月歲除日，改葬今地。先嫡妣已葬問政山先祖墓朝山之塢。先所生妣以淳祐元年辛丑奪志，六年丙午九月初七日卒，葬水西寧康寺前。回少頑愚，卜先君之改葬，先姊來會，不能細問先君出處行事之詳，先所生妣奪志，不能争其事於七叔父、七叔母之前，往往敬奉尊長過于畏懼，至今思之，頓足搏頰，此生悲恨豈有涯哉！

先君時文、古文俱精，尤精詩律，太學義論策，學者習傳。先八叔父嘗取所為東漢黨錮及隱逸四皓等策為回講解，取諸史傳，先令檢勘出處，講後令回覆衍其詳，回于是文思湧進。又嘗舉先君所賦詩句[六]，並取《漁隱叢話》及古人佳作，令回參考互證，回于是心嗜為詩。通判興國平方公烈，字元美，與先君通譜，從制帥俞公玠入蜀。其子文龍，為回言嘗見先君《巴州學碑》立榛莽間，文甚古典。先姊夫汪且齋、上饒應公彌正，並嘗為回言先君詩筆健峭，先君蜀中詩文有青册三大編，三十年前不知為何人所匿。諸叔父之家皆燼于火，今遂無一存者，尚有手澤一二，回平生行以自隨，已見之他跋云。先姊之嫁，先君之貲力罄于是，以淳祐元年辛丑從夫為池州石埭縣令卒，其生也慶元三年丁巳，年四十五，有子曰汪舜卿。先兄百五府君，雖先君祝之而未識也，遺墨書元老小名不一，囑先七叔父撫養，勿聽，別俞氏與事，果有導之為無義語者，七叔父甚惡之[七]，猶以先君舊藏縑珥，為娶姚氏，而八叔父教之，亦能文，以秋崖方公之同宗而高科也。十叔父之子名曰峦，元老自名曰嵤，七叔父之子亦名曰㥪，姚氏生一女先卒。回墮忝之年，先兄君以貧病客死鄰人章氏家，年四十二。女已過房楊氏，嫁王氏。

先君遺體惟回一影，自先嫡妣卒，戊子己丑二年書家事後事以托諸弟者盈四册，惟恐回之不能歸也，又慮其歸而不能長也，又慮其長而不能成也。然則先君之意哀矣，痛矣。逮回四歲得歸，賴先七叔父養回以至于長，先八叔父教回以至于成。回不專為科舉之學，學性理自真西山《讀書記》入，學典故自呂東萊《大事記》入，學五七自張宛邱入，學四六自周益公入，而時文之進自州教授天台諸葛公泰始。年二十二，見知于左史呂公午。年二十五，見知于端明洪公勛、參政饒公虎臣、詩人鄭亦山、鄭公會。年二十六，見知于郡守府卿魏公克愚、郡倅應公彌正、郡糾常博張公汝諧。年二十九，見知于秋崖方公岳。逾三十，觀文趙公與節、提舉金公文剛、江閫馬公光祖、尚書吕公師夔、制帥吕公文德、禮侍劉公震孫，相次見知。年三十五，中兩浙漕舉登仕郎，告吕公師夔所與，而魏公克愚解送。年三十六，僥倖別院省試第一人，丞相馬公廷鸞賞其義，丞相章公鑑取其策廷試，丞相文公天祥、制帥趙公日起、參政常公挺為考官，寘回首選，不遂，猶與第一甲。歷官隨州教授、江東提舉司、準造國子監書庫官、江東提舉司幹辦公事、江淮都大司辦公事、國子正、太學博士、沿江制幹，再太學博士，再沿江制幹，改官通判平江府，改通判常州，改淮西帥機，監山西岳廟，通判安吉州、都堂稟議太常寺簿，除監察御史，丞相王爚格之，兼莊文府教授，知建德府，節制往來駐戍軍馬，除秘書郎，加直秘閣，依舊任兼都督府參議官，于是年四十九矣。小狀舉主三人：運使聶公棠、提刑鮮于公應文、制帥吕公文德。京狀舉主五人：吕公師夔、馬公光祖、制帥朱公禩孫、禮侍翁公合、制帥黄公萬石。特薦舉主一人：工侍程公岳。為回買宅，相知深者，宇文公十朋。郡守府卿、詩友文人，直諒多聞之交滿天下，不勝書。雖然，回何以得此于一時哉！皆先君之餘澤為之也，二三叔父之教養為之也。回早游江湖，不及娶，納杭人姚氏，併他妾，生七男四女。七男：存心、正心、高心、明心，餘三人虔孫、鶴孫、雷孫早夭。四女：禾娘、嘲娘，餘二人孿生不舉。存心娶林氏，史館校閱、添差通判建德府士愷之女，生女桐娘。禾娘嫁貴池縣丞程桂。嗚呼！回之所以名，實先君名之，自初生即名曰回哥，以寓他日還鄉之義，長而不敢更他名。左史吕公午，先君之友，一見謂回貌肖先君，字之曰萬里，以其歸自遠嶠，而又將期之以遠到云者。然自取科立朝，内獨與賈似道不偶，四取抨彈，讐之者不勝毀之者之多。將求無負竹坡先上之所望，以永慰先君之心于地下，亦曰强為善而已矣。 回泣血書。

先是德祐乙亥，治郡退食，用陳後山先生事狀體，著為回先君事狀，刊寫已定。 明年丙子春二月初六日，奉前朝太皇太后嗣君詔書，以郡歸于□，改書至元十三年，自此日始，行在所宰執大臣，以嗣君名具表納土，送璽于皋亭山，在正月十八日。軍馬入臨安府易守，在二十日。回猶堅守孤城半月餘，奸人不敢闚于内，盗賊不敢煽于外，以待其定。王郎中世英、蕭郎中郁，提兵五千賫詔至郡，合衆官吏軍民，一口同辭，惟恐有如常州之難，議定歸附。 按《三國・蜀志》，霍弋字紹先，羅憲字令則，景耀六年蜀併于魏，弋時以安南將軍統南郡，事聞成都不守，大臨三日，諸將咸勸速降〔八〕，弋曰：今道路隔塞，未詳主之安危大故，去就不可苟也。 得後主東遷之聞，始率六郡將守上表歸魏。 憲時以巴東領軍守永安城，聞成都敗，城中擾動，江邊長吏皆棄城走，憲斬稱成都亂者一人，百姓乃定。得後主委質聞至，乃率所統轄臨于都亭三日。 吴聞蜀敗，圍攻六月，晉王遣荆州刺史胡烈救憲，歸魏。 陳壽書謂霍弋、羅憲，各保全一方，舉以内附，此雖非人臣之正義，然國亡主遷，土地人民無所歸，為小郡者，力不能全國矣，全其郡民可也。建德府六邑，户十二萬有奇，口四十萬許，全十二萬户、四十萬口，亦可也。 彼列闔連城，先下于臨安，未下之先者可罪也。 此一小壘，臨安已下半月而後下焉，恕其罪可也。 而譁士或以不死責回，籌帷鉅公、分鉞虓帥，不責之死于未亡國之先，而責一内郡太守于國已亡之後乎？殷有三仁，亦異乎孔子之論人矣，此固不足深辨。而披讀前所為先君事狀，有續當增書者。回之事，與霍弋、羅憲無異。既歸附，改授知建德府事、兼管内安撫使，遥授衢婺招討使。明年至元十四年丁丑夏四月，改授嘉議大夫、建德路總管、兼府尹。十六年己卯入覲，秋七月遷通議大夫，依舊任。十七年春庚辰，還郡。十八年辛巳夏六月初一日，代者總管周府尹克敬至，解任。今謹附書于先君事狀之後，因稍修定諸子名數，藏之家，屈伸出處《易》有時義，付諸後世之公論足矣。要之回假守七年，無毫髮為利意，徽州李世達之變，家藏書數萬卷一空，他物稱是，在郡倒囊竭廩，至估賣寓屋，猶不足償逋，而一子在燕，旅食不繼，此豈有貪而然哉？特是以見先君于地下，亦當有辭。至元壬午正月，回時年五十六，泣血再書。（以上《桐江集》卷八）

[一]皆以詩經起鄉舉：起，原脱，據清抄本補。

[二]且疑先君中朝有援：中，原作「終」，據清抄本改。

[三]女也以為聲甫子婦：婦，原脱，據清抄本補。

[四]丁亥初：清抄本作「丁卯初」。

[五]聲甫又急命吏卒救護先君棺柩：棺，原脱，據清抄本補。

[六]又嘗舉先君所賦詩句：詩，原脱，據清抄本補。

[七]七叔父甚惡之：惡，清抄本作「厚」。

[八]諸將咸勸速降：諸，原作「請」，據清抄本改。

全元文卷二二二六

方回 二〇

輔德廟碑 大德四年

祀天，郊。祀地，社。祀祖禰，廟。天地之神，壇而不屋，人之神則屋之，屋之則曰廟，所以聚其氣以凝其神也。周公明堂以文王配上帝，天與人皆以廟祀之，自此始。古天子諸侯大夫士廟有差，三代功臣與食太廟，未有特以一夫而立廟者也。蜀人德諸葛，野祭猶不輕廟。唐狄相使江南，僅存夏禹、吴泰伯、季扎、伍員廟。自張許行節義廟睢陽，韓柳以文章守廟潮柳，由唐入宋，多援此比，而江南之廟大不勝其多。有司不欲違人心，而許之廟。然以未命之士未壯之年，一旦形亡氣存，赫厥威靈，奔走半天下，則莫若翊應助順正烈廣靈周侯廟祀之盛者也。侯杭州新城縣人，世家緑渚，諱雄字仲偉，母夫人感金蛇浴金盆之祥，生於宋淳熙十五年戊申三月四日，以嘉定四年辛未四月朝徽州婺源五顯王廟，卒年二十四。侯像方巾緑袍，勁髯修眉，巨鼻聳目，魁岸瑰碩，或依憑，或示現，或托夢寐，衆尊為神，祈穀響應。五顯王者，其五方五行之英氣歟？始以九月二十八日降神，四月八日慶佛誕者走廟下，無慮百萬衆，侯之神實先後之。端平二年乙未，饒州德興縣有請，以侯辛卯歲於本縣祁門陰捍常山草寇，旗甲金鼓，恍惚雲際，乃後所在疫而禱，旱而禱，雨而禱，虎害火災而禱，禱輒應，始封翊應將軍。嘉熙元年丁酉，兩淮制置大使趙葵，奏邊境清，賴神力，别封護國忠翊大將軍。二年戊戌，許新城縣照德興縣已封稱翊應將軍，新舊廟。又明年庚子，縣令黟汪績為記。淳祐四年甲辰，徽州請加封為翊應侯。寶祐二年甲寅，下新城縣，賜勑額曰輔德廟。五年丁巳，加封助順為四字侯。咸淳七年辛未，加封正烈為六字侯。十年甲戌，加封廣靈為八字侯。建炎舊制，神祠靈應，賜額封侯，自二字至八字止。侯自崛興，亘古所罕有。先是，侯之猶子宗智者，於開慶元年己未陳乞周氏子孫主廟事僧指南蠲潔葺修，如婺源靈順廟式，尚書符報可，宗智竭貲再造斯廟，穹殿傑閣，亢爽高閎，疲二十年之力，獨門廡猶舊。大元混一，靡神不依，中書右丞楊公鎮生長杭，夢有感，捐金成宗智志，華締一新，鳩工至元十六年己卯，抵癸未告成。侯之孫逢吉介邑人羅應龍請回實録其事。回謂顔子二十九蚤死，配饗宣聖，德也；鄧禹二十餘封侯，為雲臺四七之首，功也。侯禀天地異氣，享年僅逾弱冠，而能以其方寸之不朽，為五顯王，丞弼與顔德鄧功比隆，神矣哉。侯卒之百一十三年，大德庚子再改斯文碑之，乃歌緑之渚三章。歌之曰：

緑之渚兮浣侯衣，青厥蟾兮神所依。未壯而逝兮匪夭，白首者拜兮莫之敢非。潮來兮潮往，侯朝出遊兮夜歸。侯昔家兮今廟，奠椒醑兮神其我醑。渺渺兮緑之渚，子陵在上兮子胥下。羊衮孔樂兮鴟夷猶怒，勾吴炎漢兮俛仰今古。侯之願兮天不違，保我民兮靡兵靡饑。水無蛟蜮兮山無貙豹，有蘋有芷兮歲其報。彭殤共盡兮孰盡而神，不死者心兮幻者身。雨八荒兮先我桑梓，我刊此石兮百世之史。（《桐江續集》卷三六）

邑令佘洪道愛碑

昔言子游宰武城，夫子過之，聞絃歌而莞爾，子游以聞諸夫子者對曰：「君子學道則愛人，小人學道則易使也。」古之人琴瑟詩書不離左右，以學夫道。君子，治人者也，子游之身與邑之士大夫皆是也；小人，治於人者也，邑之百姓是也。子游身自絃歌，率夫邑之士大夫與百姓無不手弦口歌，家琴瑟而户詩書，君子以此道愛乎可使之民，而民以此道事乎愛己之君子。此古儒者之政以治天下可也，而况一邑乎？益都佘公自福建省理問所官尹越之嵊縣，儒其政者也。道之見於愛者，其大有三。元貞二年丙申秋下車，越歸職方二十一年矣，未科夏税，上司科夏税，自明年丁酉春始，公建言省咨元行初，江西以省斛較文思院斛，民多納米三㪷奇，故免夏税。用此例絹一疋該米三㪷奇，準時價中統鈔可兩貫奇。亡宋景定四年癸亥内批，以越罕蠶，夏絹一疋折納十八界會十二貫，永遠為例，故碑具存，時十八界會一貫準銅錢二百五十文十二貫，計銅錢三貫。向者欽奉先皇帝聖旨亡宋銅錢三貫準中統鈔一貫，今欽奉聖旨浙東等處夏税依亡宋例交納，則絹每疋合準中統鈔一貫爾。公力持此二説，請之府，上省未報，公又獨申言於右丞馬公紹，韙公説，省劄下酌公請，越夏絹一疋準中統鈔二貫，他郡率三貫，民無不感，此道之見於愛者一也。公曰：「未也，今惟田科糧絹差役，而山與地不科，非古法。」諏於衆，援舊令史安之例為魚鱗籍，酌步畝土色，減田之所科，均之山若地，且一洗産去税存、詭飛暗寄之弊，此道之見於愛者二也。秋糧以布代輸，舊比邑輸布一萬二千奇，大德二年戊戌秋已輸五千二百奇，俄以淮郡旱蝗改徵米，鄰郡布皆退。公輕身詣府，力言不便，已入庫布免退，尚當起米三阡碩奇。公謂灘險嶺峻民疲，乞捀留備邑春歉，民又便之，此道之見於愛者三也。然皆愛之根於道者，為之其大者亦有三。學廟久圮，公每奠謁，必督率葺治，宏麗倍舊，季考月講，罔不謹而儒庠興，首創二戴書院，表章先賢，而儒風勵。三年己亥夏，他郡拘文以儒充里胥，公獨曰：「夫子之道垂憲萬世，詔旨也訖不役儒而儒户安。公天性剛正、健決，廉介而好學，以己之好學而欲邑之士大夫無不學，故為政必自儒學始。公於是邑發軔，而措之廟朝，受道愛之賜，詎止此哉。邑人伐石，請書公偉績，樹之講肆，名曰道愛之碑，而以教諭劉悌來言。如挫豪强，戢虓暴，盜弭訟清，吏畏卒悚，皆道愛之實績；如禱雨即應，禳螟不菑巋，社壝稷壇，飭鬼神祠，備禮器，應禮典，亦道愛之餘事。既為文，又詩之。公名洪字仲寬，年甫四十九。詩曰：

惟剡劇邑，治劇不難，民心之服，民力之寬。俶徵夏税，統幣準絹。寬民之力，匹准貳券。不地不山，專賦於田。寬民之力，山地均焉。緝麻為布，以代輸糧。寬民之力，免於更張。儒庠之興，儒風之勵。儒户之安，惟根有杕。學以知道，道以愛人。惟尹也學，道愛及民。道為愛本，愛

為道用。惟尹之心，以儒為重。尹也朝矣，匪尅敢私。千古不磨，道愛之碑。（民國二十三年刊本《嵊縣志》卷二五）

元兀林答碑

大德六年壬寅夏六月望，宣武將軍上千户兀林答徽，遣其子兀林答希靖來□紫陽方回言。徽之祖兀林答阿魯兀刺，父兀林答喜□□任益都路濰州防禦使，葬益都路城北，將以今年十二月初一日遷葬於益都路城南雲門山前卧龍磵□，去城十里，諸先妣及□□完顏氏祔焉，螭首龜趺之石，宜求當世能言君子文之，而以屬回，辭不可。謹按兀林女真人大姓也。兀林答阿魯兀刺仕金為驃騎衛上將軍，遥□陳州防禦使，守把邳州。歲壬辰，大元查剌温臨城，以譯語諭之曰：「金國土宇河南、河北，皆我朝有矣，汝邳州不過一掌之大，汝不知天命，不順人心，不好投拜，破城之日，無男女齠齔不留，徒死何益？」金之季年，所至□□糧器械運當鼎革，軍若民告求生路，以六月十二日率百姓一萬餘户、軍五千歸附，隨軍收復河南，節次立功，授金吾衛上將軍、右副元帥，復改益都路濰州防禦使，遷居益都路録事司，附籍住坐，歲丙午病卒，享年七十。娶夫人魯氏，生子一人。兀林答僖□□知學，根於天性，穎異秀發，資質高明，長遂為山東名儒。歲戊戌三科中選及第，歲庚子皇大弟國王令旨於益都路取秀才三名，賜行省選差，赴北充塔察國王位下為頭必闍赤，長於同列，府事及文墨語言一切應酬，無所不統□□□。歲戊申得旨與父□□子濰州防禦使，中統元年庚申世祖皇帝即位，二年辛酉再得□□充益都路行省大都督撒吉思伴當，管領權省職任，兼濰州防禦使，十三軍州□□四縣緊要差發包銀，絲綫不擾，而辦虚危之間，真福星也。家擅饒富，恤貧振乏，憮惸給孤，與□饋，一無所靳，吟窗寒士、懇土疲農，賴教載生育之賜不小。三年壬戌欽奉世祖皇帝聖旨降金牌懸帶，四年癸亥正月二十八日病卒，享年四十六。娶夫人侯氏，生子二人，徵、徽，庶母王氏，生子一人，徵。徵、徵皆早卒，徽承襲金牌濰州防禦使，改知滕州，又襲父任必闍赤。至元十四年自願隨劉簽院北征，以管民知州，移咨察院，頒降□□□□□授武略將軍管軍千户，支請俸給，北征還，升授武德將軍。十五年隨伯顏丞相率領侍衛軍一萬北征，十七年聖旨於出征軍内摘撥五千人，令衆頭目一同管領，迴還火魯火孫丞相為北征軍官，有功，香閣内引領朝見聖主，賜宴，賞賜銀一定、段子一表一裏，牙笏一枝、銀匙筯一副、牙梳一隻、翠花一朶。十八年正月為前件事軍功，超拜管軍總管，二十年往福建督捕黄華，二十四年南征交阯，師還復授金牌宣武將軍，充管軍上千户，紫袍金帶，以穎州萬户府保定翼鎮守杭州。歷元貞大德，今十四載，乃祖乃父，不在其身，則在子孫，于斯見之。娶夫人完顏氏，大德五年辛丑三月二十六日卒，享年四十六，今附葬子一人，即兀林答希靖，兼才學識三長。銘曰：

是父是子，兩防禦公。天錫問世，才英氣雄。父防禦公，下邳孤墉。三月其久，百戰千攻。肩不釋甲，手不弛弓。糧竭□罄，途亦云窮。始知天命，明明□從。拜官金吾，副貳元戎。削平河南，纘兹武功。濰水分符，青齊之東。益都相宅，□壽考終。子防禦公，蔚為儒宗。三科中第，大鵬摶風。國王有旨，筆花是□。訏謨密勿，獻替從容。外補者兩，有光乃翁。箕裘嗣世，袴襦歌童。物無疵癘，□□□□。金符自天，華於厥躬。家素饒燠，恤士憐農。以財拯施，邱山其崇。象賢□□，惟孝□忠。自拔南蠻，如天飛鴻。海岱臨淄，改卜幽宫。夫人近逝，亦祔其中。□假視聽，匪伊明聰。俾□斯文，鑱之堂封。異日衣錦，言歸埽松。□□保□，左虎右龍。（清光緒九年《益都金石記》卷四）

富順汪知監墓誌銘

國家以文武二途，作人扶世。負意氣士，恥搦筆應有司程格，許用邊功自奮，不必皆山西良家子也。近世一二名帥起布衣、專閫外，談者慕之，人皆知其才足以動人，而豈知其所以致是者亦天假之哉。景定五年夏，四川制臣劉雄飛以召過鄂，其客有新知富順監汪君深之來訪。予見其姓名與吾州紹興貳卿之子侄相類，問其自出，亦歙忠顯王後，徙衢之開化。聽其言纚纚可采，方面美髯，善騎射，重然諾，恢疏倜儻，予意君異日當有築壇之拜也。明年咸淳初元，君過池陽，留數旬去，察君可為將益審，然聞君久弗欲調，日遊殿步二帥間，從事鞠飲為樂，殆徜徉擇木耳。四年，予與君姻家襄陽府察推待班張君道洽會逆旅，則曰君死矣，予大驚，因命予誌其葬。曾祖越，祖應，父鳳，以君贈武義郎。母張氏，封宜人。君始從江陵都統王遇仙解黄州圍，得資六。淳祐十一年，補進義校尉，從張實破興元府西縣，張禧解安西堡圍，各轉官四。陰平任極邊，及磨勘轉官三。又從劉雄飛戰衡州栗岡，轉官三[一]。又從築安慶府，轉官一。其後督餉援廣，絶富順監敵糧，復瀘州，共得官九，合轉至武功大夫，已告授武節郎，餘未下初入蜀，辟隆慶府劍門縣尉、兼主簿，不赴。次辟本府陰縣尉、普成縣令、成都府兵馬副都監，會制臣李曾伯召入廣，改辟東南第十二正將。再入蜀，仍辟前成都府兵監，尋又辟知富順監，將報可，劉雄飛召君，亦出入路，法奏剡上，理權為正，以故人皆稱為知監。君嘗攝三縣，修仁、柳城、巴，皆有聲。嘗攝計議官三，所至得幕府譽。君性孝友，二兄皆因君從戎，有版授。娶某氏，子男一人，早夭，立孫曰雙老，女一尚幼。生紹定元年十月初十日，卒咸淳三年二月十九日也[二]。以某年某月日葬於某地。嘻，漢安校尉盡封侯，宋好官闕每憶羊、元、保。才匪不逮，而天不以此假之[三]。飛將軍空百戰，劉孝標所嘆[四]，豈特一管公明而已哉！君走淮、湖、蜀半天下，垂得乘障，萬里途在前，車折馬仆，年止四十。予所謂可為將者[五]，豈其無知人之鑒也？予才君，而君之才弗加于世[六]，其奈何。銘曰：

燕其頷，猿其臂，疐于斯，吁可喁[七]。

[一]轉官三：官三，原作「三官」，據清抄本改。　[二]卒咸淳三年二月十九日也：二月，清抄本作「十二月」。

[三]而天不以此假之：不，原作「下」，據清抄本改。　[四]劉孝標所嘆：標，原脱，據清抄本補。

[五]予所謂可為將者：為，原作「謂」。據清抄本改。　[六]而君之才弗加于世：原作「而君之命弗加于才」，

據清抄本改。

[七]吁可喟：喟，或為「謂」之訛。

兩請浙漕貢士舒君墓誌銘

新安郡之黟邑有善人焉，曰舒君，諱撝，字謙叔，以景定四年癸亥卒，又十二年乙亥十一月克葬。其子登仕郎叔元，謂同郡方某故姊嫁黟樞密汪公勃之曾孫知德化縣濟之，而叔元汪出也。馳書至桐江再乞銘。按狀，舒氏廬江著姓，自五季遷黟，曰雄舉，南唐進士第一，曰賓王，著作郎，湖學高第，掇科歷仕，世不絕。君曾祖晞益，祖銃，紹興初却寇全鄉邑有功。父汝器，慶元四年戊午鄉貢進士。近世名卿梅津尹公焕，少與君及君兄擢為布衣交，文聲震嘉定。中九年丙子，兄弟並以勇爵薦名浙漕。十二年己卯，又並薦，君兄與尹公相繼登第，君獨不偶。兄尋仕為池州青陽縣尉，早世。君遂絶舉子業，專為鄉里賙恤善事。內翰洺水程公秘家居時[一]，與君講學蒙齋，袁公甫持庾節嘗檄君任荒政，至史賓之為守，行鄉飲酒禮，即君堅卧不出，食饑絮寒，藥病亟殯，施無倦。一日遷居，有拜於門者以緡錢數千獻[二]，蓋前十年貸以遠賈者，君曰：「吾忘之矣。」謝遣之，所為類如是。內精釋典，其卒歲除前一夕，語叔元曰：「起滅常理，無事可言。」年七十有三，其生紹熙二年辛亥也。君先娶黄氏，再汪氏。男一人，即叔元。女一人，淑慧，適登仕郎程全祖。孫男二人，宣卿，修職郎、新寶應軍寶應縣主簿；宣卿，舉進士。孫女一人，德卿。嗚呼，君雖不第，鄉里稱為善人，彼幸而達者，天下後世以不善人稱之，與其為彼，孰如為君。銘曰：

廬東山，冢北源。善綿綿，亡猶存。瘠已爵，腴後昆。宣耶，宜耶，其叔元耶。

［一］内翰洛水程公秘家居時：洛，清抄本作「洛」。　［二］有拜於門者以緡錢數千獻：數，原脱，據清抄本補。

江山縣主簿宋君墓誌銘

後世所以多争端者，以古制之廢也，抑非惟古制之廢也，古學不講而争心熾。一人焉開其争之端，又一人焉心不平而應之，是雖有一是，必有一非，而兩争之心交相激，至于俱傷兩敗，則常自乎操必勝之心。始古之田，官賦而井授，八家各以其力善公稼，而食其私田之入，無争也。漢儒集禮為記，乃有所謂獻粟、獻田宅、執右契、操書致之文，此貿易立券之漸也。後之齊民得自鬻其土，而有其土必謹司其所鬻之券，土不朽之物，而券之為物非不朽者也。奸人者時其亡也而訟之，此之謂古制廢而争端多。自予守古睦郡，適有兵事，遂安之宋氏，凡田券火焉。有訟之者曰：「吾田未嘗鬻，而宋氏强據之。」宋氏子曰夢祥，對于庭則曰：「先人之業是也久矣，以若干緡得若干畝，私佃公輸已若干年，而券厄于火，惟有司所以命。」因為下之邑，致佃種户問之，咸曰：「我輩歲入租宋氏耳。」會宋氏亦有昔日官印自實，産簿券雖亡，而簿可驗，訟者辭屈伏罪。然夢祥非有意于勝其人也，賴有司是是非非為直之。既而予解郡，始得宋人家學之詳。萝祥之先人主簿君，諱大發，字□□，自其遠祖以宣德郎知遂安縣，由鄱陽徙家邑境，遷蔗源，又遷桂塢。五世祖去非嘗領鄉舉，與東萊先生相友善，世傳麗澤舊聞。君守其説，所學專以犯而不校，為褆身取友、臨事待物之方，和易寬博，務為長厚。事山泉陳公蒙守三衢，器其能，奏授進武校尉、權江山縣主簿，漕江東，又拉以裨僉幕，忽不樂，棄去歸老山中，陶然自適。衛叔寶所謂情恕理遣者，非惟以自勵，且以訓敕其子若孫，鄉黨宗族稱焉。歲在甲戌十月七日，以疾卒，年若干。娶某氏，男子子一人，即萝祥，田訟得直，未始敢忮詞憤色，從容和緩，取聽有司，實君之不校之風為之也。女子子一人，歸邑士姜某[一]。男子孫三人，德璋、國珍、城孫。女子孫一人。君之曾祖鳴鳳，平鄉寇，補承信郎，為浙西帥屬。祖應待，補太學生。父某。其葬也，卒之六年某日，在某鄉某源之桂峰，綷碑未刻，以前進士俞蕡狀，求予銘。銘曰：

符傳刻，競鬩繁。平我心，養其源。有鬼神司之，不然其無天。兹之一念之善也，全而歸，貽厥賢。

[一]歸邑士姜某：歸，清抄本作「適」。

雙澗居士馬君孺人姚氏墓誌銘

世治也，而仕乎治，不吾與謀；世亂也，而隱乎亂，不吾前知。是故世不問治亂，人品不問高下，仕也者拙之趨，隱也者賢之歸。古事遠矣，近可言歟。趙書記佐命于陳橋，我則眠華山之雲；寇巴東成功于澶淵，我則斸陜郊之草。汾陰已西祀，泰岳已東封矣，我方且吟汝水之蓑衣。文平貝富使燕，韓范戰西夏，而錢塘有梅邊之處士，洛陽、天津有側耳之鵑聲之經世翁，是不為無所見也。予今茲銘雙澗居士之墓也，而遂索言之。方其治也，有佯狂逃陽瞿者，有竹樓未知明年何處者，有蟬蜕一榻滄浪亭者。及其將亂也，世之人豈不知所謂丁未録者乎？一貛廟號周六十年，而汴都麋鹿。焦眉山草木者，一赤壁、二白鶴、三携子賦颶風。安上門繪圖者，侶英石。深明闔析史者，墮摩圖。號真鐵漢者，八惡弱州而涉其七。賣和議者十七年，禁偽學者十三年，諱言綱常者二十七年，自為周公者又十六年。低首屈節從之乎？吻腥腐而骨污穢。與異論乎？流竄死徙，傷天地之心。然則亦何利于仕耶？雙澗居士馬姓也，顧自有伏波、少游故事，下潦上霧，支病身跕跕墮鳶處[一]，此何等況味，他日曾不免薏苡之謗，乘下澤、騎款段，亦不失為鄉里善人。蓋光武之世治世也，仕猶如此其難也，而況下于此者乎。夫士之不能不仕為貧也，然隱者亦豈必皆患貧哉。惟馬氏有自五季之末，由毗陵遷於睦之建德者，世家溪南和村。伯仲季三子，季之後六世，而户部侍郎大同，為名法從。仲之子又徙婺之東陽，九世而參知政事光祖，為名執政。二從下，中外顯仕比比。雙澗居士與户部侍郎，皆季之後。又五世而居士之父會龍昆弟五人，最季弟曰昆龍，亦擢寶慶丙戌進士第，仕至徽州判官。會龍之父諱淵，以判官恩封承務郎。淵之父諱端臣。居士諱治鳳，字祥甫，獨不願仕，一再亞場屋選，即捐去舉子業，治生產。其晚節嘗自謂：「吾家户侍，雖至名法從，然以氣烈敢撐觸稱。乾淳間，或致深嫉，獨賴阜陵能曲全之耳。參預尹京制閫，號剸劇老手，而近世議論不公，譽裕翁者未必能勝毁者之衆，則吾之不仕未為失，而二老宗公之仕，殆亦未為得也。」蓋其説之高遠如此。予假守今七年，訪諸郡人，皆謂居士力田肥家，不嫉於人，儉之積也。梁溪榮社，不哀於人，義之崇也。有所貸予，不券于人，信之孚也。有所譙責不仇于人，忠之盡也。自先事之知、愛物之仁，以至于中節之謂和，六德也。自事親之孝、從兄之友，以至于賑貧之謂恤，六行也。是足以應乎上之賓興。而後世之賓興，止於糊名校文之藝，則下之人責未有不盡，而上之人之責未始盡也。居士之所以隱也，居士婦孺人先始之。女姚氏，言不出閫，而鄉之耆艾謂居士於比閭族黨相保相愛相葬相救之道無所使，而自以其身行之，蓋内助之力也。此德耀之所以有相於五噫也。居士以嘉定七年甲戌四月二十三日生，而婦以明年乙亥四月八日生。居士以咸淳四年戊辰十月二十九日卒，而婦以明年乙巳十月十三日卒。生死先後俱一年而同月，俱享年五十五，數豈其偶然也哉。居士卒之六年，歲在癸酉十月己酉朔，合二柩葬于宋峰之東岡，去其家孝弟里半里而近。子男三人，長友孫，先居士七年卒，次之良、之勝。孫男八人，維桂、維松、維椿、維樫、維梓、維楠、維檜、來老。孫女一人，未行。曾孫男一人，寶孫。曾孫女一人尚幼。之良嘗佐予節幕官，前承節郎，上吏部換授未報，以予之既解郡無嫌也，以狀求為其考妣銘。銘曰：

居士之居，雙澗合焉。是為隱君子偕老之阡，其人不可得而見矣，猶雙澗之淵然，是溉是灌，以豐乃粢盛之田，後之人其綿延。

[一]攴病身跕跕墮鳶處：攴，清抄本作「支」。

場圃處士吴公墓誌銘

孔門曾氏，自蕆鏗瑟言志，與三子異，既參生元、元生西，猶羞比管仲。吾鄉友堂先生吴氏，從朱文公遊，世傳其學，高風似之。元祐中，大梁王立之以詩鳴，其父才元舍人高貲，園墅甲一時，能致蘇、黄及晁、張諸文人，陳無己晚為賦頡有亭者，立之遂為江西宗派之一。友堂之孫，曰處士場圃公，公之子，曰古梅，郡博士，見與名勝又似之。回生後公十八年，長博士六年，而獲與博士為詩友。回幸解郡休官，將從是家賢父子，搜玉色舊香之句，以想像沂雩之咏音。而前進士紫陽山長曹涇，馳介以狀來，且博士有泣血書與之俱，則公已厭世而仙矣。顧晚後何敢銘長者，然平生讀文公書，見集中字稱友堂為吴叔夏，如滕德粹、德章、程允夫，必取其後納交，而癖習耽吟，與博士好，亦不啻如無己之於立之。是銘也，其庸辭。回按狀，公諱豫，字正甫，宋嘉定二年己巳二月二十有二日雷乃發聲而生，公祖友堂喜以坤下震上之卦名。公之先仕姑蘇，十世祖徙歙州歙縣，於今為徽州。其季徙宣城者，為履齋丞相潛家。六世祖曰用清，以財雄。五世祖曰福，産益殖，門益大。曰元禮，為公高祖，曰作德，為公曾祖，業儒有聲，是生友堂。友堂之從兄，曰發、曰映，登淳熙二年、十一年進士第，皆福之子。元珍、元珪，孫也。友堂之從子，曰佐王、曰德成、曰景仁，接踵儒科。凡五人俱仕州縣，學施有政。而友堂諱昶，獨終身守其師文公之説，意薄進取。文公歸婺源，率先執經。至禁僞黨，徒步走寒泉精舍不慴。存齋鄂州、涓菴郢州、二羅公願頵、内翰野處洪公邁、尚書文簡程公大昌，為文字交。嘗銘竹夫人謂「母徇其名，乃邪爾思」，鄂州擊節。文簡著《雍録》、《禹貢圖》、《演繁露》等十餘書，多賴折衷，晚以所輯書説、史評等書授其子儀，即公之考也。公曾祖妣黄氏，祖妣胡氏，而先太夫人亦胡氏，如曹大家通貫經史。甫冠失怙，毆血彌年。世父學行先生錡入上庠，為前序，文行高古，奉母命就正焉。及母喪，號慕骨立，歲時薦享家廟，神主祭器制度如古禮，一守學行規訓，逮白首言及二親，猶必泣下。當壯歲，別業失泉數鉅萬，久乃知為里中子鬮亡移舟，左右欲執以詣有司，公恐敗其名，竟絶口不復道，或以為柔可劫，即挾勢焰，肆躪籍，公徐起，迎其鋒挫之，不少屈。東阡西陌，故人出服休采，傳經訂律，治賦行軍，疑丞岳牧往，而有以世路之未夷也，形役其心，尻高于首，危刑辟之陷阱，洶讒謗之風濤，亦豈少哉，公曰：如以古鄉三物賓興者，我亦往矣。我讀書不求甚解，訓詁章句聲病帖括，非我所謂學也。小得者鉅喪，先笑者後號。有一人，有衆人，非心悦，不誠服。有今世，有來世，非事久，不論定。倡義役也，敗盟利己者側目。惡淫覡也，鬼道誣民者折角。是是非非於直枉，而面折人過也。間有經瀆詆讕，椎牟悍醎者，初亦不便，綿時歷歲，以觀諸天，從降命，違降威，然後翕然胥化。中年諸子英妙秀發[一]，而博士大篇短章，儒林丈人行見之，色驚意屈。吏部方公秋崖岳渺視四海，端明後村劉公克莊六十年專詩鉞，其賞拔如坡於唐子西、谷于高子勉也。公謂肯友堂之堂者，其在是子矣。平生于般爾繩墨，得游戲三昧，取《豳·七月》之詩，於禾稼間築場圃以自老于家，仿陶宏景為三層樓以娛賓客。丞相訥齋程公元鳳為書其扁曰：「額與漫汗期」，為堂曰延芬，儲書萬餘卷，圖畫稱是許比閭後彥，觀摩麗習於茲。博士又為堂曰「躋壽」，以為將徹問與之地，門外日車幾兩、馬幾蹄，致足樂也。然處常易，處非常難，商之子孫，其麗不億，侯服於周，祼將於京，知天命者，始足語此。彼山頭望廷尉之徒，乘隙束緼以灰巨室，何人儌賄詭禦暴，公弗聽。衆指目主名，實負恩反噬者，請治，公弗忍。絜燼餘之南山之南，又遇梁上君子，公亦付一笑。豈不以曹武彬下江南，且有昇元閣之火，而我何以芥蒂為哉。幸場圃猶巋然，則葺籬落、葺牆壁，益穿地種樹，作米家書畫船，雖向之籤軸不具，而亦無弦之琴矣。處所抵城可半舍，官寓叩門無虛日。性飲少輒醉[二]，好客不衰，兒觴孫豆，梓茂蘭馨。善不善異，而積則一，必至是乃知神人臣筵，未嘗無公與奪也。博士起布衣，典鄉校踰四年。文公之道，友堂之學，復長臨容[五]，公聞而歌曰：「養熙之龜，芸人則那，我有場圃，歲晚如之何。」博士勇撤皐比，日侍膝下。歲辛巳季夏日己巳，曾孫生，生之日，公之年，家人以白，大喜，名之曰桐老，蓋取鄭蝦小同之義。而又以其支于所屬[四]，媲以木焉。博士亦喜弄孫，方治具、延湯餅，客為公壽，而明日疾作，逾月，以至元十八年七月八日辛丑卒，年七十三。公娶胡氏、張氏、汪氏，皆先公卒。張之大父曰賁，太學內舍，水南望族。弟庭簡，前知滁州。男三人，皆張出，長龍翰，即博士，鉅公老師字之曰式賢，後生晚進尊之曰吴古梅。次龍光，丞相訥齋以其甥劉氏妻之，先公二十二年卒，年僅二十五。次龍翼，以後從弟，先公二十一年卒，年僅二十。此二季，亦王逢原流輩，説者謂使俱老大，吴氏三龍，博士不得獨頡頏也。孫男三人，霧舉，有《易》學，丞相訥齋以其兄之孫妻之。次霞蔚，尚幼。龍翼之嗣曰霞上。女一人，許適汪祖尹。曾孫男一人，即桐老。嗚呼！原人之行，可以愚鄉曲，而不可與遇一朝之變。舉子之文，可以覇場屋，而不可與論百世之遠[五]。盗賊兵革，數也。室廬貲用，物也。物不能逃乎數之外，而公之帝臨天隲者，不與物囿於數之内。攸好德，考終命，生而全之，全而歸之，其無愧於行己如此。博士初應里選，措置大事之策裒然矣，有司抑而亞之。深孝悌之根，窺性命之奥，非以賈青紫也，嘘天葩，吸月卉，轢先秦，肩盛唐，後子雲必好無疑。尚書直院王公應麟、大卿校正宇文十朋[六]、武魁南雄守程公鳴鳳，亟稱之，人謂博士天性。右司嘉禾守余公安裕，嘗過彩戲，與公論陰陽動静，機鋒交契，即席起，再拜，稱公伯父，蓋淵源有自也。惟其有之，是以似之，其無愧於教子又如此。博士異時賦公樓居，其佳句曰：「胸次誰當有邱壑，從容携酒上樓來。」回不佞非其人，顧嘗不携酒而得登公之樓，乃今繆執銘筆，宜洗心潜思，闡繹幽光，以垂無窮而聞遠。日已迫，博士將以十月二十八日庚申，奉重窆於郡城之南七里，實公所自卜也。姑識其大者以銘。銘曰：

季氏八佾，昭公乾侯。雖孔之憂，非孔之羞。友堂速肖，竹林滄洲。韓史之世，孰由孰求。泰山之陽，大盗曰虎。未聞善人，為其所脯。劫火不灰，存我場圃。心焉為苗，德也其宇。載詒載裕，曰典曰墳。不詭以獲，燕及後昆。維友堂有孫，率舞于韶。人而無耳，鏘其文聲。柷合敔止，維場圃有子，此之所有彼無之。禮後言詩，西河之師，此之所無彼有之。不才窮奇，史撻厥辭。梅也實也，桐也支也。不蝕不糜，傳不在兹。

［一］中年諸子英妙秀發：諸，原脱，據清抄本補。　［二］性飲少輒醉：性，清抄本作「惟」。　［三］復長臨容：容，清抄本作「客」。　［四］而又以其支干所屬：其，原闕，據清抄本補。　［五］而不可與論百世之遠：與，原脱。據清抄本補。　［六］大卿校正宇文十朋：宇，原作「字」，據清抄本改。

全元文卷二二七

方回 二

校尉方君墓誌銘

吕成公策甲科之歲，嚴陵進士五人，朝奉大夫宗正少卿王公恬字伯智，其一也，予之曾伯祖行淮西運使黟堂方公有開字躬明，亦其一也。少卿之曾孫璹叩門頓首，言婿於方氏五年矣，婦之母許氏年六十一，以閏八月初三日卒，卜遠徙重有日，而婦之父校尉君進字德翁年六十六，亦以十月二十五日卒，疾革之旦生朝後兩日，許氏生朝前五日也。今其二子，長明勝、次龍孫，明勝之子，長松壽、次雷孫，哭廬次，哀甚不能出。不肖生居甥館，既毓男，盍叶力竣後事。念士沾一命、臻一善，宜皆得名，前邦君辱知校尉，幸同姓，雖無服，且方于王，有隆興癸未年家之契，賴是其或屑賜之文，死者不腐，敢請。予戚嗟久之，曰：嘻！是宜銘。曩者郡自為政，民又欲衆為政。歙、衢、婺吏，禁穀米，無沿流，尹杭者禁無溯，皆法所無也。山之畬農，其饑而死乎？地擬馮扶，素號難治，里豪寓俠，訐舌嘩喙，綈巨胥，挾奇請，守一不從，不信宿免符下矣。予始至郡，察采公議，得校尉君委以糴事，市炊朝價卬，暮以致千石為賑。鄰郡之自為政者，既不能為予患。予未曉視學，講座無屋，上見天星，治寺蕪穢，宴榭射圃彌榛棘。當是時，師且大至，盜四起，壘柵務日殷，予乃於學建明倫堂，於郡齋東建至清堂，示鎮靜固守意，然不敢謀及舊比所倚用以翼其私。君能為致修梁偉楹，堅甓博石，潰二役成，予意其將挾故有干説，而始終無一言問事，是非短長竟不對。民之欲衆為政者，亦視君而化焉。蓋予未仕而識君，既為守，益知君之詳。城西門之外二里許，濱溪而塢山，隱居之地也。畦蔬泉魚，徑花垣竹，親樂而安，賓游而豫。南門之内，募善僮保厚其直，俾貿化官鹺，薄其贏，治生之地也。日滋月潤，聚無滿容，好施善貸，散無難色。君早失怙，年餘六十，而母宋氏歿，白首號慕，衆以是知君孝。内助賢和，貲帛登數百萬，腴疇良畝，晚頗消耗，衆以是知君廉。然則君天資終長者，其先本歙人，東漢賢良洛陽令真應仙翁之後，曰文昌，偉興宗，其三世也。建德縣建德鄉雲巖，其殯之所也，即異日葬所也。至元辛巳，君與許氏卒之歲，其十一月二十二日，合殯之辰也。進武校尉、前建德府節制司准備差使，予為郡時，剡章賞功官也。告命上吏部換注，未報。斯銘也，俟葬日續書埋諸幽。銘曰：

長子孫，材有餘，可以闢田閭。次子孫，慧有餘，可以勤詩書。女得婿，文有餘，可以復舊裾。異日拜墓下，有馬有輿車。使過而見者曰：此為善之報歟。

林東岡用晦墓誌銘

某因三山林君德載敬輿識其族叔父子明用晦東岡先生，時則客於分水何氏之塾，無錫蕭氏以禮迎之訓其子弟。大德六年壬寅夏，卒於無錫。其生也，前壬寅夏六月，享年六十有一。曾祖寅，隱君子，以德裕後。祖□，從事郎、史館校勘。父若水，承奉郎、浙西安撫司幹辦公事。君明經治《易》，善駢儷，舊朝咸淳九年癸酉，兩浙漕解第三人。明年甲戌，江塹失險，至丙子科舉廢。豈造物者預知三翮將遷，不必春官奏凱，姑以秋闈顯其能文之聲歟？嘗代李秀巖心傳作《緻孝廟要録啟》，名震一時。初朝賈餘慶為帥，檄攝浙西安撫司幹官。至元中，攝桐廬簿，尋為分水教諭。二邑士人，至今見思。初朝旨命翰林詢訪人才，馮提學夢龜，舉君堪知制誥。詩文尚古，字畫逼真魏晉，所至争師效之。和易謙厚，善與人交，不厓異，不苟隨。素有足疾，辛丑秋感風眩嘔泄，服鐵彈圓而愈。明年春，疾再作，醫者為謂藥力淺不如灼艾〔二〕，頂及踵十五六穴，炙三百餘壯，旬日不起。初娶趙氏，無子，再娶方氏，俱餘杭人。子男四人，魯孫、曾孫、幼壽安未晬。女三人，適沈壽孫、何芳孫、何某，俱分水人。冬十一月二十八日，柩自無錫歸葬分水，以曾孫托孤於敬輿，寓姑蘇。來請銘者，婺源鄉友周君日起，嘗與君同寓無錫。銘曰：

豐其文，名不湮。嗇其禄，澤後人。

[一]醫者為訓藥力淺不如灼艾：清抄本無「為」字。

故柳溪何府君墓誌銘

古睦之分水，有隱君子，曰柳溪何公，諱焕文，字伯章，其先廬江望族，後散居江浙，皆敬容來裔。錢氏時，順理都將諱必勝，始家分水。七世孫諱光，州直學，始家分水之畢浦。光生令望，令望生崇，崇生登仕郎源，是為公之父。今衡陽教授芝孫，則公之子也。至是，分水畢浦何多為世所稱。公歿于元貞元年九月十七日，壽七十三。明年秋，芝孫將以十一月甲申從治命，葬公于里之三公塢之原，以狀來曰「願有述也」。余嘗閱公家譜，自公之曾祖從弟曰南康户應旂，與其父玉峰老人存中、伯父來青、居士宗纈、從兄達觀、聘君南子此園卜、進士梅臾而下，狀行名德、名士鉅公凡十三人。中有丞相杜公範、侍郎陳公振孫，老筆在焉，予何敢誌公之悲隧乎。然予守睦七年，熟知公者，亦宜之。公穎悟沉厚，人品甚高，才具器局與近世人絶殊。年十六，見户曹，擢戊戌第榮親。白庭闈，賫糧脯，遊太學，求師友，何公子舉深器之，與卒業而歸。未幾喪父，哀毁骨立，既又喪内，先廬母子老幼旁無寸助，獨以心計營築削。不逾年，肯父堂鷄犬歸新豐，無毫釐差，過者殊不知其為新宅也。終制葬虞，練祥如禮，遂棄舉子業，惟以養母為事。所居介溪山佳處，岡嶺縈紆，淵泉停浸，古柳環其旁，學者因以柳溪先生稱之。風人騷客，過者輒留主唱，賓酬，物外自得。宣城饒公虎臣假道歸里，愛其人與境，彌旬不忍去，留詩美之。或勉之仕，唯唯，尹舊京者聘之三，不能致。予嘗以安撫司幹官屈之，亦褚其牒而已。歲癸酉，居母喪，幾若無以生者。芝孫從容寬譬，公撫之曰：「吾自喪父喪汝母以來，非汝祖母，吾與汝何以致今日，今若此，吾將何以自釋，而使吾之不哀乎？繼自今，吾其無意於人世矣。汝其力學，以無忘吾言，無負吾志，以求其足以慰答而祖母于地下。」丙子後，為士者無科舉累，公獨迎里之名儒魏公新之于塾，課子侄以義理之學，暇則吟咏情性，又時追記先朝諸老嘗所從遊者嘉言善行，舉以相戒訓，相與感嘆，以致不足之意。當是時，鄉校幾廢曠積四五年，宣司從衆請，以公子芝孫學醇行正，命專講席，自是生徒來歸，補弊興仆，歲祠月膳一不糜公廩，蓋過庭之教然也。學最上，甫升録郡庠，而衡陽之命遄下，此亦公疇昔戒之力學，以慰答祖母之遺意。芝孫繇是為時聞人，而公可拱手高堂矣，時人兩賢之。晚退居洛口別業，雖以習静省煩，然南北至者莫不盡歡，悍卒武夫望公衣冠，亦皆屈膝。家事一付之子，猶酬酢細務不倦。平生隆寒不近爐，微恙不就枕，燕居危坐，終日未嘗有偏頗。慈愛所使，對之必莊，甚忤意，亦無疾言遽容。尤急人患難，捐重貲有不計顧，事已了無得色。有負之者，視遇不異平時。乙未夏，疾作，至季秋屏謝醫藥，謂芝孫曰：「區宇混一，因繼之間，如意者鮮，吾逾古希，得終牖下，夫何憾。」言訖而卒。予讀公親友祭公之文，謂公望足以服衆，量足以容衆，向慕無遠邇，非造次矯揉而得，蓋資稟素高，而輔以誠者歟。余嘗評鄧仲華以平世文學掾之才早致臺輔，比比皆是，嚴子陵歸釣，百世一人。劉先主欲臥求田舍者於百尺樓下，惟玄德可為此言，陳登之豪，未必優于許汜。後世之士，進不能有為于一時，退不能自治其一家，兩無所成，孰與公勇决肥遯，棄彼取此之為愈哉！雖然，庭植三槐，不必在其身也。公娶鄭氏，先公三十七年卒，繼娶朱氏，有賢行。男即芝孫，衢州路儒學教授，治公喪能致毁，遵古禮。事繼母尤盡孝。有子如此，公不死矣。孫男二人，崐孫、峒孫，皆岐嶷。孫女五人，俱幼。善人之後必昌，信然。銘曰：

葬公三公塢之原，有開必先。後將有為三公者，采泛兹阡。嗚呼！以伯章父之厚德而有子焉，又何遜乎子廉君公之貴且賢。

叔父七府君墓誌銘

回之長子存心問曰：「大人所為《先祖事狀》，書叔父七府君，謂劬躬約用，公篤如先祖，其狀何若？」噫，回年可十三四，府君携回謁先君墓。其初往也，喜忘其倦。其還也，自小溝口岸行，上下巨石湍流間，藤蘿茂密，霧雨陰翳，無他僕，回左手賫飯一蒲囊[一]，右手執傘，府君亦然。二十里至深渡，先大姑嫁吴氏者，寡居而貧，薄酒三行，欲烹鷄，急謝去。换舟逾梨木嶺，盤旋深谷中，出至大佛橋十五里，倒所賫飯，瀹湯餐之，既去城猶三十里。薄晚至七里亭，煮菜餅一盃，天且雨，回以為徑歸矣，乃紆路趍東，田泥腐滑，可十里，入問政山姚家塢，相藏穴，蓋府君所自擬也。天大雨甚，回以為此必即歸，又穿松升巇、騫鳥道，至聶真人山房旁近，視先祖、曾祖墓，然後下山抵家，已張燈矣。回疲困殊極，謂可少休，既各濯足，仍令回同二兄一侄誦宿所授書，府君坐守如常，時二更初，始飲酒一磁撇，即卧内。旦起治生事，惟恐誤持券贖質者。蓋一出已三日，用後一日竣三役，寧少自苦，不欲廢時妨務也，其勤如此。回之所生母、之兄、之僕，計四口，府君食之。府君及先七叔母周氏、長子潤民、長婦黄氏、次子榼孫、端甫、一婢，計七口，總為十一口，早膳芼羹，必肉一斤。猶記端平易楮令下，今日豕肉斤楮二百，明日而四百矣。府君嘗切慨嘆時事家事之難。小節夜三杯，回輩皆為菓饌鹽飣，不治羹。大節七杯，招弟妹親姻，始治羹。非生日，他喜慶，無十杯也。常時則每夕不過一磁撇耳。未嘗命妓用樂，俗稍漸澆，里中以不義驟腴者，動輒數十杯，絲竹謳歌達旦。前輩如府君，無是也，其儉如此。為先君主賫用二十餘年，撫養回一門近二十年，毫釐出入無爽，間者蔑所容喙，人有不善，直言面譙，平生不輕發言，亦無一言不誠實，佃農冢叟、鄰嫗巷童，皆敬信祇畏，其公且篤又如此。嘗被盜，質肆一空，夜闢門去無來迹，捕者疑謂家盜。范丞相鍾為郡守，與先君學舍有舊，力為窮竟盜得，乃自謂攀坊柱，升屋發瓦，鋸椽板，躡厨架而下，倒雨傘盛木屑，既下仍補完之，故來迹不露，驗視果然。方事殷，吏誤訊他盜，既而有司又欲重坐真盜，府君皆丐寬之，又如此其忠厚者也。潤民幼病癇，娶而不嗣，早立孫端甫為後，七叔母疑其弱，復立榼，乾道五年己丑省試第一人鑑堂先生太博方公恬之後也。府君諱珌，字元善，先祖五男，府君居次，以淳熙七年庚子六月十一日生，淳祐三年癸卯十二月二十日卒，年六十四。潤民先府君三年卒，年三十四，行第百二，榼行第百七，治生不潤，失所析産，端甫獨以己分奉祖母及母，事葬無闕。七叔母少府君一歲，景定五年甲子卒，年八十四。端甫之母長潤民二歲，至元十六年己卯卒，年七十四，皆葬姚家塢。梏聘劉氏，不成娶，至元十三年丙子卒於回之寓屋，年五十二，葬建德府烏龍寺前之右。端甫娶張氏，今有子呂孫，回薦之尚書呂公師夔爲塾客，嘗從至廣西静江，故生子以呂爲名，是爲府君之曾孫一人，然則較府君之德，當世士大夫尚鮮其人，而天之報之乃爾眇耶。銘曰：

可刻者德，不可繪者識。總角巇巇，曰惟汝有立。斯邱之眠，斯文之傳。石泐谷遷，天日不鐫。

［一］回左手賫飯一蒲褒：賫，原作「帕」，據清抄本改。

叔父八府君墓誌銘

先祖五男子，叔父八府君居其中，諱瑑，字元珪，以淳熙十一年甲辰八月初八日生，少先君十歲。少豪俠不羈，治《小戴禮》，有聞於范公鍾、奚公若賓，記問淹貫，精詩粹文，有南渡遺風。程公珌嘗牒赴漕舉，以破題不入今調，校場屋輒抑而亞焉。性善恢嘲，喜博奕，適飲肆即有旁人小忤意，如胡證之衛裴晉公，屠販俳倡，俠曹黠朋，胥吏輿隸，莫不望風懾憚俯伏。至登鉅卿魁貴之門，亦聞聲倒屣，如皇甫規之禮王符也。四明張公時，亦名鄘，字居卿，中興詩人雪聰張公良臣之子，其姊嫁而生徐公元杰者，名士也，從約齋張公鎡之子謫居吾州，與府君同庚，最厚善，無日不狎飲，一語不中，必凌駕之使屈乃已。此江山丞楊公思誠字元謹，為回言如此。又秋崖吏部方公岳，為回言嚴陵葉公子儀為吾州教，挾名聞困苦學者，升講堂點請諸生覆誦《通鑑》，惟方元圭、方巨山、程伯祥敢與之抗，相約每舉及《通鑑》某事，即舉其事及人姓名，始見某卷，終至某卷，以覆問之，葉遂語塞。府君年長于巨山，伯祥名□，休寧人。巨山，秋崖字也。府君以是知名，亦以是見忌。學□前序有缺[二]，輒躐集他人，府君止得為學諭而已。然府君意翔天表，豈競此醯雞瓮者。一種齷齪之士，或陰過府君，謂肆而不愿，要其剛志義氣，自非鄉原之所能知。嘗翩然褰裳，泛洞庭，涉衡湘，闖八桂，訪先君死生，時則寶慶乙酉，年四十二，此猶曰血氣方强。又嘗徒步上贛江，出梅嶺，歷廣府，出瘴海，至封州，遷先君柩以歸，時則端平丙申，年五十有三，血氣且衰矣。毅然往返萬里無難色，古所謂慷慨義士，而世謂之淺丈夫能之乎？府君先娶張氏，再娶葉氏，而葉氏亦再行，府君就其前夫黄氏之室以居，在城之東三里曰上路，有花竹園池、山林禽魚之樂。生女一人，嫁休寧周士人，晚乃立同姓子曰寄孫。淳祐四年甲辰十一月以疾卒，年六十一，家貧，自書册外一無所有，以其月葬於所居之對山。噫！府君，回叔父也，又回師也。自五六歲教回，至十七歲。先是回之諸兄，皆師府君，久之或便他師散去，然於時名師，豈有出府君右者。府君念回可教，特留回一人聽，朝往暮還，教不俱時，亦不如世俗為具文課業。風日稍佳，府君心無事，小樓面山臨樹，信手展几間書，且誦且說，回立而聽，聽竟，俾回自誦自說，或回所說有新意，大喜，或窒滯澀縮，立誚責不少恕，必至於融液貫通而後輟。異時諸兄或對偶、訓詁、議論誘不進，輒遭訶叱笙撻，其去也恐當為此，惟回不然。府君殁十有七年，當景定三年壬戌，幸竊名第。又十三年，德祐元年乙亥，幸叨郡守，追惟父師之恩，愧蔑以報。回客江湖間，八叔母葉氏，年八十餘，弟寄孫，年可四十，相繼淪謝。寄孫行第百九，娶吴氏，歸寓本宗，未有後裔，回欲輟一子為府君孫，而疑未決。歲時祀府君於先君之旁，凄慘惻愴，無時不夢見焉。昔陳後山之父有弟四人，兩叔父之墓，後山銘之，謹援此比，為叔父八府君墓誌銘，以舒無窮之思，以為後人世世勿忘之地。銘曰：

人子有父兮，瘞瘴鄉。挈其骨歸兮，萬里行。此德不報兮，神其我戕。人父有子兮，幼孤愚。食教一紀兮，飫詩書。兹德不報兮，神其我逋。伉寡困顛兮，子無子。天高夢夢兮，昧兹理。我欲報德兮，鑱此銘記。

[一]學□前序有缺：□，原無此闕，據清抄本補。

叔父九貢元墓誌銘

先祖自徽州歙縣小溝遷居郡城，生五男子，既畢婚，取古者父子同宫異室之義，析四宅于外，惟叔父九貢元侍祖居，曰大街宅。先君曰經幹宅，七叔父曰北市宅，八叔父曰上路宅，十叔父曰南市宅。回生之三歲，而先君卒。明年，歸自封州，實紹定三年庚寅四月二十九日也。叔父收回，同所生母育之家，是為先祖故居。回命薄福單，天降之酷，弗自殄滅，移禍于我叔父，明年辛卯四月二十七日以疾卒，年僅四十三。　於是回煢寡靡依，賴七叔父取而撫養，如叔父之志，以訖成人，蓋不特回之孤苦間關、飄離轉徙、厄於賦分者為可嘆，而方氏一門自先君茹冤埋恨之後，惟叔父望聳一時，寒緒所覬以復興者此耳，造物乃擇其尤良而亟仆之，此則重可嘆也。　叔父諱琛，字元獻，以淳熙十六年己酉十一月十三日生，嘉定九年丙子以詩經中鄉貢進士選，廣額大鼻，脩幹偉容，冠服整潔，步止嫻雅，言行中規矩，喜藏名書古帖，事二親下氣柔聲，順志承意。最居者、寓者、仕者，凡知名士皆造門納交，張鄜居卿、方岳巨山、楊思誠元謹最相厚，所謂晉宋間人，如冰壺玉樹，出風塵表者。　先君廣西之辱，如行都伸雪，士大夫傾倒延款。先君一蹶不自望振起，猶以館閣搢紳期難弟期[二]，豈謂中栟乃止此哉。得疾不過數日，叔母李氏之兄工調傷寒，適留太醫學，至則無及矣。時一子逄年，始八歲，叔母守志訓育樹立。　初先祖治生，如胡籍溪陸象山家門設藥肆，叔父俾叔母之弟司之，久多羽化。　淳祐元年辛丑七月市火，其人夜抱簿扃鑰而去。　明日，以無孑遺告，蓋所焚者，皆虛器也。　實已往矣，寡泣孤號，迫姻誼勿問。捐衣珥，易瓦木，粗障風雨，叔母卧土庫中，感濕疾，四年甲辰夏卒，年六十，合叔父柩葬於城北七里某鄉之原。　逄年後改名有年，字良遇，登仕郎、兩浙江東漕貢、兩請進士，復以《詩經》鳴，尋補迪功郎、權知淳安縣，娶楊氏，江山縣丞之女，即叔父之友思誠者，今遂定居與楊之居合。而祖居之再創者，又兩罄於火，析其地以為賃户。　彭城陳師道銘叔父有舊比，矧回受叔父不貲恩，宜銘。　銘曰：

紹丑之亡，折吾家之梁，有植其柏兮，復昂。　紹卯之委，仆吾家之柱，有蔚其松兮，復翥。　上宇下址兮堂再隆，二者之相兮亢予宗。駟玉虬兮叫帝聰，雲復仍兮來芃芃。

［一］猶以館閣揞紳雖弟朗：雖，清抄本作「望」。

先兄百三貢元墓誌銘

徽郡貢擢《詩經》自慶元元年乙卯始，由先君有請於禮部也，而先君首中是選，故徽之言《詩》學者自歙邑方氏始。先君既入學登名，嘉定九年丙子先叔父先貢元琛復中是選。至寶祐三年再見乙卯，而先兄百三貢元宗又中是選。是經是選，前乙卯以方氏創之，後乙卯造物者仍以畀之方氏。回意天將昌大方氏之門，兄必擢高第無疑，而乃不然，至咸淳九年癸酉，兄年五十六矣，病頭風眩楚，四月旦日卒。一科名得失不足計，而兄平生於家事有難處者可悲也。兄先名澤民，後以慕秋崖先生岳改今名，字崇德。季父玠，字元純，以為後。神姿清俊［二］，眉目明秀，潔齒疏髯，工記問，善談笑。季父初為兄娶俞氏女，未成婚死。如户部訟聘財，時淳祐元年辛丑七月，郡大火，先祖舊居與季父之居皆燼，季父歸而營新宇未竟，省疾於元善叔父家，回時見兄踉蹡號泣，報季父曰：繼母適躍入于井矣。季父奔還拯之，出雖幸不死，而非常之訟興。蓋季父先娶李氏，再娶汪氏，汪氏先嫁宗室，有婦容，稍貴倨，不習庖事，季父先有二妾，内懷恚妒，每煮餅調羹，請主母親臨竈釜為之，知非所長，則誶以謗，季父惑焉，故主母怨憤自沉。其弟騰實，字茂之，為士人，年妙氣鋭，告之郡，謂季父溺愛二妾，迫殺主母，逮赴有司，季父乞離妻，騰實乞罪竄二妾。久之，中表調斷，二妾免罪勒嫁，主母復合如故，然汪氏自是心恙如痴矣。季父嫁一妾，潛以其愛者納諸家，愈益擅事僭上如正室，呼之曰陳大娘。兄所娶亦汪氏，處父母主妾之間無違言，如是者十五年，而陳大娘卒，兄始請鄉薦。回以為妖往祥來，而季父别有一妾端喜頗愿，生女二人，曰冬妹、曰社姑，又有一妾至陋而悍，生男曰德老。生男之妾欺生女之妾，晝夜競詈，凌尊虐幼，市厭鄰惡，兄於家一日不能安，連謀書塾轉徙。回自兄下省之年，游學四方，至景定三年壬戌，塵忝假道上冢，與兄復會，始知其詳。五年甲子，回自隨州教辟江東倉幹，聞兄繼母及妻皆卒，已再娶某氏，生子填孫。明年咸淳初元乙丑春正月，季父卒，年七十四。二妹未行，弟德老年甫十二。季父遺言以社姑為兄之子，于是事叢力孤，喪嫁迫，貲力乏。又五年庚午，所居復厄于火。又三年，遂不起。顧兄雖丁家事之難，處所不堪，然未嘗不怡愉自得，早不能飲涓滴，晚乃不可一日無酒。幼時背誦經史如流，不好弄，垂老乃如淳于善謔，授徒積久，門弟子所至皆是，延致飲席，微言詼譎，衆無不哄堂絶倒。其胸中明爽，不停藏一絲毫事，宜上壽而僅只此，何耶？兄之卒，回始改官，尋奉祠家居。秋九月，送兄葬于問政山汪家村季父之墓傍。子男二人，填孫、鼎孫。至元十三年丙子春正月二十五日，李銓以徽州歸附，夏五月，其子漢英同李世達為變而遁，郡被禍慘甚，群佃奴起為盜，屠貴官富户無算，城空月餘，生草及檐。兄之家逃避村落，雖脱兵厄，而端喜、德老、鼎孫皆驚病相繼殁。冬妹嫁迪功郎歙縣主學史寅午，社姑嫁柯繼祖，亦先下世。舊居土庫藏書籍什器，群盗不逞，發而擭之，官府尋據以為平準庫。僅存者孤妻寡子，回近歸為填孫冠，借屋與居矣。是誌是銘，非敢曰文，亦姑以紀吾方氏一房之存歿云爾[二]。銘曰：

嘉申寶酉，先君何辜，譢仆誣蹶。三十二年，兄試鄉閩，捷名再揭。逮景戊春，不肖力戰。家耻稍刷。曾幾何時，兄病岑岑，蘭摧玉折，雁行兩貢，惟良遇存，覩予對雪。解郡即家，門衰户涼，銘此心咽。（以上《桐江集》卷八）

[一]神姿清俊：神，原脱，據清抄本補。

[二]亦姑以紀吾方氏一房之存歿云爾：一，原脱，據清抄本補。

全元文卷二二二八

方回 二二

王太古埜翁墓誌銘

新安郡婺源王氏，其先太原王也。吾友埜翁字太古，唐巢寇之亂，遠祖自歙黄墩徙縣之武溪，修撰愈、提刑汝舟、大監炎皆此泒，大監與朱文公冰炭，然書解盛行，徙上寒，徙桐川。五世祖字顯道，富而好施，識架閣汲古周公正，妻以女，汲古果登第。高祖某、曾祖某，祖某字季武號松川先生，好義輕財，年九十無疾卒。父某娶周氏汲古曾孫女，年五十卒，再娶董氏。太古幼好孫吴説，不屑於學，弱冠大悟，閲經史子集，考制度歷數，工詞章，詩學韓昌黎，晚嗜《易》，許公月卿、吴公覺異之。先儒論《易》陽實陰虚，太古註獨謂天氣運，地形停，陽虚陰實，似以迹言，自為一家之説，與當世無甚合者，而堅執其説，終身不變，許公月卿嘗為之序。如浙東，從按察胡公紹開遊，介之江東，見御史中丞吴公曼卿，或謂中丞已進其《易》，然終亦不果。行年十七，喪母號絶。年二十八，遊郡之黄山，館於蔣氏，跨其所愛白騾，斃，銘而瘞之，主賓忘言，足迹徧東南。江浙省處以鎮江學正，謂此職數十年亦不至執政，棄弗顧而歸。大德二年戊戌徙上章半舍許，扁曰「行易廣」，從學者甚夥。嘗登上章嶺，欲亭之，曰：東望舊居，西顧新廬，酌酒賦詩，挾《易》自娱，足矣。明年脾疾，赴柳城齊侯英之招，授其子《易》數月。又明年庚子秋，疾大作，八月生孫，以祖孫同庚子，名曰後庚，謂侍疾者曰「後庚既來，先庚可去」。卒，年六十一，閏八月十四日也。逾月後庚亦卒。娶同郡俞氏孺人，先四年卒，年六十。子祖念，出自胡氏弟可翁，女弟恭嫁郡士俞騰龍，孫女蕤賓庚池。卜辛丑十月某日葬於上寒，與孺人同穴。祖念携行狀至武林，回删其繁銘之祖念年甫三十一，文雅雍容，太古家訓，於斯見之。銘曰：

嗚呼太古，身今心古，止爾終古。（文淵閣四庫本《新安文獻志》卷七一）

宋故朝奉郎太府寺丞贈朝請大夫知慶元府陸公夢發墓表

予友故太府寺丞陸公諱夢發字太初，嘉定十五年壬午秋八月二十三日生，德祐元年乙亥秋七月二十四日以國事捐軀，享年五十有四，是年冬十一月其内封孺人劉氏與其孤文麟等以其柩歸，明年夏四月葬於歙縣南鄉辰嶺之原。後八年，予訪文麟，拜其母堂上，知昔者之葬，兵氛熾攘，叙行銘德闕弗講，乃為文以表諸墓上。嗚呼！予尚忍表予友哉。始公以承節郎、江東轉運司解送禮部別院，奏名中寶祐四年丙辰進士丙科，換迪功郎，監泰州富安鹽場，不赴，監建康府大軍倉，辟江東安撫司無為軍節制司，並準備差遣淮西轉運司幹辦公事，内艱服除，辟江東安撫司幹辦公事，班改奉議郎，辟知溧陽縣，終更辟淮東總領所主管文字，未赴。江東提刑司以縣逸囚按免二官，公亦適值外艱，服除堂授臨安府城南左廂公事，監行在所榷務茶鹽。事之二職者，非材不畀。瞬息即登朝入清要，會孽賈敗國，其狎黨御胗醫工蔡幼習，竄廣州華亭縣之上海，有富人亦蔡姓，賂幼習，名其户曰蔡御胗，以避科徭，例没入貲産。朝命公往簿録，偕行武臣永嘉蔡起莘第遥坐屋外，諉公入室檢校，逮出，群凶攢槊格官吏，起莘走免，而公與賊戰，遂没于水。事聞擒賊獄治下廣州，斬幼習，除公朝請大夫，知慶元府，若生前云，者以小民殘殺奉使諱之也。文麟如海上，號泣河濱，久之乃得元身具棺斂。士大夫殉王事，蹈鋒沉淵，得委質之義，夫何憾，而蓄厚施薄，則君子痛之。公先世本吳人，遷開封府，五世祖惇彦紹聖進士，官至武經大夫，建炎間扈從南渡，仕于金陵，曾祖榮再徙于徽州歙縣，祖安國皆積善樂隱而憚仕。父師夔以公累官宣義郎，宣義精瘍醫，不伐能，不責報，是生文人，用大厥家。公未冠試郡校，率首諸生，公為詩有聞於深居馮公去非，苦鍛酷煉，邃探深汲，忘飧廢寐，不慊意不止。至為文，謂初心馮公夢得嘗語之，故一俗語必易一雅語，一熟字必易一生字，由今而溯之古，窮剔于百氏，極於經，至無可易而後止。故詩之用意常幽遠，而文有樊宗師、宋景文之遺。凡公未脱選，以前歷任皆留金陵，最為制使裕齋馬公光祖所知，專為治牋牘。張祠部之於韓魏公，李姑溪之於蘇定武，學者謂公媲美公湛思好謀，然終不深而疏。孝友于家，謙和于鄰，間喜狗友朋之急。經術詞章可講讀文字，官而治邑，以吏能自任，宷措綿密，溧陽之政，士民德之。常欲卜居南徐，已而復歸于里，締新宇以其晳畀其兄。公母洪氏封安人，男五人，長文鄰，孺人劉氏所出，次文鳳，皆將仕郎，次文彬、文龍、文虎。女一人，定姑未行。孫男一人，景星。遺文曰《烏衣集》、《圻南集》，又有別集，公所自纂，親題曰《曉山零集》，詩總七百餘首，多與予庢和者，他文未暇編次。予少公五歲，公初廷對，與予偕行，後兩舉始筮仕，湖海桑梓，出處過從，悲酣歡遨，矚遇殊異，慨念予平生知己者鮮，感公疇褱慘愴哀傷。嘗見公辛儉崛起，人以為榮，又見公患難淪謝，時單事更，道不一試，而抱九泉無窮之恨，則夫人世之雄爭强競而不自戢者，曾不知他日為何如也。（文淵閣四庫本《新安文獻志》卷八三）

饒州路治中汪公元圭墓誌銘　至元三十年[一]

古之立德立功立言而歿者，雖歿不朽。士大夫歿而至於不朽，難矣。吾州婺源篤生太師徽國文公，不朽人也。其八十八年丁亥，而縣之晦菴書院興焉，縣尹汪公元圭實為之。其四十七年丙午，而州之紫陽書院興焉，郡守韓公補實為之。其萝奠慶元庚申，於今九十三年矣。紫陽之書、晦菴之學，前有光先聖，後有功來哲，而創二書院者俱大有功，斯文足與文公同不朽，嗚呼盛哉！徽婺源回嶺汪氏，世大族。公字功甫，晚號月山老人。曾祖晉臣。祖大才，迪功郎，知永平監，娶倪氏，生長子琰，蚤世，是為公所後父，公所生父鄉貢進士應雷，其從兄也。公三歲為永平所祝，又八歲永平卒，母潘氏教育之，讀書務通大義，文耻絺繪雕篆，然議論是非利病，前輩輒退舍。性至孝，事先請後行，嫁女兄二人，遭内艱與生父艱，骨立毁瘠，慎事節用，年二十五六遂饒於財而能施。嘗以《軍國十策》獻舊朝，特補承信郎，初監嘉興澉浦酒，丁卯請兩淛漕舉，浙東安撫使王霖龍辟充準遣，再調侍衛馬軍司幹辦公事，乙亥除江東兵馬副都監，徽州駐劄。劇盗周勝等嘯聚據邑，公與同産兄松坡、知郡元龍生擒之，俘于郡。遷武翼郎，擢江東兵馬鈐轄。松坡早入太學，回同年壬戌進士，稍忤權貴，十餘年不調，至是以迪功郎黄州司户權婺源縣尉知縣事。至元十三年丙子正月十九日杭舊大臣納國土于大元，二十五日徽城歸附。公兄弟全民弭盗，力保鄉井，會有二李之變，富珠哩敬軍至嘉公，兄弟功多，呈省换授公江東軍馬總管，而以松坡知徽州事。以公代知縣事，是歲李已降而附閫，視徽為壑，時出鈔擄，公扼險置關，寇不得犯。其冬張九元帥征閩，兵所過民震恐，公迎送贈賂以禮，他軍假道者皆然，將士敬嘆，不敢為暴，境内耕蒔刈穫如承平時。初領縣，人疑公嘗治軍旅，將行重典，而公斂威用恩，寬嚴適中。萬山間，桑柘鮮絲纊惡，有司苛責，公詣省乞歲折楮幣名輕賫六縣，民至今便之。祠廟寺觀燼于火者，損貲具材，新倍於舊。或産去税存，或有田無賦，貧餒富吞，弱役强避，一切釐正。十五年，江東道提刑按察副使奥屯行部興學，公大喜，延名進士九江文天佑主文衡，拔儒彦，出税帑，立貲格，免徭給廩，十士萎復振。官造船，鄱陽期會峻急，丁匠多斃，公所部時其飲食，人用盡力，辦蚤費省，工善物堅。十七年代者至，民挽不聽去，至哭泣悲思，則投牒借留以千計走都省選曹，乞公再任。十九年敕牒授承務郎，婺源縣尹，惠愛日益加，名譽日益隆，事為日益著。為館驛，為丞廳，為尹廨，更鼓樓，過者咸曰壯哉縣而費皆不仰於官。歲四月八日，四方民謟五顯神為佛會，天下商賈輳集，自額辦官課外，公絲髮無取。至如書院一事，關風教甚大，更郡守二十餘人，非無賢守，而郡之有紫陽書院自韓守始，更縣尹三四十人，非無賢尹，而縣之有晦菴書院自汪尹始。本道提刑按察副使疏齋盧公摯深嘉之，呈省起里人吴覺江雷為山長，皆名進士，公為山長，屋百楹、田六頃、書萬卷，先聖殿居中，文公祠、講堂齋序居左右，回為作記，此公之大節也。既受代，宣命授奉直大夫、饒州路總管府治中，而疾篤弗起。公同産兄二人，長松坡，初以省符知鄉郡，復宣命換朝列大夫、徽州路總管治中，先公四年卒。次英發，前登仕郎第一人，雲龍前禮部進士，省符龍興路同知，述公行，俾回銘者也。公菲於奉己，飲不涓滴，内無姬侍，衣穿啜淡，而分膏腴田於族兄弟則弗吝，代民輸酒課及下户一税，歲率數千緡，尤弗吝，可謂富而好禮，不止於無驕者矣。生癸巳二月十九日，卒庚寅二月十七日，年五十有八。夫人詹氏，後公八月亦卒。生同歲殁同年，夫賢知，婦閫懿，此不書。子男二人，良臣，松坡子，三歲為公後前國學進士，從仕郎、都昌縣尹，遷承務郎、鄱陽縣尹。良埊，詹夫人出，承事郎、江東等路木綿提舉，換宣授揚州營田提舉。女一人，來弟，適同縣將仕郎建寧等路木綿提舉俞支翁。孫男四人，安孫、薡祖、興祖、愛孫，女二人，長適休寧武岡金主簿，次幼在室。卜三十一年甲午十二月二十日合葬公與夫人于縣東長田源。治命也。銘曰：

世有一善行優於百善行者乎？曰有之，星源之有晦菴，魯之孔、鄒之孟也。祠之塾之，立天

地心，生民命也。發千倉，無饑民。傳一燈，有賢人。我謂此愈於彼，故星源之原子子孫孫。（文淵閣四庫本《新安文獻志》卷八五）

〔一〕文中言「其夢奠慶元庚申，於今九十三年矣。」可知此文作於至元三十年。

宋江西轉運幹辦公事程公晞尹墓誌銘

予守睦屈，休寧程君克紹簿遂安，尋為真代，去不復仕。蓋詩禮之學有自來。今得汪君宗辰所述君先公行實觀之，乃知子之賢、父之教也。公諱晞尹，字聖任，號隱莘居士，少負大志，若昔阿衡。曾祖儼，祖莘，考嶸，自忠壯公靈洗後，世為新安望姓，家地名大富營，去汊口十餘里，故端明殿學士程公珌所居也。端明器公，以所親吴氏女妻之。公性簡訥，重然諾，從師取友，聞博見新，舉動不凡。早失怙，偕内子事母孝，事必禀命不擅，食必親進不委婢，媪疾必親嘗藥，曉夜不解帶，母飯乃飯，母安乃安，風木疚懷，練祥猶慕。姊嫁而貧，生養死藏，視甥如子，完其一家。中表能治生者，貸不取贏，疏且遠待而舉火者不一。晚欲倣范文正為義田，而年與意違。由家出汊口，兩岸夾澗，險阨迫窄，寒病涉潦望洋，椎鑿煅燒，破折崔嵬，去阻就夷，頹穹益卑，杠梁成輿馬通，靡溺靡跌，凡四世歲不輟工。權衡斗斛，守高曾舊物，斂散平均，無他人輕出重入之弊。里之為富者責逋租，息子倍本，公惟征定額，久則毀券。以其才足負荷斯世，而名場齟齬，授承節郎、江西轉運司幹官，壯心灰矣。即第之東刊山樊圃，引流種樹，亭榭潔雅，與賓戚相觴咏，借謝傅之東山名之。微恙不起。公生於嘉定八年乙亥，卒於咸淳七年壬申，壽五十有八。德祐元年乙亥藁殯於近里之萬竹，至元三十年癸巳改葬於遂安龍耳峰之南，公曾祖墓在龍耳之北，孺人吴氏生受恩封，先七年卒，墓在龍耳之西。子一人，即克紹，與婦戴氏，度公佳城，二十餘年而後得卜妥靈，三丘密邇，誠孝所感，豈偶然哉。孫男三人，清正儀，孟仲逾冠，讀父書，克家，季尤岐嶷。孫女一人，及笄，許嫁婺源迴嶺汪氏。銘曰：

種德為根，枝子葉孫。采花食實，若古桃源。是為積善之門。虚谷書云：誌銘共五百八十二字，古文以簡為貴，簡則可以傳遠，愧回所作未能簡耳。書與篆額得名士為佳，仍須佳石，則久而不泐。回拜手。（文淵閣四庫本《新安文獻志》卷八七）

知縣權州宣參畢公祈鳳墓誌銘　大德五年四月四日

梧山先生畢公諱祈鳳，字景韶，以大德四年庚子十一月十五日卒，以宋嘉定十七年甲申閏八月五日生，享年七十有七。宋孝廟重武舉，上三人及前名率數年可得邊郡，公入武學閲禮齊，即升内舍。咸淳元年乙丑省試第五人，廷試亦第五，賜紫袍金帶象笏，進士及第，授承節郎、建康府駐劄御前諸軍都統司幹辦公事，循修武郎。公精通經學，年十七，亞鄉薦，偶用七書游右庠，寳祐四年丙辰也。公之先，唐末自永州徙歙州歙縣，再徙休寧千秋鄉碧溪，族益大，以姓名村，三遷藤溪。曾祖德，妣巴氏，祖璘，迪功郎，妣楊氏，父夢和，學者稱晉齋先生，舊臨安府學免解進士，妣徐氏，封孺人。晉齋經賦兼通，尤精《春秋左氏》，當擢高第，不幸卒，年四十六，在公入學十年前。而迪功壽八十五，見公得雋橋門。迪功知名當世，郡太守縣令下車必字而問畢良之，士大夫鄉父老兒童走卒無不知有畢良之，陰行善事，勇為義舉，掩疵揚美，曲成後進，平兩造兩劑之競代，束矢鈞金，至粥田弗吝，用是鍾秀於公。公初仕，見知沿江制置使馬公光祖，入其幕，兼建康府學訓導，欲厚其禄，俾攝令溧陽，固辭。兩任六考，制置使吴公革亦見知，外射知澧州石門縣，實榮登之八稔，京湖四川宣撫大使朱公禩孫熟公才名，屬幕客章公應子招公兼宣參權辰州，俟至聞奏為真，公以親老一再辭。亥子之間，李銓戍吾州，虎哮狼噬，公潛調柔銷其暴，民艱食，賴公無饑。李銓納土北覲未還，其部曲李世達挾其子為變，潰入閩，草竊乘間屠毁，黟歙世宦高貲禍慘甚，公鎮以静，獨休寧無患。婺源汪公元龍起知州事，偕總管趙公謙挽公一出，至欲携具叩門，公皆謝之。慈闈早寡多病，公夜必燃香告天，願減算壽母，侍藥次欲酒，鑿難之，公怳惚若見神人誦詩，有「何惜一杯」之句，急進酒，病立愈，壽至九十有三，而公年近從心，茹哀幾，毁，列像事之，每祭必慟。公早師兩科杜公禾，嘗肄業顏山佛廬，嗜書如飴，晚喜陶淵明詩。教子及孫惟責之讀書，而不責之仕，諸公貴人屢請不許。子元老與回筆硯交，諸孫能詩，時與回書論詩法，取友待士良謹，塾客陳君櫟十年不易。一日出集英殿命服周視之，尋衣一新道服，呼諸孫夾侍出，揖客而入，若訣别者，明日稍怯寒，食少減，夜半丑時，語諸孫曰「吾去矣」，恬然而逝。子一人，即元老，在杭聞訃，徒跣奔喪。回寄詩哭公，謂與回同生丁亥，乃進士官年，今讀前進士鄉達曹公涇所爲行狀，乃知公長回三歲。元老已得曹公狀，似不必回贅爲誌銘，然不敢固却。公夫人汪氏，長公三年，今八十一，賢淑康健。女一人，嫁將仕郎平江路長洲縣主簿汪次焱。孫男五人，昭祖、弘祖、正祖、從祖、壽祖。曾孫女二人。將以今大德五年四月四日癸酉，遵治命葬於其里綺灘之源。銘曰：

相種將種，世常有聞，不如書種，源源高門。家世奥學，詩禮典墳，集英甲科，佐彼虎賁。作縣守郡，視如浮雲，師表於家，一子五孫。既皆能詩，又各能文，何必萬金，以肥後昆。（文淵閣四庫本《新安文獻志》卷八八）

江東撫幹通直郎致仕汪公儀鳳墓誌銘　至元二十七年〔一〕

歙汪氏自越國公以六州歸唐，其後始大，入宋雖仕隱相半，而厚與薄取以德自植者久愈益大。公諱儀鳳，字翔甫，其先自績溪徙，今爲徽州歙縣人，徙之十二世爲公曾祖崇實，鄉稱爲長者，夫婦俱年八十五。祖擇善。父鵬舉，承務郎，資沉毅誠恪，以儉勤嗇取與，愈益大其家者也，年八十二，母鮑氏封孺人，年八十五。歷世植德，並詳見公所爲壙記。蓋公祖禰三世，而四人皆年近九十，公之卒亦八十四。公六歲工文，師靜菴吴公自牧治《易》。公趨嚮既正，而承務公察公兄弟三人皆偉器，又爲延師，得丞相納齋程公元鳳，改治《詩》。訥齋居塾九年，爲南省第二人，躋顯仕，公與二弟治鳳、鳴鳳，不更他師，蓋深得其學云。吾州《詩》大比，舊不與選，回先君師四明舒公璘，禮部符許拔解自先君。慶元乙卯，始先君入上庠登第，而左史竹坡呂公午與訥齋相後先，然鄉額僅拘於一。端平改元甲午，公俯就嚼爵，以《詩》中江東漕薦。嘉熙丁酉，又為漕試第一。時四明安公劉有聲上庠，以同經先內交永嘉陳公淳祖、二曹公元發、良朋，同社結課，誓將同登，而戊戌榜公獨退舍，竹坡時為監察御史，因客留公，於科舉外講義理學，蓋訥齋發其先，而竹坡成其終，公於是所聞粹矣。所居旁近靈山之下，有寺焉。歸而為李公擇山房讀書之計，意將終老。郡守貳魏公克愚、龔公應之、章公公權，訪公山中，佐築樓茂昔費，山房成，訥齋為題其扁，又為亭泉上，曰「山泉」，而世因稱公為山泉先生。公雖身遯巖谷，名震京師，江東漕使趙公與弼合諸臺以遺逸剡聞，謂當處以孫明復、陳無己、魏元履官，而僅與免解。公雅不欲逐舉子，迫於二親出山。又二年淮閒申前奏，旨賜文學出身，免銓參注，訥齋適當國，喜且疑，以為嫌，參政丁大全欲擠訥齋，去而攘其位，則偽力贊決而陰嗾，張鎮繳論，其意實不在公也。公寶祐戊午、景定辛酉，又連與浙漕薦，凡五上春官，會有奏辦大全鎮誣蠛者，玉音賜可授迪功郎、隆興府司户參軍，改辟蘄春府下蔡縣主簿、權淮西制司，準備差遣，秩滿差充淮東安撫司幹辦公事，滁城上功，以儒林郎循承直郎，陞淮東制置司幹辦公事。連丁內外艱，服闋，添差江東安撫司，護視訥齋葬事，候任滿與陞擢差遣，公終不自陳丞相信菴趙公葵，而下舉改官，狀五及格。咸淳甲戌詣部班引，廟堂議處以史館，公謝不願，改通直郎，致其事，緋衣銀魚，居里終身。嘗自稱老山居士，若老於山不出云者。丙子五月，兵變盜起，屠戮慘甚，公之族斃於寇者十一人，公言有司，罪人皆得。庚寅三月，盜又起潛口，焚四都巨室數十家，群黠於公前後獨不敢犯，如黄巾迎拜鄭康成者，則可知公之為人矣。回少公二十歲，洎休官，嘗同友人曹涇清父以癸未訪公里第，登西爽之樓，對靈山吟嘯竟日，不鄙辱賜和篇，時公年七十有七，又七年乃哭公。其生開禧三年丁卯正月十六日，卒以至元二十七年庚寅八月十日。狀公行者吾清父也，言皆可信。回閩朱子曰「三代以上，氣數醇醲，聖賢皆壽，以下反是」。由是推之，周室東遷以入春秋，壽者鮮矣，然其間有能齊於取與之際，薄取而厚與者，亦必天之所甚佑，而有不容不壽者焉，其不壽非必皆疾癘短折之氣為之也。劉子政紀弑亡之禍有數，而經書殺其大夫者至不可勝數，盈與謙之異也。魯季孫行父，季友子也，僖十六年季友卒，文六年行父用事，始見於經，文宣成皆十八年，至襄五年行父卒，去季友七十六年，行父當近百歲，其所以壽，妾不帛，馬不粟也。鄭子産七穆之一子，國子也，襄八年鄭侵蔡，始見於傳，昭二十年卒，行事可考者四十四年，歷事簡公、定公、聲公、獻公，亡慮八九十歲。其所以壽，孔子稱之曰古之遺愛，行己恭，養民惠也。齊晏平仲之父，桓子襄十七年卒，平仲以知禮見於傳，《史記》魯定公十年平仲卒，言議可見者五十餘年，亦當八九十歲，其所以壽，一狐裘三十年，又納邑辭富也。吴季札，吴王壽夢少子，兄諸樊欲立之，季札讓國，年可十五六，哀十一年楚子期伐陳，季札救陳退兵，以為子期名。杜氏注襄十二年至今七十七年，季札蓋九十餘，其所以壽，蓋以國與人，大矣，又能以名與人，至於以劍挂人之墓，則又無一物能累其心也。嗚呼！此四名卿者，於春秋衰世，諸人不得其壽之時，獨能以壽永終，則豈非薄取厚與之德有以勝之歟？惟今山泉之德亦然。科第可取也，不可必取則已之。官爵可取也，或畀之，或奪之，游幕府，通闤籍，筋力未也，可懸車則去之。貨財可取也，同氣祈居，田園瘠羸，室廬弊卑，器物圮敧，我願受之，入相出藩，我資我師，代匱翰墨，言不及私，乃若名高當世，尤士所願鈎取者也。公識淵，學詣幽討古汲，旁行敷落，急就凡將，鼓籀鼎刻，奇字瘦辭，聱牙格磔，探玄入微。儷語宗真西山，韻語尚劉潛夫，散語慕江子遠，妙年初務崛奇，至晚節泯圭角，削險就夷，視後生奮鬌距躐聲價，恂恂退默，若罔聞知。混迹於社叟里老、泥飲巷歌之間，能以名讓人不取，則尤近世人物所希有也。其於族黨鄉鄰，昇平而變故，歡娛而患難，孤侄與師授，幼女與姻對，出粟與下價，市物與高估，淵吾與梁，塗吾與甃，疾與藥，殣與櫬，寒與絮，饑與飫，索游與資裝，家世素必厚所與，而公於時之既異，愈加厚無求不與也。嗇於勢利而豐於慈惠，輕於物欲而重於友弟，不足於榮耀侈靡而有餘於恬澹潔清，行可以交神明，則功足以奪造化也。公素不飲酒，善飯寡疾，將卒之前一月，稍力弱食減，家人異之，公自謂無所苦，却藥餌，與醫者語，必正冠焚香，漸不粒食者旬餘，忽一日，令具湯沐盛服，索紙書數十字，乃口授孫濬紀載千二百四十三言，而於末自書曰「全而歸之，原始反終」，乙夜熱氣上出如炊，掖坐間小咳咽而逝，其不怛化如此。平生著述充屋，僅存《山泉類稿》四十二卷，程文六卷傳世。娶宋氏，先公三十年卒，子男女各一人，秉陽，郡庠生，早卒，前太學内舍發解進士方闕飛，其婿也。孫男一人，即濬，業儒好修。曾孫男二人，源清、源深。承務公存日，祖墓生雙竹，識者謂文字之祥，題咏盈皮，公治命屢進二曾孫，親為説書，雙竹之應其在斯乎？山房書兵後失亡，公重貲贖求，復如故，親校讎遺後人。濬將以明年辛卯十一月四日奉公柩葬於永豐鄉後村之原。回先君鄉舉舍選遺文，賴公襲藏至今，且早相賞拔，銘敢辭。銘曰：

約以納，博以施，蒔斯宜。善則祥，謙則福，理若兹。歙之原，全厥歸，觀刻辭。（文淵閣四庫本《新安文獻志》卷九五）

［一］文中言「又七年乃哭公……卒以至元二十七年庚寅八月十日，……濬將以明年辛卯十一月四日奉公柩葬於永豐鄉後村之原」，據此可知此文作於至元二十七年。

定齋先生汪公一龍墓銘

自孔子以來，歷周、二程、張，始有紫陽朱子。昔金人入中原，知孔子為聖人，猶護視孔林，莫敢毁。德祐乙亥吾州戍將李銓懷貳作威，撤傍城屋為城守，斧紫陽書院薪之，以辱多士，不旋踵天報之罰，身殞家滅。然書院由是夷為蓁棘者四年。蓋新安以書院奉朱子祠，如魯之事孔子。孔子廟徧天下，皆原廟也，魯為重。朱子祠徧天下，新安為重。興之者，郡守上饒恩軒韓公也。復之者，郡人定齋汪公也。彼廢之者，一無知之小武弁，何足齒。復之者與興之者，關於名教甚大。今汪公亡矣，足與韓公同不朽，是宜銘之於墓，以詔永久。而況公學雖博，知所宗，仕雖淺，知所從，知己雖衆，不輕於容，皆宜銘。按狀，公諱一龍，字遠翔，徽州休寧人，曾祖體仁，知房州竹山縣，祖汝鑒，父茹，迪功郎，母吳氏，封孺人。公妙年英發，文藪理窟，窮研深鈎，當魁鉅。淪喪之後，士所為隨時汗下，浙學屏息，而江西之學猶稍鼓行，末既卑而本尤舛，朝廷乏儒相，場屋循偏私，濂洛正論幾壅。公固守紫陽之傳，不少屈。淳祐壬子、寶祐乙卯，年二十三、二十六，連以經甲鄉薦。景定辛酉又領浙漕，貢值春官，有尚陸而疑朱者。壬戌由京庠升上庠，咸淳乙丑入禮部，丁父憂，戊辰廷對，賜進士出身，所以發譽早，而登名遲者，文衡不純一也。初授瑞安縣尉，改句容，當權臣擅國之際，達官不憚吻舌糞痔，惟公官卑志行，嘗攝縣，癸酉五月歲大饑，仿朱子南康遺規，為便民十條，民無瘠殍，秩滿陞從仕郎，部注婺州教授，乙亥淮閫李公庭芝辟泗州判官留幕，時京口瓜州失守，公奉母航海南歸，鄉守王公積翁辟判官，鼎命革，丙子休寧士民推公為宰，不就，遜朱穎達為之，完鄉井，平寇盜，皆賴籌畫，方事之殷，陳公宜中留公，夢炎為相，有朝為選人，改秩，暮為州郡監司臺諫者，予在朝嘗獨薦公，都督府參議俱退却不前，李銓乃子漢英之變，有以白衣領守貳者，屢強公宰鄉邑，終不就，皆以母老辭。至元戊寅江東道按察鄂通公以紫陽書院山長提學事起公，顧書院瓦礫盡矣，並命者曹公涇叶心疚力，得南門外江東道院故郡學基別為新書院焉。公知己滿世，書其大者丞相馬公廷鸞，求塾客，予言公可，公已第需次，訓丞相諸公子，矩度嚴整，講授精切。尉缺，至不戀相府，可速化，竟棄去，至如予太常應詔特舉公一人，公若無所閡。公於學、於事、於知己，可不謂內之養也粹，而外之省也密乎。公，事親尤盡孝，母夫人年開九袠，侍藥廢食寐前後，居喪皆骨立。家築樓曰經畬，貯書萬卷，弦誦之，室曰定齋，使究老壽浩涉淵，詣於道涯聖閫，未見其止也。生以紹定庚寅四月十八日，以至元壬午正月十九日卒，年五十三。夫人曹氏歸公四十年，婦道全，母道備，生以寶慶乙酉五月二十五日，以至元丙戌五月初三日卒，年六十二，子男三人，蒙進義校尉、建寧路建陽縣主簿，艮德慶路儒學教授，巽元漳州路儒學教授。男孫八人，伯塤、孟堅、仲箎、益社、美孫、希善、孫葆，孫女三人，曾孫鐔。諸子以母夫人卒之年十二月庚申，合葬於松蘿山豐林之源摅，兑揖卯公詩文多散落，《句容策》三卷、《四六講義》各二卷僅存。予長公三年，擢科偶先六年，早同出郡守静齊魏公克愚之門，中年漫仕俱不逢，晚節休官，窮居里中，無可與語輒思公，而公仙去十餘年矣，銘誼不得辭。銘曰：

學失所宗，業精易荒。仕迷所從，名膻弗芳。知己常至於誤己，集不如翔。公能察於此三者，雖死兮猶有耿光。昔嶽麓書院廢，乾道中忠肅劉公復之於湘。白鹿院亦嘗廢矣，淳熙中朱子復之於南康。彼以十連二千石之力，曾何難鼓動於一方。緊是紫陽，起仆植僵。孰愛我而助我，突儒宫於戰場。松蘿之岡，斯銘不忘。亦何異刻鼎彝而書旂常。（文淵閣四庫本《新安文獻志》卷九五）

全元文卷二二九

方　回　二三

晉新安太守程公墓碑

東晉元帝肇興江左，在位六載，三改元。建武一，大興四，永昌一。初以周玘為會稽都尉，顧榮為豫章都尉，分兵定東土。新定東陽、信安等六郡，既平，以鎮東軍謀襄州。刺史程公諱元譚，為假持節新安太守，大興二年己卯也。良二千石，民愛懷之，受代請留，竟不得去。卒於郡，永昌元年壬午也。墓在今郡城西十里驛路之旁。歙之程氏，自此始。墓前有雙石人，至今無恙，土人因名其地曰雙石。程氏自黄唐、三代迄於漢魏，世有名人，蕃衍碩大，而居於洺水者最盛。故天下之程，皆出於廣平。歙之程氏，號黄墩程，自洺水徙。東晉而後，歙程氏又獨盛於天下。蕭梁時，有儀同忠壯公靈洗，以武勛顯，《南史》有傳，太守十三世孫也。至唐，有檢校御史中丞都使公澐、檢校祭酒巖將公淘，兄弟八房，愈盛碩茂，又忠壯公十三世孫也。都使、巖將兩房居休寧汊口。都使房又十世，而端明殿學士贈少師珌為嘉定、寶慶名詞臣，有《洺水集》行於世。嘗按古跡得太守雙石之墓，獲視之，四世矣。大德改元丁酉秋，巖將房十三世孫深甫歸自北方，汛掃汶口先塋，上及忠壯墓。而太守雙石之墓，卒難物色，或者偽為契券，相貿易矣。訪求久之，風雨不輟。冬十二月十有七日，始至其地，求墓道，弗能得。越十日，賴毗鄰父老，於深雪中微得其處。又十日，過其處，見浮土覆雙石上，麥苗芃芃然。深甫以金幣贖之。乃會集親賓，刬除耕植。自晉壬午至今戊戌，一千三百三十七年，晉新安賢太守神道，始復歸於程氏。噫嘻，豈不偉哉！雙石既歸，而深甫宗人崧克紹鋭意，樹表作祠，且給守塚者食。極其心力，用成深甫之志。抑嘗思之，古之葬者，藏而已矣，自有棺槨以來，一抔之土，愈富貴者愈不能保其藏。曲阜孔林，以聖人而後能久，吾歙雖小，有古墓四。回之先方氏仙翁墓，在歙之東鄉，後割為睦邑，在今淳安縣學前，自漢至今。忠烈廟汪王墓，在今郡北七里雲嵐橋，自隋唐迄今。然皆不若程氏，有晉太守墓，又有梁忠壯公墓，居古迹之二，而深甫於兹，不惟能克復其先墓，又能輯睦其宗而禮遇之。凡程姓者，不問其為闕學邁之後、尚書大昌之後、丞相元鳳之後，一切與進飲食教誨，無疏遠卑賤之分，則何其用心之篤實忠厚，至此極也哉！是皆可書，以為後來為人裔孫者之勸。故特為之書。(文淵閣四庫本《新安文獻志》卷四五)

東隱程先生先墓表

先生之歿餘百年矣，其五世孫圉從回遊。一日，以狀乞表墓。回素景先生名，且狀出吾宗老秋崖公，疑不必贅，然狀法詳刻石難，表其大者，以示後於禮為宜。先生諱先，字傳之。程姓徽州休寧人，所居曰陪郭，所祖曰梁將軍忠壯公，邑大族，具團練公碑文，團練者先生考也。先生之行大者有三：初，團練公以偏師禦金人於池州，死國難，當録其嗣，先生哀痛，固讓不受，廬墓三年有異端，其孝也。先生自以出伊洛後，為學務躬，行不事占畢，隱居東山，既老猶請益不已，聞晦菴夫子為世儒宗，以掃墓還婺源，擔簦見之，夫子示以聖學大要，時先生年已七十餘，不能從，遣其子侍入閩，夫子稱之，其學也。先生痛父死節，以衣冠窆焉，念當時無義士還其櫬，乃立司徒廟於家山，司徒者梁茅勝，嘗糾義士五人，竊忠臣王琳之喪於陳而葬之，故先生感激為此，其義也。餘行事，見狀者自當行世，兹不得詳。先生三子：曰永正，字長卿，清遠軍承宣使、同知閤門事帶御器械。曰永奇，即從晦菴夫子學者，語録所謂程次卿也。曰永彰，字季卿，鄉貢進士。孫三人：曰瑜，將仕郎。曰璋，太學掌書。曰琬，宣義郎。曾孫三人：曰元，不仕。曰仔，奉議郎。曰茂，臨安府磨勘司主押官。玄孫四人：曰梧，曰檜，曰楨，曰梓。楨字伯祥，與回同客秋崖之門，故知先生，然不及拜德容，聆緒言。顧伯祥亦已下世，圉乃能惓惓於先德，可謂賢子孫矣。（文淵閣四庫本《新安文獻志》卷六九）

宋象山書院山長月巖先生程公紹開墓表

嘉熙戊戌，昭武賴公棟以載經魁省闈其文，天下誦焉。上饒程公及甫師事之，得其傳，年二十九，庚子貢於鄉，淳祐壬子再貢為首。寶祐丙辰，伏闕上書萬言，「重臣不可一日無，權臣不可一日有」，權臣指丁大全也。未幾入太學，時大全在政府，倚宦豎，肆凶虐，嗾御史翁夢弼、吴衍論竄六士陳宜中等，大全以沈翥為腹心，方大猷為耳目，猥以章應雷為援而舉之。開慶己未，大全相之二年，私周震炎魁天下、應雷甲科第三人，士論切齒。大全嘗令翥以幣致公，毅然謝絶，自六士逐，即家食不出。大全斥，六士返，翥、大猷放嶺海，震炎、應雷奪恩，數公欲歸齋而丁外艱。越三年，升上舍，長存心齋。咸淳丁卯元日，郊，前序率諸生表請幸學，蓋賈似道柄國，以小惠蠱多士耳。公曰：「幸學，可也。請幸以覬恩，不可也。」辭，不預拜表列。尋，又辭推恩，前序以譖於祭酒雷宜中，召公譙責問故，公不屈，拂袖竟歸，傾二十齋之士餞闕外，明年戊辰，中龍飛榜乙科，授從仕郎，當注職官，僅取增差臨汝教，兼掌書堂，兩攝東西倅，賑荒埋胔，竭力助郡政。再調寧海軍節，推母訟，子不孝，尹欲寘重辟，公令子百拜未半，母心悔，子之如初。德祐乙亥，以承直郎禮兵部架閣扞鄉郡，公之再自太學歸也，以布衣長象山書堂，至是再為之，逮己卯三為之。至元庚辰十二月六日以疾卒，生嘉定壬申，年六十九。公諱紹開，其先五代時，自歙遷信貴溪，至公凡十四世，曾大父惟幾，大父光祖，父自强，迪功郎致仕，娶翁氏，子男三人楷、鳳飛、植，植先公四年卒。女二人，婿鄭中、陳近仁。初丙子象山書堂災，公畢力再造，士嘉乃績，丐與山長袁公甫竝祠，平生授徒於家，自為道一書堂，楷兄弟增廣之。楷今為書堂山長，鳳飛德安府儒學教授。孫男七人，皆向學。孫女三人。以癸未二月丙午葬于故居之鼎山，坐乾面巽。公生，夢得此地，卜居三十餘年，就為佳城。公殁之十四年癸巳，楷與紫陽方回遇于武林，以回先人嘉定甲戌上舍亦嘗為存心長，且歙人請銘公墓，回惻然感傷，思近時人才衰少，世事敗壞之，故乾淳以後無重臣。伲、遠、全、道及再相之舊學皆權臣。抱實學者受誣，負重名者招忌。死黨阿附者致大位，無一善可書。大節一二可書者乃皆出於寒士下僚，如此而欲國不僨，不可得也。公未仕時，所立已卓，既仕，坐視權臣覆餗，迄如公丙辰之言，雖大書特書足垂不朽。度公方且哀痛於九泉之下，亦豈忍聞哉？公學贊朱、陸，超然有得於言語之外。家塾之額曰「道一」，志可知已。第回少公十五歲，豈敢銘公？敬為墓表，叙其行實，系以詞曰：

丁以威脅策吾皮，賈以利啖輪吾柅。屈而從之，早仕而已。寧見道而艮背，寧取義而賁趾。人有生孰不死？不可滅廉與耻。（文淵閣四庫本《新安文獻志》卷七〇）

宋故中奉大夫右文殿修撰致仕歙縣開國男食邑三百户贈華文閣學士通奉大夫呂公午家傳

公諱午，字伯可，徽州歙縣人也。曾祖昇，祖玗，父大用，贈中散大夫，世居巖寺鎮。回先君琢師事教授四明舒先生璘長公六歲，同經後，先擢第，相與如親昆仲。先君兄弟四人，奉親而遠官，初授四川蓬州教授，後入西廣，被謫以没。公奉二親不遠官，初授湖州烏程主簿，次太平州當塗縣丞，次監温州天富北鹽場，改官知臨安府餘杭縣，言路彈知縣十人有九人矣，而缺其一，知公賦役治，獄訟平，無可訾，而以小宿憾取充十人之數。疏出，公論騰沸，大不平，以此愈名重一時。其在烏程，三太守皆致之幕，郡事一決於公，知名如此。張魏公子定叟、尚書之子忠恕為郡名士，特薦公尤力，忠恕母夫人就養而具慶，每躬至簿廳，迎二親入郡治，二千石與一主簿彩衣侍飲，時人榮之。在當塗見知郡守吳柔勝，謂公有操守，俾二子淵、潜定交焉，且檄入幕。理曹攝蕪湖縣，淮西廬州遣兩兵會公事，理曹申郡以廬兵奪縣民為言，柔勝怒，悉寘之獄，委公入勘。公謂廬州已有公文則不可謂之奪民，柔勝愈怒，委公審勘。公審訖，入禀，柔勝先令左右問若何，公執前説，柔勝愈益怒，謂廬兵奪我百姓叵忍，不出迎公，公坐客位，不退不食，柔勝聞，勉出，怒不息，欲黥二兵，公徐曰：「若廬州初無公文則可，既有公文，縣不為處置而反罪廬兵，恐不可久之。」乃從公，請坐。廬兵以騷擾押回本州自懲之。此柔勝所為稱公有操守也。陳貴誼來代淮南，流民南渡，自采石彌路滿城，委公安集，公類編開禧舊牘，防江却敵，知和州。徐僑遷江東提舉，與貴誼會問，知公在郡，驚喜屈入幕，公以郡事未辦，欲盡決遣，而去帖催至十八而不以白貴誼。僑貽書貴誼，公始行，僑行部以田事忤丞相史彌遠，論公還當塗監鹽場之任，浙東提舉章良明留之幕，旋兼沿海制置司事。時海寇未平，問策安出，公廉知調軍出海，糧盡即還，軍獲寇物，官盡拘收，此所以冠卒未平。與制幹施一飛議糧盡再給，不許擅還，賊舟所有悉以給軍，於是海道一清。紹定二年己丑，差知常德府龍陽縣，公舊無家，長婿忠翊郎卜築為營，屋於杭北關門外之西馬城，始寓居焉。龍陽之政區，分差役民，争先為之。富民陶守忠殺人，正其獄。時彌遠雖非賢相，猶寘人才簿，書賢士大夫以待用，書公縣政於簿，差公兩浙轉運司主管文字，差監三省樞密院門兼監提轄，封樁上庫，丁父憂。紹定四年辛卯，杭大火，彌遠委公監造太廟，凡二人，其一貴游子，多不入局，每飯羅列珍饌，邏者視公日在局，自奉甚菲，又書之人才簿，然終不能拔公於清要。彌遠紹定六年癸巳死，端平元年甲午，鄭清之相，名為更化，實未嘗更，三京之師大敗，公時居憂。嘉熙元年丁酉六月除太府寺簿，十月除監察御史。清之罷矣，左相喬行簡也，右相崔與之不至，理廟知公縣績特有此，除在臺十有五月。三年己亥正月，除宗正少卿，兼國史院編修官、實録檢討官。二月差知泉州，當此時，廟堂除授多私親，故朋黨盤據，贓貪狼藉。公極言之，州縣增價折納二税，倍收酒課商税，奏乞拘以充國用。徽素不產，銀米絹外，官賦純用會子，户部忽以嘉熙元年分茶租折綿布，改作銀會中半，時銀一兩值價會子十五貫，户部估三貫。郡守倪祖常窘甚，公奏新安山多土瘠，賦税之輸一錢科十，向或增一文二文，州人已困，三數年來增至十五文二十文，又增至三十文矣。民户以三十文納一文之税，又以價五倍納一兩之銀，追價既急，銀價愈增，伏望下省部免銀仍用會子，旨依，計銀三萬三百四十二兩。郡人羅瑞州源為記。次如乞免本州和糴，及語郡守申省停廢岩寺鎮官，以鎮務酒税均為萬户，免羅織居民，行商為鄉井無窮之惠，皆此類最大患者。清之喪師挑敵，至是丁黼死於成都，史嵩之、孟珙在京湖，嵩之尋升督府，陳韡、杜杲在淮西，處處危急，王鑑在黄州計用兵十七萬人，圍始解，獨趙葵在淮東不受兵而坐視淮西之圍，不肯出兵應援，勅諭進兵非不嚴切，而葵終於迂延。公數入文字奏不已，葵造謗以公為黨於京湖制司，公坐是出臺遂與郡。然公奏疏，謂邊閫角立，無同舟遇風之心，不容幸災樂禍，所宜協心釋嫌。而嵩之亦憾公。時行簡拜少傅，平章李宗勉先在政府，深以葵攻公之言為疑。後有自淮東來見宗勉者，乃言臺官皆有書與葵往來，獨吕御史無之，宗勉始大以公為賢，昌言於人，謂吕伯可元來獨立無黨，而葵與嵩之怨之。公待郡缺，七年淳祐二年壬寅正月迓者至，公以泉南貨寶之地，托以奉親不便，時則嵩之以嘉熙庚子四月自督府入，與宗勉竝相久之，行簡以少師保寧節去，宗勉卒於位，嵩之獨相，大權旁落，彗出營室，天下大旱，西湖涸見底，人相食，江潮欲吞菜市艮山門，又客星見於尾，而世事大壞矣。嵩之雖得彌遠人才簿，心知敬公而内怨臺中所論閫事，實忌憚公，四月改除浙東提刑，數日嵩之令鄧泳嗾董復亨論罷中外。不直嵩之，而葵賜出身亦在樞府。五月差提舉建康府崇禧觀理作自陳，九月再除浙東提刑，在任半年，監察御史劉漢弼與中書舍人華賁閔俱出理廟臨朝，諭臺諫不識事體，只好尋一舊人，言公姓名，嵩之恨不出己，意退，擬兩人進一其私也。御筆特批，除公，於是三年癸卯四月，公再入為監察御史。至闕，特旨内引，謂卿向來議論甚明切，又謂論邊事甚好者三續。又論嵩之除兼崇政殿説書，嵩之雅不欲公入經筵，陰肆沮抑。時項容孫除殿中侍御史，同在言路，容孫子娶上涇吕氏女，於公為從侄，嵩之俾容孫上疏回避，欲撼公去，而於法無避，嵩之乃與言路密謀，以為王瓚者不樂公好喊鬧，除瓚為右正言，十月五日也。公嘗彈瓚之姻家史洽，嵩之欲激令瓚與公交攻，公即日出靈芝寺回避理廟，親灑宸翰，吕某求去，朕已降旨不允可，令都司諭旨，仍於宸翰，已字旁添一先字，以示意，嵩之見上眷如此，不得已方委都司檢正。韓祥、都丞陳一薦二人挽公入闕，嵩之又自作簡調停，公謂臺諫既出，無再入之理，與二人相持一晝夜，二人謂既出再入有例宜且奉君命。還臺再入文字，求去，上終不允。言路同官乃請約王德成先詣公廳謁見。德成，瓚字也，杭人，為嵩之客，極凶悍。由是再留，而議論愈不合，一旦省劄不許臺諫受短卷，同官皆備榜客位，公獨奏争短卷固不可盡信，若不許受短卷，即是塗臺諫耳目，非天子所以寄耳目於臺諫之意。疏出，人皆謂然。嵩之鋭意行徑界州縣，一付吏手，與豪民相表裏，暗增下户税額，公以此劾去烏程令諸葛千里。嵩之怒詈，都司韓履善謂公曰：「祥等亦如之欲其且止，然纔稟輒怒，今得察院言事，姑寢矣。」嵩之自督入相，蜀、襄、淮無歲不潦城喪師，死於戰者數十百萬。小捷則於上前張皇夸大，挾以邀君，謂邊事非吾莫能當也。至謂諜報北境内亂，欲自以為功，從壽春漸謀進取，公謂敗績狼狽之餘，豈可復蹈前轍？然尚不欲明言疏，但謂我之間諜并，未嘗得其實，不宜輕信妄動。嵩之弟賓之，知徽州，貪虐妄作，公不避鄉嫌劾之。嵩之最惡公言邊事，四年甲辰五月，除起居郎，出臺兼史院官，公屢求去。八月丁母潘氏夫人憂，九月四日嵩之丁父彌忠憂，歸，四明謀起復徐霖、馮棐等，及太學生群起攻之，嵩之敗議者不知公之兩為御史，俱出理廟親擢，初實不識嵩之非，其客忤嵩之非一事，繼是當國者乃例以為嵩之所用，不再起公，時年六十六矣。一閑十二年，官階祠録一不屑意，歸老故里。回年二十二，至巖鎮見父執八年戊申也，公憐其孤露，敨誨諄諄，至十一年辛亥，以回歸自臨封，字之曰萬里。明年壬子，公子沆知於潛，及改辟淮西餉管，皆迎侍以行。回東西奔走，不及再見，而薨於金陵，寶祐三年乙卯十二月九日，公生之次日也，年七十七。回嘗謂人才消長，世運之消長係焉。近世或乃人才日長，世運日消，則何故前三代夏商周也，後三代漢唐宋也。文章之盛，宋不愧漢唐，學問之盛則過之，熙豐邪黨以元祐學為禁，程氏之學與蘇黄胥為禁，遂失中原學。禁一弛，光堯以是中興，迤及乾淳，蘇黄詩文，學者所尚，獨朱文公續伊洛之學，未有能深好之者。慶元黨論復起，又以為禁，孽韓殛死，嘉定以來不及見文公，而能續其脈者，西山真公德秀、鶴山魏公了翁，而公亦其人也。公娶夫人祝氏，先公十年没，實文公母夫人之從侄女。公得其家傳，發明文公之學，稍得緒餘，為名進士，建安刊《竹坡類藁》若干卷行世。竹坡者，公初居西馬城時，種竹因以自號也。元祐人才非不盛，而符觀、宣靖世運衰，以章、蔡消之也。慶元、嘉定、淳祐，亦尚有人才，而世運愈衰，不可藥，如文公，如真魏，如公，以侂、遠、清、嵩消之也。大抵宋之人才非不長，而宋之權臣消之，消人才所以消世運，消至於賈似道，則運無可消而有所歸矣。自公之廢，以庸謬污鈞軸，如謝方叔、丁大全者比比。公平生所敬，獨徐參政清叟、董丞相槐，令子沆師尊之。程丞相元鳳同里同經，後公二十一年生，相友善：公身後除右文殿修撰、知嚴州。四年丙辰春，旨守本官致仕，以生存出命，董程二相在政府為之也，官至中奉大夫、歙縣開國男，食邑三百户，累贈至華文閣學士、通奉大夫，薨之明年正月，喪至馬城。九月歸葬巖鎮。子一人沆，長女所適已書，次女適迪功郎劉泳孫。五人見沆傳文集，未刊行者藏于家。公、夫人之家祝二居士景先者生男女十四人：樞密汪公勃之内曰四姑，是生作礪，子行第一從也。作礪之内曰三姑，是生義和、義榮、義端。吏部朱公松之内曰五姑，是生文公，皆孫行第二從也。公之夫人曰三娘，曾孫行第三從也。祝穆和甫者文公表弟之子，撰《方輿勝覽》，公為序。穆子洙太學博士以公為師。

論曰：「宋之天下，以臺諫興，亦以臺諫敗。宰相不肖，以臺諫去之易也。不然，則有如蘇軾所云，以干戈取之而不足矣。然則臺諫與宰相交通可乎？臺諫奉承宰相之意，自王安石行新法始，章蔡紹述，而臺諫遂與宰相交通。然猶有陳瓘、劉安世百挫不屈。中原喪矣，東南一隅秦檜、韓侂胄、史彌遠、嵩之，皆陰與臺諫為一，以去其所惡而擅權固位者也。獨吾鄉左史公兩為御史，出於理廟親擢，前與喬行簡不合，後與李宗勉、嵩之亦不合，時則理廟端平親政之後，懲創彌遠之專用，臺諫自檠。王與芮通脈月疏，間有節帖宣諭，庇存姻戚，深防宰相言路之合，然乃德彌遠立己之恩，以邊事相其猶子。嵩之大奸，雖臺諫多其私人，猶未敢全欺理廟，所以左史公尚能少行其志，議者不察過矣。公乙卯云，亡董丞相、槐、程丞相元鳳，並無交通臺諫之迹，而大閹董宋臣用事，臺諫皆出其門。自鄭清之再相，則與周坦、陳求魯、陳垓、蔡榮相表裏，以媚宋臣，以罔理廟。吴丞相潛初以忤宋臣，逐謝丞相方叔，以子循與宋臣争湖山冶游去，實則泉州人洪天錫外師吕中，而内客於宋臣，中在史館，屢與天錫論事嘆息，無由得對可一吐所藴，如宋臣、謝堂厲文翁近習戚里之横，莫敢言者，中不知天錫實鑽刺宋臣得班六院，忽一日，天錫除監察御史，宋臣力也。請於中，當言何事當劾，何人僞也？中歷歷教之天錫之進，又陰與謝修深交以干方叔，遂謂且借宋臣徑入言路，叛而劾之可以得名，黨謝修、扶方叔入臺，第一疏劾宋臣等，理廟駭愕不行，一再疏，宣諭不行，天錫去，以此天下敬之，而狡險矯詐世不悉也。天錫晚節，似道貴之，至從列尚書，終畏其入與閫帥，宋臣憤天錫、修至痛，治方叔者其本末如此。董程二相無如宋臣，何宋臣至拔丁大全為臺諫，論逐槐以行，都弓手火夫舁槐出關，若下大理，恐之者元鳳相。大全參預用吴衍翁應弼論，竄大宗武學諸生，皆宋臣所為，大全敗潛，理廟升遐，由是咸淳臺諫一聽命於似道者十年，彈劾全疏出於似道，付下，而貼黄行否，任似道去取。宋之革命，豈非前後臺諫與宰相爲一之罪乎？故因家傳而極論之。贊曰：

昔之科目，士患不中，及既中之，又患不用。何以用之，俾臨其民，名曰親民，始足發身。獄訟賦役，改秩作邑，事罔不試，乃臻朝績。兩豸其冠，兩綉其衣，公出再入，耽耽其威。爰立三相，行簡之耄，宗勉之夭，嵩之之盜。三皆不合，誰知有君，左螭一出，終身耕雲。丁賈敗國，嫠我臺諫，惟公之時，尚無此患。周程學問，歐蘇詞章，高山仰止，千古紫陽。（文淵閣四庫本《新安文獻志》卷七九）

監簿吕公沆家傳

公姓吕，諱沆，字叔朝，左史右撰知郡開國先生子也。開禧元年乙丑十二月九日生，後左史一日，紹定六年癸巳，明堂恩補將仕郎。端平三年丙申，銓試第一人，授迪功郎台州黄巖縣主簿。嘉熙元年丁酉十月，左史除監察御史，依條改監西京中岳廟，次任總領湖廣江西財賦所準備差遣。所謂總領者，賈似道也。公長似道八歲，在幕微有隙。左史再除監察，公再任中嶽，交好如初。甲辰，左史出臺立螭，以憂居里，遂不復仕。公之再任中嶽也，丁母祝夫人憂，改官知臨安府於潛縣。壬子之任，父子同，閑居九年矣。迎侍就養，垂滿淮西，總領趙與𥲅，辟充本所主管文字。乙卯十二月，公生日，左史薨於金陵。護喪由西馬城歸巖鎮葬，服闋。戊午，請兩淮漕解似道入相，通判婺州，權郡護浙東提刑司印，特差充提領兩浙轉運鹽事使司主管文字。又特差充行在檢點膳軍激賞庫所主管文字。護浙西安撫司印。登朝歷四轄六院之文思，官告書擬，尚左右郎官，事似道。景定三年癸亥，行公田。初，欲行之東南諸路，謂可免和糴。魏臨安克愚當奉行，陰疏七不可，遭重劾，乃僅行之浙西六郡。甲子七月，彗星出。公與似道劄，乞罷公田還元主。咸淳四年戊辰九月，輪對，又言易新佃改莊官不便，不若責付元賣主，歲自抱租運納。會子，起於孝廟，用四川紙印造。一貫準銅錢七百七十，足會價，終於不及此數。端平初，十五界、十六界竝行。鄭清之相，首廢十五界，新行十七界，以一準十六界二，而物價騰踴。會價新者與舊俱落，至欲履畝收楮，此為清之大罪。嵩之廢十六界，行十八界，以一準十七界之五，而十七界僅直銅錢五十文，十八界直二百五十文。庚子至甲子，閱歲二十五，民頗安之。理廟微時，行第十七，福王與芮第十八，上意不欲廢二楮者此也。似道改作銅錢關子，以一準十八界之三。理廟難之，乃於升遐之日，偽作遺詔，廢十七界行關子。舊例許以舊楮易官新楮，假如十七界直五十文，官當收舊畀新，十七界十五貫，換與關子一貫可也。而似道直廢十七界，更不換與新關。自四川破十八界會子及關子，用徽州紙易破爛，聚於行都，每貫民間有貼會錢，官司受納，必欲好新楮。似道置局，令百姓出用錢，換新關子。當是時，十七界曰瓶楮，十八界曰芝楮，取繪物名。關子，目曰關楮。民戲言：「過此一關不得。」公謂關子雖軟腐，官司受納，通用則流行矣。置局許百姓換新好者，則是自賤軟腐之楮，民烏得不疑？似道當彗星出時，以請罷公田，卜理廟，意非誠也。公諫，似道尚未見罪。至此，竝言公田、關子，似道大怒。公亟入劄丐去，則偽除將作監簿，急令言者論寢。久之，與華州雲臺觀祠，起知興國軍，未赴。論仍雲臺祠，起知全州。未赴，論與建昌軍仙都祠。似道所以待士大夫皆若此。德祐元年乙亥，三學伏闕上書訟公，屈召赴行在，公不復出。似道敗殛死而國亦殞矣。公師徐參政清叟、董丞相槐，皆尚朱文公之學。岳鄂王飛金千兩，朝廷以鎮庫，前政以金質米餉軍，米歸制司而金不得總所，前後紛競。公細閱舊牘書擬，制帥孟珙見之，謂敷析明白，歸金而奇。公再為中嶽過吳門，吳丞相潛時為守，與行部監司交惡。蹔囑公：侍旁一言，願兩劾罷。蹔尾，饋百金。公答，為人子，未嘗預外事，謹不敢出。對使者峻却之，以清介知名。自此，始得地杳城，葬母祝夫人。旁近古墓其後，人願改。公謂汝墓在先，吾母葬在後，骨肉一同，何忍如此。悉築牆圍之，共為一區。在於潛，重囚逸，見榜，感公未嘗訊杖，自歸獄。在婺，寄居誣平民為盗，熔銅汁封鐵鎖，寘獄。公被命，疏決縱之。斷朱章四十二年不决田訟，息吴王兩府二十九年不决墓訟。似道舍相府以平章遊宴，公謂此國體攸關，凡三移書規之。似道憤恨不止，公田、關子疏也。至元十三年丙子以後，逍遥杳城巖鎮閒十年，南北士大夫交敬。義理、典故、詞章、翰墨如先左史，學問本朱文公，而文兼歐、蘇，後進師焉。二十二年乙酉十二月五日卒，年八十一。官至朝議大夫，賜紫金魚袋。内子宜人孫氏、戴氏。子五人，長相，將仕郎，早卒。時所聘松木汪氏女，先喪。汪氏撥以田三百畝，為吕將仕户議續好。公謂未畢姻，謝還之。次本，前修職郎浙漕貢士，亦先公卒。樞、機、標，皆將仕郎，貧為州縣學官。女五人。婿戴孔孫，前登仕郎。吴應紫，前太學守約齋生。謝楠，前宣慰司劄差永豐倉大使。章明祐，從仕郎休寧縣尹。方師聖，皆進士。孫男女，曾孫男女，不勝書。卒後二年丁亥二月，葬母祝夫人墓西。汪樞密勃之内，乃祝夫人之祖姑。汪公義和、義榮、義端之母及朱文公之母，皆祝夫人之姑。世謂祝氏世生貴女，以公貴，累贈至碩人，如夙占又贈淑人。

論曰：士大夫出處之際，豈非天哉？先，左史公兩入察，竝不出宰相進擬。甲辰八月，以憂去國，九月，嵩之敗，繼相者不察，閒公一紀。公亦坐是，閒九年而後出宰百里。乙卯、丙辰、丁巳，丞相槐，師也。丞相元鳳，同里、同行輩也。而公居憂，不得二相絲毫之力。大全敗，似道入，公乃似道老舊交游，京局轄院寸進，坐疏言公田、關子、且又斥言元台宴冶湖山，陽予陰奪，雖一郡不得試，閒十四年。鼎命維新，又閒居十年，公可謂屈矣。然壽登八十一，大節可垂無窮，則天之所以愛公者，於此亦未嘗不伸也歟？贊曰：

彗星之變，公言公田，還以予民，福豈不綿。官漁吏蠹，更張莊佃，公謂不可，以此獲譴。瓶楮、芝楮，竝行于時，忽廢瓶楮，一貫三芝。新之未幾，自厭其腐，公謂不可，以此取妒。未有宰相，出宅郊關，柄臣傲主，冶游湖山，左右妓肘，豈調鼎手，公謂不可，以此獲咎。父居言路，峻却私書，公既歸隱，同此閒居。郎止於權，郡迄不試，有大於此，家學是繼。（文淵閣四庫本《新安文獻志》卷七九）

樂静先生曹澤之墓銘

樂夫樂以有守静。而樂所以壽，蓋不以爵。以德齒，是之謂不朽。（明萬曆二十五年《青浦縣志》卷三）

全元文卷二二三〇

方 回 二四

祭曹朝奉文 號敬齋，濟甫涇之父

嗚呼！磻溪之老，一出興周。商山之老，一出安劉。然于功名之際，未能全善盡美而無尤。故以臣伐君，見議於孤竹之二子[一]，而以子制父，或以議夫留侯。是故進取不如退修。與其安車蒲輪，召而言不用，寧永佩遂初之賦，枕石而漱流。惟靈有才甚高，有學甚奥，于國可斷，于王可謀。謂科第九世在其子矣，復場屋其焉求。身立四朝，田野昇平而閑暇；年登九袠，歲時康健以優游。視太公而過之，與四皓乎為儔。彼當世之士，勢焰薰天而聲名掃地，曾未若此之無愧而心休。如龐德公不入城府，如陸天隨薄有田疇。丁奇運于晚節，懷杞國之深憂。非不水旱疾疫而室無疾癘，非不兵革盜賊而里無戈矛。當箕麥邵瓜之代謝，終于釣水茹山而不出，焉知儲傳之與營邱。是以聞公之令終也，士相顧喪其領袖，鄰黨以為失其庇休。亦庶備洪範之福，可以無憾矣。特所嘆者，前輩遺老，典型殆盡；後生晚進，風俗益媮。某桑梓相望，餘三十里；萍逢不肖，幾五十秋。與公諸郎交相綢繆，獨未獲識公之面，則亦不無其由。匪變故之阻絶，則行役之滯留。休官林下，可以進拜，奈乏輿而缺騶。忽訃告之駭聽，彌鬱鬱而窮愁。以粹容尚有畫像之可觀，遺事猶有野史之可修。乃扣公之几筵一酬[二]，而又求公之行實一觀[三]，將措辭以相挽夫之一謳也，英魂不昧，潤藻其羞。嗚呼！尚饗。

[一]見議於孤竹之二子：議，原作「機」，據清抄本改。　[二]乃扣公之几筵一酬：酬，清抄本作「酧」。

[三]而又求公之行實一觀：之，原脱，據清抄本補。

祭工部程侍郎文　元岳

嗚呼！公之面不可得而見矣，公之所以為人猶可得而言。是嘗處山林而有臺閣之氣，遊場屋而有縉紳之風者乎。有衛玠之豐神，而不為西晉之清曠者乎。有黄憲之襟度，而不尚東都之崖異者乎。孝弟兩至，而内行無遺憾者乎。忠恕一視，而外交無間言者乎。嗚呼！風俗之下久矣，落落者不可與圖合，嶢嶢者不可與謀全。抑士以此出而不遇也，非特風俗之弊，亦氣質之偏有以召之。蓋士方奮然欲為所為，棱角聳撑，光芒發露，未形論諫，已聞彊直之聲；未試經綸，已見激昂之意。于是不羈之謗、難御之疑，推不去矣。然或有鑒其為此折而從彼者，則未免梏于物欲之蔽，以枉取直，以屈求伸，小則熟爛衰頽，大則依阿附和。利其同己者稍喜之，而心鄙之者亦不勝其衆，則士亦何便於此。由是二人而觀之，與其蔽也寧偏。雖然，又孰若偏與蔽俱無如我公者哉？和風慶雲，盎然春生，大圭拱璧，渾然天成，此上之人所以樂于汲引，而下之人所以不至于傍觀而嚴憚者也。一旦為學省官，蹈虎尾、拔鯨牙，去宰相所不能去之巨璫，諫行身黜，浩然賦歸，而後天下知公非終于柔者。景、咸之間，騫翔言路，霆轟電擊，風拉霜推，怪魅妖魑，縮舌破膽。鼎貴矣，未嘗有絲毫繆戀名位意，從途未幾，丐郡奉親。回嘗謂：公其禀也粹，故人不能以所忌者病己。其學也醇，故人不能以所喜者誘己。不偏于氣質，而又不蔽于物欲，斯近世之人豪也。吾意將為泰之九二，包天下之荒，而回也亦不遐遺，蓋謂命不可測，乃變而為離之九三，鼓缶之歌，人物彫殘，世道狹阨，公則已矣。近乃有一種卑污淺陋之士，敢以霸心雄氣行之鄉黨，而不敢以直詞正色行之朝廷；能以深機險阱施之朋友，而不能以忠肝義膽施之君父；頤指氣使、足高志揚，可以誑其妻妾子弟，而色厲内荏、外强中乾，不可以誑天下士大夫。嗚呼！此等人不死，而公乃死耶！回賦資甚戇，蒙賞特深，説項之言猶存，依劉之念未已。闔門跧伏聞撤几筵，窮極在陳，空言寓奠，惟公神爽，鑒此血忱。

哭兄百三貢元文

淙字崇德

嗚呼！予嘗有言：富貴而早死，不如貧賤而壽命長。然富貴與壽命，三不可一得，如此者雖行路無聞之人，且為之盡傷。而況于手足之愛，有學有文，有行有義，曰既親而又良。則烏得不聞訃驚叫，以至于號慟欲絶，既蘇復咽，言及而涕滂者哉！昔先君謫没于東廣，予不肖孤，三歲而還鄉。先君居長，而有四弟，莫不儀觀偉異而昂藏。兄定為季叔父之子，長予九歲，嶢然于鴻雁之行。兄既冠而予尚髫，予知讀書未能下筆也，而兄已有聲名于場。古槐秋日，室屋修廊。從直學叔父以為師，同幾年之學堂。或時擲梨栗以嘲笑，或縱談史傳古今而慨慷。諸生多倦墮以罹于罰，獨兄與予争勤誦以琅琅。予既長而有知，困倦奔走乎四方，兄不忍膝下之一日離，謹奉温凊於侍傍。後母抱心疾，主家者父之愛姬，而兄皆無間言之毫芒。歲寶祐之乙卯，薦秋鶚以横翔，是將嗣先君之衣鉢，叔父固以為喜，而舉族之氣皆揚揚。既退飛於蘭省，胡又屢造橋門而望洋。予幸霑壬戌之末第，仕不競而多殃。為臺椽于九容，兄累然執叔父之喪。予既無以為一粟助，而兄之生理不植而愈戕。逮予再以學官能歸，兄且以鬱攸焚屋而緒墻。兩窮相值，空囊絶糧。兄割鷺股、刮龜毛，復數椽之廬，予起家佐幕于建康。時以書來，成束盈箱。曰所患者，頭風痛楚，甚於瘡瘍。蓋吾州窮山之陬，小市之聚，醫工甚拙，藥物不臧。兄以此為患苦，而予則謂頭風之為病也，非不可為之膏肓。寄丹附與烏雄，且時時道所得之秘方。意以為必平復有日矣，乃聞岑岑愈有加，而飲啖愈不進，精神愈不張。予百窘無以為計，每一得報必浩嘆而徊徨。入修門而問鈞，春尚淺而雨霜。蓋近日猶得蠅頭之細書，謂天且向暖，宜少殺濁陰而扶明陽。何孟夏之一日，竟奄忽以云亡。嗚呼！一妹未嫁，無復奩妝。一弟欲冠，華墨廢荒。長子十歲，少子四歲，皆未成立，煢煢孤孀。兄之在地下也，予知其愁魂之無聊，而此念之難忘也。嗚呼！

仰事俯育，極一生之劬勞，而無卒歲可仰之耕桑。上下數千年，胸中歷歷，口稱指畫，纚纚可聽，而名位不過一鄉貢之郎。予先君止於五十六，而兄今亦止於五十六，豈其果有數耶？抑大塊噫氣，飄風吹花，皆偶然而莫詳。嗚呼！欲富不可得，欲貴不可得，欲壽命長又不可得[一]，舉世之人而貧賤短折者至多，則予疑夫造物於人，何必使之生生死死，而徒為是擾擾攘攘。雖然，世固有極富極貴而壽命長者矣，不啻車載而斗量。彼以其受天之氣至厚，而此之所受者薄也，奈之何哉！予欲問天，天兮蒼蒼。

[一]欲壽命長又不可得：又，原作「人」，據清抄本改。

祭亡男雷孫文

維至元十三年歲次丙子正月丁卯朔十七日癸未，父建德府知府方回，謹率家人汝姊汝兄同汝姊，先以十五日辛巳葬汝于烏龍寺東之丑山未向。今以清酌菓饌[二]，祭汝男雷孫官人于墓次。汝之初生，春聲起蟄，名汝曰雷，謂必驚世。生之四月，同往金陵，伊軋笋輿，已能攀望。幕府兩年，早入暮出，嬉戲書几，見必索筆。壬申癸酉，雪行入京，吴江覆舟，久滯關外，兄弟瘡疹，汝病遄可。暑溪西沂，予以劾歸，見汝聰了[三]，忘我患難。一椽落成，能言能行，花邊竹外，日携以提。前年十月，出貳霅郡，荒園觀梅，從我登城，我所語動，汝能效學。去春祗召，遣汝歸里，所至兵起，再來行都，秋孟上辭，乃至嚴陵，每岀驚遽，舉家蹙頞。見今年春，可謂大幸，汝疾不起，抑又大怪。元正之旦，予拜家廟，同汝二兄，不俟爾興，此一欠也。屠蘇之飲，汝當先杯，我以體倦，付之家人，此二欠也。喉痛三日，痰嗽不利，不早命醫，致此奄忽，此三欠之大也。凡此三欠，汝父之罪。履端受歲，長幼團欒，豈料旬餘，汝已棺葬。方頤廣顙，論相無憑，健啖致疾，早慧返殀。天不可問，事有難測，豈其喪亂逋亡之際，安知先死者之不為福耶？嗚呼！哀哉！尚饗。（以上《桐江集》卷八）

［一］今以清酌菓饌：以，原作「已」，據清抄本改。　［二］見汝聰了：了，清抄本作「慧」。

到任謁先聖文

封建廢而郡縣弱，井田隔而兵農分，此後世所以失馭而難治也。夫子知其然，著定六經，垂示萬世。使後有王者由是以復周之制，又豈有六朝五代之弊？蓋周制泯而秦法遂行，至于今，學者徒知誦夫子之書而已，謭焉小子承乏桐瀨，因夫子之書以求夫子之意，其猶足以為治。曰節愛時，曰信兵食，祗佩聖言，尚其無斁。

謁嚴子陵九賢文

生于其鄉，祀于其鄉，道德名節、學問文章，天下宗之，而豈徒一鄉之烝嘗者歟。羊裘之風，山高水長，餘諸公亦足以永侑而同芳也。俯伏拜像，徘徊登堂，靡靦于顔，庶幾惟良。

謁賢守宋廣平六公文 宋廣平璟、田諫議、范文正希文、胡致堂、趙清獻抃、潘子賤

漢唐四三百年，循吏各五六人，何才之難歟。桐江為郡以來，賢太守之祀于兹者，六公而已，何才之難歟。彼循吏傳，專以一郡，然六公皆真宰相才也，豈但開元宋公，又豈但一郡循吏歟。厥今天下，安得若人。坐公之堂，心目衡紳。

謁南軒東萊先生文

維宣宅牧，維成典校。以習以摩，斯文是詔。染于邦氓，儒風彌卲。有特其祠，厥象斯肖。壇杏尊孔，郊棠思邵。巒聳雲仰，瀨摇月眺。如見若人，對坐幽嘯。稾奏寬征，遺老能道。豈其孤童，不謀

是效。

謁諸神廟文

神食茲土，守治其人。神助匪求，求無愧神。無愧之道，公明廉勤。及物匪難，在律厥身。矧茲嚴瀨，疇瘠閭貧。曷遏而饕，曷蘇而呻。佩弦報虐，執玉撫氓。方寸罔格，曷祈穹旻。惟神有知，鑒此諄諄。瓣香告至，矢心其陳。（以上《桐江集》卷八）

虚谷書院上梁文

學問以求大道，莫切於讀書，仕宦而至中年，宜先於問舍。搜羅萬卷，經始三間。虚谷主人，得善若虚，致柔為谷。高冠長佩，皇揆予兮錫予。頻鏡獨樓，子非我焉知我。江湖上不羈之客，天地間再生之人。元亮今而覺昨非，子雲老而悔怨作。歐陽之耳固白，如喉結何；昌黎之髪既蒼，且齒摇矣。爰念學箕之計，盍圖宫梓之居。安土重遷，樂天知命。聊復爾耳，敢云百萬買鄰；豈偶然哉，於此一經教子。焚香以謝造化，拜廟而告先人。釁閣規模，虀鹽滋味。近竹之燈窗宜雨，依山之筆架常雲。初緯荻以遮門，便栽莎而護石。移牆井出，鑿沼泉來，天將富此翁耶，百種花皆吟料；君未知其趣耳，三竿日出酣眠。蔬茹飯香，茅柴酒美。擊節歌《盤谷序》，作屏書《陋室銘》。人能為人，必賴漸磨之力，子又生子，永為講肄之區。升棟良辰，飛觴美頌。

東　丹衷一寸水朝宗，玉漏金門幾鉅公。多病不才心自愧，林間睡覺曉窗紅。

西　日斜抱甕灌蔬畦，遥見天邊太白低。驛路不聞飛羽檄，僧鐘夜夜過清溪。

南　褫歸今已雪盈簪，禰廟移來舊主三。顧復恩深無可報，讀書循理口三緘。

北　坎止流行心拱極，明時惟有枕泉石。試教舉笏擊何人，未敢謂予老無力。

上　斗極台垣瞻將相，洗兵要倒銀河浪。以天為幕醉眠時，無象太平元有象。

下　賓朋兒女團欒夜，有地不須紅錦藉。榾柮柴温芋栗香，風雪爐邊聽詩話。

伏願上梁之後，雨順風調，天開壽域；山明水秀，日在醉鄉。與衲僧羽客説新詩，許樵夫漁翁問奇字。里歌襦袴，黄堂常遇於賢候；家紹箕裘，玉樹世生於佳子。學問文章，當行本色；功名富貴，物外倘來。

建德府學明倫堂上梁文

性無不善，均同禀賦之天；學必有師，莫重講明之地。紀倫攸係，範模一新。式延鼓篋之英，昭示肯堂之意。我建德府，斗牛秀氣，吴越上游。望烏龍之山，群峰拱北；趨丹鳳之闕，衆水朝東。魁彦間生，碩儒代起。户入孝以出悌，家左圖而右書。昔嚴子卧釣臺，秕糠人爵；今魯公修泮水，柱石民彝。

知郡某官紫陽山學徒，白雲源詩派。遊鄉校而議子產，相觀而善謂摩；入宮墻而見仲尼，欲報之德罔極。屬膺郡寄，適值兵興。思將帥聽鼓鼙，形而下者；問軍旅對俎豆，文在兹乎。恢張兑習之風，闡《易》離、明之氣。舉田諫議、趙清獻之故事，認張南軒、吕東萊之餘踪。理義宮庭[一]，聖賢閫奥。拔茅之卦内君子，天將啟於治平；伐木之詩求友生，日宜新於問辨。爰升吉棟，胥相登歌。

東　昕鼓三聲曉日紅，晝氣清明如夜氣，紛華吹盡舞雩風。

西　參伐光芒聳戍鼙，但把書燈照方寸，蕭蕭風雨夜鳴鷄。

南　南斗文星虎視眈，培養諸公棟梁器，明堂清廟要楩楠。

北　華蓋紫微天咫尺，我有桐江波上風，一絲千古惟人極。

上　朋友君臣動星象，輔義懷仁只一言，釣臺已勝雲臺將。

下　尚想軒萊臨講舍[二]，細問苔痕認履踪，時時雨過心苗化。

伏願上梁之後，虎豹變鞟，董荼化飴。賢人希聖人，窮理盡性至于命；小學入大學，正心誠意致其知。志無慕于温飽，節不逾於險夷。必也甘陋巷之瓢飲，庶乎續高風之釣絲。貴賤高卑，深玩伏羲之《易》；仕止久速，允符孔子之《詩》。

[一]理義宮庭：理，清抄本作「禮」。　[二]尚想軒萊臨講舍：軒萊，清抄本作「張吕」。

府治至清堂上梁文

新安山水至清，分為此郡；帝座客星甚急，想見伊人。逝者如斯，洋乎其在。誕表孤高之操，肆新隆吉之題。遂安軍太守尚友前修，聿懷孤哲。欲永保浴沂之體，每不聞在汶之思。未能上下隨波，有萬折濤瀧之險；要是淺深見底，無一毫泥滓之留。奉朝家寬大之書，莅鼻祖賢良之里。昔一瓢飲處，汲潺湲之上游；今五馬來斯，續瀟灑之名咏。照臨流之鶴髮，懷釣岸之羊裘。雖劉文叔之本心，用汝作霖雨；然鄧仲華之畫像，於我如浮雲。千萬古知先生之高，一方寸極天下之潔。感時撫事，托物標名。必滄菊騷人，雅知此意；或濯纓孺子，許與斯盟。長虹考畫棟之工，序鷺送銀鈎之扁。翬飛美奂，鼎沸歡謠。

東　建武年間一釣翁，日釣吾家至清水，勝如侯霸作三公。

西　鄰户桐君姓氏迷，洗藥同撩至清水，人間軒冕濁如泥。

南　粤嶺貪泉飲者貪，飲此一杯至清水，冰君心膽夢魂甘。

北　百丈游鯈泳深碧，心亦如斯水至清，使君從昔釣鈎直。

上　足加帝腹摇天象，誰信吾邦水至清，客星隱處無波浪。

下　緩帶堂中人整暇，從此吾州水更清，賣刀買犢陶淳化。

伏願上梁之後，賦役輕，田野闢，獄訟平，歲時和。官吏清而革貪風，無以涇而濁渭；士民清而保正性，常如濟之貫河。此清如鏡，照奸察媚；此清為藥，滌痛蠲痾。清夜幽懷，千峰榭側月笛；清辰逸興，七里灘頭雪蓑。

出征海外青詞

中華偃武，推上帝之好生；蠻島用兵，匪朝廷之得已。具陳事始，仰告皇慈。蕞爾爪哇之小邦，介乎尾閭之大壑。越在前代，屢嘗入朝。既文軌之攸同，獨梯航之敢後。王人在諸侯之上，輒加英布之黥；天子復匹夫之仇，可緩呂嘉之獲。豈有貨財之足取，亦無土壤之可貪。爰興師干，實顧國體。伏念臣弼從軍鬢白，報主心丹。優拜辨章，俾為總帥；密膺臨遣，不許殺人。蓋渠魁有罪以當誅，在部曲無辜而宜宥。使其降伏，亦與招安。往以北風，而還以南風，借檣烏之順利；始於冬日，而至于夏日，驅厲鬼以遁藏。萬衆璧完，百神樾蔭。是用式資凈侶[一]，虔演真言。伏願絳節俯臨，玉宸照鑒。察老臣之懇請，奉主上之明謨。率土之濱莫非臣，敢憚採薇之遣戍；光天之下至於海，早聞杕杜以勤歸。

（以上《桐江集》卷五）

[一]是用式資凈侶：凈，清抄本作「盡」。

全元文卷二三一

方回 二五

乙亥前上書本末

咸淳十年甲戌冬十二月十四日，淮西制置大使夏貴總統諸軍舟師七萬人，捍禦江面於滸，黄州失守，棄軍奔廬州。京湖四州宣撫朱禩孫特在鄂州，奔江陵府。十六日，湖北轉運使知鄂州張晏然同王垓，首以城降。二十日，報聞行都，太傅平章軍國重事魏國公賈似道震懼號慟，不知所為。新除左丞相王爚未至，右丞相章鑑甫視事，以次執政，惟陳宜中與鑑為二人。似道自除兼都督中外諸軍事，議出督隆興府，實無行意。二十八日，度宗梓宫渡越，似道密請三宫以護送山陵為名，航海避敵，太皇太后不從。乙亥春正月癸酉朔，改為德祐元年，似道輟出督隆興之議，修浚平江府城池，為遷蹕計。尋又謀以揚州為歸，運浙西公田米實之。十四日，無為軍報劉整死，似道大喜，議出督江州，而不知自江州以上皆失之矣。十六日，出北關門，以舟行。十七日，左丞相王爚入國門，寓太府寺，兩相並不敢有所為。二十日，似道至鎮江府。二十九日，前殿帥知安慶府范文虎降。二月初一日壬寅朔，似道至蕪湖。初二日池州駐劄御前諸軍都統制張林以州降，權州通判趙昂發死之。似道以孫虎臣為寧武軍節度使，依舊步帥總統諸軍，進軍大通，身處魯港，呂師孟括淮東西兵七萬人皆集。似道遣阮思聰、宋京使于池州議和，貽書中朝，謂將為叔侄之國。既而思聰、京再往徒返，虎臣即望風退走，密遣人報似道，似道亦走。二十夜三鼓也。二十一日質明，魯港無一人一舟，兵十四萬俱潰。二十二日，似道至建康龍灣，是日江東轉運使知太平州孟之縉降。二十三日，似道至真州珠金沙，松江制置使趙溍棄城走。二十四日，朝廷聞敗，未知似道所在，或云已死。左丞相爚遁還紹興府，殿帥韓震謀遷三宮航海，右丞相鑑集百官議，知鎮江府洪起畏棄城走。二十五日，右丞相鑑始為除目，知寧國府趙與可棄城走。二十六日，省吏翁應龍以督府印至行都，同知樞密院事兼參知政事宜中劾似道僨軍喪師，乞與解罷平章都督，罷公田。二十七日，似道入揚州，左丞相爚罷為觀文殿大學士、浙西江東宣撫招討使，在京置司。宜中知樞密院事兼參知政事，臨安府兩浙制置使曾淵子同知樞密院事，職任依舊。文及翁端明殿學士僉書樞密院事[二]，倪普端明殿學士同僉書樞密院事。是日，沿江制置司帳前提舉翁福、權馬軍司事徐王榮以建康府降。三十日，兩浙轉運使幹官陳桂上書，乞斬右丞相章鑑及同知樞密院淵子、殿帥震，謂不當議遷，鑑懼遁紹興府。是日內批似道罷職與祠。三月初一日壬申朔，宜中用樞密院編修官兼權考功郎官潘希聖計，即座擊誅殿帥震，舁斬于通江橋。初四日，再除爚左丞相兼樞密使。初五日，鑑罷左丞相與祠，宜中除右丞相兼樞密使。初七日，尚書省劄子，奉聖旨方回令赴都堂稟議，時回通判安吉州。初九日，熗、宜中並帶都督諸路軍馬，罷似道祠，令歸里終喪。初十日，回安吉州解任。十三日抵國門外，始朝廷謂似道已死，後乃知猶在揚州，舉朝阿黨皆宣言似道將興晉陽問罪之甲。似道初聞變時，臺諫官四人，陳過為殿中侍御史，徐卿孫為右正言，潘文卿、季可並為監察御史。十二月末似道方涕泣窘急，遂無月課。正月末，似道既出，此四臺諫姑毛舉細故，論數小吏，猶不敢一髮忤似道。及似道敗矣，國危急亡矣，懼其復入者且肆為恐嚇，噤舌縮聲。陳過除侍御史，謾以一疏略言似道，即走歸安吉州，徐卿孫已出為起居郎兼權兵部侍郎，新除左司諫潘文卿、右正言季可、監察御史何夢桂、曾晞賢，並未有論列。回以為天下事已至如此，似道鉅蠹元惡，真國賊也。受其恩者不忍言，畏其能殺己者不敢言，則忘君負國相與俱斃而已。十四日，入國門未見宰執，先詣麗正門上書，乞誅似道，數其罪有十可斬。其略曰：

臣聞霍光擁昭立宣，而驂乘之逼，卒貽身後之族誅；李德裕佐武宗，平藩鎮，而宣宗既立，終不免朱崖之謫死。何則？權非人臣所得竊也。今賈似道才不及光、德裕，而竊權過之。明皇未有蜀道之行，舉天下孰敢指楊國忠之非；德宗未有奉天之幸，雖通國知盧杞之奸，莫敢誰何。蓋勢之所在，足以殺人，而制其命也。今賈似道之惡，浮於國忠、杞，而所召之禍尤有甚於天寶、建中者焉，此臣所以日夜痛心，欲一陳之而無路者也。且開禧之釁微矣，而侂胄殛；開慶之變未至如今日之甚也，而大全戮。是故靖康中微，六賊伏誅。今似道非六賊之蔡京乎？臣嘗數其罪有十可斬，而誤似道者有群賊焉，皆可斬也。臣請索言之，何謂十罪？一曰倖，倖者偶然之福，故傳曰

「小人行險以僥倖」。似道假手科第，本不知書，理祖妃弟，法當換班，藉是早竊麾閫，沉酣富貴垂四十年，倖也。由荆入淮，無大勛譽，樞宣西上，吕文德為斷蔺市之橋，王堅為全釣魚之守，倖也。己未透渡南岸，乃似道地分，印應飛、史子覃屢書告急，堅不謂然，漫無一兵之備，豈得專罪袁玠鄂之圍，賴印應飛、張勝堅守于前，賴吕文德赴援于後，而似道之倖心熾矣。松壽反覆，漣海來歸，非倖乎？慧星告變，宜斥而留，非倖乎？度考退托，授之以柄，非倖乎？積是數倖，以謂抱子弄孫没世無患，江流再失，始又欲徼倖於買和，此罪可斬一也。二曰詐，朝三暮四，狙公詐術，欺天罔人，終不容偽。竊聞庚申之入相也，實嘗于鄂為城下之盟，許以歲幣，欺紿理祖，自詭再造，責償之使，拘留真州，大為所詆，歲費廪餼億萬以彌縫之。又聞使至京湖，以留漢陽之沌口，不知其後何所處分，是雖要盟，姑以紓急，然似道上以欺君，下以欺人，而外以納侮。今日為彼問罪，咸以似道為不直，為失信，則豈非詐術敗露之尤大者乎？其他一話言、一動舉，無非用詐以肆其顛倒戲弄之術。笑語甚和而彈劾已至，酬答頗恭而譙責隨之。召是人也，實不欲其來；惡是人也，外則揚其美。宰執充位，姑代朝參，臺諫備員，目為月諫，人皆洞見其肺腑，而謂天下為愚，此罪可斬二也。三曰貪，太祖革亂，貪吏罪至棄市，四海遂定。自有天地以來，未有如似道之貪者，則安得不敗人之國。泉之諸蒲為販舶作三十年，歲一千萬而五其息，每以胡椒八百斛為不足道，殿巖所入，四六分張，范文虎、陳奕以是深怨之。陳碾玉掌玉寶，譚天文辨古器，趙與楠搜骨董，法書、圖畫，御府所無，石刻蘭亭至八千匣，需之向推官者，后家也。發其先塚珠玉以獻，而金椎控頤之禍，遍及畿輔，余玠之墓木拱矣，貴公子創為思忠釘腦之説，改卜葬穴者，為似道取玉帶也。東南盡海外珍怪，西碉門、北榷場之貨，悉據之。而馬逢勝居南潯，號海幹，籠天下熬波之利，諸勛戚世家無不餌以官職，鈎其珍贐，毒取而奢用，已獨富而天下之軍民無不貧，此罪可斬三也。四曰淫，常舞酣歌，袒服戲朝，古有明戒。似道少年游蕩，博徒奸雄，蚤納猥妓，其所居水茶坊屢火而屢棟之。入相之後，漆牆狎媼，輕車往來，相府挾妓，自古所無。每飲必用數十人，名曰奉母，而晚出之倪、潘互染指焉。厥弟明道聘倪為妾，莫敢誰何。邏卒夜覘，有昵潘者，立遭不測。嘗以是妒一臺吏，黜兩臺官，其有已放楊柳，士大夫誤納之，或至貶竄。宮禁使令，大臣尤合避嫌，有如新開南巷之葉氏，出自淑妃之閫，聞其美而脅致之，寵至專房。民間有一殊色，雖已聘嫁，亦强漁取。女觀尼師，交通關節，俾婿富兒，雄霸畿甸。光範化為平康，翹材穢於狹邪，此罪可斬四也。五曰褊，國家以容受直言為命脈，而似道一切塞之。趙、謝、陳、杜諸人，一言其過，憤恨切齒若將廢之終身。陳宗禮為言官，欲言某事即從之。徐經孫以短劄諫公田，雖引入翰林，尋屏不用。魏克愚不奉行公田，貶逐至死。高斯得敢言，心内畏之，雖招置從列，終不與要職。李芾以公忠受謫，冷應元以鯁直被劾。忌俞浙而污之以催科，近徐直方之去，怒其上書比己侂胄。街談巷議及其謬政，則為騙局之獄、賭局之獄，一網打盡，皂白不分，陷之死地。場屋程文一有所指，則雖已擢科第必籍記其人，郡治之吏[二]，稍有廉聲才譽、學問文采，而覺其意不附己，即墮機阱。亦有感其拔擢納忠進諫者，翻手反目，為杌上肉，忮毒忌刻出天性，鬼蜮螭魅未足喻之。天下側目重足十六年，此罪可斬五也。六曰驕，小白九合諸侯，震而矜之，屍蟲出户。似道宣撫上流，滸、黄失險，吕文德嘗語臣：此是賈丞相放他過江。千百萬衆啣冤九泉，似道之罪也。天厚其惡，盡攘吴潛、向士璧、趙葵掎角之功，廖瑩中《福華編》文過溢美。朝廷制詔，一則師相，二則師相；臣僚章奏，一則元臣，二則元臣；門生餞牘，一則老師，二則老師。度考拜之，太皇拜之，隆國拜之，淑妃拜之。無父無君以至于此，度宗庸弱，似道强僭，宋不亡則必有桓元之事矣[…]。似道以為周公大聖人亦不吾若，年未五六十，而自比於八九十之文彦博。深居不朝，鄙棄相府。酣豢湖山，葛嶺冷泉之間，不容有船舫之聲、車馬之迹，術足以劫持，威足以恐喝，而使其徒誇于人曰「我能使貴戚不牧民，似道之姻婭則牧民」；曰「我能使宦寺不撓政，似道之使令則撓政」；曰「我能使近習不與事，似道之愛客則與事」；曰「我能使宫妾不怙寵，而似道之姬侍則怙寵」；曰「我能使游士息謗，我能使學校貢諛，我能使執事同，我能使言路畏，我能使天下之賄皆集，我能使天下之口皆箝」。驕亦甚矣，然獨不能使盜賊弭於内，敵國屏於外，此罪可斬六也。七曰吝，刓印拜爵烏江刓，積金惜賞漸臺誅，古今一揆。似道初以緣財邀譽，用吕不韋負販之術，致身鼎輔，本性乃見。予一人官職，必欲其人感恩刻骨，故操縱抑揚，每不可測。中外百司雖一舉削之微，亦取决於己而後敢畀。比年朝士常虚數十員，監司州郡有佳闕，輒逾年歲不除，使鑽刺之徒盼盼然目穿眦裂而望之。制總當科降者不科降，水旱合蠲除者不蠲除。過軍生券，沿邊州縣，歲鑿空費數十百萬，一切不認。自更易楮子以來，十八界二百不足以買一草履，而以供戰士一日之需。襄破之後，臣嘗力請曾支，僅增一百。夫楮幣出於國而無窮，何所見而執不造之説，饑寒窘用，難責死鬬，何所見而必欲困苦夫爭戍之人，此罪可斬七也。八曰專，人主不能自治，故責之宰相，大權不可旁落，故必立臺諫以司察之，使宰相、臺諫合而為一，則人主無權矣。臺諫用宰相風旨，自王安石始，章厚[四]、蔡京、檜、侂、遠、全，相承一脈，而似道為甚。理祖之時，猶密倚何逢年，吳子聰薦於內庭，臺長薦於經筵，以欺理祖。至度考即位，似道自為廢置，名曰革大全之弊，不復由諫議大夫執政，然無三除而權從，四除而正從，狡險詭疾之夫，外為柔媚易制之狀。皂囊白簡，甘心五百，人主所欲擢用、所嘗稱獎，無不排擊而糜滅。似道所不取、所甚忌，無不文致而加污。幸而似道之子如彌遠之子，俱不肖，不然移鼎改步，如操於丕，誰得而議之。凡似道所以尊於九五、威於萬乘，而度考擁虛器怏怏上仙者，實似道自為臺諫以專天下之權也，此罪可斬八也。九曰忍，祖宗以忠厚得人心，民之戴宋，有死無二。不謂似道柄國，斲喪殆盡，一是申、韓、鞅、斯之術，以溺殺大全，以鴆殺戴慶炣，以劉宗申殺吳潛，以李雷應殺皮龍榮。僉謂大全致寇，可殺也。慶炣內窺相位，謀出似道，視師九江，則何必殺龍榮。進不以正，有人相意，不為無罪，然不至殺，如潛之殺，則天下冤之。十六年，無理作自陳詞，而一掛刑籍者，難於改正，五更大理赦，兩更非次赦，而永墮瘴鄉者，終不量移。公田勒佃，十室九空，遂非愎諫，又類將盡[五]，何其忍。真司榷額，曰三十萬，圭合私鹽，軍法擒捕，何其忍。米栅租斗，激變生事，兵死無數，餓死無數，何其忍。潢池小竊，饕虐所召，不思摩撫，動輒調遣，何其忍。以治闔之威治朝廷，以馭軍之法馭士庶，人人離心，中外瓦解，此罪可斬九也。十日謬，是是非非，黑白易見，逐臭弄糞，非愚則迷。公田朘富民，關子昂物價，賊錮仇怨，綠椟開告訐。沿淮進築，無補於淮；寧江列屯，何益於江。帥蜀非人，激整使叛；援襄非人，誤焕使降。添教壞郡泮，主學冗邑員。補闈舍選，省場廷對，率有私人，而科舉具文。御史諫官、宰相執政，俱用謝啟，而吏胥竊笑。凡此者舉天下以為非，獨似道以為是。機速之建，宜有秘策，風寒數處，乳臭比肩，以羊牧狼，有識短氣。乃者十二月十四日之報〔六〕，豈有兩袁玠之可誘。平生自詭知兵，至此一籌不畫，慟哭内廷，趣期復土，欲逼三宫乘間渡越，謬甚。不進隆興，不進九江，開督於京，謀據吴門，謬甚。正月十四日引兵出督，由新安旬餘可到湖口，由四安七日可到池口，顧乃迂道京口，輜重溯流，二十日始到蕪湖，則舒、池亦失矣。加之每事詭譎，不肯明白洞達，傳者皆謂護駕入海，以致諸郡藉口不守。軍次魯港，一再以宋京請和，報使之來，所以覘我，遽已弛備，驕傲揚言于人，愎辭戾氣，憤吾國之士大夫，將淫刑以逞。二月之十三夜，舟燃十炬，名滿江紅，真類兒戲。約言行成，固無望子儀之單騎，何至用阮思聰之病夫。十七日京思聰歸，議和不成，光弼刀韡死戰可也。相與失色，遽辦快船，臣一聞之即知其必敗矣。畏而退，退而潰，假息淮海，失其督印，豈非初意本謀技止此耶。似道專制國用，豈無素儲首倡毀家之議，盡裒舉國金銀，而似道之家未嘗肯毀，用意如此，欲保是安歸耶。節節皆謬，種種皆謬，僨軍失身。宜也。今一元惡雖已挫，而天下大難不解，宗社生靈何幸焉。臣數似道十罪至此，雖斬之萬段可也。臣以是欲望朝廷明昭，賜似道死，取其首級以獻，錮其子孫而藉其貲，勿如靖康間治一蔡京，徒費歲月。其次則賊客廖瑩中、賊吏翁應龍、賊幹馬逢勝、賊將王起宗，已至者斬之，未至者捕斬之，皆流其子孫，藉其貲。又其次王庭、黄公紹、張端、胡元叔、陳協道、趙與柟、俞昕、陳碾玉、譚天文、胡總管、吴鑑、瞿桂堂、蔡幼習、王景思，皆與追勒遠竄，貲多者籍其貲。仍下臺諫，察其城社之無良者與夫蠹國害民、失人心亞於劉良貴等者，悉與劾奏施行。

書末别論三事：一謂上而鄂、漢、蘄、黄，下而江、康、舒、池，陷矣。臨、瑞、饒，焚矣。當塗、金陵，所傳寖異，而京口迫矣。毗陵之途，梗矣。太皇太后堅駐行都，跬步不移，仰見定力。然有一説，敵可使退，而終於不遷，則為莫大之功；無策退敵，而漫曰不遷，則亦為莫大之禍。東南所守，惟賴一江，今勢窮事極，欲守行都百二十里之都城，非計也。二謂古人兵交，使在其間，聞所留真州之使，一二尚存，盍不召至浪戰，主不遷之説者，不得不遷矣。嘉禾、臨平、安吉、餘杭，此而受兵，則韓彭復生，亦難闕下[七]，發其書函，窮竟似道心事隱微，然後遣使報聘，緩師行成，謝以似道包藏，朝廷之所不知。又必厚募死士，分諭諸將，謂汝之所憾者似道，今已誅殛。惟逆□者不道，有素為殿岩時買處士千余人，産逆雛七十輩，凶戾淫驕，臣見其酒邊嘗叱理宗為你，知其悖逆久矣。目如死羊，決不善終，今日欲遣間説誘，臣決無望此人之可化也。三謂楮幣賤、物價窮，軍中數口之家，寒無衾炭，日炊不給，腹枵衣敝，累累可憐，目見市井魚肉鹽醬而不識味，困苦極矣。此為熟券，既不足恃，而生券廢。十七界，遂縮一貫為十八界，二伯，癸酉之夏增為三伯，以此買人死命，決是百戰百潰。乃如軍賞，當於官爵之外，傾竭帑藏，不足則募，國中貴戚、天下大富民，但患不信，不患無貲。惟吾國所以不振，軍券微，軍賞吝，奸臣馭驕將，驕將馭困兵，何往不敗。罡券豊，罡賞重，然後可行罡法。最末又論謂厥今盜倖多端，奸邪滿朝，如近日能公田等，皆所謂革其事也。革其事未若革其人，革其人之面未若革其人之心。大抵用人為用國之本，而用心為用人之本，似道不善用國，以其不善用人，所以不善用人，以其心不善也。自曰倖曰詐，以至曰專曰繆，有一毫如似道，則是前車已覆，後車不戒。似道常非笑大全，大全今必非笑似道於地下。今之當國者，無使似道非笑則倖矣。又謂司馬光革熙豊之政，或患報復，光惟曰天若祚宋，必無此事，未有知而不革，革而不盡者。趙鼎相中興，亦不過盡革王安石死黨邪説，張浚慨然用兵，中原平復，然兩人微不叶心，僅救天下之半。今日之事，力所不及，盡吾之心以聽諸天，力所可及[八]，盡吾心以盡吾力，天無有不回者矣。書上當日，太皇太后除付三省宣諭，除回太常寺簿，副本報行，中外大快，蓋前此未有敢言誅似道者也。知嘉興府余安裕抄録此書，轉海由通泰入揚州，以達似道。似道讀書始有懼意，然猶恨愎不平，謂同行諸客曰：「方回謂我詐，我直是詐，此一説説得都是。」都承束元嘉自揚州來，為回言如此。後四月初一日，新除權兵部尚書高斯得供職，兼翰林學士侍讀。初二日，斯得上殿，始繼回奏言乞誅似道。十七日，新除中書舍人兼直學士院王應麟供職，始奏繳乞誅似道，又次之。至九月然後施行。

[一]文及翁端明殿學士僉書樞密院事：文，原作「又」，據清抄本改。　[二]郡治之吏：原作「將來治之」，據清抄本改。　[三]無父無君以至于此，度宗庸弱，似道强僭，宋不亡則必有桓元之事矣：原脱，據清抄本補。

[四]章厚：清抄本作「章惇」。[五]又類將盡：原作「又將類曰」，據清抄本改。[六]有識短氣乃者十二月十四日之報：乃，疑為「餒」。[七]盍不召至闕下：盍，原作「合」，據清抄本改。[八]力所可及：可，原作「不」，據清抄本改。

乙亥後上書本末

是年六月初一日庚子朔，有日食之既，晝晦如墨。其日賈似道同其客廖瑩中、王庭，航海歸至紹興府。左丞相爚乞召福王與芮入衛社稷，參裁國務，內批令有司討論典故，更議尊禮，仍遣使勉諭，疾速赴闕。時回為太常寺簿，討論國朝典故，以謂前無可援之例，乃止。初二日下詔求言。先是，左丞相以四月十七日入國門視事，爚之未至，奏請除京湖宣撫大使參政朱禩孫樞密使兼參知政事，淮西制置大使夏貴樞密副使。要太皇太后以必行，如不用臣此策，臣即不能入相。太皇降旨候爚視事，即以內批行之，故是日有此二除，而京湖、淮西二大閫俱不除代。回莫測所謂，以問省門兼編修夏士林、秘書兼編修潘希仁，同稟右丞相宜中，謂此二閫無代，兵當付之何人。宜中令都司官往左丞相府稟爚，乃再降旨，各令帶閫入衛，選寮權司。爚之意謂宜中亦似道所擢用，將謀去之，以禩孫為相、貴本兵，而國可再造，然不知禩孫已於是月初八日同檢校少保節度使湖北安撫使知江陵府高達降于阿剌海牙矣。爚又議令回馳往江陵府趣召禩孫，會知潭州留夢炎書報禩孫、達失守，中輟。至如福王入輔之議，首尾出𬤊建明，嘗面與密謀。四月十五日除與芮保康寧江平節度大使，判紹興府，浙東安撫大使依前大師，判大宗正事，主榮王祀事。福王置長史司馬記室等官，與芮欲入輔，意不悦。二十一日除兼兩浙宣撫大使以撲慰之，然猶不悦。二十九日監察御史潘希聖卒，時陳文龍除司諫，陳仲微除正言，並未至，惟監察御史孫嶸叟一人在臺。五月初一日，左丞相𬤊始内引司農少卿兼權□檢正字文十朋，折簡報回除監察御史，潘希仁來訪，亦言新除，且問及論人第一義。回謂似道自為臺諫以致敗國，今日宰相不可復襲其迹，近左相所為，不通世務，兩閫内除，似乎棄京湖與淮西，福王之議，似乎欲以大物授之，似道當誅宜即誅之。𬤊内引奏事，始乞下淮閫李庭芝趣遣發似道歸紹興。監察官孫嶸叟，乃𬤊鄉人，今已受𬤊㗋使苟回果為是官，今夕具辭，免即帶劾左相，左相罷去，然後供職。希仁甚駭回説，無言而去。又一二日會十朋，訝謂已見内批除目，何為收起。徐有所聞，乃𬤊封起不行。既而𬤊別擬入内，除余浙監察御史，浙，𬤊愛客也，宜中亦封起不行。内批，尋改除浙左司諫，回監察御史，𬤊又封起不行。𬤊自入相至日食近兩月，與宜中日益不叶，嘗奏榜朝堂，以陰主遷幸乞盟譏切宜中。蓋三月十七日獨松嶺告急，宜中密奏移蹕，頗與斬韓震初意異，宜中客檢詳直院吴浚密遣間諜持蔣福書入建康府，説諭諸將，與張賓卿者來使，而𬤊密下平章江府，令提刑知府陳謙亨、提舉戴覺民出迎，置酒斬之閫門。又密調劉師勇、霍祖勝、張威復常州，而宜中與其客謀，升𬤊為平章，相留夢炎，令出督。六月十四日太皇内批可依元祐故事，王𬤊除平章國軍重事，陳宜中除左丞相，依前兼樞密使都督諸路軍馬，留夢炎除右丞相，兼樞密使都督諸路軍馬，可令學士院降制。是日，右司諫陳文龍供職，遷殿中侍御，兼侍講，陳仲微遷左司諫，後終不至。陳景行除右正言，夢炎客也。余浙除監察御史，蓋爚所欲用，至是始行。十六日宣三相麻回當祭已受誓，不預班聽，爚悟宜中、夢炎尊己虛名，而奪其除吏用兵之柄，甚怒。走小堰門，具辭免，宜中謂爚去國，亦出關，太皇分遣朝士宣押復還。十八日回在齋宮聞之，以謂似道與客廖瑩中近在紹興，此兩人未誅，國人之氣不吐。爚謀國乖剌，欲以福王入輔監國，非攝即君，決所不可。又陳合在樞府密與瑩中交通，以朝事報似道。乃草章應詔，十九日詣麗正門上之，其略曰：

臣竊惟今日有不可不誅者二，有不可不去者二，有不可不輟者一。何謂不可不誅者二？其一，賈似道當誅而不誅。臣聞古大臣聞譴，何盤水加劍而詣請室[一]，有大罪，北面再拜，跪而自裁，似道不知出此，實有奸心。竊柄欺君，曹操、司馬懿也。激叛產變，李林甫、楊國忠也。謀利誤國，桑洪羊、裴延齡也。喪師失地，蔡京、王黼也。兇百佹胄，惡萬大全，臣以十可斬數之，粗寒其膽。魯港之退，維揚之遁，無一字奏聞內廷外朝，而貽斬韓震，使之縱火劫遷，則是董卓之長安爾朱榮之鄴也。理祖四十年現天之配，天下之母，訟獄謳歌所歸，先帝之嫡子，天下之君，而似道弁髦土梗視之，大逆不道。日食之既，晝晦星見，似道度越，實此其時，此皇天所以震怒而示之象。與一衣帶水，睥睨行都，墓門之潰，曲沃之藩，伯有欒盈而入焉，終必自滅，不如芟薙蘊崇之速圖。郿塢未鋤，而以黃金少許，嘗試朝廷；廚車未徇，而以骨肉相見，徼憐宮禁。且形之筆牘，謂敵之所畏，惟己而已。臣輒笑之，使敵而畏似道也，則何以破襄陽，渡滸黃、下長江。似道而為敵之所畏也，則何以退蕪湖、走海道、遁維揚。平生狙詐盡敗，尚敢矯誣如此。妖巢滅迹，不行哲蔟氏之刑；奸黨孔多，將有夕陽亭之計。臣願明詔遣使者賜似道死，如張邦昌平楚樓故事，簿錄其財，禁錮其子孫。傑末滅而貸其命於瓊厓儋萬，臣竊以為不可。其二，廖瑩中當誅而未誅。臣聞禮樂爭伐自諸侯出而後大夫僭，自大夫出而後家臣擅。廖瑩中，似道之家臣，陽虎豎牛之靡也。十五六，年要路貴人，鮮不奴事瑩中，天下之賄，皆歸之臺諫，彈劾草疏，十居八九，則安得不為奸。除授啟擬，似道口之，瑩中筆之，則安得不為奸。禁省大議，似道密奏，世所不知，瑩中悉知，則安得不為奸。檢閱典故，托之瑩中，生比死論，可下可上，則安得不為奸。皇祖之廟號為理，先帝之廟號為度，強名新異，公肆嘲譏，天下切齒不平，咸謂廖瞎子不臣不道。馮夢得以穿鑿晦昧之文，為瑩中師，引寘翰苑，閩人率由此路。盧鉞、陳合悉以玉堂賜金歸瑩中，致穹位，而高應宗、應旂又磨牙接踵求之。沿邊諸閫，年除歲遷，正冬節令，必饋瑩中白金數千兩，黃金數百兩之賄，不知幾萬。其餘監司太守皆然。主賓書籍圖畫，養成宣觀之風。呂師望在和州，餉以豆粉，蹴其器曰「何不送錢」，至今傳笑。厥子聘趙孟譏之從妹，子既死矣，利其奩田，祝陳合之猶子以為子以醮之。趙與柟為似道羅置骨董，瑩中旁搜無厭，致其家屏椅什器皆盡。於是孟譏、與柟依倚聲勢，雄霸於霅。有弟廖首，赭山販木，流毒衡湘。又有廖旦，置局京城，鬻官賣爵。尼冠之女，長瑩中一歲之婿，橫肆吳門，田連阡陌，寶貨如山，孟譏、與柟、馬逢勝、施暹，居停窩藏不可勝算。京、檜、侂、遠，號為權奸，未始有饕客若此。大全有一沈翥，未至如瑩中之甚，然猶遠涉鯨波。

倘容罃中漏網，則何以戒後來之客翹館者？臣願下三省，檢會臣所上書，下浙東、江西、福建提刑司，捕罃中送獄，根究黨奸誤國、貪賄弄權等罪，賜盡囹圄，簿録其財，並追趙孟䕫、趙與柟、馬逢勝、施暹，或竄或誅，根索寄附廖氏財物以助國用。何謂不可不去者二？其一，王爚不可為平章，當去。臣聞鄉飲酒之禮不可以理軍市，救焚拯溺而矩步規行，亦終於塗炭而已。爚，平世中才也。謂非庸交，亦文俗吏；謂非小人，亦愚老人；謂非挾術用術，亦不學無術。正月十七日入相，似道北逝，感其恩而畏其威，吏不能謦咳忤，事不敢毫髮為。廣德，風寒處也，脱其愛子，入為佑神，舐犢之情遂矣。二月二十四日潰師有聞，則翩然去，似道斥，逆震誅，吴門捷，安吉捷，歙、黟、績溪捷，翠華不遷之議決矣，勤王之師四面至矣，則四月十五日迂迂然來。斯於己也，行止不明，朱㯪孫鬪敵渡江，棄鄂西溯，是以有晏然之降。今日所以又出開慶下者，禍本在此。初云棄鄂以全閫，逌至棄閫以全軀，乃遽加以元樞之命，東南天下，卒不能辦兵十萬，田揚思播二州，崎嶇南裔，勝兵幾何，乃惑于憸人之説，征其四萬之師而棄黄平。趙溍之棄金陵，大于趙與可之棄宣城，胡為私庇趙溍，特免竄籍。葉閶之以南康降，甚於令狐概之以廣德降[二]，胡為陰右葉閶，不許譏笑。斯於事也，是非不明。守身莫如孝，毛振、趙焱雖才，棄其倚廬，客於光範，而以為謀主。持心莫如恕，董樸、董楷雖才，不近人情，號為刻吏，而以為人品。謂今之都司皆柔，引以自近，果剛善乎？謂前之言路俱非，用其所私，果公是乎？斯於人也，賢否不明。自爚之再入也，凡兩月間，所擢必其所善，所罪必其所憾，執拗多，通變少，昏憒有餘，精明不足。權落子舍，事由私人，奴客譸張，縉紳觀望。僉謂排賈擊韓，出萬死不顧一生，伊誰之力。一旦乃有鬼貌藍色之王棐，潛伏幽冥以執天下之柄。近日除定海一統制官，棐公然受賄幣三十萬緡，人無不憤嘆於邑。今又加爚以平章重事之任，待之以元祐師臣之禮，敵屯近在一二百里外，而吾國有此等文彥博，不笑人否？臣願速賜睿斷，能爚平章以佚其老，仍降詔删去平章一職，永勿再授，無使權奸襲似道、侂胄之迹。其二，陳合不可為同僉，當去。臣聞楊畏在熙豐、元祐、紹聖之間，號為三變，合之變抑又甚焉。程元鳳當國，深交程楊祖，而得臺試。當元岳之在臺、元鳳之再相，諂事楊祖，遍及諸程，干牘乞憐，苞苴修敬，殆無虛月，今涕唾視之矣。江右之政，貪黷腥聞，德其魁胥，載以後乘。代者鍾季玉，廉正不阿，發而逮之，閩人黨盛，廖氏勢炎，卒坐罪季玉，而合無恙。趙時詁以子為大全之子，圖富貴，合則以猶子為瑩中之子，摟官職。苟有識者，孰不知瑩中之必敗，而合忘命締交，一至於此。鎖江弗競，桴海是謀，劫鄉人販洋之舟，維於浙河之岸，與陳堅、許自、潘交卿日夜為南走計，震之謀逆，誰實開之。元惡挫敗，譎詞繆悠，包藏兩端，希望覆出，不然，則驩兜工鯀事，何以不用，而改用孟明殽函之說。學士貼麻，尚有顏復留乎？獨松之戰未決，姑蘇之貳方萌，夜開敲門，張皇急報，譎彼陳堅之徒，嗾之相率奔遁。於是宰相一員之外，僅有合侍郎一員，拿攫同僉，狡巧特甚。以產女之愛姬，嫁孟縉之豪幹曰黃堅者，為言臣蠢繆，謂招孟縉以來歸[三]，實則落黃堅之奸便。通國上下鼎沸一辭，謂國纖悉，合必以報瑩中而媚似道。臣願速賜睿斷，罷合同僉，奪其職名恩數，勒瑩中祝子歸宗，而令合以廖氏之隱財歸有司，仍下安吉州，追黃堅逆黨，根究配籍施行。何謂不可不輟者一？今平章臣㷍所建宗老入輔之議是也。臣聞晉成帝即位五歲，王導為相，曾未三年，庾亮任法財物，蘇峻反叛，宮闕蒙塵。當是時，屬近行曾豈無元帝之子，王導不請以輔政，而内以一身自當大難，外倚温嶠、陶侃諸賢，卒平禍亂。此今日所當法也。比睹輔臣奏請議加福王殊禮，許以入輔，臣備員禮官，心竊疑之。蓋謂議殊禮如仁祖待荆王則可，議入輔如周公相成王則不可。章獻垂簾，賢宰當軸，坐制天下有餘，荆王威名既著，正當韜晦，此臣所謂可也。周公大聖人，猶且四國流言，召公不悦，後世非有周公之聖，決不可詭以周公之事，此臣所謂不可也。臣同太常博士臣元真以問臣㷍，㷍謂宜加三鎮節度大使，亦當以參裁國務繫銜。臣曰不可。臣㷍則答謂，既是監國，合當如此，且撫軍監國，太子事也。臣㷍所引，儻非病風喪心之狂言，則是未嘗讀書之淺見。荆王為河陽三城武城軍節度，止是孟滑兩鎮僉書參政。臣斯得以為三鎮恐是筆誤，而㷍信之，何耶？本朝典故未嘗有親王輔政者，亦未有親王為三鎮節度者，或謂此廟堂奇策也，將欲奪福王判越之實，故且假福王輔政之名，福王必避嫌而不至，禮官必守正而不阿，則紹興府帥自屬他人耳。臣不能深探二三大臣之心，但聞此議一出，輿論俱不謂然。奏中祖孫二字，近乎兩統，二父亦欠精審。二三大臣能保此身，長在兩地否[四]？萬一異時有陳僖子乞者大司馬温者，豈無陽生荼東海簡文之憂[五]，今議臣之肉其可食乎。臣願速賜睿斷，於尊禮福王判越宣撫等任，仍且依舊收回，近降指揮以安福王之心。書未具小帖子，言臣聞史彌遠為宰相二十七年，未嘗有明州人為臺諫，賈似道近執國柄十六年[六]，亦未嘗有台州人為臺諫。兩人皆權臣不道，猶不敢私用鄉人據言路。平章臣爚紹興府人，而監察御史孫嶸叟亦紹興府人，嶸叟之除，諉曰爚尚未至。爚既入為左相，嶸叟自合出臺，屬者升拜平章，又擬除紹興府人，余浙為監察御史，如此則彌遠、似道所不敢為者，爚為之矣。伏乞睿照裁處。

太皇降旨下右丞相夢炎，與其客何新之讀之，大以為然。轉緘過左丞相府，宜中大駭，謂回不當攻爚，恐爚去而己愈不安。二十一日，回至兩相府納副本，夢炎勞問稱賞，宜中獨若嗔怪，欲索車即出關去者，且令新除小著兼右司潘希仁搜予隨行副本，盡以藏之，而與夢炎議論，緘藏回書勿泄。當日用新除常丞兼僉詳吴浚議，出回知建德府。是日端明殿學士同僉書樞密院事陳合出，至六和塔暴卒。或云飲藥，以新除殿院陳文龍有疏論列，聞而懼也。二十八日右正言陳景行奏乞誅似道，疏始報行，似道時在紹興，一日命廖瑩中對飲，酒數行，瑩中遇毒如厠，卒。王庭者歸東陽，聞省吏翁應龍斬，懼而自裁，或云亡命。七月初八日，檢會給事中黄鏞及合臺奏賈似道送婺州居住，廖瑩中、王庭追毁出身以來文字，除名勒停昭梅州羈管，二人皆已先死。初十日回至建德府視事，是日又檢會合臺奏賈似道更降三官，改送建寧府居住，令紹興府福王與芮差兵級三百人護送，仍拘集所養準兵將校。二十日檢會臺諫奏賈似道責授高州團練副使，循州安置，令紹興府增差兵級二百人追管護送，仍簿録其家及隨身行李。二十二日監察御史余浙供職，疏論九人，而知臨安府趙孟博、兩浙轉運使應節嚴樞、宰屬吴浚[七]、潘希仁，皆宜中客，疏語多斥宜中，右相夢炎緘疏不行。宜中知為爚所攻，出關自漁浦東陽出處州，歸永嘉。都人洶洶，謂爚非是，右相夢炎乃始檢會回所上書欲行之，而京學生劉九皋等十三人受爚子椝金，扶合余浙同日上書，詆宜中不俟降出，揭之廊廡，謂宜中誤國之罪，將浮於似道。宜中用是引去，爚、椝、浙表裏為之，而許端明殿大學士兼參知政事高斯得為相。斯得屢疏乞遣相臣出督，意蓋黨爚，至是情狀畢露。中書舍人王應麟、給事中黃鏞，連上三疏論爚[八]、斯得、浙，太皇大怒，罷爚平章與祠，斯得僉書參政依舊與祠，浙出臺為大理少卿去，中外快之。而孟傅、淩、希仁，凡宜中之客皆去，朝士中使絡繹於道，追宜中不及矣。是日鄭虎臣護送賈似道至衢州，始知改竄循州簿録之命，福王與芮追人及之，拘其行李姬侍，上有司。九月初七日，周彬特改合入官除將作監簿。彬處州人，由太學第進士，除史館檢閱，五日而有是命，時朝廷議即所在誅似道，彬毅然請行，而所帶劊子兵士臨安府緝步房院長供申沿途幇券，漏言其事。十九日似道行至漳州城南二十里木綿庵，護送鄭虎臣扼似道，陰殺之。知漳州趙崇錢，王爚婿也，知朝廷遣彬誅似道，密告虎臣，為似道以全其屍。虎臣蓋以此事故踢死似道于厠，以滅其迹，謂為之地者妄也。虎臣迫脅似道，取其寶貨已多，故先彬未至為此。十月十六日，漳州申似道中風身死至行都。虎臣者，福州人，以術士補武職，為紹興府攝局，後為張世傑所斬。此為似道復讎彬居其鄉，與似道舊部曲陳統制者競，亦為所殺。似道嘗夢死於鄭姓者之手，故於宦官甘心鄭師望，而朝行有鄭姓人輒黜之，不知其兆乃在此也。首劾罷似道者陳宜中，首乞誅似道者方回，而繼之者高斯得，臺諫諸人，蓋久而後申之云。古者國家文武並用，貴文而賤武者，宋氏之俗弊也。故雖良將往往為文臣所殺，賈似道、呂文德不協，遂以亡國。虎臣殺似道不為過，世傑又殺虎臣者，以似道宰相，虎臣不當擅殺也。世傑之無成功，兆於此矣。（以上《桐江集》卷六）

[一]何盤水加劍而詣請室：何，清抄本作「便」。[二]甚於令狐概之以廣德降：原爲「甚於令狐概之一以廣德降」，據清抄本删「一」。[三]詗招孟縛以來歸：來，原作「未」，據清抄本改。[四]長在兩地否：清抄本作「長在兩宮地否」。[五]豈無陽生荼束海筒文之殳：殳，原作「爱」，據清抄本改。[六]賈似道近執國柄十六年：「執」，原脱，據清抄本補。[七]宰嚭吴浚：原作「嚭宰嚭吴浚」，據清抄本删「嚭」。[八]連上三疏論媮：原作「連三上疏論媮」，據清抄本改。

報恩寺修造疏

萬壽道場[一]，從昔山屏水帶；百年老屋，憑誰月斧風斤。如來雀矢盈頭，力士蜂窠塞耳。豈無好事，於此傍觀。且東有舍，西有鄰；皆上而棟，下而宇。紫髯將軍之慷慨，廟貌巋然；絳帳博士之雍容，黌堂偉甚。何事報恩老子，獨無東道主人。三槐相，萬户侯，群集祝香之彦；千金裘，五花馬，沓來解劍之豪。矧豐年糶賤之餘，兼樂土兵銷之際。宜資檀信，用相梓工。待先修敲月之門，次遍葺雨花之室。孔方兄一文四字，肯發心替庾岡；禪和子千喜萬歡，盡合掌波羅密。（以上《桐江集》卷五　以上羅超校點）

[一]萬壽道場：壽，清抄本作「里」。

全元文卷一二三二

牟巘 一

牟巘（一二二七——一三一一），字獻之，一字獻甫。其先為蜀之井研人，十二歲隨父去蜀，徙居湖州，遂為湖州（今屬浙江）人。南宋時登進士第，官至大理少卿、浙東提刑。入元不復仕，杜門隱居三十六年，與子應龍切蹉經學道義。至大四年（一三一一）卒，年八十五。著作有《牟氏陵陽集》二十四卷。本書所收牟巘文，凡出自《陵陽集》者，以一九二一年吴興劉承幹《吴興叢書》本為底本，校以北圖藏兩部清鈔本（分别簡稱清鈔甲本、清鈔乙本），參校以文淵閣四庫全書本（簡稱文淵閣四庫本）。集外共輯得佚文十三篇。

賀乾會節表 一

陽居大夏，實符炎運之興；德為聖人，爰記虹流之瑞。亨嘉之會，福禄攸同。申賀恭惟皇帝陛下，祇遹駿猷，不釐景命。文宜多子，共知有道之長；漢舉高年，尤欲及人之老。時萬時億，之德之純。臣幸際昌期，阻陪賀列。周而復始，泰元願神筴之增；罄無不宜，天保效南山之祝。

賀乾會節表　二

歲在壽星，爰紀誕彌之節；陽居大夏，況逢長養之辰。華渚流光，寰區輯慶。申賀恭維皇帝陛下，聰明天縱，聖敬日躋。億載怡愉，方奉稱觴之樂；四方綏靖，自臻磐石之安。於萬斯年，既多受祉。臣欣逢盛際，敬輯頌聲。自慚周雅之使臣，阻陪在列；願與帝鄉之父老，仰祝殊齡。

賀壽崇節表　一

至哉坤元，乃順承天，誕彌厥月；於其王母，受兹介福，於萬斯年。慶輯無疆，歡生有感。申賀恭惟壽和皇太后陛下，儉慈是寶，恬澹無為。在太極先，自見兩儀之運；以天下養，坐膺五日之朝。瑞節相先，瑶觴胥懌。臣欣逢華旦，越在黔邦[一]。聽長樂之嚴鐘，莫陪鳴玉；增泰元之神筴，復見循環。

[一]越在黔邦：邦，原作「邸」，據清鈔甲本、乙本改。

賀壽崇節表　二

四月維夏，日行南陸之長；八千為春，天錫東朝之壽。宫闈輯慶，海宇均歡。申賀恭維皇太后陛下，秉德静專，游神恬澹。《詩》歌震夙，生民時維姜嫄；《易》用正中，介福於其王母。穀旦相先於嘉會，藻旒親奉於怡愉。臣幸際昌期，敬裒善頌。近畿持節，莫陪長樂之儀；廣内稱觴，第想瑶池之集。

賀皇太后表

世室合祔，肇成熙事；東朝介福，喜溢慈顔。萬國咸歡，兩宫交賀。中賀恭維皇太后陛下，功高保佑，德備徽柔。肅在廟之忱，此思齊所以聖；等如山之壽，曰天保莫不增。屬載舉於縟儀，庸茂迎於景貺。臣親逢盛旦，濫玷使華。燕及皇天，繁祉願綏於文母；于彼原隰，歡謡樂聽於堯民。

賀明堂慶成表

度九尺之筵，稱秩元祀；歌萬年之頌，申命用休。慶衍宗祊，澤流函夏。中賀恭維皇帝陛下，齊莊中正，寅畏嚴恭。式彰致美之忱，菲食如禹；聿嚴昭事之德，卑服即文。宜迄用於肇禋，而畢來於諸福。臣濫將隆擢，幸際昌辰。宫廟駿奔，莫贊聲明之盛；邦家燕祉，益祈運祚之長。

浙東提刑到任謝表

右銓愒日，方自惡於鵜梁；左翊觀風，俾載馳於駰轡。寵光舄奕，感激輪囷。中謝惟民之生，皆天所命，本無不善，何有於刑。自後世尊用司空、城旦之書，故斯人浸遠《關雎》、《麟趾》之意。然則臯事亦重矣，安得人者以司之。禁於未然，輔所不及。矜畀庶戮，必深識聖人不獲已之心；明清單辭，類皆非俗吏所能為之事。盍咨淑問，庸受嘉師。伏念臣見謂謭劣，粗承忠教。帶衡佩矩，僅守曲士之尋常；錯節盤根，初蔑良工之剞劂。荷曲予於先緒，每加録於後踪。出領州麾，專城良忝；入洿省户，典選何裨。自知稱塞之難，願循止足之分。俞音汔閟，誤渥更加。叨乘使傳之華，越在帝鄉之近。然而地大物衆，曷諏度之能周；人微望輕，於振揚乎奚有。覺鉛刀之甚鈍，懼綉斧之莫任。視事云初，撫躬增惕。兹蓋恭遇皇帝陛下，好生如舜，克寬若湯。得位曰仁，式廣天地之大德；措刑不用，方臻帝王之極功。爰重職司，以嚴甸服。臣敢不明謹於獄，殫既厥心。送禮樂而有光，愧曷當於華選；畫衣冠而不犯，惟仰贊於盛時。

謝赦表

熙事備成，禮嚴三載；慶條敷宥，和暢九垓。聖澤流行，嘉生歡懌。中謝恭惟皇帝陛下，寅恭饗帝，忠厚承家。神感至誠，已聿懷於多福；邦有大賚，用斂錫於庶民。開釋無辜，薰蒸極治。臣初將隆指，即奉寬書。湯網闊疏，咸識自新之路；吕刑明恤，益宣不殺之仁。

賀皇后牋

禮嚴上帝，於皇旒璪之儀；美萃中宫，爰贊玉盚之祀。萬方禔福，三殿均歡。申賀恭維皇后殿下，文定厥祥，柔嘉雖則。夙有家而警戒，孝敬相成；兹在廟而肅雝，徽音是嗣。贊今日皇猷之盛，踵我朝后德之賢。臣拭目邦榮，縻身外服。秉文顯相，莫陪多士之聯；移俗厚倫，其美二南之化。

乾會節進銀狀 武岡

彌月不遲，於赫一人之有慶；任土作貢，丕昭萬國之來朝。上件銀品列於金，英生於石。地不愛寶，式章萬億年之休；天用降康，誕受九五福之壽。

申省乞祠狀 一

某本以闊疏，加之闇劣，荷明時曲矜於先緒，而大造不棄於微踪[一]。擢之於患難之餘，畀之以民社之寄。蓋亦自知其非據，猶欲少報於殊私。領事以來，盡力所至，雖一毫未有於實惠，而千里或諒其苦心。顧以賫淺望輕，平時不足以鎮壓；數奇命薄，所至輒值於艱虞。妖雖人興，咎將誰執。何敢效相尤之語，但知為自治之規。賴廟朝遠暢於德威，幸封境獲清於旬浹。有如旁郡之元惡，亦為多方而悉擒。尚藉覈存，未岀觸能。兹遂肯於下考，正當勉於後圖。外則蔽障容邪，内則補治元氣。必得精神强壯之吏，庶無歲月玩愒之風。重念某鼠技已窮，馬力已竭，况以跨年之久病，凛乎永路之難全。深恐疾顛，有辜隆使。敢攄真悃，上瀆公朝；欲乞矜憐，特賜敷奏。縱未加於縝黜，願亟畀於閑祠。得稍遂休息之私，賫仰拜生成之德。

［一］而大造不棄於微踪：踪，原作「綜」，據清鈔甲本、乙本、文淵閣四庫本改。

辭免除浙東提刑狀

除委驟加，愚衷增惕。伏念某素無能解，見謂迂疏。自污省户之華［一］，居慙忼愒；比籲祠官之請，賫出忱真。蓋深懼於踰涯，惟必期於從欲。俄蒙簡擢，躐畀臬司。惟外臺之寄最嚴，而左翊之區至近。地大物博，岸獄頗滋；人微望輕，風棱何有。况復侵放多病，亦欲遂於稍休。欲乞公朝，特賜敷奏，收回成涣［二］，謹毖祥刑。或未棄於微踪，尚改畀於小壘。庶可效涓糜之力，兹允謂生成之恩。

［一］自汙省户之華：汙，原作「扜」，據清鈔甲本、乙本改。　［二］收回成涣：涣，原作「焕」，據清鈔甲本、乙本改。

申省乞祠狀　二

某藐爾孱庸，誤蒙奬拔。平生夢想，豈望臺郎；旦夕馳驅，况在甸服。固知極難於稱塞，猶欲稍效其疲駑。逮此彌年，居然愒日。既不能悉聰明智慮，坐蔽於獄成；又不能體疾痛養疴，力伸於民隱。振揚何有，仇怨已多。良以物望之輕，祇為明措之玷。載惟弱質，每覺早衰。自夏秋以訖冬，率災病而寡歡。况心力必彫，意緒怔忡。無非親齋和之時，固已積曠瘝之咎。前奏力祈於夙退，庶幾少逭於疾顛。自墮因循，第增愧惕。兹幸書於下考，其敢昧於初心。是用瀝控微忱，上干鈞造；欲望察其真切，賜以敷陳。特賦祠官，俾安愚分；別求時望，以重職司。誓殫香火之勤，仰答乾坤之施。

武岡置靖安寨申省狀

本軍雖為僻壘，然西通融桂，北控沅靖，南連全永，家與溪洞相聯。舊來節次，於要害去處置立堡寨，控扼防把，無慮十五六，而後徭省各安。武岡一邑，雖地無溪洞，而紫陽鄉都分最闊，去軍縣且二百餘里。其俗頑獷，又與永邵接境，往往惡少之所出没，迺無巡寨以為彈壓。戊辰妖寇相梃嘯聚，無所控制，幾至猖獗。本軍隨宜招捕，仰賴聖朝威德，隨得弭寧。事定之餘，儻又不知防守，非所以懲前事而毖後患也。某雖僥倖替去，然不敢不為此邦長久之慮。昨差官相度下育渡，乃紫陽鄉要害之地。遂行創立寨屋三十餘間，及寨官衙守等。皆是本軍自行措辦，一毫不以擾民，並已齊備了畢。今來欲以靖安寨為名，招刺寨軍一百人，駐扎防守。見將標釘到，已斷妖賊周千四等，及其餘妖徒。田産盡行籍入本寨，充養軍之費。或尚支用不敷，在本軍隨時那融，應付其契。勘得本官舊有武陽寨監押一員，並同管轄一員。闕官歲久，欲乞公朝敷奏，將上件二闕省罷，特置知靖安寨兼巡檢一員，專任武岡縣紫陽、長溪兩鄉防把之責。仍下吏部作闕，許經任人差注，或從本軍選辟一名。庶幾此寨既建，可以聯接聲勢，禁伏奸暴，千里均拜安靖之福，實為利便。

創大禮例庫申省狀

本軍每遇大禮，例進奉銀二千二百十一兩一錢四分，隨綱別進奉銀三百八十四兩五錢二分五釐。所有價錢，係照指揮截撥。及剗刷雜色窠名應副外，尚且不敷。舊來弊例，或敷之質庫墟户，或敷之軍縣吏胥，甚至有告訐獻助之名。本非得已，而吏緣奸，重貽民害，質庫墟户之往往停閉，以辟科買。市井蕭然，日甚一日。某曩歲抵軍，詢知此病應詞訴，並不許告訐獻助，而它未能區處也。緣本軍以縣為軍，賦入有限，兼因妖寇，調發官軍民兵，為費不貲。某不敢以一錙一粒科擾百姓，自行那融，應辦皆出於常年調度之外，郡計愈見單窘。無可措畫，遂痛行樽節，浮費及供給等錢，銖積寸累，計見錢一萬貫者，創置大禮銀綱貼助解庫，一坐月收微息，專一樁管，不許移動。如遇大禮年，分收買兩項進奉銀兩，除久例截撥劄刷錢外，將本軍三年所積息錢支出，添助上件銀兩價錢。咸淳八年明堂大禮為始，大約可增錢六千四百餘貫者。比之目今市價略同，在民可無倍費，庶幾稍革科配、獻助等弊。田里之間，生意粗回，務以仰稱夫聖朝嚴恭大禮、不瀆不擾之意。本軍除以節次施行外，所合具申公朝，欲乞劄下本軍照應，永為無窮之利。

祈雨未獲申諸司狀

本軍今歲苗稼茂盛，但自六月以來一向缺雨，高下之田，率皆告病。早稻抽穗者，亦多焦卷。連日祈求，雖四郊間有得雨去處，却未霑足。萬人之命，一年之計，決此數日。雖已多疏方剔獄訟，講行寬恤，如諸牢囚繫，勘酌疏放，合催錢物，等第寬減外，竊念謬政致災，實為守者之罪，豈容恬然自處。謹疏食閉閤自省，應出入並用小轎，儀物後樂並省，少見身貶削之意。仍備申諸臺，乞惕申奏，將某罷黜，以謝千里之民。「民」下原闕十四行。

咸淳辛未十二月初一日轉對劄子

咸淳七年十二月一日

臣一介疏賤，誤玷周行。每竊惟念，自先臣子才以來，世受國恩，至深至厚。涓埃未報，日懼空官。

兹者皇帝陛下視朔前殿，諸門洞開，且氣清明。而臣以此時猥當轉對，天光所臨，其敢具文，以塞故事。臣嘗伏讀國史，竊觀元祐三年五月一日，蘇軾轉對，條陳三事。其一條曰：唐太宗《司門令式》云：其有無門籍人有急奏者，皆令監門與仗家引奏，不許關礙。祖宗之制，自兩省、兩制、近臣、六曹等監長貳有所欲言，及典大藩鎮、奉使一路，出入辭見，皆得奏事殿上。其餘小臣布衣，亦時特賜召問，非獨以通下情、知外事，亦以考察群臣能否情僞，非苟而已。伏望更與大臣商議，除臺諫、開封知府已許上殿外，其餘臣僚，舊制許請間奏事、及出入辭見許上殿者，皆復祖宗故事。元祐六年八月一日，范百禄轉對，亦條陳三事。其一條曰：太祖皇帝建隆三年詔：自今每五日内殿起居，翰林學士及文班常轉官轉對。既又命尚書省集官，議其可者而行之。真宗皇帝詔有司，録轉對章疏一本留中〔一〕。祖宗之於轉對，其勤且至如此。今一歲之中，侍朝者有數臣僚。每次一員轉對〔二〕，不過十餘人。借使人悉知而言，言皆見用，亦不過十數事耳。望詔執事齊議轉對之制，悉由太祖、真宗舊章。二臣之言，大抵因轉對以通下情，以廣上意而已。臣嘗謹心考觀，元祐五六年間，大小之臣，類無不得其言者。或入見上十事，或經筵陳三劄，此言及君德者也。或議差役，或争回河，此言及政事者也。或言陝西地震，或言冬温不雪，或言日食六分之變，此言及災異者也。或十九疏論章惇，或十三疏論蔡確，或十疏論安燾，此言及小人者也。或乞免浙西五穀力勝錢，或乞蠲放户部餘剩錢，或乞取常平敕令删為一書，且放秋成收糴斗斛，此言及民事者也。或乞昭寶元、慶曆令，内侍省取先朝帳籍，比較近年用度之數，或言奉宸庫已取珠子六十斤，户部已用金三千六百兩，此言及節用者也。禁中求乳母，則劉安世等言之；內中朱紅車子亂行，則蘇軾劾之；其言及宮闈者如此。皇太后親屬向宗良知邢州，則蘇轍言之；皇太后親屬模斷酒務[三]，少欠宮屬錢，均作七年送納，則曾肇等言之；其言及戚畹者如此。隨龍馮宗道遷轉，則王巖叟言之；內批錢班幹當牛羊司，劉言幹當翰林司，則曾肇言之。一宋用臣敘復中州刺史，則范祖禹以為官寺興土木[四]，不可以復用。一陳景元校黃本道書，則范祖禹又以為異端虛誕，不可以成宗。夫其一時，更進迭諫議論之有餘，並包兼容聽受已甚美，而臣軾、臣百禄，猶惓惓以復舊制，議轉對為言，豈過計哉！忠言利行，固不厭其多；王道利宣，固不嫌其廣也。伏惟皇帝陛下作共即位，於今八年，凡其所建植施置，壹是皆以元祐為的，而聽言一事，尤極謙隆。初元詔書，盡復祖宗舊制。間因臣僚避對，則又戒飭申嚴，導人使言，固已無所壅蔽。乃自比歲，頓異，流傳皆謂諸臣進言稍有忤拂，聖意厭憚，玉色弗怡，或顧左右而言他，或視屋霤而不答。人臣犯顏逆耳，本為難事，藉令未能施用，奈何更加沮傷[五]，遂使循默成風。此豈盛世宜有？我朝以言立國，列聖相傳，未嘗罪一言者。雖中更大拂亂、大傷敗，而社稷之長久，終有賴於人言。然則人言何負於國？儻陛下不察，徑銷廢之，志士忠臣寧不為之解體？況外而邊事孔繁，內而陰邪伺隙。日食不見，天且忘予，而入冬過燠，寒氣未斂，其何以興來歲？寇敚相挺，或能勝予，而豐歲且然，脫有水旱，其何以善其後？惟有一綫言脈，所當極意扶持。今日果已盡如元祐，則聽言之法，固當益循于元祐。今日或未盡如元祐，則聽言之法，尤當百倍於元祐。陛下試取元祐諸臣之論奏，與夫愚臣前者之條陳，䕶護燕間[六]，特賜觀省，聖明之意必將有概於中。其繼自今，益恢聖聽，毋疑其歸過而責直[七]，毋嫌其立異而要名。凡有苦口之言，率皆虚心以考。其懇惻恂忱者，欣然容受；其忠貫有補者，則立見施行。或者偶非其人，則他山之石，可以攻玉，不當以人而廢言。或皆無可采，則川澤納污，山藪藏疾，亦當容之而勿問。庶幾聽言之美，一與元祐同符，天下幸甚。臣於二臣，無能為役，特援轉對之比，以寫憂愛之私。干冒天威，惟陛下幸赦狀。

［一］録轉對章疏一本留中：中，原作「守」，據文淵閣四庫本、清鈔甲本、乙本改。　［二］每次一員轉對：一，文淵閣四庫本、清鈔甲本、乙本均作「二」。　［三］皇太后親屬模斷酒務：模，清鈔甲本、乙本作「樸」，似是。［四］官寺興土木：寺，原作「棄」，據文淵閣四庫本改。　［五］奈何更加沮傷：沮，原作「阻」，據清鈔甲本、乙本、文淵閣四庫本改。　［六］蠖護燕間：護，清鈔甲本、乙本、文淵閣四庫本作「濩」，當是。　［七］毋疑其歸過而責直：責，清鈔甲本、乙本、文淵閣四庫本作「賣」。

謝告奏

將命俶臨，賚書申錫，寵靈所被，戴捧奚堪。恭維皇帝陛下，體念臣工，惠綏畿服。訓詞至厚，蓋有三代之風；威嚴在前，不違咫尺之地。綸音逋逮，節瑞以光。臣自愧微踪，驟膺隆使。維丕顯休命，何以對揚？監於兹祥刑，尚思勉厲。（以上《陵陽集》卷八）

賀陳倉赴召劄

簡在清衷，俶頒嚴召。見知則説，乃疇四牡之功；式遄其歸，爰趣八鸞之覲。仁賢進矣，氣類翕然。某官世出詞家，朝之治表。香風一道，皆蘭芷之芳菲；皎日寸丹，願江淮之清晏。久勞使指，益懋眷知。謂汲直當在於拾遺，而仲舒最宜於為誥。屬輶軒之循部，乃急詔以喚歸。治舍人裝，詣行在所。九重虚佇，趣之至四輩之馳；多士共期，决然居兩制之選。悚觀奎筆，入告宸猷。某辱附門牆，喜聞綸綍。願如蔿賈之後，賀無以自文；若曰文子之同，升則又何敢。

回何尉劄

屈公以望此府，久矣貪賢；取人而拔其尤，庶幾報國。非相為賜，何謝之云。某官經緯之全，淵源之正。自足斡千鈞之龍鼎，闊步一時；亦嘗舞丈二之蛇矛，雄風四面。越自紅旗之破賊，坐消赤子之弄兵。未遂疇庸，姑煩贊畫。頗有此客否？正自不凡；乃欲相吏耶？居然可敬。况方興文武共弱之嘆，蓋所謂聖哲不足之時。是時輻輳於上前，未許賓横於道側。且將大任，聊復小陞。某自笑寸莛[一]，初無强剪。文僖尤喜得尹師魯，東坡不忍負李直方。效古靈稾之品題，不知量也；繼來石磯之勛業[二]，還以贈之。

［一］某自笑寸莛：莛，原作「筵」，據清鈔乙本、文淵閣四庫本改。　［二］繼來石磯之協粢：來，疑為「采」之誤。

賀李運使赴召劄

誕布温綸，肆膺嚴召。遠有禮樂皇華之使，久矣逶遲；朝無耆艾白首之儒，孰其顧問。仁賢進矣，誦咏翕然。某官善類羽儀，詞林根柢。前茅後勁，獨奏磔妖之勛；左粥右饘，人蒙免糴之賜。賢勞允懋，睿簡益隆。太史久滯於渡湘，仲舒雅宜其為誥。果招旌之特下，亟馳傳以唤歸。治舍人裝，詣行在所。上心虚佇，趣之至四輩之多；除目歡傳，决然居兩制之選。徑從禁甬，平踐政塗。某辱附高門，幸聞盛事。鳳凰覽輝而下，已治表之可覘；燕雀賀厦之成，愧慶函之良後。

賀浙西黄安撫劄

冠儀計省，晉領神皋。江左之有夷吾，方高人望；西都之用黄伯，尤賴尹釐。贊書初傳，舉笏交賀。某官職高見卓，學博用周。平生曾南豐，獨得文章之派；不比大老范，有偉經濟之胸。文武而有威風，俊傑而識時務。自膺臬任，屢奏膚公。征謀治法之兼明，義實仁齊之旁暨。雖護北門之管鑰，厥任方隆；然制西事於廟堂，此言當念。宜宸衷之簡在，爰峻旨以趣歸。左翊右馮，姑少煩於彈壓；一食二貨，亦坐究其源流。繇省府乃踐於政塗，蓋祖宗具存於故實。靡須温席，即聽揚庭。京兆逼雲霄，已獨高於綦步；尚書踐臺斗，行遂副於僉期。某夙荷殊知，竦聞新渥。適聞濤江之遠，愧旅賀之莫前；瞻言夏屋之成，尚垂庥之是賴。

賀董都承劄

顯被華褒，肆頒異數。晉班東壁，密聯上帝之圖書；導旨西樞，遂篚侍臣之筆橐。得輿之喜，擧笏攸同。某抱負瓌琦，見聞殫洽。名父之子，夙推學問之淵源；知兵之儒，見謂經綸之磅礴[一]。屬擧行於機速[二]，用圖回於枚卜[三]。宜疇宿望之賢，俾為一老之助。乃升賓綈，密侍籌帷。惟承旨視鰲禁之至嚴，而入侍與螭坳而對峙。紹興趙子畫，遂兼次對之華；元祐王彦霖，徑領本兵之寄。仁覬晉用，以究宏施。

[一]見謂經綸之磅礴：謂，原脱，據清鈔甲本、乙本、文淵閣四庫本補。 [二]屬擧行於機速：速，原作「廷」，據清鈔甲本、乙本改。 [三]用圖回於枚卜：枚卜，清鈔甲本、乙本作「敉寧」。

賀安吉任守劄

奏最澄江，易填苕水。争杜公於境，可知父老之歡然；自東坡迄今，復見鄉賢之至止。寬條誕布，輿頌翕孚。某官粹玉方流，盤根利器。家聲偉甚，蓋元符御史之後人；治行卓然，藹西京循吏之遺意。盍膺表選，徑踐穹華。惟此邦率用名流，在今日尤嚴宅牧。端賴仁賢之重，以幸畿輔之民。籀篆方開，袴襦已咏。扶風馮翊，既歷試而有成；泰畤甘泉，即趣歸而徑上。

武岡送交代物劄

三年上最，一節趣還。卧轍攀轅，愁絶紫陽之父老；持囊簪筆，即為碧落之從臣。甫入修門，峻躋華貫。某疊聯雅好，倍切慶悰。屬行色之俶裝，輒菲儀而將意。依依嫪戀，蓋不勝折柳之情；謹謹護持，當共愛憩棠之茇。

回錢安撫獄空劄

化浹神皋，詔嘉空圄。辟以止辟，庶幾刑措之風；書且婁書，偉甚尹鼈之績。和聲所被，盛節以興。

某官職大司徒，領右内史。為治行之第一，已簡殊知；問斷獄之幾何，即登邇列。栖桁楊而不用，寫琬琰於將來。某伏沐貽函，悚觀拓本。濃墨大字，愧莫繼於頌聲；茂草圜扉，喜亦同于生意。

答太平趙侍郎劄 日起

采石風清，想騎鯨之正逸；玉川雲冷，叨致鯉之甚恩。某官荷橐穹班，枌陰雅誼。手書鬱穆，藹其前輩之風；臺饋豐隆，逮此同僚之士。某莫名所感，亟拜而登。褭飯而問子桑，敢當盛意；下詔而徵黄霸，惟切頌言。

回送小録劄

臚傳集仙殿，企並世之魁躔；頂戴千佛經，修清時之盛事。損函下逮，拓本寵頒。竊觀濃墨大字之所題，深愧新學小生之亦與。襲藏惟謹，銘感曷勝。

回南省登第諸鄉人請劄

泥金姓字，方幸蜀珍之有人[二]；衡袖文書，忽聯趙璧而過我。且以互鄉之晚出，獲衣峻甲以同升。猥見牽聯，俾陪容與。荷眷私之甚厚，豈謭陋之敢當。執牛耳以主載書，夫孰逾於公者？附驥尾而致千里，尚加惠於兒曹。

［一］方幸蜀珍之有人：珍，原作「稱」，據文淵閣四庫本、清鈔甲本、乙本改。

回趙園令劄

隆指是將，幸托鳴珂之芘；高情良厚，首勤枉翰之臨。深切感藏，薄言控謝。某官器宏以遠，玉粹而温。卓爾不群，夙共稱於大雅；卑以自牧，尤深執於好謙。粤粉省之蹇華，久琳宫之均供。捧酎而見宗廟，式昭助祭之勤；賜膰以親弟兄，行茂均釐之渥［一］。宸綸極下［二］，齊鉞徑躋。某未遂投閑，偶叨乘傳。凛莫稱咨詢之職，胡敢當慶問之貽。曾瓊報之弗周，尚錦歸而亟謁。

［一］行茂均釐之渥：渥，原作「屋」，據文淵閣四庫本改。　［二］宸綸極下：極，清鈔甲本、乙本、文淵閣四庫本均作「亟」。

賀洪帥兼倉劄

絲綸誕頒，臺閫並建。却穀之謀元帥，方畀中權；太史之上會稽，爰修平準。便蕃異數，布濩歡聲。

某官學博用周，德全能鉅。使華帥領，兼數器以有餘；惠氣威聲，達四封而尤㞐。星明胃南之積膾，澤及天下之函生。某自謂陳根，欣傳新涣。聞厦成而賀，第切歡悰；修郊輅之恭，仰留侍慶。

回洪帥謝宴劄

位不同，禮亦異，敢邀法從之名瀍；謙自牧，尊而光，肯枉元戎之小隊。欲少見事長之意，用輒忘躐等之嫌。里咏塗歌，不足以寫盛德；山肴野簌，不足以奉清歡。竟席凌兢，旁觀榮詡。謂南陽公賓客之盛，於其主以可知；嚴閤老禮數之寬，蓋斯今之未有。方欲踵門而拜辱，乃勤損翰之下頒。輕身以先，匹夫曷當盛意；衆人而報，國士敢昧殊私。

賀洪帥入宅劄

穆卜剛辰，肅臨大府。文昌為帥府，前羅棨戟之嚴；州宅似仙居，坐得蓬萊之勝。令方修於庭户，詔歸坐於廟堂。某仰止崇墉，盍攄慶臆。燕雀之賀大夏，其喜可知；龜魚之蔭新亭，自今以始。

謝洪帥宴劄

宴以示慈，敢辱獻酬之禮；歌而發德，甚慚纍藉之詞。敵以下且莫當，求之今而罕有。某官經綸偉望，文章當家。元帥聿臨，如郤穀之閱禮樂；初筵有秩，如衛武之謹威儀。遂令未至之踪，亦與特招之命。金石備設，水陸畢陳。入三遜而後升，所以示不慢不争之教；獲五善敢不拜，豈足堪爰諏爰度之詩。若小人屬，饜則有之；與先生並，行則過矣。□□爰居於九奏，靈牝徒辱於兼金。某既用戢藏，尤深悚惕。備樂而延秦子，已頓有於光華；瓣香而敬南豐，第益勤於歸倚。

謝福王請會劄

虎拜對揚天子之命，幸際昌期；鹿鳴燕樂嘉賓之心，俾陪盛禮。極隆謙而下士，出珍賜於上方。御府分綃，瑞篚更翻於薰吹；宫葩壓帽，名香載實於寶奩。醉飽以歸，寵榮無斁。某恐勤鈞重，阻造賓筵。爰居享九韶，第益增於駭眩；台背俾千歲，願彌祝於熾昌。

回福王請宴劄

乾亨際會，震夙開祥。雲集紳緌，共致三呼之祝；天頒詔旨，載稱萬壽之觴。兹伏被於鈞函，猥被陪於盛典。某自惟千齡之希遇，敢不百拜而祇承。

賀福王子除秘撰劄　(二)

鯉庭輯慶，鳳闕疏恩。樂善推東平，勝衣授列侯之印；好學如中壘，緗書照太乙之藜。詔墨誕頒，宗藩增重。

穆清茂簡，論譔躋華。奎壁之主圖書，允爲清選；脈膰之親兄弟，宜舉舊彝。綸綍肆頒，庭闈增粲。

賀福王生日劄

以殷仲秋，誕彌厥月。在壽星之次，喜適應於歲行；玩先天之圖，方益增於乾策。御府駢羅於珍錫，慶霄鬱穆於殊祥。永膺正社之尊，丕鞏宗槃之重。某猥叨乘傳，幸際稱觴。言采其芹，輒效微忱之敬；俾耆而艾，願惟純嘏之祈。

賀洪尚書生日劄　(二)

峻極儲英，揆初紀度。香山未老，曾賦文開八袠之詩[二]；萊國篤生，咸誦少避中元之主。自今其始，以莫不增。某官四海典刑，兩朝壽俊。傳斯文印，記赤壁之前身；與造物遊，挹洪崖之左袂。無心出岫，有詔自天。屬方講於小郊，宜趣登於大老。臺背俾耆艾，爰歌千歲之祥；端冕聽咸韶，即與五人之列。

明時輯慶，初度題期。月在斗牛之間，適幾秋望；敚起角亢之首，是曰壽星。蓬萊方沸於歡聲，蘂珠已傳於蜚詔。峻躋有密，永燕期頤。某夙忝登門，欣逢薦斝。校中元列仙之籍，但祝修齡；致南豐一瓣之香，輒伸微敬。

［一］咨賦文開八袠之詩：文，清鈔甲本、乙本作「又」。

回洪帥送生日劄

某蕞爾寒踪，安知初度。雖男子始生之旦，爰有垂弧；然古人已孤之餘，猶不純采。故此日每增於多感，蓋頻年彌切於苦心。詎謂鈞慈，特垂軫念。有來介使，賜以頌言。塵几蕭條，忽有珊瑚鈎之照；海圖拆裂，俄驚綉錦緞之奇。謀在微賤，實難蒙荷。熾而昌，耆而艾，於自壽以何心；尊者賜，賤者辭，恐不恭之有譴。已頤顔而登拜，第芒背以弗皇。未既謝私，尚儲謁侍。

謝福王送生日劄

躔磨蝎之官，自憐微績；廢蓼莪之什，安識揆初。詎意某官，下士而極𢡱謙，懋德而勤小物。寶函蜚速，照以陸離之光；列篚横陳，錫以庶多之品。於昭盛禮，若惕愚衷。尊者賜，賤者辭，何敢方於嚴命；熾而昌，耆而艾，願還致於頌言。

冬至送物劄

荔挺初生，式應得輿之吉；梅花遠寄，嘗修賀厦之恭。豈意某官，蜚畀函書，記存節物。詞華有爛，盎乎重緹之温；貺施鼎來，甚矣引玉之愧。某亟言登拜，倍切感藏。增一綫之愁，正自憐於病況；聽五更之漏，願還致於頌言。回諸郎

復朋來之亨，陽剛初長；師在中之吉，天寵宜承。茂對昌期，徑登宥府。某密依崇屏，盍致慶私。芹獻至微，輒仰干於主進；雲氣多壽，尚造筵於賓榮。洪帥

企踐斗之班，愧莫修於獻㕠；援青雲之筆，迺忽辱於貽緘。申錫貺儀，有光節物。況駢縱于品錯，益昭仞於眷私。某既拜而登，莫名其感。枝頭春信，肯分將驛使之梅；夜半灰寒，自笑惟嬾殘之芋。回洪帥

律起黄鐘，已應葭莩之候[一]；位隆赤社，宜膺戩穀之祥。剛長順乘，蒔臧永介。某密依宏芘，盍致慶私。福王

南至日長，甫測丈三之景；右扶風近，宜膺第一之褒。方輯慶函，已紆謙柄。某官霞光之綉，露寒之冰。畫戟凝香，坐看諸縣豐登之樂；翠緌鳴玉，尚依去年供奉之班[二]。方簡在於御屏，即蜚來於詔綍。禁塗直上，扇影徐開。某隃企州門，欣聞輿誦。會八能於前殿，悚聽徵書；繼六客之後塵，敢忘拜貺。回安吉寺

紫宸天近，用亞歲儀；金堂月高，持少府節。宜乘剛旦，茂輯蕃釐。某官和氣禔温，清姿冰潔。王人序諸侯上，已懋賢勞；公輔在兩社間，厥惟世踐。佇膺詔綍，歸捧御麻。某未克馳緘，首蒙賜翰。北府可飲兵可用，亦既登嘉；西平有子我有臣，敢忘善頌。回淮東總領

〔一〕已應莩葭之候：莩，原作「浮」，據清鈔甲本改。〔二〕尚依去年供奉之班：依，清鈔甲本、乙本、文淵閣四庫本均作「憶」。

歲節送物劄

泰道始亨，未獻辛盤之頌；謙光下燭，首蒙子墨之榮。如被陽和，自慚皋後。某官清芳冰映，雋采春華。地重賓藩，暫擁燕香之樂；天頒璽詔，即歸豹尾之班。綏福履於新元，假寵光於敝邑。某敢當好語，衹佩高情。爆竹聲中，笑甫休於行役；金幡影裡，尚顓玒於賀私。回賓慶程守

天又回杓，是謂三朝之會；地加錯綉，甫修一介之彝。豈謂某官，德媲陽規，誼高風概。梅花歲晚，肯憐寒谷之孤芳；椒蒼春濃，特寄新元之善頌。申之貺遺，粲若情文。某既拜而登，莫名其感。亟少伸於謝悃，勿重列於慶言。回鄰郡

斗觽龍角，方供企於魁躔；春入轡絲，爰載馳於使傳。况在右扶風之近，宜膺内君與之亨。首奉宸奎，峻躋禁甬。尚念冰曹之末，分頒齋穰之多。三壽作朋，願敬伸於善頌；五漿先饋，惟益佩於盛心。回平江倪侖

龍觿斗柄，方舒紫宙之和；鹿畫車轓，爰輯蒼茁之瑞。宜多壽祉，以介仁賢。某官襟度瑰明，詞華藻麗。人孚條教，共歌凝香森戟之詩；天錫褒書，已愬增秩賜金之渥。盍從元會，峻陟禁涂。某密籍宏庥，實懷善頌。未能與旄倪之列，共聽班春；所願托賓客之餘，亟聲賀厦。回安吉守

端午送物劄

飯同水餅，不知節物之臨；玉唾銀鈎，忽被謙函之寵。橫陳珍錯，昭示眷私。進五時圖，諒方膺於寵渥；祝千歲壽，願仰致於熾昌。回福王

奏薰吹之五絃，來從殿角；開昌華之九節，宜泛宮壺。竊效獻芹之意，尚冀矜容；載歌俾艾之詩，第勤誦咏。福王夏以五書，式表端陽之盛；晝當三接，宜膺寵數之新。蒲獻雖微，芹忱攸寓。儻特蒙於領録，實信有於欣榮。人和虞弦，方大為天下之福；近依楚畹，庶不至小人之歸。洪帥

衆人醉，我獨醒，方欽高躅；一紙書，賢十部，兼被匪頒。遠自蓬萊，光生蒲黍。傾銀注瓦，共挹清香；切玉浮金，遂成佳節。某亟言登拜，倍切感藏。飲美酒，讀《離騷》，莫當此意；歌微涼，生殿閣，即以公歸。回慶元守

香羅叠雪，馳頒天上之恩榮；玉壺清冰，分餉人間之奇絶。北府固知於兵勝，昌歜尤見於味同。飲美酒而讀《離騷》，真成奇事；咏微凉之生殿閣，快問歸期。回鎮江趙總領

七夕送物劄

石梁天津，御新凉於霄外；雲章錦緞，畀大巧於人間。遂令極陋之踪，亦被珠珍之賜。敢不重拜，亦既黽勉以登嘉；雖則七襄，未喻輪囷之懷感。回福王

重九送物劄

坡老在彭城之秋，重修舊事；忠獻填雁門之日，最愛晚香。宜獻蔣觴，以對嘉節。萸枝健在，第仰祝於修齡；菊把蕭然，敢敬修於微贄。呈洪帥

開三三之徑，悵已動於歸情；祝九九之齡，方欲修於微贄。首勒鈞翰，仰佩謙隆。燦列品之前陳，於昭厚意；亟整冠而下拜，莫喻感私。回福王

天開北㘣，分來萸佩之香；地近南陽，宜飲菊潭之壽。適逢佳節，盍致寸忱。自慚籬落之微，蕭疏莫掩；遺侑糗餈之末，麾頓是祈。福王

送丞相折俎劄

宸葦趣行，夏車入覲。頌聲歡動，可知四方萬里之情；禮貌優加，參用兩日一朝之典。肅紳綏而迎勞，開𨵿閫以祥延。某偶忝臬司，夙陶鈞播。幸親逢於盛事，盍少輯於慶私。宰相禮絶百僚，何敢奉觴而進；上公享用九獻，輒伸卷俎之儀。（以上《陵陽集》卷二一）

全元文卷二二三三

牟巘 二

通湖南王帥漕啟

星臨一道，載瞻帥節之嚴；雲戊兩岡，實隸教條之近。未遑受約束而詣大府，乃輒事竿櫝而效小夫。某官偉望駿隆，宏規開濟。緑竹之歌瑟僩，文章繇道學而來；虹玉之貫孚尹，忠信妙精神之藴。自先朝之茂簡，揭華貫之瑞儀。歷上三丞，皆第一選。史筵屢入，夙資殫洽之長；省户重來，獨秉清通之識。綉斧益光於七聚，油幢旋倚於十連。鰲時仙班，使三山其屹若；龍收甘霔，如四海之望何。方自適於考槃之遺，盍亟還於訪落之後。雲開衡嶽，剴見祝融石廩之餘；野闊洞庭，好張咸池鈞天之奏。果馳驪駕，來問熊湘。福星出虚危間，一方幸矣；金文聚丁卯歲，多士翕然。况兼帥領之崇，尤係顧憂之重。中權後勁，威惠剸劘；二矛重弓，氣勢聯絡。乃躋華於戎萃，仍晉直於堯章。雖太史之在長沙，寧有滯留之意；然申伯之式南國，宜疇屏翰之功。便徑陪碧落之從班，行遂纘金華之相譜。某山樊弱植，疾疢餘生。束帶立朝，久負空餐之愧；止戈為武，誤叨乘障之行。良切淩兢，幸依巡管。亟稟令於道塗之次，尚歉顔於芘庈之間。黔之巑、巫之磻，敢鄙夷於遠俗；水之淡、星之斗，第翹企於下風。

通湖南李倉啟

義山

同師文靖之門，夙欽先契；假守武攸之郡，幸隸使家。屬涓上日以建臺，阻順下風而伏謁。亟憑拚櫝，以凷賀床。竊以慕李元禮以造門，自言上世；凷蘇儒文之行部[一]，喜有二天。何敢挾故於平生，所願受容於今日。幸哉晚陋，有此際逢。某官諸老淵源，弈葉文獻。永嘉響振，復凷正始之音；雙井味高，指入江西之派。踐揚中外，會蔚西南。刃弗頓而硎若新，火洞然而玉不爁。重來省户，笑看玄都觀之花；嘗從郾城，快寫平淮碑之草。屌使屢馳原隰之轡，番君最得江湖之心。寧屑領於鍾官，乃自怡於珍館。雖英猷之少鬱，然偉望之益隆。野渡方横，坐閲秋水落霞之觀；浮雲盡捲，剗開天柱紫蓋之峰。乃起郎潛，來宣上指。鄉邦綉錯，既便觀風；農邑金穰，又開嗣歲。偉星馳於龍節，俶春滿於熊湘。太史公《平準》之書，佇凷治最；真法從甘泉之槖，即上禁涂。某單見冥聞，孤根弱植，立本朝而甚忝，人謂斯何；得支壘以焉依，天其或者。甫問戍樓之役，適嚴韜傳之馳。十三星之在胃南，是為倉廩；千萬間之庇天下，尚記帡幪。

[一]聞蘇儒文之行部：儒，清鈔甲本、乙本均作「孺」。

通交代楊寺正啟

冠惠文而卒屬，久徯歸期；戈止武以名邦，猥當補處。出入相為於先後，交承實托於雲仍。況忝通家，敢稽用贊。某官倫魁夙望，善類夏盟。凖《周易》作《太玄》，後世子雲之學；約《春秋》作《史記》，平生司馬之書。盍自編摩，徑排膠轕。士皆咋舌，畏漢鈎黨之累人；公獨誦言，數唐軍容之誤國。天王明聖，世道清夷。追三代之英，方晉陪於議禮；防六朝之舊，乃屈贊於征謀。大夫同升，少府出節。是宜在論思之列，俄特膺臨遣而來。宣布教條，猶是黃龍之詔；作新風化，一如白鹿之規。操以和平，興其孝秀。賣刀相語，我始雠由公親；騎竹成群，昔未來期汝棄。更歌麥熟，共愛棠陰。人人傳續志之編，字字皆最書之實。安得結輩數千，盡令天下之蘇；願借寇君二年，姑聽道傍之請。越既懋賜金之典，便盍歸群玉之班。表用而為公卿，蓋具存於故實；决獄而傳經誼，顧方重於儒生。乃屈仁人，俾司邦讞。秦尚存其一，已洗深文；堯曰宥之三，更觀定力。況近世諸公之大用，多自理廷；而中興吾蜀之類元，嘗躋揆路。是姑寄徑，可但持褒。某誓慕方深，涥朝良忝。周章野鹿，雅難著於冠紳；歷落饑鴻，或自謀於粱稻。補外稍諧其本趣，瞻前幸有於良規。所望舊政，必以告新；不然小知，其可受大。山公在朝，汝不孤矣，儻記斯言；涼州名士，何以代之，未知所稱。

回公孫倅啟　止

久洿本朝，補外亶繇於天幸；繆分支壘，治中獲屈於人英。惠徽枌榆，敬用竿櫝。某官器宏以達，玉縝而溫。唐房相之湖，秀獨鍾於英氣；漢菑川之第，早已策於變名。詎應常調之拘攣，便合層霄之凌厲。屋低人傑，暫迂簿領之勞；氈冷官清，自得襟期之樂。俄道闉而著範，亟緪瑟以調琴。雉最昭升，驥塗橫騖。荆州用武國，今最重於上流；長史宰相能，昔具存於芳躅。惟郡梁萬山之底，猶别乘再駕而來。蓋其大耐於功名，於以厚培其風力。在郡綽綽無事，不妨司馬之從容；游刃恢恢有餘，不見全牛之肯綮。沂歌四達，儒效益章。丈蓋小留，姑借黔巑巫礌之重；尺書亟下，即歸觚稜闕角之間。某久抱幽憂，輕違深密。高人長士，且將相與笑之；小國寡民，或可行其志耳。拊摩初無以他技，關決賴得於斯人。四海交游，孰名同鄉同官之契；一家相守，尚幾胥訓胥誨之忱。欲請正多，其喜莫喻。

回張教啟

武岡侯之行，更迭幸從於婁請〔一〕；文學掾之至，後先良喜於同時。況在年家，敢邀寅好。某官鈞韶雅韻，金璧清蹕。考亭、武夷之間，淵源有自；西銘、正蒙等作，宗派適同。既凌厲於巍科，尚拘攣於常調。勾稽簿領，高士肯為；總統紀綱，督郵借重[二]。坐閱群飛之上，來尋獨冷之曹。黔嶒巫磻，曾不鄙夷其俗[三]；周情孔思[四]，益將大肆於文。恐未煖於皋比，即催歸於儤直。某無裨朝路，自覓斗城。正度盡萬山而來，乃幸依半水之重。言政不及化，方自慙俗吏之為；匪頌而以規，其勿廢古人之義。

[一]更迭幸從於隻請：隻，疑為「屢」。[二]督郵借重：重，原作「坐」，據清鈔甲本、乙本改。[三]曾不鄙夷其俗：其，原作「周」，據清鈔甲本、乙本改。[四]周情孔思：周，原作「其」，據清鈔甲本、乙本改。

謝葉丞相啟

夢鼎

覆幬載持，夙依大造。因循玩愒，遂至彌年。愧治狀之蔑聞，摯謝函而若惕。竊以漢之循吏，傳無可書；唐之高賢，考甘最下。故善兵不求於赫赫，而奇策莫若於平平。智名勇功，事泯於當時之近；流風善政，意存於既久之餘。然非得悃愊無華之人，衹以為苟且自安之地。伏念某本非翹厲，見謂闊疏[一]。樗散離奇，其姿不足以適用；鴻飛歷落，其羽不足以為儀。荷播物之所私，致逾涯之若是。入則紆班綴，出則忝拊摩。凜欲試於平生，曾不量其非稱。固知非健決之吏，初未嘗鄙夷其民。一新學校而興之，庶幾風化之本者。催科寧緩，奚忍榜敲；訟訐頓希，本無鈎距。粗若相孚於父老，然而未了於兒癡。蚩蚩之氓，咄咄其怪。斧螗蜂蝟，詎忍殺以為嬉；帶犢背牛，曷若安於無事。幸多全活，得早敉寧，是誰之過歟？難辭以責；非臣之力也，悉自王靈。載惟負乘之踪，宜在譴訶之域。滿百乃報，雖荷於並包；有七不堪，當思於夙退。及茲初考，凜若後圖。而況驢止一鳴，它無伎倆；鶴仍多病，愈覺襹褷[二]。所冀息影於祠官，惟切歸心於翹館。茲蓋恭遇某官，兩朝元老，四海真儒。永底蒸民之生，惟上承於德器；大計群吏之治，方下飭於官聯。至若遐陬，亦嚴考績。尚念孤危之績，俾逃瘵曠之誅[三]。某敢不仰體鴻私，益殫駑力。歲有餘，日不足，非敢急於近功；人所欲，天必從，尚少休於末路。

[一]見誚闒疏：誚，原作「非」，據清鈔甲本、乙本改。 [二]愈覺襹褷：襹褷，原作「躧蹤」，據清鈔甲本、乙本改。 [三]俾逃瘵曠之誅：誅，原作「珠」，據清鈔乙本改。

通汪帥啟 立信

肅被詔聲，易鎮方面。地嚴北固，久資節制之尊；天睠南邦，兼領帥連之重。置郵所暨，歡誦惟均。某官實學兼該，英規有偉。俊傑識時務，已夐軼於人群；文武有威風，宜獨當於事任。有所謂經綸之妙，曾不知盤錯之難。宥府編摩，望郎薈蔚，征謀治法，屢借密籌。侯度使華，幾膺隆委。嘗諏度於漢甸扶風之近，實講明乎周官荒政之條。擢蘭錡以躋華，總油幢而深重。內則聯江介襟連之勢，外則屹淮壖鼎峙之形。制閫宏開，端任重弓之寄；卿聯峻陟，肆頒進律之恩。導密旨於樞庭，通仙班於秘殿。

雖久袖旁觀之手，未容横野渡之舟。簡在上心，起鎮京口。風寒壯甚，不過一衣帶之間；威望隱然，所恃萬甲兵之老。肆酬偉績，來重全湘。聳聞齋鉞之臨，日俟樓船之下。魚龍不動，坐澄洞庭青草之波；牛犢自閑，無復渤海潢池之習。不煩教令，盡肅提封。星沙千里之平，如在几席；霖雨九州之施，即此權輿。佇有詔褒，即膺枋用。某本無能解，何有施為。雖盡此心，求副牧與芻之責；終非其據，曷逃負且乘之誅。方下考之僅書，幸前茅之來莅。廣天下士之芘，願歌少陵之詩；書潭部帥之勛，請視武岡之刻。

通陳提舉啟

合[一]

榮被詔聲，起將使指。出少府節，悚風采之一新；望祝融峰，净雲陰之盡豁。先聲所挾，一道為清。某官九牧盛名，兩科異等。渾渾灝灝而妥適，章句允謂精能；本本元元而殫洽，見聞夙稱宏達。自著身於方潤，便策足於清華。曉候玉堂，奉翰林主人之對；夕讎黄本，發藏室老氏之儲。設醴藩房，含香儤直。儒猷小試，為開鹿洞之書；省户重來，仍補鶴廳之贊。引舟風急，出岫雲遲。正元朝士之存，今其能幾；小雅使臣之遺，毋乃更迂。上方以近甸而視遐陬，公其持豐年以報明主。小臨封部，立有最聲。恐難淹倉庾氏之司，諒已在文字官之選。最宜為誥，允屬當仁。人喜福蹮，方光臨於翼分；史占奎宿，又入次於紫微。某未熟父書，豈嫻吏治。但知持己，期無愧於高高；甯有及人，考惟甘於下下。

已上祠官之請，幸逢軺傳之來。十三星在胃南，是為廪稟；千萬間庇天下，尚托帡幪。

[一]通陳提舉啟：提，原作「題」，據目録改。

回教授謝薦舉啟

同門而事河汾，夙固知於所教；下車而薦文舉，曠不嗣於此風。公方夷然，僕則媿甚。兹幸酬於鳳諾，其敢辱於鴻謙。某官天分浚明，風猷凝遠。平生參請，盡得諸老之淵源；小出緒餘，足為多士之模楷。肇新黌舍，益振鐸鈴。庶幾鄒魯之風，允矣黔巫之重。諸公登臺省，少閱群飛；先生作棟梁，竟收大用。使合徑排於膠葛，豈必常調之拘攣。而某自顧何人，敢於言士。舉而不先，慢也；盍致負荆，忠焉。能勿誨乎，尚期發蘗。

通交代汪守啟　萬頃

疏恩宸扆，作鎮都梁[一]。已覺旄倪，歌袴襦之來暮；自慙晚陋，真糠秕之在前。徽好雲仍[二]，徹聲隸史。某官瑰明照物，厚重鎮浮。豫章孤漂，砢磥共期於器業；芙蓉九孕，盤礴實萃於英奇。自平陟於華塗，皆薦更於劇任。宣威幕下，時看鄜城夜觀之棋[三]；總賦輿邊，力致蜀道清天之粟[四]。入躋四轄，出領雙鐔。屬大閫之宏開，復元寮之倚賴。聯鑣向闕，方升戎監之華；出幕持麾，仍上富川之最。未容家室，益懋簡知。肆頒苑佩之榮，俾旅龜琴而上。中軍詩書之帥，岳静海澄；湖南賓客之賢，雲飛川泳。甫借籌帷之重，即聞符傳之催。載惟此邦，雖非昔比。然而潢池赤子，久矣相安；白水青秧，居然可喜。日徯仁侯之至，自臻静治之休。惠然臨之，為續武岡之刻；自此升矣，徑登文石之班。某全抱迂疏，居成玩愒。苦心何補，良有負芻牧之求；歸夢已馳，會且覓蓴鱸之假。喜聆使纛，來望帥垣。豈惟竊芘幪之私，抑又締交承之契。靡憂淑後，亟喜恭先。已喚沙鷗，期我苕溪之上；尚隨竹馬，迎公巫水之磻。

[一]作鎮都梁：鎮，原作「填」，據清鈔甲本、文淵閣四庫本改。　[二]徽好雲仍：徽，原作「徹」，據清鈔甲本、乙本、文淵閣四庫本改。　[三]時看鄜城夜觀之棋：棋，原作「基」，據清鈔甲本、乙本、文淵閣四庫本改。

[四]力致蜀道清天之粟：清，清鈔甲本、乙本、文淵閣四庫本均作「青」。

賀汪安撫開閫啟

榮奉寶綸，淑開玉帳。洞庭九州之廣，盡入提封；長沙千里之平，聳觀號令。星馳郵命，雷動懽聲。

某宫氣塞兩間，身當八面。經綸宇宙，妙籌略於胸中；表裏江淮，多麾幢之補處。既屹金焦之砥柱，盍歸汌涵之觚棱。帝謂重湖，合為巨鎮。欲壯東南上游之重勢，必得文武兼資之偉人。二矛重弓，屬方謀帥；中權後勁，全以畀公。趣旨肆頒，剛辰協吉。旌旗之拂牛斗，已開賜履之封；衮綉而正魁臺，佇聽十行之召。某瞻仰牙纛，擬具櫜鞬。望嶽麓之雲，幸焉依於巨芘；摩武岡之石，尚嗣紀於殊勛。

賀汪帥參啟

元戎自辟，天子曰俞。與我共理惟良，方資賢牧；屈公以望此府，允謂英遊。雖千里之觖然，而一道之幸甚。某官器宏以達，玉縝而温。人物英英，實鍾九芙蓉之秀；經綸綽綽，自有萬甲兵之奇。比紆菟佩之榮，爰旅龜琴而上。有如黔犢巫磻之岑寂，已覺耄老稺齒之歡呼。公不屑行，上為改命。中軍詩書之帥，嶽静海澄；湖南賓客之賢，雲飛川泳。留借籌帷之重，坐策樽俎之勛。大夫同升，少府出節。某方邀交好，亟致賀緘。斗絶一隅，固攀緣之莫遂；雲連大幕，尚芘冒之焉依。

賀陳提舉建臺啟

夙馳軺傳，肇建崇臺。一節星臨，頓覺漢常平之重；群峰雲卷，争看韓吏部之來。布濩先聲，提封交慶。某官文章爾雅，論議崇谹。海内第一流，自是老斲輪之手；湖南二千里，乃尚紆攬轡之行。公不以驅馳上下而為勞，士則謂内外重輕之當計。長孺發粟，何如拾遺禁闥之間；太史浮湘，豈若執事從官之内。恐未容於席煖，行即有以詔温。歌四牡而勞，使臣毋淹苞栩；草尺書而詔，贊普趣對薇花。某辱在下風，欣聞上日。悚觀條教，已知籀篆之新；自附門牆，倘念稽孤之舊。

賀寶慶陳知府啟

疏榮北闕，作牧南州。上意具宣，親奉如綸之旨；下車伊始，歡騰今袴之歌。一念所孚，千里幸甚。某官風猷膚敏，天分高明。故笏袖傳，見謂甘棠之猶在；新硎刃發，每聞錯節之立空。膴仕夙登，能聲綽著。即著班於萬玉，盍方軌於九衢。上念此邦，實先帝龍潛之舊；卿其為我，消比年櫝佩之風。共傳條教之簡寬，頓覺旄倪之呼舞。最書立上，召節伫頒。某鄰燭分輝，野芹將意。燕方來賀，良自愧於後時；鴻可為儀，尚悚聆於言語。

賀吳提刑轉官啟

出綸中禁，追律崇臺。厥以最稱，遂居諸道之右；若時明陟，豈但拾級而升。成命俶頒，有聞胥懌。

某官文獻之脈，明哲之師。禁暴詰奸，薦弭弄兵之警；洗冤澤牧，悉由折獄之明。兩載諏詢，九州函活。吴公河南第一，已應褒書；賈誼歲中超遷，即歸禁甬。某自聆言語，倍切慶悰[一]。燕雀之賀厦成，蓋不自知其欣躍；龜魚之蔭瓦影，尚有賴於芘存。

[一]倍切慶悰：悰，原作「踪」，據清鈔甲本、乙本，文淵閣四庫本改。

賀道州徐中丞到任啟

肅膺明詔，來領名邦。上日吉圭，方籥紅之喜滌；先聲布濩，已湘緑之暖浮。凡在提封，諒深頌咏。某官英英人物，綽綽規摹。地勝龍湫，獨奇鍾於一氣；手高鰲釣，遂連擢於兩科。既妙譽之霆行，宜横翔之日闊。入躋玉筍，出對金焦。國子監一部書，士心交屬；麟正丞十五事，治道攸關。方考白玉牒之舊儀，盍在紫粉牆之妙選。翻然剖竹，久矣種棠。亦既終三年淹，復以二千石起。公紆隽軌，雖未愜於輿情；上念春陵，每欲隆於吾道。爰資碩望，俾究儒猷。驅臘雪以隨車，歲年豐矣；對條風而出教，父老歡呼。方少惟於緒餘，已高絶於流俗。坐令今日，復見古循吏之風；歸重本朝，即補直侍臣之選。某幸依鄰睦，敢賀夏成。參錯數十公，但細哦於此詩；沮洳三百步，尚可竊於餘波。

謝書考啟

愒日山城，偶成細滿。瞻雲霄極，敢昧大恩。感切輪囷，敬陳竿櫝。伏念某分惟循己，智弗瘉人。弓冶箕裘，既夙慙於家教；牛羊芻牧，敢自詭於民庸。初非孑孑之姿，徒有區區之志。讀撫字勞心之傳，則竊慕唐之高賢；誦中和樂職之詩[一]，則思發漢之盛德。中更紛糾，遂墮謬悠。厥既血指而汗顏，何能為役；不適醫創而剜肉，祇復可憐。悵始願之浸乖，冀後圖之是勉。閲時云久，課效益疏。而況兵旱相仍，民尤寡遂。疾病居半，吏率多偷。雖復竭轔綫以為長，强鉛刀而使割。竟無强詡之效，自見當時；惟有凋瘵之餘，以待來者。居然不武，何以自文。薇亦柔，薇亦剛，薦存歲律；瓜而往，瓜而代，已迫戍期[二]。然且監牧不加訶，士民不推去[三]。再獲書於下考，庶遂保於末塗。永惟此恩，詎無其自。某官端委廊廟，砥礪臣工。率屬詔王，三歲乃大計於群吏；視民由己，四海無不被之一夫。睠此遐陬，欲其静治。每曲加於亟復，俾克底於璧全。某敢不感烈銘心，凌厲壺尾。一日必葺[四]，庶如始至之時；終更亟還，尚冀曲成之造。

[一]誦中和樂職之詩：詩，原作「時」，據清鈔甲本、乙本、文淵閣四庫本改。　[二]已迫戍期：戍，原作「戌」，徑改。　[三]士民不推去：去，原作「玄」，據清鈔甲本、乙本、文淵閣四庫本改。　[四]一日必葺：必，原作

「心」，據清鈔甲本、乙本、文淵閣四庫本改。

替考謝運使啟

列部受容，幸替考下；職司論薦，猥於數中。不及乎揚，敢忘所謝。竊以周使臣爰咨，諏謀詢度；
漢郡守樂職，宣布中和。惟五善具《皇華》之篇，尤先訪問；必三思合《鹿鳴》之雅，而後轉聞。倘不其
然，亦祗以愧。某少而窾綮，長益支離。言圓行圓，是固元子所惡；行散坐散，願為龜蒙之徒。周章強
著於冠紳，眩瞀頓驚於鍾鼓[一]。朅來遠外，寧復激昂[二]。雖於保障，繭絲粗知所擇；常恐檮杌，饕餮以
辱其先。惟知似似以下心，豈意咄咄其怪事。虎兕出於柙，是誰之過歟？龍蛇放之菹，以鄰為壑也。
賴詩書之謀元帥，於樽俎而折遐衝。千里動中於事機，一朝盡寒於賊膽。提封以肅，全活維多。由公
而仁，大書潭帥柳中丞之績；非臣之力，每誦渤海龔太守之言。自惟負乘之悰，幸免譴訶之域。滿百
乃報，已辱並包；有七不堪，所當亟退。久鷗盟之入夢，俄鶚表之橫空。雖一字之褒，榮於袞衣；豈九
州之大，無此芳草。或者表裏洞然之既久，是以父子牽聯而俱書。未必心誠求之，而謂之有志；不能
亂庶遄已，而謂之得宜。稱其坊，止水以居中；嘉其民，按堵之如故。曲加枚栻，昭示寵綏。然而無實
之名，是乃先民所懼。燁其樂極，凜若刺芒。某官宗派黄豫章，模楷李元禮。歲寒後凋之風操，持立
千秋；江左獨步之聲名，高睎四海。況踐揚監牧之重，尤喜謂人物之間。謂察吏已熟於見聞，而報國

乃吾之職分。共理良二千石，曷稱上求；參錯得數十人，乃愜公意。遽俾灣薦士之藁，恐有負牧民之箴。某敢不敬服徽言，益堅素履。心馳去意，寄書已問於當歸；自托平生，作詩願哦於遠志。（以上《陵陽集》卷一八）

［一］眩脣頓驚於鍾鼓：脣，原作「甯」，據文淵閣四庫本、清鈔乙本改。

［二］寧復激昂：原作「脣徵復昂」，據文淵閣四庫本改。

通交代趙寺丞啟

輟班外府，宅牧南州。來從魏闕之間，具知上意；坐使巫礑之下，如在近畿。辱附交承，亟修贄問。某官天召神秀，地望穹華。漢諸侯王，有煒苴茅之舊；唐進士第，並馳韋布之先。獵獵貴名，駸駸華踐。發硎游刃，初何有於盤根；前著借籌，蓋居多於婉畫。遂繇驥乘，入篋鴻儀。既鍵司賦禄之頒，且簿正僝鳩之事。謂宜徑上，分輝藜杖之端；顧肯斜飛，坐嘯梅花之外。復持美最，歸重清班。三丞朝望之夙優，列宿省郎之平陟。銀黄丈二組，何勇退之甚高；紫翠七一峰，殆夙緣之有幸。郵傳至止，輿誦翕然。載維此邦，雖非昔比。然而潢池赤子，久矣相安；白水青秧，居然可喜。允資坐鎮，所願速驅。帝簡宗英，甯久作夫夷之長；朝知治行，即峻躋供奉之班。某全抱一疏，況嬰多病。初無循良之效，可望古人，惟有凋瘵之餘，以累君子。襦袴已歌於來暮，秕糠幸掩於在前。願言奕葉之雲仍，惠徼交好，尚與都梁之父老，敬候先驅。

通曹漕啟

自天錫命，易地建臺。占軫翼分以星移，實同躔次；分戊己屯而雲列，正賴轉輪。軺傳肯來，提封胥懌。某官高標絶俗，實學濟時。康廬數千仞其高，地靈不斷；魏笏一再傳而後，風烈如存。粤早踐於夷塗，已共期於遠器。由外司馬，為中都官。六院浸高，晉司禁鍵；專城廉取，肯向□□。淮壖作塢以甚嚴，倉庾名官而尤重。轉而反楚，復此爰周。時並植於雙臺，身實兼於數器。外則饋餉不絶，宿飽相歡；內則斂散以時，常平益廣。征謀密贊，偉績於昭。公宜疇最以徑歸，上欲用賢於已效。備契丹，寬河北，當護本根；遣鮮于，出京東，甯迂軌轍。顧熊湘其密邇，馳驪駕以增光。入境而褰帷，涓剛而視篆[一]。先聲有俶，和氣潛孚。自北而南，重湖正資於均惠；不夙則莫，一札會見於趣還。行復家氈，即持禁橐。某漫分斗壘[二]，徒玩歲華。食粟何稗，問戍期而已過；合符良近，摇歸夢以先驅。自幸末塗，聿逢揭節。倘一日而來去，得奉六條；尚二天其焉依，庶幾全璧。

[一]涓剛而視篆：涓，原作「滑」，據清鈔甲本、乙本、文淵閣四庫本改。　[二]某漫分斗壘：壘，原作「纍」，據文淵閣四庫本改。

通劉提舉啟

榮被詔聲，起將使指。湖南二十里，盡歸攬轡之中；天上十三星，是乃積倉之次。先聲所暨，和氣已孚。某官寶璐大名，淵源粹學。蕭然風骨，所謂山澤列仙之臞；偉甚詞章，如聞鈞韶九奏之雅。峻躋清貫，夙負有聲。太學諸生，猶記舉幡之日；集賢學士，共驚落筆之時。道家蓬山，望郎省户。使其依違婉孌，以諧乎俗；豈復偃薄回翔，以至於今。逮乎訪落之初，爰借僝工之重。記正元之朝士，能復幾人；陪上雍之侍臣，是特一武。忽飛鴻之驚矯，渺獨鶴之來歸。水竹清華，圖書跌宕。神全而氣深王，身退而名益高。石室棋間，難久袖爛柯之手；衡峰雲捲，獨深知皎日之心。果聞黄紙之除書，茂柬白頭之老監。起郎揭節，涓日建臺。太史度湘，豈若執事從官之内；長孺發粟，何如拾遺禁闥之間。上方以近甸而視遐陬，公宜持豐年以報明主。甫臨封部，立有最聲。寧久滯於六絲，即平登於兩制。某漫分山壘，何補縣官。蕭索戍樓，久瓜期之云熟；咿啞歸櫓，覺蓴興之已秋。正末路之懍然，俶輶軒之至止。倘尚留於一日，幸得事公；雖獨有於二天，敢云私我。

賀汪帥除都丞啟

榮被温綸，肆加異數。寬憂南顧，允資中軍帥之賢；導密西樞，爰進真從臣之列。提封所暨，頌咏惟均。某官貫學兼該，英規有偉。胸中甲兵數萬，敵膽為寒；湖南壤地二千，民襦悉暖。教令孚於期月，威風憺於重湖。富公之在青州，非多蒙振；魏國之帥定武，頓革惰驕。治最卓然，宸衷簡在。乃亟升於從橐，仍倚重於帥垣。惟承旨視縈禁之至嚴，而入侍與螭坳而並峙。紹興趙子晝，貫兼次對之華；元祐王彥霖，徑領本兵之寄。佇觀柄用，以展儒猷。某仰竊庇庥，獨深慶忭。統府襜趨之末[一]，愧未能前；正衙麻卷之頒，又將來賀。躍躍以喜，亹亹奚殫。

[一]「某仰竊庇庥」數句：仰，原在「襜」後，據文淵閣四庫本、清鈔甲本、乙本改。

賀運使建臺啟

載涓剛日，肇建崇臺。英蕩輔函，移福虛危之分；棠陰閱世，恰逢甲子之周。初滌籀紋，一新條教。某官夙傳家學，見謂吏師。玉淵三峽之泉，去為江海；洞庭重湖之野，來奏鈞韶。坐使《離騷》之鄉，復見《皇華》之雅。列戍歡呼於宿飽，諸生倚賴於夏盟。一尺商霖，已應隨車之雨；千艘楚粟，坐通下漕之冰。立有最聲，平躋禁路。某繫匏未去，芘樾焉依。雜沓賀裾，茲欣逢於上日；咿啞歸櫓，尚亟請於下風。

謝除大理正啟

外庸何取，猥玷除書。後至當誅，自歸造命。輒陳悃愊，仰答生成。竊惟士制刑之中，史告成於正。是為地官鄉師之屬，實視南臺特書之班。厥任匪輕，以人而重。要必稱寺中之絶，乃可司天下之平。藉未能得西京黄伯之循，良亦當復南士顧榮之望。始為宜稱，無負選掄。某戍削之姿，款綮之識。如魏王瓠，濩落本空；如紀㴰鷄，虚憍已盡。粤叨乘於一障，偶坐閲於三秋。責以會期，初不過俗吏所能為者；問其治狀，何敢竊長者之言稱之。仰藉大鈞，僅臻細滿。俄予環而使入，爰上印以亟行。久阻濤波，倏侵晏歲。雖《式微》之賦，幸已來歸；而《棠棣》之詩，恐其或廢。屬經營於薄緒，遂宿留以後時。暮雪兔園，自慙未至；春風燕壘，尚許重尋。自憐支離槁乾之餘，復與光明盛大之際。昔渭濱雲遠，每懷報一飯之恩；今東閣天寬，又睹觀四方之士。突兀眼着於大廈，依稀身傍於名躔。人賀其遭，已慙非據。某官勤勞再造，平决萬獄。京邑空囹，如見成康之世；太倉發粟，實同禹稷之心。流海宇之頌聲，輯庭闈之慶事。八十者五豆，方宏老老之仁；三千年一花，益衍綿綿之算。既宏開於壽域，尤茂積於陰功。謂其舊服於官聯，蓋亦粗知於德意。俾污是正，更廣好生。某敢不敬受嘉師，仰酬鴻造。畫衣冠而治，惟知仰贊於明時；帶笭箵以遊，尚冀少安於愚分。

謝除右侍郎中啟[一]

元祐師臣，密侍臨軒之旦；淳熙郎選，誤叨除目之榮。恩華度越於輩流，威烈輪囷於肝膽。恭趨嚴屏，肅挚謝函。自三班更㫖制以來，惟兩選以右銓為劇。七千八十六闕，尤嘆久淹；五萬四千詞條，孰能偏睹。肆今日丕釐於積蠹，而冗曹頓為之一清。然而綜叙得人，自足服衆多之口；妄庸非據，恐反生僥倖之心。世冑必得張宣公之賢，蜀士亦須杜起莘之望。豈繄譾陋，可玷清華。某結約無奇，支離堪笑。雖從諸老先生之後，良懵見聞；徒慕兩京循吏之風，莫知宣布。揭重來於班笋，甫四閱於階蓂。貫索曉沈，幸空列犴；武春成鎖，恐漏多魚。偶沙汰之尚寬，豈喬遷之過望。不圖冗散，忽與甄升。紫粉界牆，在一時而超甚；青綾襆直，如列宿之笑何[二]。莫蓋其慚，欲辭勿遂[三]。必使無冤失職，乃見清通；正自以椎少文，安能敏絶。靖循僥忝，彌切凌兢。某官文武兼資，勞謙盛德。緇衣兮又改造，允出至誠；敝袴以待有功，尤嚴責實。再念銓衡之公法，是關磨勵之微權。深愧愚踪，曷當隆使。某敢不敬修職守，祇服休明。自知無佳吏部之稱，可孚輿望；何敢以老衙官之語，而忽選曹。惟既乃心，庶無所負。

[一]謝除右侍郎中啟：右侍，原倒，據清鈔甲本改。　[二]如列宿之笑何：笑，原作「英」，據文淵閣四庫本、清鈔甲本、乙本改。　[三]欲辭勿遂：勿，文淵閣四庫本、清鈔甲本、乙本均作「弗」。

賀左史王侍郎啟 應麟

升華柱史，晉二天官。冠螭首蛾眉之班，紫毫發彩；上鷄翹豹尾之列，金鏡題才。宸命誕頒，朝紳胥慶。某官四明間氣，諸老傳真。海内第一流，負古人所自任之志；胸中三萬卷，成當世不能為之交。擢異科，軼平園與盤洲；載令德，自文正而懿敏。疇資鴻碩，偏歷清華。夕金華而朝右掖，藉甚告猷之益；内玉堂而外西掖，焕乎宣誥之稱。丕彰近甸之民庸，式著本朝之公望。復作蓬山領袖〔一〕，盍為禁路羽儀。褚遂良之録起居，載筆聿嚴於書法；孫莘老之振淹滯，持衡爰别於品流。增賁綸垣，行登政府。某幸依官簿，況托年家。慚無佳吏部之名，願言庇厦；敬致真從臣之賀，尚聽揚庭。

〔一〕復作蓬山領袖：袖，原作「裒」，據文淵閣四庫本改。

全元文卷二三四

牟巘　三

通交代浙東提刑啟　家鉉翁

予環趣入，方勞使臣之來；出節俾行，猥承賢者之後。輒修初贄，自托下風。某官問學淳涵，風猷整峻。大兒孔文舉，一老高視於人群；難兄陳元芳，二季共稱於世瑞。越自馳英聲於茂宰，成美最於價藩。擢外府丞，維天子使。並濤江而東騖，乃馮翊之左區。路熟重來，風生一道。蒼崖赤子，自以為不冤；玉壺清冰，撓之而勿濁。含香徑躋於省户，寓直密傍於奎鈎。有功見知，原省因任。留之以為帝鄉之重，待之以成宣室之釐。方底緑綈，頓覺小蓬萊之近；屬車清蹕，即躋俖筆橐之班。某積愧空餐，日尋歸夢。顧鉛刀之鈍甚，如綉斧之輕何。必咨於周，敢以馳驅而自詭；其則不遠，庶幾渠矱之是承。

謝馬丞相啟 廷鸞

太微積星之次，良玷清班；《小雅·皇華》之歌，驟膺重寄。循牆勿遂，銜袖以前。竊以行部過江，昔之所重；觀風近甸，今者尤榮。況我朝初設於祥刑，維外郎首膺於出使。自非夙望，曷稱嘉師。某蕞爾微踪，凄其先緒。帶衡佩矩，僅守曲士之常尋；錯節盤根，初蔑良工之剞劂。平生惟思於斂退，所至輒用其疏愚。治郡平平，甘催科之甚拙；司銓瞶瞶，恥掎摭以為奇。蓋深逃健吏之名，幸不在巧官之目。「胡不歸」之賦，頗嘆菊荒；「無何有」之鄉，乃全樗散。比陳情以自列，恃知己之汝容。豈意出綸，反叨持節。地大物衆，莫如馮翊之區；人微望輕，豈稱職司之體。無乃畏景而就日，凜其受命而飲冰。某官學為帝師，心主善類。周公相祀，上未許於明農；兩結當封，天密扶於陰德。蕩八荒之開壽，廣一道之好生。爰重謀詢，尤加選擇。謂某雖甚腐於力，若不足以激昂；然有志於民，可與閏於欽恤。遂令司臬，實荷化鈞。某敢不敬服明休，冀殫薄效。相期勿犯，幸逢畫像之朝；尚賴曲成，亟反屠羊之肆。

謝福王啟

明德茂親，夙仰宗藩之重；皇華宵雅，誤將使指之隆。循牆莫控於忱悃，削櫝用伸於禮敬。竊以鼓楫而過江左，昔謂至難；露冕而行南陽，世稱殊寵。洪惟今日，尤重帝鄉。三輔黄圖，俱號扶馮之近；兩朝赤子，深涵豐沛之恩。必將坐致於無刑，斯可延洪於有慶。匪時宿望，曷受嘉師。某本以妄庸，洊叨任使。出司民社，曾微慈愷之稱；人忝銓曹，又乏清通之識。竊自知其樗散，每深愧於食浮。力請賦詞，惟期從欲。不能者止，亦分量之所安；爰周咨諏，敢馳驅而自詭。况戇愚惟知遂一致之性，而闒劣未易析兩端之疑。顧視闕然，寵靈厚矣。某官盛德而仁熟，行高而屬尊。賜脤膰於弟兄，式篤先朝之愛；分寶玉於伯叔，益隆聖主之恩。大路綏輦之備殊徽，黄髮台背之介多祉[一]。肆勞謙而下士，益推廣於好生。某敢不明清單辭，矜畀庶類。晝衣冠而治，將奚補於盛時；帶笭箵以遊，倘早諧於初志。惟祈函護，彌切瞻依。

[一]黄髮台背之介多祉：祉，原作「耻」，據文淵閣四庫本改。

通洪安撫啟

蕭

建牙禹會，聳聞賜履之新；將指周原，喜是摳衣之舊。雖造化曲為之地，皆汲引以至於今。輒冒顏行，敬抒心曲。某官光明俊偉，凝重粹温。郊藪之有鳳麟，蔚羽儀於昭代；山川之出雲雨，將潤澤於蒼生。出入垂四紀之餘，險夷惟一節之貫。爰自疇茂庸於分閫，乃思挹爽氣於游帷。巖居川觀，花香竹色。公雖袖看棋之手，上方興當扆之思。謂舊筆橐之臣，惟靈光之獨在；而小蓬萊之地，乃馮翊之要區。五閣冠班，十連領帥。為我强起，未容龍卧於清波；惠然肯來，况復馬諳於熟路。先聲布濩，環境歡呼。領東方之縉紳，靡須暖席；問西廳之典故，即幹洪樞。某立朝何裨，予節良忝。若時華選，敢當《小雅》之遺使臣；實有夙緣，復見文昌之為帥長。乃平生之知己，實今日之至榮。所幸有函丈之可親，豈敢以外臺而自列。奉令承教，常如在幕府之時；當軸處中，願復入陶鈞之數。

回郭衢州啟

觀風問俗，愧無古膚使之能；宣化承流，幸倚東諸侯之望。敬修削檟，仰復司籤。某官實學兼該[一]，宏規有偉。盤根利器，未嘗肯綮之少經；堅車大艎，每貫險夷而一致。自早收於儒級，已綽致於英猷[二]。農扈晉班，珍曹叠組。急流勇退，揭為鹿洞之游；異最昭升，徑陟雉工之長。既益深於涵負，難久閟於經綸。若時太末之區，頗狃潢池之習。蜂蠆起於袖，人皆眙愕以莫前；龍蛇放之菹，公獨笑談而遂定。懋著期年之最，坐臻千里之安。方略具施，威聲益振。爛柯日永，已知碁著之高；褒璽春温，更覺槖班之近。某立朝何補，乘傳朅來。深惟司臬之匪輕，正望同舟之共濟。康衢謡咏，喜復見真淳之風；原隰馳驅，亦與邀安靖之福。

〔一〕某官實學兼該：該，原作「謙」，據清鈔甲本、乙本、文淵閣四庫本改。　〔二〕已綧致於英猷：致，文淵閣四庫本、清鈔甲本、乙本作「著」。

通鮑制置啟

賜履至海，方瞻統府之尊；六轡於原，猥玷使臣之選。夙幸邀於先好，兹又托於下風。乘傳甫來，飭函以贄。某官風儀簡遠，論議崇竑。少微古括之精英，實鍾間氣；太山洪河之涵負，卓為偉人。自親簡於嚴宸，遂歷居於言路。抨彈霜肅，凛其一御史之風；忠讜日陳，不在三諫官之下。咸斂手以避於司隸，乃持橐徑上以甘泉。史觀兼華，秋鄉叠組。王體國論，方有賴於儒猷；後勁中權，乃出專於閫任。仍躋仙殿，來重瀛垣。粤從號令之新，坐使提封之靖。春生秋肅，山立霆行。海不揚波，已獨高於殊績；林有伏猛，盍歸重於本朝。暫為十洲之少留，即聞兩地之徑拜。某奚堪用世，甚忝為郎。歸夢久摇，每繞蒼苔之上；遇恩過厚，俾持英蕩而東。愧隆指之莫將，幸高牙之密邇。周原膴膴，敢自詭於驅馳；夏屋渠渠，尚焉依於芘冒。

賀朱漕啟

輟武機庭，將輸河漕。木天寓直，邃通東璧之躔；銀漢乘槎，密旁長安之日。悚聞揭節，盡肅提封。

某官天分夙高，人門甚偉。引筆伸紙，其言自成於波瀾；游刃發硎，所至無前於肯綮。自與聞於國計，益展究於英猷。有蔚功言，盍膺事任。劉子羽之在樞掾，實贊魏公之謀；鮮于侁之號福星，嘗聞迂叟之語。教條所暨，和氣已孚。漕引以歸中都，佇昭異最；拾囊而從上雍，遂陟禁塗。某夙荷眷知，尤深慶懌。馳驅英蕩，敢云六絲轡之並持；流落草堂，尚望千丈裘之大芘。

賀章參政啟

煥頒奎筆[一]，晉貳台衡。敉甯武圖功，方領神樞之重；繼自今立政，遂參國秉之隆。贊書一傳，舉笏交賀。在昔仁祖，有若郇公。肅乂清忠，實相慶曆之治；重謹微密，具形徂徠之詩。洪惟今公，克篤前烈。某官堪輿間氣，經緯全猷。喬嶽太山，極包涵而雲雨自潤；祥麟瑞鳳，不鷙搏而羽毛畢朝。早以魁壘之英，共期公輔之器。歷諫官御史之職，有偉建明；居給事侍從之間，益隆德望。已為儀於清要，猶未究於經綸。舊學甘盤，上方篤從游之眷；中興常武，公遂躋基命之聯。乃蔽宸衷，擢陪宰席。退思巖之深念，無非為國家久遠之圖；天章閣之宏開，方自任天下太平之責。於以慰蒼生之至望，於以昭真儒之極功。以首參而攝行，豈但用龔貢之之故事；當中書之虛轄，行遂繼畢文簡之芳猷。某幸囿陶熔，第深慶忭。駟駱之持絲轡，初何補於諏原；燕雀之托棡幪，其敢忘於賀厦。

[一]煥頒奎筆：煥，清鈔甲本、乙本、文淵閣四庫本作「涣」。

賀刑部陳尚書啓　宜中

趣馳召驛，晉長爽鳩。王人多問，密贊月將之益；儒者給事，遂躋夕拜之聯。疊組生光，垂紳交慶。某官倫魁偉望，善類宗盟。永嘉正始之音，斯文獨任；慶元鈎黨之籍，姱節尤香。自五色之占祥，已九重之懋簡。御史無官長，具嚴豸角之威；太常不是卿，徑上鵷翹之列。典司帝制，備極儒榮。由禮闈而踐政塗，盍用王魏公之故事；請福唐以便親養，乃繼蔡忠惠之芳猷。十乘惠臨[一]，七閩蘇醒。然而林有伏猛，所當歸重於本朝；海不揚波，詎可獨私於遐嶠。果招旌之繄至，俄聽履之徑升[二]。暇日到石渠，丹地開黄卷。竪頭巍立，注意益深。濡墨塗歸，已見引綱維而争大體；把麻庭告，行遂溥潤澤以福蒼生。某將指駰原，歡顔燕夏。奉令承教，方將仰隸於統臨；當軸乘鈞，所願共陶於坯冶。

[一]十乘惠臨：十，清鈔甲本作「千」。　[二]俄聽履之徑升：聽，原作「德」，據清鈔甲本、乙本改。

賀陳察院啓　過

簡自嚴宸，擢居憲府。紬書天禄閣，方資筆削之長；察事司馬門，遂任紀綱之寄。除音誕布，輿論交孚。某官老成典刑，大雅宏達。明月寶璐，紛內美之好修；繁露玉杯，抱遺經而獨究。久周南之留滯，俄宣室之興思。職教武成，横經宗邸。博士議郎之選，允藉多聞；承明著作之庭，尤資夙望。益光家學，洵謂儒榮。肆天筆之親除，遂霜臺之分察。力致天理人欲之辨，尤嚴君子小人之間。第一法筵，已竦聞於偉義；二三執政，行徑踐於邇聯。某越在乘軺，喜聆出綍。濃墨大字，愧乏徂徠生之詩；廣厦歡顔，第哦杜陵老之句。

回倪處州啟

疏榮嚴宸，作鎮近畿。細旃廣厦之間，方倚成於君德；古括少微之分，乃自詭於民庸。誕布寬條，歡騰輿頌。某官金華秀傑，麗澤淵源。季方並著高名，時稱競爽；子雲多識奇字，見謂洽聞。少資璧水之楷模，遂給玉堂之筆札。風舞槐龍之翠，密侍熙明；夜燃藜杖之青，編儀中秘。兼華省户，舉武禁塗。乃莫回勇退之懷，揭來舊補遊之處[一]。昔在皋比之坐，已聞學子之翕歸；今憑熊軾而來，想見邦人之相慶。蓋久孚於教化[二]，初何事於施為。田里人安，江山開懌。坐令今日，復見古循吏之風；歸重本朝，即造真從臣之列。某夙蒙異予，今幸同寅。駰駱諏原，自愧馳驅之何補；燕雀賀厦，第欣賁蠢之焉依。（以上《陵陽集》卷一九）

[一]揭來舊補遊之處：揭，原作「竭」，據清鈔甲本、乙本、文淵閣四庫本改。　[二]蓋久孚於教化：孚，原作

「浮」，據清鈔甲本、乙本、文淵閣四庫本改。

賀郭正言啟

頖被龍光，擢登騎省。御史六察，方資糾正於官邪；諍臣七人，尤賴切劘於君德。贊書俶下，輿論翕孚。惟慶曆增置於諫員，若襄公崛興於海服。自昔右拾遺之妙選，孰如此六日之新除。久遠功名，蔡忠惠誇朝端之風采；磥砢言論，石徂徠輯天下之頌聲。在當時燁若神人，肆今日復閩盛事。某官人物師表，問學淵源。磅礴扶輿，秀出五羊之表；魁壘傑特，獨立萬馬之中。比茂簡於宸衷，遂晉司於臺察。紀綱頓肅，奸宄潛消。具嚴白簡之威，遂上青蒲之列。正臣進者治表，士競相歡；明主可為忠言，公益自奮。謂習俗當使之粹美，謂議論當見之聽行。有如第一義之建明，足為千萬代之瞻仰。諫官能如此，豈不致於太平；宰相可行之，遂盡攄於素學。某悚聆除目，倍切歡悰。屬縻使傳之來，阻與賓榮之賀。朝陽鳴鳳，方觀奏藁之傳；夜月驚鴻，倘許寒枝之托。

賀陳殿院啟　堅

奎筆煥頒[二]，臺端晉貳。有裨帝右，方資劘拂之功；執法殿中，益峻綱維之任。忠賢進矣，頌咏翕然。昔在建炎，有若忠簡。維三年之夏，甫任諫員；越一月之間，徑躋臺副。孰不謂除書之甚峻，豈知視故實則已迂。考言事簿所行，俄升橫榻；取樞府銜而入，即遂秉鈞。竊惟今公，復當盛舉。某官色和氣勁，實鉅聲閎。大蔡神蓍，洞視萬物而先見；積石底柱，瀾倒百川而後知。蔚為善類之宗，茂簡虛皇之眷。姓名內出，糾察晉同。治世鸞凰，平生豈樂於鷙搏；法筵龍象，第一咸聳於聽聞。襞積丹忱，芬芳菊節。上方喜忠嘉之論，公遂進遺補之官。韓魏公存藁諫垣，孰知雅意；劉元城偏歷言路，具有前猷。豈曰臺無長知，庶幾國有君子。曾未閱旬時之近，已共瞻風采之新[二]。觀象門甫綴於綮聯，延英閤快傳於偉論。供奉赤墀下，寧復久淹；任參黃散間，即聞大任。某夙叨函護，倍切歡愉。燕雀賀成，愧已居於人後；鹿麋許放，倘自遂於物初。

[一]奎筆煥頒：煥，清鈔甲本、乙本、文淵閣四庫本作「渙」。　[二]已共瞻風采之新：新，原作「親」，據清鈔甲本、乙本、文淵閣四庫本改。

賀葉丞相啟

簡在淵衷，再升臺席。式公寅亮，重傳則國將興；三朝會同，敬事則命以始。揚庭有肅，薄海交歡。惟仁祖之盛時，有沂公之魁望。夙陪鶴禁，蓋獨高羽翼之功；親栽龍飛，遂再被股肱之寄。在昔靡聞於牢避，况今又異於平時。豈其我公，可遂雅志。某官忱通造化，學貫本原。如璧如圭，瑟僩本威儀之盛；在淵在陸，寤寐皆憂愛之真。粤從導若木之暉，久矣正太微之次。民自擇相，上方倚公。已致乎期月之間，乃决去崇朝之頃[一]。急流勇退，豈樂錢宣靖之名；晚節寒香，每誦韓魏公之句。雖野老相忘於爾汝，而聖主每問於起居。謂新益從游，毋遯野而若予棄；謂初元該輔，盍畫宫而績于成。俄銀信之密傳，果沙堤之重築。儀圖惟舊，眷注可知。屬當四郊多壘之餘，或傒一馬二童之至。諸生舉幡於闕下，使者結轍於山中。雖富貴不足動其心，然宗社宜深為之計。天高氣爽，喜閩庚伏之清；義忠言親，尤渴辰猷之告。久竚瞻之云切，肆優禮之是加。至和之相文公，特下百官班迎之詔；熙寧之召正獻，適當七月入對之時。有德進而朝自尊，大老歸而子焉往。于以祈天永命，于以甯武圖功。益隆磐石之安，茂介秀眉之壽。某夙叨鈞播，竦聽制麻。偶尚留絲縉之間，猶得際衮衣之入。歌詩九百字，愧莫寫於盎鳴；聚觀數千人，喜即迎於馬首。

[一]乃决去崇朝之頃：頃，清鈔甲本作「際」。

通陳制使啟　存

通班禹閣，出鎮瀛垣。尚書五兵，方峻躋於聽履；元戎十乘，遂倚重於分弓。明詔一傳，先聲咸聳。

某官治朝蓍蔡，善類鳳麟。出神入天之文，追媲古作；内聖外王之學，號稱儒宗。物望夙隆，宸衷茂簡。自重來於省户，俄巋立於諫坡。執法端門，風生獨鶻之擊；記言洞案，日持兩螭之坳。公每夢想於清苕，上方眷留於紫禁。以夏卿而掌帝制，若元祐之東坡；以《春秋》而侍經帷，若紹興之文定。學館倚楷模之重，史筵推筆削之公。兼華已極於儒榮，一武即登於揆路。而乃屢抗箋天之疏，竭為表海之行。睠此鄮峰，實惟都會。右扶左翊，在昔所嚴；後勁中權，于今尤重。雖忠賢當在於禁近，然宵旰欲寬於顧憂。一聞位置之新，坐致提封之肅。吏士具孚於號令，旄倪咸徯於旌旗。樽俎從容，如領十洲之勝；經綸密勿，即歸兩地之崇。某夙辱眷知，竦聆成命。竊喜聲光之近，獲依節制之尊。駰駱諏原，自笑馳驅之已倦；燕雀賀夏，尚惟芘冒之是邀。

賀徐察院啟

卿好

光被親除，晉司分察。出節少府，已聞冰漕之通；執簡南臺，咸竦霜棱之峻。贊書誕布，輿頌翕孚。載稽先猷，最重言職。裕陵簡擢，嘗以使還之餘；乾道訓謨，必由邑最而用。蓋欲周知於民事，若時復舉於彝章。某官粹學英規，崇論竑議。地靈傑出，實為仲原常父之邦；風采著聞，夙有元城了翁之望。厚培器業[　]，小試絃歌。紫蓋峰前，婁旹撫字心勞之考；金耀門裏，獨升文學掌固之班。方茂簡於九重，俄峻躋於四轄。見大夫無可者，利社稷則顓之。發河内倉，毋勞使黯；弄御史印，其無易堯。果被殊知，遂居列任[二]。凡其力陳於殿陛之上，莫非目擊於田里之間。守備十三條，言言尤切；法筵第一義，凛凛甚嚴。蓋將一正於君心，於以共扶於世道。善類尤主，元氣益昌。斯謀斯猷，正倚忠嘉之告；汝為汝翼，遂躋輔弼之聯。某越在乘軺，欣叫出綍。讀南州高士之傳，雖未接於下風；續東魯徂徠之詩，喜親逢於盛舉。自惟臬事，幸隸臺容。沃譬六絲，何有詢諏之善；珍裘萬丈，尚祈芘冒之仁。

[一]厚培器業：厚，原作「原」，據清鈔甲本、乙本、文淵閣四庫本改。　[二]遂居列任：列，清鈔甲本、乙本、文淵閣四庫本均作「劇」。

回安撫洪尚書啟

生磨蝎之宫，人皆憐於奇分；挹洪崖之袂，天欲制其頹齡。錫以好詞，温乎盛德。某官銅柯色耐，白雪調高。癸酉初置於蕊珠，方諏舊典；壬戌曾遊於赤壁，自度新腔。猶記孱在泥塗之踪，特紆世掌綸絲之手。斡百斛鼎，絶知健筆之豐扛；有千歲苓，幸附長松之小草。妝褫初度，探借春風。清穎詩篇，荷尚憐於叔弼；南豐香辨，竊自愧於履常。某蕞爾孤生，凄其多幸。再命三命而走，其敢孱於頌言；九月十月之交，倘早諧於歸志。

回洪制使啟[一]

玉樹生階庭，幸托通家之好；銅狄話疇昔，辱有初度之臨。妙語過施，微踪增惕。某官朱絃清越，金薤琳瑯。文章當家，自有五鳳樓之體；郎君早貴，即催雙鳬舄之朝。不靳珠璣，用華弧矢。真所謂幼婦外孫之作，乃得此名父哲子之間。吕寶臣丁未之同，許邀餘福；文潞國丙午之會，願祝耆英。某自愧摧頽，莫當縲藉。叫鶴飛於鐵笛，空記當年；誦鯨卷於錦衾，第欽盛意。

［一］回洪制使啟：使，原作「機」，據川録改。

賀婺守趙侍郎啟

簡知當宁，來重价藩。天近虚皇，密接圖書之邃；地嚴牛女，光分棨戟之輝。甫視籍文，已騰輿誦。某官三代循吏，兩漢宗英。徐公自有常，不易平生之价；叔度撓不濁，可知徹底之清。粤從嚴瀨之一聯，對秉勾吳之雙節。入躋河漕，坐鎮神皋。京師無憂有范君，式資雅望；關節不到有包老，益著清名。爰疇最於尹釐，遂升華於户篚。滿歲為真之近只，急流勇退之謂何。通國去思，起家有詔。惟此邦夙以處承明之老，在今日尤當用慈惠之師。條教一頒，旄倪胥慶。叱初平石，坐令風俗之醇；賜潁川金，靡俟期年之久。即從筆橐，大究經綸。某耆忝侍朝，新叨建牧。自愧無一毫之善，如古諏詢；乃所願千里之間，得賢師帥。光心之喜，舞手以言。已具歸舟，端為鱸魚之計；相歡賀厦，未忘燕雀之情。

賀平章冬啟（二）

六符之星曰太平，式應連珠之瑞；千歲之日可坐致，宜膺獻履之長。維我元臣，輯時若祉。某官春融盛德，天鑒精忠。觀陽復於羲爻，朋來有喜；占歲臨於吴分，三捷奏功。宜對芬芸，永綏戩穀。雪晴鳩鵲，方傳廣内之歡；香直麒麟，散作函生之福。某有慚諏度，所賴庇全。煖律一噓，願早回於生意；雲氣多壽，但虔致於頌私。

乾清坤夷，共睹連珠之瑞；晨賀晝會，獨冠萬玉之班。維我元臣，裒時善頌。某官慶風雲會，見天地心。金柅靡牽，宜群陰之退聽；銅儀密運，知元化之自調。屬兹獻履之辰，茂輯奉觴之慶。泰初之元起曆，世運方春；冬至之日壽人，函生蒙福。某偶縻把綉，莫旅賀裾。問驛使之梅，端悉由於造化；對衛公之竹，願常報於平安。

賀章參政啟　（一）

歲次在鶉尾，適符元祐之壬申；初度起牽牛，方數泰元之甲子。維時碩輔，茂輯頌聲。某官學探天根，身壽國脈。下丞相一等，參幹繁機；陳泰階六符，密調元化。履長伊始，受祉宜多。前疑後丞，益茂重瞳之眷；晨賀晝會，即冠百辟之班[一]。某使傳叨乘，賓榮阻造。綉衣直指，自慚無一綫之長；黃髪秀眉，願仰祝千齡之壽。

黃鐘起曆，九寸之律最先；紫殿稱觴，千歲之日可致。維時碩輔，茂輯頌聲。某官北斗躔魁，慶雲世瑞。陽長陰消之際，妙探賾於先天；文經武緯之全，獨彌綸於兩地。芳芸初茁，戩穀惟多。佇聞麻制之傳，即列火城之盛。某屬縻使傳，莫造賓榮。濡轡六絲，何有綫長之補；珍裘萬丈，尚垂緹覆之温。

[一]即冠百辟之班：辟，原作「群」，據文淵閣四庫本、清鈔甲本、乙本改。

賀福王啟　（一）

陽比君子，德方回噓律之春；王今叔父，尊宜介稱觴之壽。順乘剛旦，茂輯頌聲。某官都若重緹，粹然大玉。玩羲《易》初爻之動，吉宜應於朋來；錫鴻疇次九之全，福方臻於嚮用。適届黄鍾之候，益開朱邸之祥。受祉自今，有邦同慶。某偶叨把綉，獲履曳裾。昔魯觀之雲，已共占於多壽；賦梁園之雪，尚密映於餘輝。

南陸迎長，景方增於宫綫；東平樂善，慶宜輯於宗藩。式對初陽，哀時善頌。某官青社綦貴，黄鍾函和。三十分而後成，妙探羲畫；九五福之咸備，宜用箕疇。兹亞歲之陳儀，爰自天而錫美[一]。方衍筴，有永皇家。其密藉宏庥，第增慶臆。綉衣直指，初何有於寸長；黄髮秀眉，願永綏於多祉。

[一]爰自天而錫美：美，清鈔甲本、乙本作「羡」。

賀臺諫啟

元祐壬申，記景至熙成之歲；泰初甲子，協清躔畢聚之祥。維時正人，茂輯善頌。某官身壽國脈，學探天根。景星慶雲，出則為明時之瑞；嚴霜烈日，儼然主公論之盟。丹忱屢上於囊封，香氣密依於扇影。晨賀晝會，方陪亞歲之朝；前疑後丞，即聽勳庭之命。某猥叨持節，莫與賀裾。濡轡六絲，何有綫長之補；珍裘千丈，尚依緹裂之温。

賀陳殿院啟

黄鍾為律首，是持陽數之符[一]；朱衣在殿中，密接天顔之粹。維時善頌，宜輯殊祥。某官學操易原，身為治氣。嚴凌霜柏，方揚鶻擊之威；瑞應嶰筩，咸聳鳳鳴之偉。芳芸初茁，戩穀宜多[二]。五更三點之朝，方陪亞歲；泰階六符之耀，即正中臺。某越在乘軺，莫陪賀履。夜持丹筆，竊自愧於平反；曉望鄗雲，願曲垂於芘冒。

[一]是持陽數之符：是，原脱，據清鈔甲本、乙本、文淵閣四庫本補。 [二]戩穀宜多：宜，原作「官」，據後文「賀洪安撫啟」之「戩穀宜多」一句改。

賀洪安撫啟

登臺書雲物，已符歲美之占；聽履上星辰，宜踐景長之慶。維時闓老，茂輯頌聲。某官北斗穹班，陽春盛德。期年報政，久騰五袴之歌；和氣致祥，已應六英之喜。芳芸初茁，戩穀宜多。遂繇羲序之崇，入補舜裳之缺。某偶叨把綉，幸預稱觴。會前殿之八能，即蚪登用；歌闕宮之千歲，願祝壽祺。

賀陳制使慶元節啟

驗南端之圭景，式應迎長；表東海之履封，宜多介福。順乘剛旦，茂輯頌聲。某官學探天根，身為元氣。春回田里，歡傳梅溪一杯酒之詩；雲静濤波，小試希文萬甲兵之手。在師中吉，應復朋來。某密倚崇墉，倍深慶臆。六絲湍轡，愧何補於馳驅；千丈珍裘，尚焉依於芘冒。

賀吴提刑啟

漢曆大初，律先起子；魯經南至，日喜加辛。茂迎綉綫之長，時輯皇華之祉。某官名高雲壑，令肅霜臺。百九十字之箴，一新明聽；千二百黍之律，久積陰功。已淑問之滂流，宜陽剛之甚長。即膺詔綍，歸捧御麻。某幸托部封，莫趨賀廡。扇開九雀，願即陪供奉之班；爐擁蹲鴟，竊自笑嬾殘之迹。

賀陳提舉啟

律起二千百黍，肇應黄鍾；珠連一十三星，有光翠節。若時亞歲，懋輯迎長。某官露寒之冰，霞光之綉。為魯太史，曾書辛日之雲；發漢常平，直是荒年之穀。上方考八能而明陟，公宜裒五善以徑升。甫對剛爻，即頒温詔。某屬縻守紱，莫旅賀裾。爐擁蹲鴟，竊自笑嬾殘之迹；扇開孔雀，願即陪供奉之班。

賀平章正啟

一氣轉鈞，歲紀心躔之次；三公拜璧，日膺眉壽之綏。宜對剛辰，益增若祉。某官心通元造，躬致太平。南紀波澄，再啟庚申之運；東淮塵净，坐收甲戌之功。乾清坤夷，晨賀晝會。桃林騎火，共傳臘月之捷書；柏葉羽觴，載戢歲端之善頌。□□□□，方開衍筴永燕之餘；引領精祈，尚冀□□放鳩之惠。

賀汪安撫啟

王者吉午，尤重南維。長子帥師，宜膺中吉。新開鷄帖，喜溢熊湘。某官碩望顒昂，仁心簇達。和門令肅，旁行青草洞庭之區；熱撰班高，密接紅雲通明之殿。整軍以暇，列部皆春。半夜牙璋，趣鎮上游之方面；九天翠仗，歸陪元會之班頭。某幸托萬間，又逢三始。雪深戍壘，幸早許於踐更；春滿辛盤，悵莫陪於施賀。

賀運使啟

春回紫宙，方占元日到人日之晴；曉望皇華，願致新年勝昔年之祝。輯時多祉，福我全湘。某官績茂方輸，規宏圜物。郎潛久滯，記紫粉之宮牆；歲計有餘，峙金湯之粟粒。和重列部，簡在九重。著練鵲之袍，立通冰漕；瞻袞龍之坐，歸照火城。

賀諸郡啟

七潤一章，方正太初之曆；萬有千歲，宜歌《閟宫》之詩。時乃僨藩，薰然叶氣。某官履端於始，泰内其亨。畫鹿車轓，是為明府之瑞；黄龍詔旨，誕布聖朝之仁。茂對青規，趣歸紫禁。某幸脩鄰睦，又見歲元。春入辛盤，愧徒勤於頌咏；雲深戍壘，冀遂早於踐更。

代鄧知縣謝啟

筆福蒼生，久切昭蘇之望；圭磨宿玷，特蒙拔拭之恩。睠淖泥頓濯於清波，信雨露可生於焦穀。恭脩竿牘，少叙輪囷。伏念某岷雪寒澌，鄧林病葉。楊惲之於司馬，每慚外氏之書；韓湘之於昌黎，空忝諸孫之列。侵尋微宦，歷落寒途。自知命薄以數奇，所至身勤而事左。屬者不量疏譾，冒試劇繁。覆轍相望，前無完錦；抱琴獨往，殆若投膠。然而幸閱於兩年，亦且粗安於百里。不謂末路凌兢之際，忽生旁觀萋菲之言。長官誰使汝為，傷弓至此；短簿能令公喜，奪席宜時。雖當時咸謂其非辜，顧數語厚誣之已甚。落千仞而此冤莫白，越五載而其書尚存。惘惘行吟，蒼蒼滿鬢。身在菰蒲外，幾無路以自言；額塌沙土中，幸有天之可列。果晝開於大照[一]，遂盡直其前謾。饕餮鼎之污，今知免矣；餘皇舟之復，非幸而何。徒憐屯蹇之餘，重費乾坤之造。恩深啄菴，心誓捐糜。玆蓋恭遇某官，忠貫兩儀，重釐二柄。金城圖上，拓舊日之成規；玉鉉夔中，釀豐年之和氣。方開八荒之壽，未忍一物之枯。謂范忠宣猶有外孫，誰其扶植；謂尹師魯嘗陪上客，猶記汝憐。遂令練裙葛帔之蹤，亦動赤舄衮衣之聽。拔之陷阱，允矣遭逢。某敢不鏤骨銘肌，息黥補劓。活西江之鮒，已自幸於餘生；起中厩之駒，尚希終於一顧。

[一]果晝開於大照：晝，原作「畫」，據清鈔甲本改。

代謝得闕啟

委身化治，僭露悃私；列屬計臺，猥叨鈞播。允矣寒微之幸，異哉特達之恩。晉謝階符[一]，恭脩竿牘。某質良苦窳，命復奇窮[二]。斷雁孤鴻，曷奮飛於霄漢；常鱗凡介，甘漂泊於泥沙。棲棲州縣之間，浸浸歲年之晚。遠行湘水，冒領制巖。民梏其中，每易烹鮮之擾；獠環於外，尤難怒獸之馴。良自笑於鉛刀，惟恐傷於錦製。相安疏拙，幸免曠瘝。視紫芝「蔿于」之歌，何能為役；尋五柳「歸兮」之賦，幸遂此心。雖竊喜於璧全，豈不思於穎脱。鷃章或靳，蟻磨仍迂。欲成九仞之山，奈虧一簣；非得千丈之綆，孰拔重淵。旅食京華，上書光範。方擬圖於績食，庶幾遂於合尖[三]。果荷甄陶，俾遊幕府。蓮欣依儉，固已甚榮；瓜靡待齊，尤為過望。載惟冰漕，越在淮壖。中興賦入之淵，昔岀此語；東園登覽之勝，今匪當時。然必疏通之智，而後可以佐方輸[四]。抑真明敏之姿[五]，而後可以裨婉畫。自岦甚齊，曷稱所蒙。某官功被生民，心存王室。斷鰲立極，力成再造之大功；飛龍御天，身受兩朝之顧命。當重任如伊尹，勤小物如畢公。遂使妄庸，亦叨器使。某敢不服勤職守，期稱恩知。塞下貔貅，無乏連營之飽；淮南鷄犬，尚希舐鼎之仙。（以上《陵陽集》卷二〇）

[一]晉謝階符：階，原作「偕」，據清鈔甲本、乙本、文淵閣四庫本改。　[二]命復奇窮：命，原作「分」，據《永樂大典》卷一〇五三九改。　[三]庶幾遂於合尖：尖，原作「央」，據清鈔甲本、乙本、文淵閣四庫本改。[四]而後可以佐方輸：以，原闕，據文淵閣四庫本補。　[五]抑真明敏之姿：抑真，原闕，據文淵閣四庫本補。

全元文卷二三三五

牟巘 四

送梅君遇入龍虎山序

梅君遇居澄江，有詩書之業、水石之勝。以貧故，不能不出從斗禄，奔走塵埃。鞅掌獨勞，非其所樂。一旦賦詩，拂衣徑去，何其見之高、志之決也。自號雲水道人。忽又棄其家，入勾曲山為道士。布褐芒屩，霞餐芝茹，見而識之者，相與勞苦，輒笑而不答。尚喜為詩，好風涼月，時復朗吟，能自道其意。近寄聲云：「當谿柯阜出冰谿，以訪龍虎之仙山。」而贈言者頗衆。予老病日侵，强食息人間世，旦暮且盡，欲附六翮從之，不可得，甚恨，甚恨。君遇其子真之苗裔耶？仙山乃騎麟翳鳳、霓旗絳節之所，上下而往來，是行也，安知不與子真神遇？幸為我問之曰：「自去九江，隱吴市門，翩然遐舉為仙，果樂否？雖無妻子累，然平生一念，惓惓憂國，能遂忘却？千載之下，誰與論此意，頗為我逌爾而笑否？」

送文心之釣臺山長序

子陵口占天機[一]，剸切鼎鉉，「懷仁輔義天下悅」之兩語十四字，平生所學正在此。光武夙同研席，乃誘曰「狂奴故態」，何耶？使肯幡然相助為理，必將以仁義堯舜其君，建武之治，當不止隨世就功而已。久要劉文叔，已在子陵劑量中，「陛下差增於往」，蓋深寓其不滿之意。士固有志，又安能自貶其學以從人哉？河水不魚，毋落吾事。子陵可謂不負所學矣。釣臺距水極遠[二]，磴道轉山腹乃至，與顧野王所記「水邊有平石臨水」者若稍殊。然壞斷境絶，真足以隱。噫！南陽帝鄉，寂寥千載。子陵此地，乃遂建精舍，聚生徒，列於學官。益知太空浮言，功業要有盡，而君子之學，殆山逾高而水逾長也。古涪文心之為山長，將行，求予言。趣書此以貽之。心之穎異絶人，靡不通貫。袞時父子兄弟自為師友，蓋甚樂。今去而之山水荒寒幽寂之處，尤可静坐讀書。暇則登招隱閣、羊裘軒，從容吟嘯，其樂未有艾也。予嘗欲取所謂十四字者，大書刻巖間而不果，心之尚有意乎？

[一]子陵口占天機：天，原作「尺」，據清鈔甲本改。　[二]釣臺距水極遠：釣，原作「鈞」，據文淵閣四庫本改。

送俞觀光序

俞君觀光自新昌絶濤江訪苕霅。望其容，傾而整；聽其論，辨而博；誦其詩，雅而潔。以「思學」名其齋，蓋名御史默齋公之諸孫也[一]。曩余嘗得侍默齋同朝，間者闊焉。見觀光如見默齋。觀光以選為山陰教諭，乃古者鄉校黨庠之任。雖地若分於異縣，而教實本於一鄉。其齒位，父兄也；游從，師友也；佔畢，子弟也；論議，月旦也。固未占己孚然。予嘗上下世變，自典午過江，衣冠之人東者往往皆在山陰，而王謝諸人惟談玄理、慕風流，道則未之聞也。曠數百載，先朝建炎，再值南渡，於是尹先生以辭經筵得謝而來，呂太史以省侍曾文清公而來，朱晦翁以常平使者救荒而來。後先相望，此邦遂為道學淵源之地。而士亦知所推尊，由濂洛溯洙泗，江左風尚為之丕變，非前時之山陰也。氣數回復，誠不意百年之間，緒言日泯，東州文物，夜艾星稀。默齋公獨巋然以身任道，行年九十，視聽不衰，方且立訓傳，俟來世。豈非天相斯文，使之耄期稱道，以興絕學乎？雖藏書未肯輕出，竊意觀光自有得於親授密傳之際。是行也，升堂皇，集衿佩，必將發其異聞，與學者共。鄉之教即家之教，庶幾淵源所自猶可考，習俗所移猶可回，當仁幸毋遜焉。談玄理而尚風流，夫我則不暇。

[一]蓋名御史默齋公之諸孫也：之，原作「子」，據清鈔甲本、乙本改。

送鄭晉輔赴和靖書院山長序

教授州選，比年以來，不無賢愚同滯之嘆。求為變通，悉以委外銓註學正、山長，與教授同，誠振淹救敝之活法也。士抑遏顛頓久，咸俯而就之。予姻家程君晉輔前是十餘年，嘗為吴之和靖山長矣，至是，復為會稽之和靖焉。晉輔，忠文公諸孫，有文學，有議論，見為得人。胡安定教授蘇湖，陳後山教授徐穎，徐節孝終身教授楚州，初不以大小淹速論也。或怪晉輔往來吴曾[一]，何若是敖敖然。而晉輔曾無幾微見顔面[二]，間語人曰：「始在吴時，吾年少氣盛，母老須禄養。居之三年，不見其不足耳。年運而往，欲羨不待，苟得一席地，温故書、數斗陳、繼薄飯，可也。安所置不足其間哉？況尹先生載其師説，遠自川陝來，憩西菴，已而侍經筵為侍從，澹然猶在西菴也。其後辭侍從，老會稽，亦猶在西菴也。險夷一致，終始一節，天下尊慕。吾晚學，乃得再托宇下，講緒言，夫何幸。今絶江濤，一日而至其處。湖清且漣，如彼泮水；有蒲與荷，如彼芹藻。何莫非道，亦何莫非教。而凡能為學校累者，吾書堂舉無一焉，尤幸之大者也。」亟裝為行，聞者壯之，親朋畢集，酌酒賦詩以餞。而予為之叙。予固三十年前主千秋鴻禧老祠官也，恨不與晉輔俱東。春風鑒水，不改舊波，而吾非故吾矣。如有問者，以是語之，亦可一笑。（以上《陵陽集》卷一二）

[一]或怪晉輔往來吴曾：曾，疑為「會」之誤。　[二]而晉輔曾無幾微見顔面：晉輔，原倒，徑改。下文中「晉輔」改正亦同。

送張剛甫之廣德學正序

元貞三年二月一日

儒有環堵自處[一]，貧不願仕，啜菽飲水以事其親，誦詩讀書以誨其子，嘯歌一室，俯仰千古，亦足以樂而無求矣。然吾不蘄人之己知，而人之知之者，有不能已焉，此昔人所以為親捧檄而動色也。節孝徐公、後山陳公，服勤勞，忍貧苦，堅志節，惟母是養。此豈有意於世，而諸公知之，朝廷知之。節孝由望江簿教授山陽，後山起布衣，教授潁川。節孝家山陽，後山家徐，徐、潁相望也[二]。所以處兩公者，如其所自處，故能內全其性分之樂，外忘其富貴之誘。時為歌詩，以見其志。節孝之崛奇，後山之高簡，徒詩乎哉！吾友張君剛甫，蔣忠文公之外諸孫也。性直而溫，學博而約，詩雅而麗。衆譽翕然，而予深敬其事親有篤行。自其慈闈微恙，未嘗一日去左右。湯液之調護，寒暖之適節，寢興之掖扶，悉自任其勞，積數歲不少懈。尤人情所難者，前當仕越，懷其牒，固謝不往，甘貧教學，以助甘旨。而詩日益多，感時物，咏性情，非以求知也。蓋其師慕節孝、後山者如此[三]。它日諸友相與言，如剛甫之躬執苦勤，盡心奉養，可無三釜少報其意乎？聞者用為廣德學正，距家最近，不減山陽、潁川，而皆有位于學。待剛甫不薄矣，可以出矣。至是諸友交賀，且贐其行。親為喜，强加餐。遠近皆載酒賦詩，走西郊以餞。予謂剛甫是行，親意也。况藥房翁屢薦不售，發聞宜在予，行矣勉之。是邦風俗淳厚，想側聞高行，薰善良而興遜順者，已相尋於桐汭之間。親悦而友信，怡然其春，盡攬山川之美而賦之，倘以寄我。丁酉二月朔序。

[一]儲有環堵自處：自處，原缺，據清宣統刻本《涵芬樓古今文鈔》卷三二補。 [二]徐、潁相望也：潁，原作「穎」，據文淵閣四庫本、《涵芬樓古今文鈔》本改。下文「不減山陽、潁川」之「潁」，改正同此。 [三]蓋其師慕

節孝、後山者如此： 節孝，原倒，據文淵閣四庫本、《涵芬樓古今文鈔》本改。

吴信之茶提舉序

唐中葉以來，顧渚茶歲造萬八千斤，謂之貢焙。大曆五年，始有進奉之名。建中二年，袁高為郡，嘗進三百六十串。高節尚慷慨，在掖垣繳貢，有回天力。予頗疑其此舉，因考之，則其來日久，非自高始，高不過循前比而已。况又作詩一章，刻石摹本同進，實寓規諷，非專為進奉也。其後每遇進茶，湖、常兩郡守皆會顧渚，張宴賦詩，遂成故事。先朝重建茗，顧渚寥寂幾三百載。厥惟今日，復治金沙泉，修唐貢焙，設湖常等處茶園提舉領之，其事益重矣。吴信之明敏詳練，嘗任茶所，遂用為副。既滿升同，益習茶事，通民情，十餘年間，講求利病，多所建白。深山窮谷之間[一]，不知有官府也。貢焙之綱以時而進，甚稱其職，而人户亦有茗椀茶話之樂。最旹上徹，將專權任，以究厥功，尤人情所善者。信之嘗為公言，茶之香味性情，地之陰陽向背，與其采摘之宜，先後之際，曲盡物理，得所未闻，可以為玉川子詩及沈存中《筆談》補註。予用是益知其能。雖然，玉川意不在於「先春抽出黄金芽，紗帽籠頭自煎喫」，而在于「顛崖蒼生受辛苦，到頭合得蘇息否」之語。信之行，且再為顧渚來，願毋忘此詩。

[一]深山窮谷之間： 間，原作「退」，據清鈔甲本改。

送王仲敏山長之明道書院序

明道先生嘗謂：一命之士，苟存心愛物[一]，必有所濟。其主上元簿，遇耨鳥雀者，折其竿。雖哲人細士，推是心也，得時行道，決不忍一物之失其所。此蓋異時爭新法張本。眇然一主簿，位至卑，乃獨以學道愛人為心。彼為天子宰，開塞輕重之權，震動一世，顧甘心功利，以新法毒天下，其用心何啻霄壤異。豈非學術之誤耶？新經義之害，甚於清談。王介甫之罪，浮於王夷甫。半山寂寥，過者未嘗不發新亭之嘆。先生官稍達，論愈忤，雖不能少行其志如上元時，然天下後世，皆以斯道斯民之責歸先生，至今祠享之。然則學者宜何擇焉？王君仲敏為明道書院山長，諸友賦詩餞别。余衰病不能出，輒以學道愛人為勉。仲敏趣向正，詩筆高，今挈挈為先生來，必將益崇其學，而求其用心之所在，遠到未可量也。（以上《陵陽集》卷一三）

[一]苟存心愛物：心，原作「之」，據清鈔甲本、乙本改。

贈甥李松坡天瑞序

吾鄉文物[一]，李氏為最盛。宫師公首登進士第，為宗正簿，有《隆山易傳》，朱晦翁多取之。宰饒之德興，有惠政，士民立廟，封忠惠文烈公。是生三子，秀巖，布衣召對，賜第，專領四朝史事，至工部侍郎，著述甚多。東窗、鳳山，皆登世科。鳳山官至參政同知樞密院，而東窗止於兵部郎中，獨講明道學，晦翁門人黃勉齋、李敬之皆推重之。江東提舉拯荒歸奏，極言史丞相不合去。長子字行伯，亦由太學登第，為成都節度推官，兼會要所檢閲。次子字平叔。後秀巖嘗修徽欽史，浙東憲可謂盛矣。秀巖先娶吾曾大父介壽翁之甥女也。先父存齋翁，實受知於秀巖，故予娶其外孫女鄧氏。長姊亦歸東窗之孫僉判字伯剛，長女又適僉判之子，姻好蟬聯焉。僉判夫妻不幸蚤逝，諸孤尚幼，德義，其第四子今名天瑞也。吾擇師教之，分俸周之，日冀其成立。世異事殊，流落奔走，糊其口於四方。既喪其妻，慨然有離世絶俗意。聞有王野愚結庵於塘頭，能通道書，持戒極謹，乃往依之。野愚喜而愛，盡語以其所聞。甥頗能攻苦食淡，服勤不懈。一日來拜，具言其事。予語之曰：「人生一世，流轉塵海中，何有底止。倘有一把茅可蓋頭，一棱田可種菜，啜粟飲水，便了此生。況又有所主歸，聞所未聞乎？行矣，勉之。清虚以養其氣，恬淡以全其真，堅苦以持其行，此在汝師法中，無俟予言。」因書其先世文獻本末遺之，薪水之暇，尚念之勿忘。吾七十有六矣，過門幸時問其死生，可也。（《陵陽集》卷一四）

［一］吾鄉文物：鄉，原作「卿」，據清鈔甲本、乙本改。

顧伯玉文藁序

士散久矣。卓犖非常者負恃其能，不肯輒俛首從流俗。時又無大科異等以得之，徒區區建數尺之竿，懸一魴之餌，而欲待横江之鱣，不已疏乎？且群舉茂異，歲一人，美名盛節也，孰不以為希闊難逢，而幸一值焉？然不聞群刺史勸為之駕，縣次續食與計偕。又不聞公車朝奏而暮及，故士始而奮，繼而疑且怠。造端宏大，而其畢也小，事之不可料，每如此。檇李顧文琛伯玉，豈非所謂卓犖非常者與？年弱冠著文名，實在是選，勇不自制。一旦躡屩走數千里，新豐逆旅，斗酒獨酌〔一〕，解橐出所為文類、進卷、行卷者〔二〕，寫之生紙，以干氣象。是時伯玉年少意鋭，如川之方至，太阿之出匣，三軍之朝氣，其視一世為何如？濡留兩載，執我仇仇，亦不我力，倦游以歸。鼂、董、公孫皆前為博士，乃冠其科。伯玉豈有不能，正使須試而後用，何至參差回薄，今猶在群博士下？予滋所不解。或者曰：「伯玉論太高，文太奇，嘗稱作《傷己賦》，以為雜之退之、子厚《憫己》、《懲咎》諸賦，殆不可復辨。又嘗上書光範，以為世無蘇明允，不當在弟子之列。其辭驁然，無所謂遜，甯知不取造物者所惡忌邪？」予觀自昔，文人往往高自標樹，范曄謂：「吾諸論放縱，實天下奇作，其中合者不減《過秦》。」陸機謂：「聞傖父欲作《三都賦》，待成，當覆酒甕。」杜審言謂：「吾文奇，當得屈宋作衙官。」雖昌黎亦曰：「世無孔子，不當在弟子之列。」何獨以尤伯玉。造物非忌能者，意者磨礱涵養，老其英華，而大其器業，誠所以厚伯玉也。今伯玉學日新，文日盛，必將盡窮天下正理，盡備古文衆制，斯名世而後止。命之通塞，科之大小，要不必深計。伯玉久交予婿張楧，又辱交予子應龍，携文過之，若以古道相存取。予既耄昏，平生多愛奇，氣習略盡，無以知伯玉，姑論其大者，而歸其編。

[一]斗酒獨酌：酌，原作「的」，據清鈔甲本、乙本改。　[二]解頤出所為文類、進卷、行卷者：為，原作「訓」，據清鈔甲本、乙本改。

文子序

禹受計於會稽，會稽者，會計也。武康計籌山，因計然嘗度地於此而得名，然其義固有所本。范蠡師計然，見於《史記》。顏師古以為與孔子同時是也。其書曰：「文子者，有與平王問答語，徐靈府遂以為周平王時人，則誤甚。」劉向著録文子書九篇耳，李暹所註乃十二篇，疑不能無附托其間。或謂乃楚之平王。楚越相强，平王時，楚事日非。子胥既奔吴，而計然亦去楚，間道適越耶？不可考矣。南谷杜君辨博而篤實，恬静而疏通，其能可以用世，而其志果於遯世。雖嘗領蘭臺珍館，亦復舍去，築披雲之菴於計籌山上。燕處從容，取文子書，及其事之散見它書者，會萃而刻之。三代古書遺迹，一旦震發於湮没之餘，真山林一大奇事。予觀自昔，財計之臣，鮮有能自全者。計然之策，范蠡略用之於越，十年生聚，既以報吴，乃飄然遠隱，竟免於烏喙之毒手。而圖諜相傳[一]，計然乃神仙得道人，又不但全其身而已[二]，蓋計然嘗受於老子者也。夫善計不用籌策，此豈區區廢居操縱，從事於鞭筭之末乎[三]！不貴難得之貨，不舍儉且嗇，不以不足奉有餘，生財而不有，成功而不居。若是者，蓋幾乎道，固已超然於利害禍福之外。而世之壅利專利者，往往違天時，竭地力[四]，自謂以心計析秋毫，不知正犯道家之所深忌，祇以自貽殃禍。覆轍相尋，曾莫之悟，可嘆也。南谷嘗註《老子》，得其宗旨。又萃此書，俾與師説並行，其弊世切矣。學者合而觀之可也。雖然，書徒糟粕，曠洞遐想，泬廖虚閒[五]，胸中係累，雲掃霧除，豈不一快然者哉！又安得從南谷君登筠峰、望玄墟、求鴟夷子所以泛湖之處？

[一]而闘諜相傳：諜，原作「謀」，傳，原作「便」，據《永樂大典》卷一〇二八六引《陵陽集》（簡稱大典本）改。

[二]又不但全其身而已：又不但全其身而，原脱，據大典本補。

[三]從事於鞭笲之末乎：笲，原作「弄」，據大典本改。

[四]竭地力：力，原作「利」，據清鈔乙本、大典本改。

[五]泬廖虚閒：閒，大典本作「闊」。

杜南谷筠峰真率録序

百世在吾前，千萬世在吾後，求為可傳而後有以傳，琅函羽葆，典領名山，則夫章既往而垂方來，弗可略已，此筠峰《真率録》所為作也。計筠山之陽，夙有靈跡，周許然子文子開其先，晉太極左仙公葛玄繼其後[一]。雖年祀云邈，而斗壇丹井猶可尋。越前朝南渡，楊武公茂勳請葺常搆齋宇[二]，以奉家祠香火，歐陽公故實也。未幾，復為報德昇元之觀，命亳人洞微先生祖常主其席，遂當左仙處，號重以德壽宫，親御寶跗，錫之華扁。昭回雲漢，焜耀林泉，式克至於今。粤歲某甲，當塗杜道堅實來。上距祖君十二代，然纔百年，而兵革之餘，次第經理，為力蓋有甚難祖君時者矣。厥既捍衛，其樵牧以妥以甯，則倒廩以賑，荒山巔澗，俾耄穉賴以活。因興敝舉廢一新之，百廢具舉，類無不可傳者。顧前人原委世次未有紀，用為大欠，乃為《真率録》，裒其名氏，列諸左方，俾後有考焉。夫衆萬不齊，本其初，一真而已。真則一而不二，純而不雜，至實而無妄，故真心存則真氣聚，真氣聚則真脈永。後之人尚思杜君之所用心，迓續之，特保之[三]，其可傳者，將與此山相為無窮。計然援《范蠡傳》，最為端的，不繫於此山，故不書。

[一]晉太極左仙公葛玄繼其後：左，原作「在」，據清鈔甲本、乙本改。　[二]楊武公茂劭請葺常構齋宇：構，清鈔甲本、乙本作「溝」。　[三]特保之：特，清鈔甲本、乙本作「持」。

周公謹齊東野語序

野史雜録尚矣，疑傳疑，信傳信，為史者網羅散失[一]，率多取焉，否則參稽互質焉。張彖謂李林甫冰山，《開元録》中語，《治鑑》取之。他若《壺關録》樂天樂甫，無微不考。莊宗還三矢於廟，雖《五代史》顧不取。唐史如高祖字叔德，則見於《唐書》直筆。姚崇《十事要説》，則見於《昇平源記》。室耆次相張齊丘失於詳考，不免承《明皇雜録》之誤。《續長編》號為謹嚴，乃以《湘山野録》附見開寶之末。違紹以後，曾布《日録》、蔡絛《後補》初不以人廢，而《秀水閒居》之類，《繫年要録》亦頗及之。然皆隨事考析，或為疑詞，故不足以累其書。昔《名臣言行録》之始出，東萊貽書晦翁，以為尚多考訂商略者，願相與討論，大抵皆此意。或謂《建隆遺事》、《涑水記聞》、《邵氏聞見録》、馬永年《元城語録》等書，若有所去取其間，則前輩嘉言善行之在人耳口相傳以習者，所存殆無幾，是又不可不知也。余病卧對牆壁，平生結習，掃除略盡。每聞人譚舊章故實，往往面熱汗下，已為椎魯木偶人。周公謹忽以《齊東野語》示余，豈尚以故意待之耶？公謹生長見聞，博識彊記，誦之牘，存於篋，以為是編所資取者衆矣。其言近代事特詳，蓋有余之所未聞、或聞而不盡同者。乃自托於野，何居？文勝質則史，質勝文則野，與其史也，甯野。野固非所病也，況禮失求之野而獲，何獨史而不然。他日任筆削者儻有取，詎不能補史氏之缺而發其所諱乎[二]？卷中載《脱韡圖贊》，先君子之遺事也。烏乎！寶祐、開慶之間，奸邪小人奴事熏腐，中外相應，以醜正誣善之説，欺君誤國，馴至不可為。識者推原禍本，未嘗不太息於斯，因攬涕書於卷末。

[一]為史者網羅散失：史，原作「士」，據清鈔甲本、乙本改。 [二]詎不能補史氏之缺而發其所諱乎：發，原作「登」，據清鈔甲本、乙本改。

仇山村詩集序

觀水必於海，觀其會也。李杜，其詩之會乎？非精能之至，未易據其會而擅其名。山村仇君仁近，嘗有《辛丑出西岳》詩，適從何來，而欲效淵明耶？自此亦皆以甲子書，似此例者甚衆。而世獨喜言淵明。蓋淵明書甲子凡十一詩[一]，自叙其平生出處，本末略備。《庚子鎮東參軍使都》已有「静想田園好，人間良可辭」之語，辛丑還江陵中途，欲「投冠歸故墟」，以申前志，《乙巳建參軍使都》，則其「田園日夢想」，其意愈迫矣。是秋去為彭澤令八十餘日，遂賦《歸去來》，義熙元年也。其使事往來，及留上京、還舊居，皆在此六年中，自此不復出。乙巳至丙辰，又十二年。《庚戌西田》曰：「遥遥沮溺心」[二]，《丙辰下潠田舍》曰：「遥謝荷蓧翁」，則往而不返，致命遂志，無可復言。論淵明者，要當以是為斷。仇君自號山村，有山村不願富貴，而志在田園，正如《己酉九日》、《庚戌西田》、《丙辰下潠田舍穫》耳。是真知慕用淵明者，可尚已[三]。

[一]蓋淵明書甲子凡十一詩：書，原脱，十一詩，原作「十二時」，據清鈔甲本、乙本補改。　[二]遥遥沮溺心：沮，原作「混」，據一九七九年中華書局《陶淵明集》卷三改。　[三]清鈔乙本此篇後《杜南谷老子原旨序》一文中插入一段，傅增湘認為當是本文後半部分（見北圖藏傅校《吴興叢書》本卷十二）。原文如下：父擅詩名且久，襃未識面，意已相傾。其後昉識之，退然若不勝衣，而持論甚正，不以阨窮變。肆其力於書，博通倫類，穿穴古今。雖不資用為詩，詩特華妙，融液衆體，不見刓劂之痕。蓋其趣尚高而精神足，故從容自得，豐約中度，文從字順而各（缺）。譬之庖丁解牛，依於天理，游刃恢恢。至於其族，動刀甚微，謋然已解，亦可謂精能者矣。使在它時，和其聲以鳴，固將被之絃歌，薦之清廟，顧不得為此而徒見於紓憂娱、悲亂思，遺者不能無感時念物之語。

然京華百年，承平舊事，白髮遺民所共記者，頗時時見之。達乎事變而懷其舊俗，是亦古詩人之義也。詩總若干篇，題之曰《乙未集》。昔《治鑑》書歲名，《皇極經世書》書甲子，他如《丁卯集》、《乙酉家乘》、《丁未録》、《戊午讜議》之類，亦皆以甲子書，其來尚矣。世獨喜稱淵明。淵明自庚子迨丙辰凡十一詩，辛丑還江陵中途詩，舊説以為入宋時所作，黄豫章祖之，亦曰甲子，不類義熙前。今陶集諸詩無書年號者，惟《祭妹文》稱義熙三年，是年為丁未，又在辛丑後六年。淵明恥事裕，大節較然，此未須深論宋之間。

杜南谷老子原旨序

逼仄塵埃中，胸次憒憒，對俗人譚益不樂。南谷杜君扁舟過余，議論超然，有以開余意。相與登道場雲峰宿焉。夜參半，篝燈出所為《老子原旨》，余不寐，幾徹曉。杜君博極群書，不但發明其宗旨而已，於某章曰「是堯舜之事也」，某章又曰「是禹、文王、武王事也」。其説以為老聃為柱下史，所職者史，而百篇之書亦史也，故以書求之。余驚異焉。自司馬子長以老韓同傳，千載不滿。河上公註《老子》，頗及吐納導引之類。其後孫登、陶弘景、松靈仙人、唐道士成玄英、張君相輩，亦皆註《老子》，又近神仙家。王輔嗣以《老子》解《易》，人或非之，然其解《老子》[一]，則初不及《易》。至蘇子由，直以是謂襲明為釋氏之傳燈，老子亦豈意其末流之至此也。今杜君乃求之於帝王之書，參之以帝王之事，譬如披蒙昧[二]，出幽深，明白正大，氣象頓殊，豈不甚韙。或者曰，此蓋為原道解也。嗚呼！[三]世未有能察杜君之用心者。夫道術久裂，人各私其私，競立門户，甚至保殘護缺，以相非詆，莫肯曠然舍己，求為真是之歸。杜君雖自號《原旨》，而不主一家，惟理是同，惟經是從，惟正是宗，務使天下後世，無所置疑其師之説[四]。其用心蓋若此，可謂弘也矣，豈固與原道異哉！余固陋，於《原旨》未深究，姑論其大意云爾。甲午穀雨陵陽牟巘書[五]。

[一]然其解《老子》：其，原作「真」，據清鈔甲本、乙本改。[二]譬如披蒙昧：蒙，原作「衆」，據正統道藏本改。[三]「或者曰」至「嗚呼」：此十二字原脱，據正統道藏本補。[四]無所置疑其師之説：置，原作「致」，據正統道藏本改。[五]甲午穀雨陵陽牟巘書：此九字原脱，據正統道藏本補。

張仲實詩藁序

始余閩張仲實名，未之識，頗曾見其詩。仲實生王侯家，不有其貴富，力學自課如諸生。間關多難，度無所展用，始肆意於詩。閒之山水窮絶處，吟哦忘日夕，詩浸有聲，而家事落矣。仲實夷然不顧，嘗言：「詩不能窮人。」為之益力，遂以詩名。昌黎云：「不用文則已，用則必尚其能者。能者非它，能自樹立、不因循是也。」近世士多失，故常拔出流俗、用文辭致聲譽如仲實之能者，豈因循所至哉？故予決與女。既來杭，諸公見者問無恙外，輒舉手賀得佳婿。比過其家，書數束，茶數串，泊如也。仲賢俛首微禄，時奉甘脆娱其親。而賓客日至，則人人與為酬答。或高譚極飲，論文賦詩，一不問有無，其中要有過人者焉。所為詩殆千餘篇，已傳之好事，猶手自删去，十取三四，擇之嚴，宜莫為之不苟也。夫以仲實邁往不群，天分高而筆力勝，不肯稍從時尚，必期於簡絜深穩而後止。譬束波瀾就熨帖，為力蓋甚難。然凡詩之病既盡去，而活法精意、高情雅韻，亦可得而見焉。余尤善其《遣興》一首，善推迹原本，有關倫紀，而感行役，謹時物，往往出入少陵。此非予之私言也，嘗觀周詩所述，山川草木，風俗氣候，皆在豳、岐、豐、鎬之間，至《黍離》而感念深矣。異時少陵由長安走鳳翔，轉同谷以入蜀，次其道里所出，亦皆在於西秦川諸詩。至今讀者猶慨然，真足以繼風雅而驗世變。仲實先秦人，詩以少陵為法。余閲其槀，因相與根極而論云。

嚴光大先天圖義序

邵子發先天之秘，不過四圖。然自一分而二，推之至於無窮，邵子以為猶根之有幹，幹之有枝，愈大則愈小，愈細則愈繁。而朱子亦云：本是小底變成大底，到那大處而變成小，似非假圖以明之。則四圖之義，未易悉究。是以朱子謂東北以之西南，便是自否以之泰，是兩角尖射，上與乾坤相對。又謂邵子「天地定位、否泰反類」詩八句，是説方圖中兩交股處，意欲分作四層看。又謂文王八卦，應地之方，是邵子見得四正卦，生出四角是方底，意思皆若有取於圖者。嚴君養晦，心通於《易》，嘗取方圓定位二圖，演之為四十九圖。毫分縷析，如機織之錯綜，經緯布置，粲然可睹，而未始有所牽合穿鑿。大抵一本於邵子、朱子之説。如八卦相錯、一卦分八卦、上下順逆對待、博《易》數從中起、天根月窟、乾坤六子縱横之類，皆有以發其義，遽數之不能終也。自非潛玩默察、先具此圖於胸中，安能與之脗合乎？亦可謂精且詳矣。最後一圖，乃《易》之所謂太極，邵子所謂道即太極，心即太極，而朱子所謂象數，未形之全體也，兩儀四象之所攸生也。今顧列於諸圖之後。嚴君之意，自流溯源，蓋欲復其性初於寂然不動之時。尤見先天圖心法，是當求之象數之外。

厲瑞甫唐宋百衲集序　大德六年五月

詩雅四言，漢以來遂為五七言。唐開元之際，又始儷偶為律詩。論者謂詩之道至是略盡，殆不可復變。宋百餘年間，乃有集句者出，其不變之變歟？求之回文離合、雙聲叠韻、建除郡邑名諸體，無與集句類者，惟聯句近之。但柏梁則君臣同時，昌黎則朋友同席，視集句遠裒古作頗異焉，實始於半山王公。半山平生崛彊執抝，行新法則詆諸老為流俗，作《字説》新經義，則目春秋為斷爛朝報。乃甘摭拾陳言，從事集句，何耶？然其天資殊絶，學力至到，猝然之頃，不勞思惟，立成數十韻。對偶親切，脗合自然，抑難矣。四明厲君震廷瑞甫，博學工詩，尤喜集句。合異為同[一]，易故為新，大抵效半山而自有活法。前後凡若干首，題曰《唐宋百衲集》，唐宋集古樂府皆在焉。壬寅春，閩吴興太守東溪李侯與其友千秋李君皆有詩名，倡醻甚盛，慕而來謁。一閱其集，咨敫再三，亟俾募工刻之以傳[二]，而辱徵予序。昔李汧公以衆琴為百衲琴，黄豫章以集句為百家衣，直戲言耳。今廷瑞精能之至，所謂細意熨帖平，滅盡緘綫迹，而百衲之可乎？吾儕窶人，得一破衲，須蒙頭熟睡，素無詩分，何敢言集句。然亦能知其用力之難，非一朝夕。因為識梗概如此，且以見君子成人之美焉。東溪名岳，千秋名昌齡。其年夏五陵陽牟巘序[三]。

[一]合異為同：異，原作「易」，據文淵閣四庫本改。　[二]亟俾募工刻之以傳：募，原作「摹」，據清鈔甲本、乙本改。　[三]其年夏五陵陽牟巘序：底本無，據《永樂大典》卷九〇九補。

全元文卷二三六

牟巘　五

張氏學古齋倡和詩序

木犀之名，出於近代，或云即《爾雅》所謂「梫木」者。樛枝偃蹇，秋半始花，花過於枝，香過於花。公等安在，何相見之晚？廣寒宮丹桂婆娑，下有顧兔，乃一旦與之齊名，玉局翁「鷲峰蟾窟」之句，朝錢塘暮四海，其名益盛。此花蓋晚遇，而翁猶恐孤芳老於澗邊，欲采擷而佩之。士舍芳抱潔，伏巖谷而不耀者，曾不得如此花之遭，自拔於凡草木，翁獨能無情乎？張仲實氏學古齋前一枝初吐，香氣迸林。戴君帥初相率諸友就飲花下，時適白露降之三日，天高氣清，餘暑辟易。吾仲實邁往之韻，挹鷲峰，翻蟾窟，為花著語，灑落不凡。四坐詩流，競發新意，而丹梯癯仙，頗復與花共話疇昔。不喜時之艷陽，而喜其風露之高寒；不取花之富貴，而取其山川之耿介。風流賞晤，勝絶一時，可無澗邊孤芳之嘆矣。予方逃瘧，對庭中兩犀株，繽絲落蘂[一]，聞諸賢雅輯，慨然想見其處，愧不克陪。既和其詩，復書此貽好事者。與會和詩者一十五人，帥初、王子慶、周性之、鄔願學、白庭玉、戴祖禹[二]、屠存博、陳無逸、顧伯玉、王德玉、丘良卿、凌德甫、仲實之侄如晦、景忠，不與會和詩者一人，牟某獻之父。

[一]繽絲落槖：絲，清鈔甲本作「紛」。　[二]戴祖禹：祖禹，原倒，徑改。

俞好問詩藁序

詩直耳目玩耳。自昔詩人，往往以之鉥心掐胃，甚至欲嘔其心，而少陵亦有「良工心獨苦」之語。夫愁勞其心以娛耳目，如膏自煎，蓋可嘆。而世且竟為之悲鳴兩吻不肯止，豈所苦未易奪所樂耶？俞君好問日以吟哦為事，吾意其未免昔人之所患苦。而君方夷然以笑曰：「吾將以是娛吾心。」閱其帙，佳句層出，不務為刻深噍殺，自有意度。讀之猶能使人喜，豈不足陶寫性情哉！必有得之心，而非耳目所能與者。君既以東坡詩句「且娛心」者名其集，又取林和靖「暗香疏影」、涑水公「清茶濁酒」之句為韻而賦之。用意如此，宜其用以自樂也。余有幽憂之疾，念不能自釋，今而後，知詩之可以娛心，奏金石、破蟋蟀之吟，安得與好問同其樂！（以上《陵陽集》卷一二）

虞舜民禮樂韻語序

約禮之文，而讀之以韻語，略見於《儀禮·士冠禮》三加之辭。而傳亦有之，《曲禮》所謂「正爾容，聽必恭，毋勦說，毋雷同」，《少儀》所謂「不窺密，不旁狎，不道舊故，不戲色」是也。他如太公丹書管氏弟子職，莫不然。至於「賓之初筵，抑抑威儀，相鼠有體」之類，則通於《詩》矣，客歌《驪駒》，主人歌《毋庸歸》。□五伯[一]，桓、文、宋襄、楚莊、秦穆，亦為五伯。他如朝宗、遇覲、會同曰六禮，冠、昏、喪、祭、鄉相見[二]，亦曰六禮。乾坤六字曰六宗，天地星河海岱亦曰六宗。六經曰六藝，禮樂射御書數亦曰六藝。名數同而事則異，見於施用，必且龐雜而無章，乖戾而不協矣。虞君舜民《名數啟蒙》乃自歷代以來涉乎名數者，皆挈其凡要，序其次第，而又參稽互訂，取其是者附註於旁。其義較然，如指諸掌；可舉而行，無悖於理。夫衆萬不齊者，數也；至當歸一者，理也。通一而畢萬，則殊會而同歸。此蓋天地、人名、數理之總括，非直童子方名，日數尋、行數墨之書也。

[一]「五伯」上所闕之字，清鈔乙本作「王」，文淵閣四庫本注一「缺」字，詳味文中意思，此之前言韻語，此之後則言名數，下文中之《名數啟蒙》與題目之《禮樂韻語》亦相舛誤，疑此處所缺甚多，前後當為二文。　[二]鄉相見：鄉，原作「卿」，據清鈔甲本、乙本改。

趙氏族譜序　大德八年

尚論其世，世必有詩，宗則專焉，族則廣焉。予觀自昔，華宗茂族，遭時多艱，宗譜散亡，夷於民

「王元楚承不，劉諸里亭叢城彭」云如。《考譜》作又，《史宗》作幾知劉？乎族其況，保自克弗往往，庶

譜》作允明蘇。矣論復不《考譜》、《史宗》之幾知而，城彭曰悉，氏劉言凡世後然，精不非據按，類之

不非法書，類之「書不盡親以」，始子父道味蘇史刺郡時堯神唐自，蘇有之眉「云如。《引譜》作又，《族

康靖避氏趙平東！哉嘆勝可。矣存復不亦《族》與《譜》之允明而，卿江曰必，族氏乙甲言凡世近然，嚴

知受公郎侍子猶，時宣政遇被公丞左世六其。也後之曄章平曰度節翔鳳漢劉季五蓋，江過族舉，難之

，某孫諸世一十而。衍蕃益乃後其，終以壽老得不皆雖，門聚喜憂，穴同凶吉。[一]矣辱榮用進，間熙淳

，貫珠聯繩，張目舉綱。譜以之繼，通旁為表年仿，圖有譜！乎賢亦不，餘之變世於《譜族趙祖》作能又

之姓録；親因見則，氏某繼外；主附見則，所某居散其書。第次以皆幼長隨，戚疏無族。例譜蘇用盡不

衆蓋，成後然歲數積。焉遺摭與集右見皆則，軼墜聞見、閱閥戚姻、末本狀誌於至。原紀見則，[二]始本

述具，序舊熙淳挈首。志之官推先成纘實，譜是為其。詞文工學博，德仲字某。矣備，矣勤，及不所譜

重申，厚忠慈孝。望期致而弟子勉，寄僑嘆而物時感，隔荒塋祖訪倦倦尤。後前之譜於列，訓遺

牟陽陵，旦月十辰甲。也可譜其觀，心其知欲人之後，忝所無公郎侍丞左對上以可。心內於發，至懇

。云方下于書某

[一]進用榮辱矣：榮辱矣，原作「天地間」，據清鈔甲本、乙本改。[二]録姓之本始：本，原作「奉」，據清鈔甲本、乙本改。下句「至於誌狀本末」之「本」，改正同此。

袁稼學重刊勉齋講義序

《勉齋黄文肅公講義》二十餘卷，大抵本朱子。提綱挈領，不為文辭，而簡要嚴切，深中學者陷溺沉痼之病。世不可無此書。舊板久廢，良足嘆。稼學袁君守儒篤學，乃裒散帙為一編。朝夕玩味，精加讎勘，輟衣食，合衆助，重刻之以貽無窮。意甚勤而工甚夥。其子德達術訓，嗣事緒成之，自今家有其書。因勉齋所講，以求朱子之言，其為發明弘益多矣。余昏眊廢學，喜見其成。竊惟在三之義，父師居二焉。勉齋力闡師説，有益世教，固已無愧其門。而稼學之子能繼父志，以廣是書之傳，亦可尚者。當牽聯俱書，用識其末。稼學名俊明云。

極圓覺上人詩禪録序

少陵云「不見旻公三十年」，予於極圓上人正復爾。異時嘗行脚衡湘，又遍遊天台、雁蕩，倦而歸，休老於菁山之崇福。折脚鐺中煨飯，過三十年，終日圓覺不涉世，故七十有七，雪顱鶴骨，精神不衰。江西李後林、朱約山[一]、吾邦陳本齋諸公，皆與句語，復來索偈。「極即圓，圓即極」[二]，屋下架屋，泥中洗泥，無有是處。有人於此因有憤發大省悟，一念之覺，一覺之頃，頓起上善。譬如雲開霧除，忽然見月，全體呈露，迥出常情。又有一人，勤修積習，從微至顯，一毫不到，使成欠缺。譬之月之初生至望夜，十分散滿，無餘無欠，乃見全功。敢問極圓上人：只此一輪月，是同還是別？

〔一〕朱約山：約，清鈔甲本、文淵閣四庫本作「葯」。清鈔甲本、乙本改。

〔二〕極即圓，圓即極：此二句原作「極圓極圓即上」，據清鈔甲本、乙本改。

陳一齋詩序

永嘉自謝康樂後，山川神秀，皆發於詩，流風浸遠。近代作者，乃推陳止齋氏。大抵詩本於學，無論魏晉。一齋陳君博物多識，而以詩名，視止齋猶曰「吾家子雲耳」。其雅言步驟山齋之十章，奇采橫溢，如明珠光霽，一見使人驚眩不定。白石、雁蕩紀行，則又如挹剛風浩露，神情為之爽也。然止齋僅《白石巖》一首，異時讀書雁蕩，乃獨無詩，豈偶遺落耶？此集人與境勝，足當補處。止齋嘗謂以雅頌蕭勺群慝，訓誥則付之諸生。一齋師友淵源，講明有自，豈但言語之工而已。温柔篤厚，詩之教也。一齋嘗授教其鄉，詩之教，固已行於里閭矣。今合三道而主文盟，所施益以廣。一吟一咏，何莫非教？因其風俗，道其性情，自近而遠，無難焉。抑予聞成周之盛惟《二南》，《國風》作而《二南》之正始變，曹鄶小國有「匪風下泉」之作，乃以終《南》、《風》，而又繼之以《豳風》，何也？蓋亦止齋之意。而予衰眊廢學，敢於一齋折衷之。

費茂卿方書序

方術[一]，猶云一方之道也。五方殊分，風氣攸限，道則一而已。醫之為道，藥雖出於其手，而方多傳於古人。故修方之家，采之欲博，擇之欲精，而其用之人，欲有活法。蓋醫者意也，所以通殊塗而會一理也。世率謂孫思邈得龍宫玉函禁方，其事甚怪。及觀《千金方》，論治積聚為虚，則取之雷公藥；治傷寒，則取之仲景、華陀，風眩則取之徐嗣伯，蒸汗則取之張苗、陳廪丘，莫不自有所本焉。況當區宇渾一，如江右晉詩、醫師所述，支用存、范祖耀等脚氣八十餘條，晉宋時蘇氏所習小兒諸方，皆前所未見，則又取其經驗者用之。它如崔文行度療散、西州續命之類，亦所不廢。其博采而精擇如此，非胸中有活法、酌古今、通南北，孰能會于一乎！吴興費茂卿，世醫也，予諗之四十年矣。兼明諸科，博習諸經，而周知南北之俗，安分知足，志在濟人。謁方求藥者日踵其門，悉意調護，多所全活。暇日博采古今名方，類為若干門，條分臚列，無微不載。往往其平日以活法用之、而有明效者，蓋非一朝夕之力也。得古千金方為多，茂卿不以自私，將板行於世，使傳之者，亦能用之以活法，守常而知變，潛利陰益，可勝悦哉！昔陸宣公閉户集方，程伊川池上施藥，予竊慕而不能，故茂卿是編，樂為之書。茂卿名某，今為醫學教授。

[一]方術：術，原作「衍」，據清鈔甲本、乙本改。

繆淡圃詩文序

古人謂，粹其文，謂不間以詩，則不俊於口，不俊者，屬辭不得流傳也，此豈有風致可尚耶？詩固無取於鄙朴，使澀而重遟耶？世人朝摹夕擬，句煅字煉，以為唐詩，而終少風致。正如效叔孫敖衣冠，而不得其抵掌談笑之意。故必有唐人風致，乃有唐人詩句。半山從宋次道家盡觀唐百家詩，平生硬掙，且復執拗，而詩則唐人也。如「萬緑枝頭紅一點，動人春色不須多」；「千紅萬紫凋零後，始見閑人把一枝」，殊有風致，不類其為人，則又有不可曉者。合沙繆君自號淡圃，風骨整峻，心事篤實，平日兢兢，惟乃祖遺訓自守。文不苟作，贈遺友朋，以規不以頌。序東流，則告之以禹之行水，行其無事。論古鎛，則嘆其田不井而咨畝秦陌，持論甚正。及觀其詩，乃更清婉。句以意勝，意以韻勝，諷之而有遺音，挹之而有餘味。風味蘊藉如此，非唐乎？雖求之劉後村、潘紫巖集中，亦未多見。予交淡圃久，不觀其詩，猶不能盡知淡圃，則不知淡圃者多矣。然徒觀其詩，果能盡心其所未知乎？淡圃笑曰：「是但見吾衡氣機也。」

鄭御史序

余閩有内樂，有外樂。人子之事親，以志養者，内樂也；以禄養者，外樂也。是雖不能無資乎外，而未始以易乎內。內者天，外者人，內者重，外者輕也。古蓋有捧公府之檄者，有列五鼎之養者，有卿太常而去冕以導母輿者，有百官回班而起居者，固樂乎外矣，而猶未全乎內也。有教子以義方者，有喜其居官貧窶者，有為京兆而樂其平反者，有為御史而勉其盡忠者，則有以樂乎內矣，而未始易乎外也。非明夫內外輕重之際，孰能與於斯？監察御史鄭君鵬南，高堂有九十之母，康甯而好德。導江張達善序而紀之，燕山史彥明傳之，以諗于余。觀其菽菜飲水，有同旨甘。延致名師，篤教其孫，以成其子之志。而鵬南亦能稱身受位，不為苟得，決獄亭疑，求為可生，以奉其母之訓。雖史傳所稱，何以加諸是？宜大夫人登高年，膺五福，以食善祥之報；御史保清名，分六察，以對寵榮之盛。不特以禄養，尤能以志養，庶幾不以外易內，不以輕易重矣。達善有行誼[一]，彥明能孝養，其言宜信。余爰用泚筆，侈其盛事云。

[一]達善有行誼：有，原作「者」，據清鈔甲本、乙本改。

義門和樂詩序

人有兄弟，均氣同體。《詩》曰：「棠棣之華，鄂不韡韡」。言其華鄂相承也。「鶺鴒在原，兄弟急難。」言其首尾相應也。蓋友愛之誼，莫切於急難之際。及哀之原隰，憂患既平，「侑爾籩豆，飲酒之飫」[一]，必曰「兄弟既具」，言如是則「和樂且孺」矣。「妻子好合，如鼓瑟琴」，必曰「兄弟既翕」，言如是則「和樂且湛」矣。蓋友愛之情，尤不忘於安甯之後。「棠棣」之不可一日廢也如此。德清孫氏，上世以來，兄弟同居，見謂義門[二]。至明之、微之，其義愈篤。中更憂患，散而復聚，不但飲食之通，室家之好，一如承平時。又作和樂之堂，取義「棠棣」。昆仲皓首，嬉娱其間，和而後樂，申其燕好，養其恩義，未始忘憂患時也，庶能知是詩之旨矣。於是姻戚稱其睦，鄉里化其順。郡邑傳聞，旌門以表異之；士大夫嘉嘆，作詩以寵綏之。流聞四方，以為盛事。其母黨俞好問萃為一帙，以序屬余。伊川謂《棠棣》之詩章多句少，多者極其鄭重，少者各陳一義，諸賢固皆得之。顧鄙陋之辭，猥篋其列，似若不類，況又冒書編端，能無恧乎？

[一]飲酒之飫：飫，原作「歡」，據清鈔甲本、乙本改。　[二]見謂義門：見，原闕，據文淵閣四庫本補。

陳公輔聽雨亭詩序

宣城陳君德親，平生業儒，投老陵陽峰下，韜光鏟彩，人不知胸中有國子監也。獨喜聚書教子，公輔能承其志。好古博雅，泛掃一室，左右置書册，間以名畫古彝器。其前種巨竹列湖，嵌中置一亭，名以「聽雨」。讀書之暇，雨則卧而聽之，用意殊不俗。此數物者，得其一，已足為勝，況兼之聽雨乎！自韋蘇州至韓杜、皮陸、蘇黄，往往而有，它未暇悉數。惟王元之齊安竹樓盡捲六宜，而以「夏宜急雨有瀑布聲」為首，此備物具美意者名亭，蓋慕元之也。韓仲文向予言，悵耄矣，無繇至其處。然聽雨一也，所以聽則殊。公輔榮贊憲幕，方為直用，非山亭聽雨時。秋木耳生，滴點皆愁，頗念疲農乎？泥深路滑，竹鷄聲苦，頗念遠役乎？風定雲黑，咻咻屋漏，頗念寒士乎？蒙莊謂聽以耳不若聽以心，聽以心不若聽以氣[一]。敢以是為聽雨亭之助。

[一]聽以心不若聽以氣：聽以心，原作「以心聽」，徑改。

挂蓑集序

久不見俞好問，忽自餘杭携王居正《挂蓑集》過我蓬廬。試閲之，亹亹乎何其辭之贍也！意者取之胸中，施之筆下，如出自然，無一毫艱澀寒儉態，而其間多有佳處。如《西園二十六詠》[二]，好事而又有濟勝之具，宜其能自樂其樂。遇好泉石則吟，好風月則吟，好朋友則吟。李觀復、鄧善之、仇仁近皆有往還言句，而山村尤密熟。予甚雋永山村詩。居正欲挂漁蓑，於其詩境，大是奇事，虚谷老子遂以「王蓑衣」稱之，可知其人矣。「江上晚來堪畫處，漁人披得一蓑歸」，故自佳也，不如「孤舟蓑笠翁，獨釣寒江雪」。不犯手脚，自然圖畫。炎天畏暑，火雲如山，輒以此書《挂蓑集》，如何？如何？

[一]《西園二十六詠》：二，清鈔甲本、乙本均作「三」，疑是。

唐棣詩序

予臥蓬廬中，忽唐棣者袖詩來見。名甚異，貌甚臞，詞甚敏。問其年，甫弱冠。問其師，則心居子陳泰初也。泰初名家宿儒，何幸親熏炙之。教之讀書作詩，以礱磨其氣質。而唐棣鋭有立志，不肯碌碌隨俗，用力甚勤，亦可喜者。又聞作詩之暇，舐筆和墨，留意於畫。嘗作二圖，可丈餘，幅尺殊廣。而巖崖草樹，心目俱到，有非年少初學所能辨，予益喜之。但頗疑詩與畫二者難並進。或者曰：「詩乃有聲畫，畫乃無聲詩。不必差殊觀，要當養其精神，老其歲月。多讀好詩則詩自好，多閱好畫則畫自好。其造未可量也。」[一]予曰：「然」。因書以勉之。

[一]其造未可量也：造，清鈔甲本、乙本作「進」。

張竹山文藁序

予聞竹山張君名久，塗轍參差，未及識。菊存婿作《秦張譜》，於忠烈王從子恭莊公四世下，特書竹山，予用是蓋知君。龍集己亥[一]，竹山來霅，始胥會。風骨森秀，襟抱卓犖，殊非侯門富貴中人。因相共劇譚，頗及往時中朝群叟、西州同社，所見岡如前日事。為之慨然，且嘆其白首滯留之不遇也。几間有文一编，題其上曰「慚藁」。好奇似太過，予驚焉。自昔文人多護短，家有敝帚，享之千金。苦不自知「小慚小好，大慚大好」。退之自知之，自言之，信斯言也。中鄉貢，其小慚乎？中進士，第其大慚乎？宏詞不盡中，其大慚而尚有未大者乎？退之固曰：「觀所試與得之之文，吾亦無甚愧焉。」退之果慚乎否，毋乃有激而言乎？否則直戲耳。竹山久謝場屋，其為未嘗不欲步驟古作，而猶「慚藁」云者，激乎？戲乎？予故曰好奇似太過也。大率喜持論者，文不必優；優為文者，理不必勝。以予觀竹山，議論辨博傾四坐，灑灑可聽。及伸紙操筆，一揮累幅，瀾翻條暢，足以發其意之所欲言。然不為支詞曼說，言言皆理，自本自根，而尤好言《易》。若銘、若贊，列之座右，驗之躬行日用，無可愧。竹山而既盡得之矣，非徒追琢時好而使人以為好者也。夫《易》有聖人之精[二]，有聖人之蘊，予蓋不能言，甚慚於竹山。或曰「慚」之一字，萬善從出，一慚之不忍，終身慚乎？迨我暇矣，將於竹山乎叩之，以祛我惑。吾之慚，庶幾其少解也。

[一]龍集己亥：龍，原作「能」，據清鈔甲本、乙本改。

[二]夫《易》有聖人之精：易，原作「亦」，據清鈔甲本、乙本改。

唐月心詩序

唐以詩取士，士皆工於詩，蓋有工而不遇者矣。場屋既廢，為詩者乃更加多。然工拙深淺有定評，名實之間，要不可眩，正不待決，得失一夫目也。唐師善自號月心，舊時舉子，業修而學博，去為詩人，詩尤工。世人往往苦心竭蹙，求合唐詩，而卒不近。師善則優為之，句意至到，音節諧美處，活脱唐詩聲。名方獵獵以起，未為工而不遇也。況西澗以來，崔李繼至而交説耶？予手其編不能置者。昔李誠公以詩送質肅公，蓋用進退韻，世傳為落韻詩者，殆非質肅語。「特高名千古，去國一身在」，此詩為失對耳。故陳簡齋亦欲學詩者以唐詩掇入少陵，步驟繩墨中，大抵句律是尚。師善以質肅之孫，參簡齋之語，千古一月，當印此心。（以上《陵陽集》卷一三）

高景仁詩藁序

《商頌》曰：「既和且平，依我磬聲。」又曰：「亦有和羹[二]，既戒既平。」予讀書至此，然後知和平者，物之極致。不但聲之與味為然，雖詩亦然。夫和平之詞，恬淡而難工。非用力之深，孰能知聲外之聲、味外之味，而造夫《詩·頌》之所謂「和且平」者乎？故精能之至，及造和平，此乃《詩》之極致也。福唐高景仁序其存藁，自謂平生刻意於詩，既去其諧俗者，又去其乏和平之韻者，所存者僅十之二三焉。何其擇之精也。景仁天藻濬發，蓋異時舉子之雄。一旦斂芒鍔、束繩墨以為小詩，豈所甚難，然猶仡仡用力如此。景仁其亦知恬淡之難，而又欲造乎和平之極致焉耳。天下惟實病難除，實德難進。自昔詩人護其愚，是其一蔽，未有能自知其詩之實病也。景仁識老見定，獨能以心為權度，身為鍼艾，公其是非，嚴其去取，無一毫自私自恕之心。勇去其詩之未和未平者弗少靳，實病除則實德進。今觀其詩，金石相宣，鹽梅相濟，大抵皆出於和平。詩之進，德之驗也。夫豈特詩為然，詩之進，德之進。蓋予於景仁之存藁，而得其為人。

[一]亦有和羹：羹，原作「美」，據清鈔甲本、乙本改。

郎晉卿歸涿州奉親求諸公詩成牛腰軸矣為序以勉其行

皇皇求仁義，與皇皇求利財，雖若同，而所以求之之意則有不同焉。涿州郎晉卿，敝衣破履，奔走四方，皇皇然若有求。何如此其急也？非求財利也，求詩也；非求詩也，求仁義也。何也？晉卿之親年高矣，澹無嗜好，獨喜吟詩，故晉卿求詩急於求財利。所得已數千首，其意未渠已[一]，將裒成巨帙，携歸為親壽，以承其志，而悦其心。邇之事父，亦仁義而已矣。其來吴興，趙子昂集賢昆仲首為之賦，繼之者甚衆。予倩張仲實，亦自杭以其詩來求予詩，且求為序。峻拒，而請益勤。惟古詩《南陔》、《白華》、《華黍》三篇[二]，有其義而無其辭。義者，《南陔》，孝子相戒以養；《白華》，孝子之潔白；《華黍》，時和歲豐，宜其黍稷是也。即所謂序也。三篇之義，本與衆篇之義合，編不冠於三篇之首，是以三篇亡其辭，而其義獨存。賴其義之存，因以知三篇之為某事而作也。序之於詩，豈不重乎？今晉卿之詩且數千首，一是以為其親，莫非《南陔》、《白華》之辭，不待序而傳，亦明矣。嘉其為親之篤，勉為後序云。

[一]其意未渠已：未，原作「示」，據清鈔甲本、乙本改。　[二]惟古詩《南陔》、《白華》、《華黍》三篇：黍，原作「忝」，徑改。

潘善甫詩序

閩多詩人，然不可以一概論。昔晦翁師劉屏山，東萊師林艾軒，其淵源皆在閩。晦翁送胡籍溪詩，屏山和之。艾軒題漁梁詩，東萊和之。屏山固非詩人詩也。晦翁罷經筵，敖臞菴為太學諸生，作《追送賦》、《甲寅行》，弔甚哀而憤愈急，毁《江湖集》，嬰奇禍而名愈高，為詩人重矣。潘紫巖早歲已奇，人謂太白、子瞻後身。及奉大對，極言巴陵。雖策名第三人，而立朝纔數日，擯遠流落，猶論巴陵不置，以終其身。銘其藏者，「八百國之同，不能止一士之異，此世教所謂民彝」。其有關於國論者如此。他詩人，如趙仲白之流不必論，而其已貴者，亦不暇論。紫巖尤足爲詩人重矣。予嘗爲吴之庾幕，紫巖補處也。所題詩在姑蘇臺柱，每慨想其人，恨不得見。今乃見其從子善甫焉。善甫久寓吴，名彌堅，實用庭堅之字。素慕名節，力學工於詩，殆紫巖一枝之横出。世之爲晚唐者，不鍛煉以爲工，則糟粕以爲淡。刻鵠不成，詩道日替。善甫雖不區區爲如此之詩，而氣脈厚，格力遒，自有意度，不見剞劂。予益喜潘氏有詩人。後村謂紫巖脱去筆墨畦徑，秀拔精妙。其後益進德，鏟奇崛，趨平粹。以善甫之能，加之以學，爲此豈難哉？予尤願善甫家法之外，益求之朱吕氏閫中之淵源，則不但詩人之詩而已。善甫又嘗爲稽山山長，讀書講學有所得，其進蓋未可量也。（以上《陵陽集》卷一四）

全元文卷二二三七

牟巘　六

跋杜隱君墓銘

予假守武攸，會眉山杜君來為李曹掾[一]。為實而文，同寮相好也。一日，愴然示予以其先隱君山莊老人寵銘，因獲考論隱君之為人，蓋庶幾所謂質直而好義、志仁而無惡者。力學華皓，不一與計偕，賫志以歿。李掾君乃能以科第自奮，國人稱願焉。是可以知隱君之教矣。隱君素為鶴山魏公、國博李公所知。畏齋吴公，南軒先生高弟也，固不輕許可，亦喜稱隱君。隱君平生所為，類多可紀，如不負楊大安，雖古烈士殆無以過也。始曦盜蜀，一時諸賢，義不為賊污，往往避偽棄其官去。而權大安軍楊公震仲遂死之。楊公前死，以書遺其家，有曰：「是第一郡無樣子也。」又曰：「不錯，不錯。」其處死從容如此。予讀其書，未嘗不為之流涕。隱君蓋其客也，異時力白宣威上其事，易名賜廟，且褒録其孤。而楊公之節始聞於天下。雖人心公論有不可泯，然實自隱君白發之也。翟公不云乎：「一死一生，乃見交情。」方是時，楊公而既死矣，寒根斷緒，誰復顧存？隱君獨不以死生為間，奪匹夫之力，為人所難，汔暴白其忠，是豈有為而為之邪？烏乎！楊公為不負國，而隱君為不負楊公矣。隱君且不負楊公，使之獲用，其忍負國哉？其後蜀變，潰旅猖披，隱君憤罵遭戕。視楊公之死，雖若有小大顯晦之殊，要之均不肯為不義屈。意者主賓平日於死生禍福之間，講之熟而處之齊矣。或謂隱君之遇潰，不足以死，巽辭以免可也。烏乎！孰有楊大安之客而為賊屈者乎？昔于嵩依張睢陽，為張籍言巡死時顏色不亂，陽陽如平常。昌黎著其語《後叙》中，千載之下，讀者猶凜凜有生氣，而嵩之名遂附睢陽以傳。然則隱君之於楊公，法當牽聯得書，惜無以告之太史氏也。嵩死於仇，隱君隕於潰，事固有不幸而適相類者。然嵩死無子，今杜氏有李掾君，而諸孫詵詵又皆領薦，斯文蓋未艾。此又隱君喜祥之報，固非嵩所可望也。予生也晚，恨不及升堂拜隱君，因竊識其大節於其銘之末，使後之觀者有考焉，是亦其子若孫之意也。

［一］會眉山杜君來為李曹掾：杜，原脱，據清鈔甲本、乙本補。

題淵明圖

淵明來彭澤幾何日，一督郵至，飄然徑歸，高矣。乃托之「情在駿奔」，何耶？士出處關世道，豈真為小諒。此二者，要未是以論淵明也[一]。淵明既賦此詞，自是不復出，意固有在。「帝鄉不可期」，蓋其微詞所寓，而論者或未之察也。烏乎！内望彷徨，修門愈邈，吾生行盡，去將安之？亦惟安乎天命而已，奚復疑哉！此又致命遂志之義，與子雲遯於不虞、以任天命者異矣。[二]

[一]要未是以論淵明也：是，疑為「足」之誤。

[二]以任天命者異矣：任，原作「保」，據清鈔甲本改。

題松苗圖

尺寸之木，加乎岑樓之上，高乎哉，不高也，勢也。苗之於松也，亦然。松柏之下，衆草不殖，苗非加高於松也。今且易而置之，苗居山上，若助苗長者，而松顧居其下，則一寸之莖，可以芘百尺之條矣。非高也，勢也。然是松也，勢雖若屈於苗，而正性挺然，無一毫慘沮抑鬱不自得之意。此固處於非據者之所甚愧也。世率謂：積薪居上，愈於久次之汲直；七葉珥貂，愈於白首之馮唐。果何如耶？果何如耶？

題仙人樓居圖

吾聞至人御風騎氣與造物遊，直緣所見者超無所係著，故其觀人世樓觀臺榭，俄然而秦，倐然而渼，如海市浮空，煙雲變滅爾。未知亦有丹臺絳闕、金城玉室、五城十二樓若是區區者。今舜舉作此圖，駕言於仙，筆意俱妙。陶隱居中三茅而立館，又建三層之樓，己處上層，弟子居其中，賓客至其下，此殆是耶？吾猶未免詰曲世間，安得攝衣從之？

書東坡石菖蒲贊後

《周禮》「朝事之豆，其實昌本」。注者以為菖蒲根，切之四寸為菹，四寸一握也。《春秋》載周公閱來聘饗，有昌歜。注者亦以為昌歜即菖蒲菹。而唐人乃謂徧檢諸書傳，菖蒲草無別名，未知其所由。疑之似大過。文王嗜昌歜，安知非昌本，而禮遂設之耶？《月令·孟秋》「其味辛」，注者云，水草之和氣，即昌本也。既言其辛，又言其和，何也？《本草》云：「菖蒲味辛温。」二者皆備，與此注之説合。但東坡所取，乃節葉堅瘦，根鬚連絡石上，好事者移置盆中，為几案玩，如今所見者也。其根安得一握四寸之長，而可菹為耶？況所謂水草之和氣，初未始言生於石上，意深山窮澗之中，或有如《本草》所云，然未之見也。退之云「昌陽引年」，則又別為一名。豈退之亦以為似是而非，而人得以訾之耶？俞好問示予以東坡《石菖蒲贊》，因書鄙見如此者，以俟博物君子考焉。

題趙主簿遺像

事親以承顔為先，其歿也，事之如生。既為木主，象其終身以祭焉[一]。陳其衣物，思其居處，與其嗜好。或求之陰，或求之陽，無所不至。《禮記》曰：「三日齋，七日戒，必見所祭者。」則幾若音容之可接焉。吾之身即親之身，精神氣脈相為貫屬，有感必通，幽明無間也。後世之俗，生則繪其像，謂之傳神；殁則香火奉之，謂之影堂。禮雖非古，然方其旁皇四顧，思親欲見而不得，忽瞻之在前，衣冠容貌宛如平生，則心目之間，感發深矣，像亦不為徒設也。昔伊川先生以為，毫髮之不相似者為疑，而其家自太中公以前固嘗用之，要為不可廢。曩更兵火，士大夫家侈幅長幀，飾以綾錦，往往不能全。桐川趙君必滿，乃獨得其先主簿之遺像於東鄰。雖僅片紙，粉墨慘淡，而豐神自若。蓋主簿之殁以甲戌，此生前所寫也。失於乙亥，得於癸巳，二十年間若有護，以待其子孫而畀之。非一念純孝，通於造物，何以致斯耶？持白其母，裝褫而揭之祠堂。如久出乍歸，喜極而感，感極而潸然以悲也。予聞主簿出貴胄，能力學取文薦，不負其父料院公之訓，是宜有子世其傳。又將輯其遺事，非獨此而已。予得之予友張剛甫，因識本末，遺其子若孫，尚永此意於無窮云。

[一]象其終身以祭焉：終，原作「中」，據清鈔甲本改。

題徐容齋薦藁

昔古靈先生陳公襄，薦司馬温公而下三十餘人，蘇文忠公亦在焉。其章草皆親筆塗改，勾注其旁。温公亦有《薦士録》，自至和逮熙寧，凡百有六人。皆公手録，其外題曰「舉賢能」，亦公所作隷古也。前輩薦賢報國，誠篤懇切如此，真可為法。東平徐公琰，自號容齋。人有寸長片善，不啻如自口出。廉問浙西[一]，士之賢者，多所論薦。尤留意學校，舉學官二人焉以示勸，江西李塗性學、西秦張楧仲賓是也。於仲賓稱道尤至，不但喜其文詞言語，直以高邁超卓、通國體、識時務者歸之。謂其他日成就，必越倫輩，可號於天下，曰知己矣。此其申牘之章，凡更定增損，于再于三而後定，尤見不輕於許予也。公有慕於古靈、温公歟？仲賓得之以示予，猶記丙申歲，予偶來杭，容齋首訪寄邸，稱仲賓不置，且賀予得婿，意甚惓惓。覽其遺墨，已成隔世，使人愴悲。仲賓感念知己不能已，因書右方歸之云。

[一]廉問浙西：問，原作「閩」，據清鈔甲本、乙本改。

跋忠烈王傳後

天生非常之人，所以弭非常之變。光武當四七之際，中天而濟大業，時則有二十八將。高宗值百六之厄，南渡而成再造，時則有十三處戰功。君臣相得，豈非天之所授哉！高宗御將，同符光武。維張忠烈王，四將之首，戰功之偉者也。考其本末，大類好畤侯耿弇。蓋弇起扶風，而王家三陽，則鄉里同。弇謁光武盧奴，而王首事大元帥府，則遇合同。弇言使者從西方來，欲罷兵，不可聽。王亦言蠟書從圍城中來，此虜詐謀，願勿聽。皆有關於利害。王郎驟至，夜渡呼沱。弇則合漁陽突騎，以拔邯鄲。苗劉甫誅，倉卒航海。王亦戰明州城下，以挫兀朮。皆有關於危急存亡。至於破五校，破李成，皆為平劇盜；破臨淄，破劉豫，皆為敗齊寇。大率英雄所見略同，非偶然者。克濟中興，不亦宜乎？予觀光武齊黃石，存包桑，而外無彊虜；不任三公，事歸臺閣，而內無權臣。然弇自克齊之後，功不再見，范蔚宗猶疑時之度數，不足以相容，而況紹興倡和，檜實誤國，方且挾强虜而忌功臣，則王之處此，蓋有難於弇者矣。江邈累疏，竟罷樞筦，於是口絶言兵，全身遠害而已。尚賴主知，獲保晚節。雖英規偉畫，或有未究，而苴茅胙土，延慶于後，子孫鼎貴，至今猶盛。要終而論，視耿氏累葉功名、與漢興衰者，何以異也。某曩侍先人，頗獲窺金櫃石室所藏建炎以來元功之次，每以副墨散落為嘆。王之五世孫槱[一]，予倩也。卓有立志，能大其門，而亢其宗。暇日采舊史，參家乘，為此傳以示余。詞約而備，事綜而實，士大夫則知尊祖矣，蓋深嘉之。惟論史得引古相方，因詳著如左，以附于雲臺之列。史稱耿賈鴻烈，忠烈之名，要當相與並垂無窮焉。

[一]王之五世孫槱：槱，原作「楧」，據清鈔甲本、乙本改。

題唐饒州遺墨後

唐公景賓，初主簿於霅。首見先公，執弟子禮，相從講學寂寞中。先公以其用志堅苦，必能有所立，甚敬之。既滿去，以書見修齋先生王公曰：「吾自存齋來也。」亦遂為知己。予賓知修齋，益與景賓厚，在越以狂愚觸權戚，幾陷大戮。景賓獨為予喜，走書追勞江上，論甚偉。明年冬，景賓忽起番陽守。時事倏變，隕身白刃，終全大節，視偷生苟免者異矣。同時如池陽之趙、長沙之李，及他死義者數人，偶皆游先生門，世率牽連言之。陳梅居分教此邦[一]，出所往還諸書，讀之悚然。最後一書，三月八日也。距景賓死無幾日。書中所云「此惟有死」等語，可為悲嘆。毛仲翔嘗為予言，景賓遺業，僅十八九畝，可敬哉。又閔其二孤已矣，天何不佑，泉明之酷也。因泫然書卷末。

[一]陳梅居分教此邦：居，清鈔甲本作「君」。

跋浮漚歌

浮漚何所起？起處起耶？方雨之勢，滂然下注，而水之氣，滃然上浮。相逼而相激，不能以不為也。然而謂雨非水，謂水非雨，非雨非水，强名曰漚。果非雨非水耶？及其散也，既不得為漚，而猶曰漚者，何耶？將不曰漚，而且曰水曰雨，其可，其不可耶？或曰，漚須臾之間，且起且滅，本無成也，何有於壞？若使能壞，而復能成，雖佛之力，有不暇為也。而孰能為之耶？樂普和尚因六觀之義，作為浮漚之歌。意者以為人生之起滅生死亦猶是耶？抑以為無起無滅無生無死耶？其法嗣古，潭源上人書之以傳，當已默解大意。閒以示余，既自曰「浮漚」，予亦可曰「浮漚」。

題周味道菊野

周原膴膴，堇荼如飴，地氣實人力之勝，質之理，無足怪。雖菊亦然。近世譜菊者，多至數十種。蒔之庭圃，人力勝其天，往往競出新奇，以悦可人意。變之速，有甚於堇荼。惟一種花，小而正黄，芬烈過他品，蓋菊之真者也。頋林樊籬落，掩翳寂歷，乃獨不變，反蒙野菊之誚。野則放，放則真，真則大。吾方賀菊之得此名，而何慊於野哉。風俗之移人，賢者有所不免，得見野者，斯可矣，殆有甚於菊。無已則求諸野，可也。靈均惟其野，故能作《離騷》。彭澤惟其野，故能醉東籬有書甲子。非野不足以見二子，野固二子者之所願也。峨峨風節，遂與花俱高，彼飲菊潭南陽者，遽變為容悦，為脂韋，藉其名以誤人，正坐不能野耳，非野之過也。菊可變，而菊之野者不可變。伯始可變，而靈均、彭澤不可變。是未易與俗子言。吾鄉周味道，多難早孤，流落困頓，萬有一生脱艱虞中，以來吴門。所謂辛勤三十年，始有此屋廬，視前君少泰，需於沙而衍，出於穴而亨，常情於此，未必不境换意遷。而味道方且以「菊野」扁其書齋，圖而列之。巖之峻，以喻其前日之險阻；菊之野，以况其平生之子孤介。風霜披剥之餘，寒花晚節，有不變者存，又將以保其歲晏之芳菲。蓋其所自叙如此。論議詞藻之燁然，質雖野而文則史。吾懼其山林之不果也，味道方自此升。昔人願毋忘在莒時，予亦願毋忘在野時，乃無負於斯菊。

書陳養大祖贈告

自昔喪亂之際，至有以大將軍告身易一醉，況有甚於此者，故家遺物，雲散潦空，不自意全。古杭陳養大乃能訪求其大父贈朝議大夫告。雖斷縑尺許，而明禋之貤恩、吏部之印章、陳氏兩世之官名，猶有可考。蓋其一念思親，志存舊物，期於必獲，故造物者實陰相之。世有藏唐誥，多顔魯公所書。而陸農師追封其祖，亦米南宮為書告。家則堂師慕平原者也，既識其事，而性存又以忠孝稱之。則陳氏之所得侈矣，不但取元章之字畫而已也。

跋崔清獻公帖

嘉定中，清獻崔公以次對帥蜀，其後遂制置西事。賓客從者，忠文洪公實顓牋翰。崔公清規重德，洪公雄文直道，參會一時，蜀人紀之，以為殆過石湖、放翁也。崔公出蜀歸卧五年，杜門謝病。而洪公以考功郎論巴陵事得罪，擯天目山下。端平改紀，崔公遂相，白麻一出，天下傾想風采。公力辭不拜，御筆手詔，旁午于道。朝臣中使，守門趣發，公汔不起，以至謝事。是時亦起洪公為臺諫給舍，為兩制論駮不少貶，顧以病不大用。賓主相為終始蓋如此。至是丙申，得觀兩帖於唐師善家，為之感嘆。崔帖後有中書省印，乃程滄洲家舊物。而洪號平齋，又號蒙齋云。

跋蔚上人約梅集

往來衲子，紛紛籍籍，如麻如粟，欲求一梅花樹下僧，乃不可得。「坐對真成被花惱，出門一笑大江橫。」誰與領此，必遠自越，以蔚上人《約梅集》來，三十年前，當面錯過[一]，方相識此集中。不契而合，大是奇事。上人高提句律，咄咄逼唐人，晚更老辣，與梅莫逆。尤苦説梅，顧所謂參寥子有不可曉者歟？端不負梅矣。吾儕食息人間，憒憒過日，徒嘆老嗟卑而已，不知去梅幾格。此老胸次，故自不凡。予謂其詩集，有梅花處，可無一本？

[一]當面錯過：錯，原作「蹉」，據清鈔甲本改。

題范氏文官花

韓魏公守維揚，郡圃芍藥有腰金紫者，四置酒，召同寮王岐公、荆公，而陳秀公亦與。四人皆先後京口鶴林寺花，久為首相，亦異矣。草木之華，其尤異者，至和之萎也，本乎天而應乎人，理無足怪。辛稼軒嘗為賦歸閬苑。近世盛稱，邢臺范氏文官花，粉碧緋紫，見於一日之間，變態尤異於腰金紫。休寧令君瀘溪孫[一]、《水龍吟·白髮儒冠誤》，蓋屬瀘溪令君。物不虛生，必有其應，應之遲，發必大。主文而稼軒外諸孫，刻其詞，置花右。至今猶存，若有護持之者。其子雷卿，遂以斯文發祥，領學事，盟，文官之應不虛矣。人皆曰：「花，范氏瑞也。」夫以雷卿之賢，兩家百年，忠義之脈，文物之傳，在其一身，宜造物以功名事業付之。花本出唐翰苑中，雷卿即為翰林主人，花亦榮耀。吾方賀茲花之遭，然則花瑞范氏乎？范氏瑞花乎？

[一]休寧令什瀘溪孫：什，原作「尹」，據清鈔甲本改。

書范雷卿家譜

范君雷卿以學事至霅，示余以其家世本末。蓋范自唐以來，為邢之著姓。所居光山范解利，環十里皆諸族。有為虞部郎官者，君之四世祖通守公，號河朔孟嘗。靖康之亂，能全其宗，收窮周急，信義具著。由進士出身，為蔡州新息縣，紹興辛巳十月，以其縣來歸。及海陵敗盟，我以成閎鎮上流，趙樽屯德安，搗虛潰蔡時也。晉氏晚過江者，皆以傖荒遇之。高宗兼愛南北，凡歸正人，率厚加禮秩，以係中原之心，事優前代矣。中緣和議[一]，指名取索，傷忠義之氣，絶英豪之望。至是公等來，法當超受以勸，乃僅添差湖川長興丞，緋衣銀魚，不盡如章也。未幾亮殞，襃繼和戰未決，或又倡爲遺歸附之説，動摇物情。賴廟謨堅定，公等以安。殆公南邁至宣，諭司有惎公之子曰：「盍稍增飾功狀[二]，可冀超用。」公峻折曰：「吾父子歸朝廷，要以忠孝立身。奈何甫過淮河，遽欺君欺天乎？」乃以質言。及命下，欣然就職。尋又例爲不釐務，不屑也。益損俸廩，活饑氓，賙寒士，委祉於後，意蓋有在。改簽書鎮江軍節度使判官廳公事，召赴都堂，審察添差通判本府。以壽終于官，葬丹徒，遂家焉。子瀘溪令，實同决策。孫招討司參謀，有詩名。曾孫休寧令，有政聲。五世孫即雷卿，江浙儒學提舉，大得士譽。詩書事業未艾，皆公履信思順，積善餘慶。天之報施，始嗇終豐如此。某竊惟先朝，寤寐神州，收其豪雋，公與辛公棄疾先後來歸。忠義相知，辛公遂婿於公。公當審時，陳公俊卿、伍公炎皆知公，而公老矣，不果用，賫志以殁。辛公聲名日起，入則導密旨，出則躋執撰、領師垣。烏乎！公之不遇，命也。惜辛公不徑以前賢例，取瀘溪作行狀，使此十餘紙漸蠹斷。幸元孫之賢，收拾完補爲巨軸，傳示將來，不負勵志之屬矣。高曾百年之章，其亦少慰九原。

[一]中緣和議：緣，原作「绿」，據清鈔甲本、乙本改。　[二]盍稍增飾功狀：增飾，原作「憎餚」，據清鈔甲本、文淵閣四庫本改。

跋湯徽猷昌言録[一]

紹熙甲寅七月五日，太上不克，執爽於重華，遜位東宫，改元慶元，實趙忠定公之謀也。孥韓侂胄不過傳導之勞，乃欲専定策功，憑藉肺腑，居中用事。群小恭之，首去舊宫僚，又出御批，去侍講朱文公，以撼忠定。其勢已非乳媪陳謝所可解，生棗再撲所可除。乙卯五月，忠定竟貶死，遂以逆黨偽學設為厲禁。一時諸賢，皆在戊午讜議中。國空無人，奸凶愈肆，卒至啟釁稱禍[二]，流毒海宇而後已。甲寅之初，徽猷湯公為學官，建言太上，未須移公。又言朱公不當驟去，與忠定意向實同。忠定既貶，公亦外補。甲子始入為丞郎[三]，時朝論漸平故也。繼待次台州，乙丑改知常州。嘗移書于韓，極論其非，且論蘇師旦、周筠之過。時北事已有萌，中外洶洶。丙寅盛夏出師，敗於虹縣。公又移書，數其罪狀，視前益峻。丁卯招接北來人，意在再舉。公以應辦錢糧不繼，降謫贛州，猶逞前憾也。是冬師旦誅，未幾侂胄殛，公甫得自便。黄巾賊起，而後赦黨人之罪。斡離不陷中山府，而後言黨人之忠。湯公所遭不幸，適類是。嗚呼，可勝嘆哉！四世孫丹陽尉暉老父子世其科，追念先烈，哀集遺事，為《昌言録》。趙南塘以忠定黨獲重譴者，其挽詞并附見焉。五世孫彌昌少領鄉薦，前鄱陽書院山長。其興未艾，忠義之報也。自余友越教姚式示以此録，敬觀感慨，輒以所聞識于後云。（以上《陵陽集》卷一五）

［一］題目及文中之「湯徽猷」，原作「湯徽獻」，據文淵閣四庫本、清鈔甲本、乙本改。　［二］卒至啟釁稱禍：稱，清鈔甲本、乙本作「稔」。　［三］甲子始入為丞郎：郎，原作「即」，據清鈔甲本、乙本改。

跋韓子蒼帖

韓公字子蒼，蜀西之陵陽人，故世稱為陵陽先生。政和間，以試文入館，為中書舍人兼直學士院。靖康初，起知黄州，晚以次對奉祀，居臨川，又號北窗居士［一］。其父德翁，登東坡及魯直之門。公早為二公所知，中遂以元祐學術罷。又嘗與陳了齋游，集中壓卷是也。以詩名天下，吕居仁欲要入江西社，然其詩自成一家，有《陵陽集》行於世。帖中語載集中［二］。其餘問訊諸帖，蓋在臨川時。諸賢患難流落，何所不有，惟林下衲子輩，猶能用情。東坡、山谷亦多有與諸禪帖［三］。此帖筆法似山谷，老硬處亦似了齋耳。某家與公同郡。五子迪登進士，為夔漕。先祖姑嫁其子，其諸孫有克己者，仍世姻。特科入仕，藏公數帖許。見分當時忽不取，今亦不知存亡矣。觀此為之慨嘆。

［一］又號北窗居士：窗，原作「牕」，據清鈔甲本、乙本、文淵閣四庫本改。　［二］帖中語載集中：帖，原作「室」，據文淵閣四庫本改。　［三］東坡、山谷亦多與諸禪帖：東坡、山谷，原作「坡齋了谷」，據文淵閣四庫本改。

題博愛堂詩卷後

吴興郡判官，自號博愛堂。至官甫逾月，人皆謂其持身正，處事恭，聲譽赫然。一日訪余敝廬，相與論著，因知所謂博愛堂，乃其上虞為宰時所自創，而廉訪使者適縣時所書扁也。邑之士，共賦詩稱道，盈鉅軸，至是親友程晉輔携以示余。三十餘年前，予使越按部，首事上虞，因記其山川風俗，閱此良以嘉嘆。不鄙病耄，俾發博愛之旨。昔吾夫子未嘗輕於言仁也，故以博施濟衆為難。而孟子則推人以善，欲其推不忍人之以及人，故曰善推其所為而已矣。不忍人之心，即惻隱之心，仁之端也，蓋指人心天理流行發見者而言也。譬之泉焉，涓涓一綫，其初甚微，穿石達溜，迤邐為江、為河，以至於海。莫之能禦者，非他，源愈深則流愈長，流愈長則澤溥矣，此自然之理也。君以博愛存心，觀其已試之明驗在上虞，推之以及於一郡，不既博乎？况其先世之遺愛在吴興，推之以傳于無窮，不愈博乎？勉强力行，終始必一，斯可矣。雖然，愛不可無差等，泛愛衆必曰親仁，博愛之謂仁，必曰行而宜之謂義。敢以是復于博愛堂。

跋范令君晉陵詩十九首[一]

晉陵范令君閑静翁十九詩，余從其孫月觀提舉獲觀之。令君出為招參，稼軒辛公婿也。長歌撫劍之嘆，似有婦翁風概。及觀行賑、行滂、視旱等作，乃能細意為民，懇惻篤至如此。其大父通守公，以紹興辛巳來南，至是甲子一周，故江南風俗利病，講之甚熟悉。仁哉！令君之用心。《詩》曰：「豈弟君子，民之父母。」晉陵之民，抑何幸歟？令最近民，一膜之隔，天壤懸殊。水旱常有，而賢令尹不常有。可以發千古一慨。天慶觀奚凝為刻本。今甲子又逾一周，而月觀藏之，楮墨如新，可敬已。山陰道士愛逸少《黄庭經》，予謂不若奚道士愛此詩之有益於民也。

[一]題目中「晉陵」與「詩」中間原衍一「時」，據目録删。

跋歸去來辭

淵明平生志在田園，雖嘗薄宦，未始一日不念歸也。《始為鎮威參軍經曲阿》詩曰：「聊且憑化遷，終返班生廬。」已有歸意。及《為建威將軍幕使都》詩曰：「田園日夢想，安得久離析。」歸意愈切矣。俛就彭澤，為三徑資，八十餘日即賦《歸去來》，翩然而去，自此不復出矣。此其意豈在區區一郵督耶[一]？松雪齋為虚谷翁書此詞，蓋深知其心事，故虚谷賦詩題其後，因以自見。老筆雅健，讀之敬嘆。若子昂字畫之妙，中固已言之。

［一］此其意豈在區區一郵杼耶：郵杼，文淵閣四庫本作「杼郵」。

跋梅花賦

梁昭明稱陶淵明貞志不休，安道苦節。白璧微瑕，惟在《閑情》一賦。皮襲美稱宋廣平鐵心石腸，而《梅花賦》新清婉媚，不類其為人。兩事正同。然《閑情》卒章，尤蔓草而誦《召南》，坦然存其誠，與廣平所謂「貴不移於本性，儷君子之高節」者，異詞而同旨，襲美蓋未足以知之。趙子昂為虛谷翁書《梅花賦》真本，虛谷既取廣平叔父「永保貞固」之語以明之，予因發淵明之意，以補其說焉。

跋厲白雲詩

東白厲氏，自唐殿中侍御史與姚賈同時以詩名，至太師屏山公，尚世其家法。名章偉畫，錯落岷峨間。予從老人大父，嘗及見之。今白雲，其季孫也。徙家於杭，年甫逾弱冠，藉藉有詩聲，為諸公所稱道，是家信多能邪？一日來雪，以《白雲集》示予。其辭雋，其思清，其興寄遠，讀之殊使人有凌雲意。白雲襄嘗浮江淮，走閩粵，慨然有志于世。顧肯效山翁溪友，指白雲為歸趣，要未易與俗人言。陶隱居挂冠神虎，嘗謂山中白雲，「只可自怡悅，不堪持贈君」。蓋落遺外觀，自樂其樂，内足於己，不以己徇人者也。意者白雲患苦世俗，殆有意隱居之所樂乎？是將脱鞅掌、超塵埃，以與莽蒼鴻蒙、游方之外矣。不然，何其莫逆於雲乃如許？它日上下四方，從東野見之白雲深處，當相視一笑。

跋小學大略

縣令位卑，而董子以守令為民之師帥，其任乃與守等，蓋所關於教化者大也。言政不及教，言教不及化，則簿書期會而已耳。世之為令者，類曰：「吾位卑，期會簿書一不應程，譙責四面至，日救過不暇。師帥之任，教化之事，有守在，吾奚為與之哉？」其自待何薄歟？史君彦明嘗宰岳陽之平江，不勞而辦。暇日頗進其賢士秀民，相與講學。又取所藏季君簡《古今訓學大略》，刻之梓。而引先儒盡性踐形之説，序之以傳，庶幾有補於教化之事矣，來雪以示余，閲其編，大抵本諸晦菴朱氏小學書，所謂立教明倫、敬身稽古者。而其條目，則不能悉備。至於外篇，嘉言善行，以廣而實之者，則又無之，取其大略故耳。然其采摭裒聚，用力甚勤，不但施之小學，使學者家有此編，豈不有助於修省，而有裨於教化？是則彦明之意也。方彦明在岳陽，予不知其長為誰，而一令乃能若是，使凡為令者，皆能知彦明之用意，非風俗之幸乎！

跋葉一山所藏文山相國書後

宋丞相文公魁壘英傑，以盛年負重名，居高位，其視一世為如何？所答括蒼葉君書，乃不惜餘論，期獎備至，而詞氣又過自謙屈如此，胸中所存，可概見矣。詩中又云：「思永與陵名義有犯[一]，請更之。」蓋為永思陵也。公於嫌疑之際，造次之頃，猶不忘恭謹。他日臨大難，守大節，死而不變，亦此一念所克耳。葉君首江西漕解，椎輪於公，一飯之報，不以存亡間。藏其遺墨，於患難奔走之餘，如護拱璧。賦詩追祀[二]，有「主死妾猶未」之句，讀之使人酸鼻。朋友之義，與君臣父子、夫婦兄弟並。世道日薄，頃刻變態，棄之如遺，況一生一死乎！況又有大者乎！「一女不事二夫，忠臣不事二姓」，楚龔語也，文公似之。「思著主衣裳，為人作春妍。有聲當徹天，有淚當徹泉。」陳後山語也，葉君似之。然則葉君，固可書也。

[一]思永與陵名義有犯：清鈔甲本、乙本作「思永義與陵名有犯」。　[二]賦詩追祀：祀，清鈔甲本作「記」。

題四明二僧詩卷

東臯謀師以四明此山、華國兩上人，見余於蓬廬。過當，過當。讀行卷殊佳，蓋有意趣，有標致，殆不類僧語[一]。聞二人皆傳家子，源委固當自書中來也。今歲七月旦，江淮一大異，生靈一大厄，可駭可嘆。是時此山在吳下承天，華國在京口浮玉，適與壞會[二]，詩中乃無一字及之。豈定力自能遣憂患耶？昔琴師欲進其弟子以學，則移其耳目志慮於衝風怒濤、崩巖振海之際，安知二子之詩不因變而奇乎？然此山嘗寄華國曰：「沙鍋煮薺，竹澗看花。」華國寄之，亦曰：「斲池燒畬，依松編草。」此猶未涉憂患。懷思故山已如此，今當山益深、林益密，吾恐詩雖奇，無由輕落人間矣。

[一]殆不類僧語：殆，原作「顧」，據清鈔甲本、乙本、文淵閣四庫本改。[二]適與壞會：壞，原闕，據文淵閣四庫本、清鈔甲本、乙本補。

跋劉君擇所藏孝經十七章像

先朝仁宗冲幼時[一]，有摭《孝經》要語畫為圖以資把玩者。此圖其起此歟？雖不盡在筆墨之間，然其前後布置亦甚難，細觀可見。況首章畫夫子及侍坐者，皆有所本，非徒苟作也。

[一]先朝仁宗冲幼時：冲，原作「中」，據清鈔甲本、乙本，文淵閣四庫本改。

跋顔魯公乞米諸帖[一]

太保李大夫，即劾大將管崇嗣背闕坐者，蓋李勉也。魯公以名節相期，時有所須，不自嫌外。然必數月食粥乃乞米。妻病，乃乞鹿脯於李公，尤不苟求如此。清介之風，可以概見。世稱魯公得王右軍筆法，豈不信然。後有杜祁公、富鄭公，及蔡君謨、孫之翰、宋次道諸名賢所題，尤可寶。《乞米》、《鹿脯》二帖，舊刻在忠烈廟廡下，今不知其尚存否。有能摹此本刻補遺軼，亦一奇事也。

［一］跋顔魯公乞米諸帖：顔，原缺，據目録補。

全元文卷二二三八

牟巘 七

題三高圖

用計然策，伯越功成，至於五湖而去之，其得脱於烏喙之噬，蓋已甚危。而思蒓鱸者，雖輕於一出，猶幸勇於一歸。千載之下，可以號於知幾。若夫終身角里、笠澤之間，釣烟波以自適，采杞菊以自肥，初未始出也，而何有於歸？此予所以有慕於天隨也。

跋捕魚圖

陸魯望、皮襲美作《漁具詩》十首[一]，計其取之術，可謂巧且密矣。東坡翁乃放魚東池，恐數罟之損鱗鬣，長堤之隔濤瀨，何用心之仁也。然吾能暫免之於此，果能終免之於彼否？今觀此圖，江天欲雪，魚正深潛，而漁郎四集，網下如雲，無所逃於天地間乎？然其筆意活動，殊可玩賞。與魚相忘於江湖，亦足樂也。

［一］皮襲美作《漁具詩》十首：皮，原作「反」，據清鈔甲本、乙本改。

題閻静齋與張仲實詩後

士抱負卓犖，方混混庸衆人中，邂逅知己，一言而善，携手以上，蓋未易得。况未識面而深相知者乎？黄豫章教授大名，未識蘇長公也。「江梅有佳實」之句，深致其意，而蘇公首和寄之，自是遂為知己。此固非常情所能與也。静齋閻公襄使浙右，張楧仲實時為江陰學正。初無疇昔，雅公望臨一時，而謙勤下士，不惜餘論，獎成後輩。聞仲實之能，遽作詩寄之，誠出意望外。詩中稱其門閥，喜其辭采，且有「黄金燕市須神駿，會見風雷起渥洼」之句，期待之者甚至。「千里馬常有，伯樂不常有。」有之矣而或不值，值之矣而或不顧，雖權奇、汗血，孰别其神駿哉！静齋之於仲實，獨得之未識面之間，可謂不凡也矣。是時仲實年三十許，已能為文辭，致聲譽。今年愈進，識愈定，刊落枝葉，以求本原，用力於義理之學，以遠大自期，實由静齋獎激之。静齋已長翰林院，記憶不忘，得遂其禄養，而公之意未渠已也。「渥洼」、「風雷」之語不徒出，必能相共成之。

題西秦張氏世譜後

古者命將出師，固將除殘暴，定禍亂，拯民水火中。《易》之《師》曰：「以此毒天下，而民從之。」非尚殺也。「在師中吉」，故能上承天寵，三膺錫命，以有開國承家之慶。若太公望克于牧野，封于營邱，子孫數百年與周興衰，是矣。漢初封功臣四百十有五人，帶礪之盟，爰及苗裔。而太初百年之間，見侯者五，乃有不盡然者焉。及觀張楧仲實譔其祖忠烈王世譜[一]，其事始益信。蓋王起行陣，靖康之勤王，紹興之戡難，皆身冒矢石，爭天下於群虎狼之口。豈非以殺止殺，德在生民，功在社稷，而澤流子孫歟？矧王之為將，未嘗妄殺，薦達偏裨，待士卒有恩意，此其所以能以殺止殺也[二]。自三班以來，三世三公，皆以王貴。王位極人臣，分茅胙土，施及其後。四子名冠以子，諸孫名冠以宗。宗之下，則取五行相生為次。王弟之子孫亦如之。節鉞之重，師保公侯之貴，易名之美，後先相望，有光史册。何其盛也！後有登進士第者、上舍釋褐者、有與殛韓而復以忤時貶者、任守閫而竟以殺使死者，匪但重紱叠組而已。越至于今，則自濟甫，年高德劭，為族之望。仲實其子，務學而通，至於國器之雅而秉禮，如晦之敏而急義，皆予之所識者。其未識若性之，若仲芳，守其内而無求于外，積善以遺其子孫，蓋可尚矣。近歲名門華閥，居多凋落，惟張氏克持其世，詩書不墜，是可書。譜略效太史公年表，為旁通書之，至六七世未艾。歷官概見于左，而於本宗卒葬特詳。尊其所自出，亦蘇氏譜法也。王字伯英仲實以楧為名，嘗奉父兄之命，復先廟，修家傳。又為《世譜》，而叙其首，示不忘本。來求余語，既具論之。抑予㽞典午渡江，重氏族，嚴譜狀，雍州是為郡姓。張氏本三秦，固當在江北四姓之列。而其勛勞、名位、子孫、文物之盛又如此。是譜也，後之人尚寶藏之。

[一]及覩張楧仲實譔其祖忠烈王世譜：楧，原作「模」，據清鈔甲本、乙本改。下文「仲實以楧為名」之「楧」，改正同此。

[二]此其所以能以殺止殺也：以殺，原倒，據文淵閣四庫本改。

題周公謹自銘後[一]

周君公謹，以世舊夙厚余。間不見且久，梅潦被道，吾廬無來迹。君忽披蓬藋，相就談。始予見太末時，如川方至之，意氣睬一世何如也！歲星四環天，余固早衰，君亦華皓，能不為興慨者邪？君晚更號弁陽老人，刻石自銘，出其詞示予。頓挫灑落，大抵輕死生，等淹速，太史公不云乎，讀之使人爽然自失。顧予猶區區形骸之内、今昨之間，陋矣。公孫夏使其徒歌虞殯，趙臺卿於壽藏圖季札、子產、晏嬰、叔向及己像，各為之贊。裴綠野、小杜公、辛季劍諸人皆自誌。司空表聖豫治木，卧起其中。林和靖自賦壽藏詩，蘇文定自作《潁濱遺老傳》，秦淮海效淵明自製挽歌。高風曠度，不膠而卓。君非斯人之徒歟？何其脱略機祥，疏宕可喜也！氣有聚散，有伸屈，原之於始，而知所以生；則反之于終，而知所以死。故理不可不明。世或以了生死為一大事，其視沈迷利欲、蒼黄顛躓者固異。然未嘗窮理[二]，往往幻妄世人，卒亦未免怛化自私。至於晝夜死生之説，則又習聞其語，又不知所謂通乎晝夜之道，蓋體之無二，非强之使齊也。是皆未足與語。弁陽君抱崛奇而老憂患，據會通而觀變化。反博趨約，落其華英，澄然一室，固已深玩至理而有得。觀其所自銘，兢兢以百年之澤、一身之承為不易，力為其所當為，以求無愧於心，無墜于先訓。蓋有臨深履薄、好學不羨久生之意，非徒示曠達而已。余以其能折衷於道，得所歸宿，用援先好，書諸左方云。

［一］題周公謹自銘後：題，原作「跋」，據目録改。　［二］然未嘗窮理：窮，原作「據」，據清鈔甲本、乙本改。

題凌波圖

《洛神》一賦，發於神遇，備極變態，卒能以禮自持。此圖逸而靚，麗而潔，蓋深得其意。子雋之於子昂，可謂兢爽矣。觀者殆不能伯仲之。

題向氏山居圖

欽聖母儀三朝，實文簡公諸孫。故其族益盛而多賢，無流水游龍之習。過江以來，忠毅以死節著。

其子秘閣居衡山，從學於胡文定公。而節林居清江，尤有聲績，被知遇，號為博雅。居于雲者，今莫知誰。下三十年前，頗聞其家所藏名畫、古彝鼎器，皆入權門。以賢相尊戚之後，乃凛不自保，每為慨嘆。此圖出於散墜之餘，尤使人把玩不能已。豈徒以其畫哉？

書范石湖遺墨

石湖公繇廣右帥蜀，不但賓從之賢，詞章翰墨之偉，照映一時。漢中望渭上，樹如薺，未嘗不慨然有所賦也。此詩送人，猶知為「泥封函谷」、「草土齋壇」等語[一]，不能忘情，令劍棧自夷矣。杜老云：「意欲鏟疊嶂」[二]，事復何如？安得起此翁而問之。

[一]猶知為「泥封函谷」、「草土齋壇」等語：齋壇，原作「齊檀」，據文淵閣四庫本及一九八〇年上海古籍出版社《范石湖集》卷二五改。　[二]意欲鏟疊嶂：鏟，原作「鏟」，據清鈔甲本、乙本，文淵閣四庫本改。

題畢良佐山水圖

閱寒林多矣，此卷殊佳。葉脱林瘦，遠山横陳，垠堮雖露，而猶有蔚然秀傑之氣。筆簡意足，把玩不能已。少陵云「畢宏已老韋偃少」，良佐豈其苗裔耶？

書蔡琰歸漢圖

蔡文姬陷身沙漠十二年[一]，曹操遣使以重寶贖之。一旦與使者俱還，既慰中國土思，且上先世冢墓，得其正矣。觀此圖，垂發之際，二稚牽衣，萬里永訣，旁觀者皆為之掩袂。乃與《胡笳十八拍》中同一凄哽，何其悲之甚耶？母子天性，雖文姬以義斷恩，而骨肉之情，終有不忍忘者，要亦不失其正也。擇婚而嫁，以歸董祀，它日文姬又能言之曹公，原其死罪於垂絶之頃。故史書曰：「董祀妻，繼列女之後。」宜哉！曹公於文姬一事獨能始終，恩意曲盡，亦可書也。

[一]蔡文姬陷身沙漠十二年：漠，原作「漢」，徑改。

書陰符經

《陰符經》，或以為黄帝受之廣成子，或以為受之玄女，又以為黄帝、風后、共玉女，論云甲陰陽而為書，既以可贊。程氏則又曰：「非商末即周末人為之。」而朱氏則直贊其出於李荃，蓋本山谷之論也，不可考矣。然其言，則多有可取者。三茅觀舊藏王逸少親書，已歸之權貴之家，徒使人感嘆云。

擊磬圖

孔子往來于衛，殆至四五，所遭皆可嘆。此擊磬不知果何時，然不無所感矣。荷蕢者雖智足以得其聲，聖人之心，要非彼之所可識。孔子固亦自知其道終不可行，自衛反魯，一正雅樂，蓋不得已也。不然，荷蕢猶能已[一]，而孔子顧不能耶？

[一]荷蕢猶能已：荷蕢，清鈔甲本、乙本作「擊磬」。

跋范文正公書伯夷頌

大德四年二月

皇祐三年十有一月，文正范公在青社，用黄素小楷書韓子《伯夷頌》，遺京西轉運使蘇公舜元。蓋天下萬世，大綱常、大議論，扶植天地，不可一日以無者。昔文王三分天下有其二，以服事殷。伯夷固知其將終身西伯，故辟紂而歸之。其心豈遂忘殷哉？一旦武王之師，載木主而以王號於其衆，非文王意也。兄弟奮然以身為天下萬世争綱常，繼之以死。其事誠卓絶，然人乃或非之，至孔子時，猶有以為怨者。而孔子獨曰：「求仁而得仁，又何怨？」至唐時，猶有以為偏而不通者。而韓子獨曰：「伯夷者，特立獨行，窮天地、亘萬世而不顧[一]。」韓子之言，上繼孔子，而公平天下萬世，有功於綱常甚大。時無韓子，議論廢則綱常泯，吾為此懼。而幸獲睹范公之所書。義士仁人，壯顔毅色，凛在心目間。使頑者、懦者一見，且泚汗破膽，知畏議論。是范公亦與有功於綱常矣。公平生自許忠義，前後緣論諫得罪，至被以誣謗，目以朋黨，擯斥遠外。而公信道之篤，躓而愈奮，老而愈厲。《伯夷頌》固其中素所蓄積者。嗚呼！皇祐盛明時，公之書此，猶義形于色。設不幸處綱常之變，當何如？若公者，真可畏而仰哉！大興李侯勘得此本，丁丑歲于燕揭來守姑蘇。偕濟南陳君祥、汴梁焦君德明，首謁公祠下。訪問其子孫，而以畀之。尊賢尚義有如此。公之孫邦瑞、士貴敬受而藏，不啻拱璧。始其家嘗以摹本刻於義莊歲寒堂，至是乃得真蹟於二百四十年之後。若有神物護持，以待其子孫而後付，殆非偶然。二君議勒石傳不朽，而吾友滿君彌堅實來，輒具論顛末，俾以刻。晏元獻、杜正獻、文忠烈、富文忠、蔡忠惠諸賢，與公忠義相期，各有題賦。而蘇公詞翰氣概，又公所重，宜併刻于後。若昌朝、執中輩，雖素有抵牾，亦不以人廢焉。抑予觀忠宣公兄弟，有感手澤，言泯意外，忠念深矣，尤後人所當取節。二君皆有典型，文學能亢其宗，族黨所共推。尚帥其族之人與其子弟，謹守此寶圖，繼前志，用衍忠義之傳，其永之無斁。大德庚子二月初吉，陵陽牟巘書[二]。（以上《陵陽集》卷一六）

[一]窮天地、亘萬世而不顧：顧，原作「願」，據民國六年影印本《江蘇通志稿・金石十九》改。[二]「大德庚子」至「牟巘書」：原本無，據民國六年影印本《江蘇通志稿・金石十九》補。

題李尹異菌

大名元城縣李毅卿，新授分水縣尹。其母孫氏和易貞潔，綽著閫範。己酉正旦，以微恙終。卜塋未遂，停柩中堂。四月八日，忽菌生柩上，狀類芝草，又類牡丹。張倩仲實昔來，為予言其事，蓋甚怪。昔唐張九齡、楊炎，固有紫芝生其親之墓者矣。然上有雨露之滋，下有土泉之潤，猶可有諉。今孫氏之柩，隔以衣衾，周以膠漆，是菌也，何自而生哉？不宜生而生，必其潛乎默感，窈冥之中，自有莫之為而為者。然則李氏之事，豈非母之積善、其子之純孝有以致然與？因書此以美之。

題俞子清侍郎畫

西清公勞侍從之事，早退，老壽，跌宕筆墨間，此二紙真迹也。其一娭篁老木，榮悴各有態。其一水行石間。筆墨殊活，故是此翁胸懷本趣。余家舊藏山水四横披，今不可復見，見此斯可矣。壯猷力學劬書，而游息之時，博雅之趣如此，豈非知仁之所樂邪！

題秋江曉渡圖

江空木落，曉色方開，小艇横岸側，舟子熟睡未醒也。扶杖之叟，從以童僕，問渡江干，非名非利，何匆遽如許？意者謂江外幽人，宿有期約，不可頃刻愆期。安得仙家兩麒驥，凌空赴之。

跋周卿所藏坡帖

此東坡公鳳翔簽幕時與其從叔書也。公以嘉祐七年二月十三日，被命疏決寶鷄等四縣禁囚，乃是月壬寅詔旨。書中云，「近有詔書疏決」是也。既竣事，遂朝謁太平宫並南山，而西游樓觀、大秦等寺。帖中云，「因得恣游南山」是也。十九日始歸。書中云，「近方還府」是也。是時老泉被命編修禮書，留京師。書中云，「屢得編禮書」是也。此書後題三月初五日，距十九歸府時僅半月。鳳翔去蜀頗近，家問不絶，猶有以嘆。而況吾儕流落羇旅萬里外[一]，回首故山，可勝凄然。

[一]而况吾儕流落羇旅萬里外：儕，原作「濟」，據清鈔甲本、乙本改。

跋三蘇帖

蘇氏一翁二季，詞旨翰墨，具見於三紙間。斂衽伏讀，因有感焉。前二紙，老泉為編禮，東坡為鳳翔簽判時也。後一紙，東坡謫海豐，穎濱謫高安時也。未四十年，而盛衰之變如此，可以觀世道矣。然東坡不以患難流落為戚，方且施藥葬枯骨，造橋以濟病涉，此與陸敬輿在南賓集名方同一意，故穎濱有「能安遐陋，撫恤病苦」之語。萬里兄弟，依依至情，尤使人慨然。上有學士院印章，程滄州家舊物，良可寶也。

跋趙光輔駿馬圖[一]

飲水齕草，翹足而陸，馬之真性也。而燒之剔之，刻之烙之，曰「吾善治馬」。馬之性，始離而多病矣。蒙莊以為，此伯樂之過也。觀此圖，豈不然哉？治民與養生者，亦莫不然。

[一]題目中「趙光輔」，目録中作「趙元輔」。

題元吉猿圖

柳子厚以為猿之德静[一]。以常山之小，草木必環而行遂其植，故猿之居山常鬱然。此黄黑二族，山深日暖，朋儔相命，雄雌相從，領其子孫，相與嬉遨。攀援上下，反掛倒懸，若相語相持。而其老者，或隱樹間，或伏枝上以觀窺之。百態雖殊，意甚自適，了無諍勃喧呶、搏嚙挽裂之態。而其傍老幹叢篠，蒼葱自如，與柳子厚所言無異，可愛而玩也。圖有秦氏印章可考，真元吉畫。

[一]柳子厚以為猿之德静：柳，原作「楊」，據文淵閣四庫本改。

題毗陵所吟

昌黎云：「歡愉之辭難工，愁苦之辭易好。」金君拱之庚午甲戌之間，客於諸公，往來蘇常。詩中多及官府承平風物，所謂歡愉之辭也，於其難工者。而工之無他，恬淡之意常存乎胸中，紛華外物不得而誘故也。繼是而作者，往往一變而為愁苦之辭。悲鳴兩吻，不能自已，吾固不願拱之之為此也。拱之自叙，蓋已有感於康衢之歌矣。豈非其所願也哉？

題李伯時雜畫

物之變態，千彙萬貌，觀於其會，則俯仰不盡其奇。此卷蓋非一時之事、一家之説，而各效情狀於短幅之間，使病耄翁得以隱几而觀。詭特荒誕者可怪可愕，深静幽閒者可羡可喜。不勞思惟，若有所得，而巖崖草樹，雲霞波濤，又皆曲盡變態，令人把玩不能去手。然淵明乃向來攢眉不肯入社者，胡為亦在其列耶？龍眠真墨戲者矣，以定觀妄，以常觀變，可也。

跋繆淡圃文集

古有山澤癯、列仙之癯，予於合沙繆仲晦甫見之。蓋能得天地間至清之氣，是以自號淡圃。淡於進取，淡於聲利，淡于嗜欲。顧獨耽書，胸次三萬竿，皆取英咀華，拔新領異，絶畦徑而為文。私淑泛應，往往成帙。予頗與觀焉。如明珠大貝，潛深閟幽，光景時見，而有卓犖者存。如晚菊壽梅，凌雪傲霜，意象凄冷，而有芳烈者存。如清湍急流，摐金戛玉，音節悲壯，而有逶迤者存。真老於文學者也。然文豈徒作，觀其論齊霸衣裳之會者，獨以於貫為盛，有所重也。辨先聖章服之異，而深取鄭氏之詩，有所尊也。讀循吏傳，則以商鞅之術，慘為寒食散；申韓之法，甚於用牛羊，有所嘆也。至於記吳周將軍廟，併及蜀事，於孔明公瑾之盛心，若又有所感焉。它類是者尚衆，有待於世道，徒文乎哉！予病耄餘生，棄置萬事，無復眥省。惟愛奇一念，結習未忘，於吾淡圃，誠愛之重之，因書其文稿如此。土苴餘緒，能為我發一笑。

跋意山圖

人之於物，可寓意而不可留意。昔有是言矣。蓋留意於物，則意為物役，不能為我樂，而適為我累耳。山本無情，而好山者往往用意過當。如謝靈運，自始甯伐木開徑，直到臨海，從者數百，駭動旁郡。退之登華山絶徑，不可下，邑令百計取[一]，始得歸。留意於物，其害乃至此。山猶爾，而況聲色貨利之可以動心者乎？「采菊東籬下，悠然見南山。」始無意，適與意會，千載之内，惟淵明得之。所謂悠然者，蓋在有意無意之間，非言所可盡也。今觀此圖，林巒泉石，皆兼有之，乃武康王氏之隱處。意山，蓋其自號也，可以想見其人焉。世故甚惡，幸而有山林之樂。惟恐其用意之不誠，似未容以留意於物者議之。

[一]邑令百計取：令，原作「今」，據清鈔甲本、乙本改。

跋陳忠肅公遺墨

陳忠肅公在合浦與其弟㫖也。公因其子正彙告變蔡京，至於父子對獄。正彙既獲在戻，公亦坐此貶海上。謝表所謂「更覺有生之累，不如無子之無憂。」讀之凄然。而公此㫖乃云：「但願劉氏之安，不願囝子之禍。」則其詞氣愈厲。身爾忘國，家爾忘私，蓋可敬而仰也。「射人先射馬，擒賊先擒王。」公於荆舒始自稍怒，至四明始誦言攻之。雖不無見事遲，然《春秋》推見至隱，未有如公者也。其後毁《日録》，屏《字説》，罷配享，皆本於公之論，亦何及矣。公卒於政和之甲辰，又二年而中原塗炭，距辛丑一百七十八年。遺墨流落，獨見葆藏于廉副商侯之家。再四展玩，不勝慨嘆。

題牧牛圖

此牧童者，煙蓑雨笠，揺莛于腰，坐牛背如廣輿。其一犢也，荒野之狀，安怡之意，豈復知有世間富貴憂患耶？鄒公坐論三后，陳公坐論二章，萬里百謫，九死一生。偶然北還，而定國早以蘇累貶南賓，叔黨亦侍翁過海，皆備嘗險阻者矣。雖然，為此所畫者，蓋不可得。政和、大觀，距今一百七十八年，伏覽遺墨，慨嘆。

題費茂卿隨分二字

人於自己，惟分内往往不暇省察，每認非分之物爲己有。極力周回，而不知有生之初、天之與我者，隨小大高下厚薄各有定，則非可以一毫妄求而幸致。倘順受而安焉，斯爲守常知足、本分人矣。吴興費茂卿，平日愛用「隨分」二字，吾友子昂甫書之。昔莊子因鵬鷃而論分辨，至《齊物篇》則曰：「分者有不分，辨者如不辨。」故茂卿曰：「隨分則順乎理，而分則安乎命者也。」茂卿墨而隱，不近名；謏而仕，不違俗。有子宜以傳家，有善藥足以救人。不以萬物嬰吾之方寸，不以人之富貴易吾之環堵。所謂不分之分，自樂其樂，蓋有約於莊叟之意乎。予與茂卿往來最久，知其守常而知足，順理而安分，喜而識之如此。

題淵明圖

淵明以貧起爲州祭酒，不堪吏職，少日自解而歸。平生胸懷本趣可見，此又在彭澤以前。梅君遇舊廬在澄江，一旦念歸，遂脱塵鞅作此圖。時復展玩，亦不俗矣。凡仕宦者，無問官之高卑，如能置此圖於座右，存此意於胸中，縱未能高舉遠引，庶幾知其涯分，不致役役富貴，而不自止也。

題傍雲

四明樓攻愧之裔，寄身道士法中，自號傍雲。世之傍人，籬落騎馬、傍人門者皆是[一]，此獨傍雲。雲之為物，清虚間曠，卷舒無時，去來無方，非如富貴利達之人有可托，以托人之所托也。不彼之即而即此，何耶？傍雲其亦知天下依形而立，不恃勢而存者矣。

[一]傍人門者皆是：者，文淵閣四庫本作「首」。

書蘭亭修禊圖

王謝諸賢，一時高風玄契，豈堪持比金谷二十四友望塵輩，而逸少顧以為喜，何耶？余嘗見龍眠真筆於盧陵曹氏，閱此益增感嘆。

題百牛圖

我有沈牛二，去畊綿上田矣。黑牡丹何用許耶？然亦可見或降或飲、或寢或訛氣象。

題古木老柳圖

老柳疏散，脱木離奇，正如高人勝士，嚼然滋垢之中，有不可點污者。此筆乃在寧宗之乙酉。噫！豈不有感於黨錮之諸賢耶！

題鼠齧瓜圖

濩落其大，未至瓜爛也，而鼠輩已竊入腹心，咀其犀，使枵然無遺種。因念往事，為之慨然。

題牧羊圖

左慈以身化羊，黄初平叱石為羊，神仙人乃作此等狡猾事。舜舉此筆法，可謂得言外意。觀牧羊，悟此生，余於此圖亦云。

題元吉二獐圖

秋風樹葉，呦鳴相命，正爾自樂其樂，何自涉人境。吾儕可得而狎玩之，同其樂意，亦復可喜。使值曹景宗輩，固將斅助而射。渴飲血，饑食肉，如甘露漿，人以為彼之樂矣。幸寄聲朋曹，深藏而决游，此樂勿使人知。

題細竹圖

好事者醉吐胸中墨，每作老竹怪石，助為豪放，而不知嫩篁密幹之難工。此圖蕭森婀娜，濃淡相映，霧氣襲人，淇緑漪漪，宛然在目。

題三仙圖

吕洞賓，唐末進士，鍾離，五季故將，皆得道者。跛黨何為，亦相參語，豈非支離其形、而全其天者歟？

跋東坡帖（二）

坡翁雄文博雅，高絶一世。人皆謂其下筆時，信意用事，不暇思惟，不無誤西巴之漢。今觀此帖，乃從人借《史》《漢》，檢尋一二事。其審量如此，此其所以為東坡也。前言殆淺乎其知翁者。

東坡翁賦此詞送其鄉人，復自書而遺之。蓋自治平丙午去蜀[一]，至熙寧乙卯為十年。此當是自密移徐時，年恰四十。然字畫比前遒勁，「故山應好在，孤客自悲涼」之語，誦之凄然，使人益重故鄉之思也。

[一]蓋自治平丙午去蜀：去，原作「玄」，據清鈔甲本、乙本改。

跋十六羅漢

此圖筆墨甚簡率，顔貌細密[一]，精神活動，能得言外意。張舜民字芸叟[二]，號浮休居士，取莊子「生浮死休」之義。中遭黨錮，晚始得歸。此殆其所藏云。

[一]顔貌細密：顔，原作「領」，據清鈔甲本、乙本改。　[二]張舜民字芸叟：芸，原作「芝」，據清鈔甲本、乙本改。

跋呂自牧詞卷

雲中呂晉卿，以其乃祖自牧公樂府詞卷見示。或豪宕，或悽婉，或容與，固能者也。但其壓卷一首，有不忍觀。「伐國不問仁人，朝歌墨子回車」，全忍之哉！亟卷還之。晉卿年雖少，好學善問，用意不苟。嘗從予友鄧善之游，其進未有艾。願益以學自勉，不必作晏叔原、康伯可輩人可也。毋以吾言為過。

書尚書講義後

講學所以明理，理之不明而辭之徒費，雖多，奚以為？伏生書僅二十九篇，史稱秦恭增其家法，至百萬餘言，亦既多矣。《論衡》又稱：說《堯典》篇目，二字十萬言，但「曰若稽古」，二三萬言。就其中，尤猥多焉。度與近世所謂時文大義者復何異？班固以為「不思『多聞闕疑』，而務碎義逃難，便詞巧説，破壞形體」。不惟切中當時之病，殆若為時文發也。烏乎！書出屋壁，簡脱字訛，尚難究悉。若於分外泛濫牽引，重自纏繞，辭愈煩，理愈失，終其身無所見，可哀已。今為講説者，固當一洗此陋。悉簡從要，求其坦然明白者，庶幾聖賢之意，或得五六。不然，亦一時文義耳。予倩張仲實在江陰時，嘗為諸生講《尚書》，其徒裒取數篇示余。異時吾家君高有《牟氏章句》，受業者萬人。顧予皓首，不名一藝，其慚，無以發之。然深喜其不為游詞，得講經之法。蓋先考音義、名物、度數，次列諸儒之説，辨其是否，暢其同異。大抵隨文直解，豪分粒剖，求其至當，而一皆訂之以朱子之説。朱子雖不立訓傳，其見於他書、散於語録者，往往采用焉。如「以克明俊德，親九族，平章百姓，協和萬邦」，合於《大學》；「危微精一，允執厥中」，合於《中庸》。善於言聖人矣。仲實幼能刻苦力學，通於經術，徒稱其詩文，未為深知仲實者。夫義理無窮，學問亦無窮，所當講者，似未止此。尚益勉其未至，進畢餘義，成一家可也。孔安國始註《尚書》，其族兄臧貽書規切，固不得雷同相私，過有稱道，覽者當自得之。

題施東皋南園圖後　至大三年

先父存齋翁，以淳祐丙午卜居雪川定安門之裏、馬公橋之旁，乃慶曆間[一]、郡守馬尋宴六老於南園處也。越明年丁未冬，先父以言事忤時宰，謁告來歸，始奠居焉。嘗賦五絶，其一曰：「買家喜傍水晶宫，正在南園故址中。我欲築堂名六老，挽回慶曆太平風。」蓋紀實也。門人馬公廷鸞大書「南園」二字揭焉。直卿陳式卿，與先父有同朝好。今牟跋此圖，乃庚戌七月五日。後六年，丙辰中秋後所書，偶不及焉。直齋後重修郡志，始書曰：「南園，今牟存齋所居，是其處也。」今年庚戌，施東皋携此相視，視直齋所書之歲適同，豈偶然哉？把玩感慨，不能自已。因書其末而歸之。庚戌清明日，陵陽牟某[illegible]，年八十有四。

[一]乃慶曆間：間，原作「簡」，據清鈔甲本、乙本改。

跋范天碧定史詩　大德四年七月十六日

事當論逆順，不當論成敗。漢昭烈帝室之胄，立於蜀漢，高祖始封之地也。章武改元，不改漢號，而祫祭高祖以下，名正言順。操名漢相，然賊也；丕受漢禪，然篡也。孫吴雖通蜀好，然黨賊也，助篡也，乃千萬世不易之論。陳壽何見？帝魏黜蜀，下儕孫吴。習鑿齒力破其私，以蜀漢為正，而魏為篡。且謂晉當越魏繼蜀漢，其義偉矣。其後歐公處魏於正統，章望之非之；《治鑑》書諸葛入寇，朱文公非之。而張宣公《經世紀年》，遂以獻帝之後係於昭烈，後主之後係於魏，尤為確論。孫吴之事，世往往置而弗議，何耶？提舉范君定史一詩，乃歸首惡於仲謀。以其讎蜀，襲殺關羽，盗賊之靡，而篡奪之助也。義例新，詞旨勵，讀之聳然。方關羽之破曹仁、降于禁、斬龐德，威聲震撼，操至欲徙避之，漢事幾集關羽。死荆州，陷蜀勢孤，漢望絶，魏禪成，誰其使之？况操欲吴圖羽以解樊圍，權遽表聞，殺羽自效，實承操風旨。操圖篡已久，尚憚物議，權遂稱臣，陳説符瑞，實率先傅會。黄初之始，大行封拜，遂為吴王，受九錫，實首受上賞。誅心而論，仲謀復生，殆百喙無以自解。定史之詩，予深取之。始張婿仲實以詩來，予謂之曰：「天碧讀史有眼目，論事有波瀾。」因復詳記之如此。是關大誼，不獨為雲長吐氣也。庚子七月既望。

跋恩上人詩

予多病，不出户限，又頗嗜睡，人或與詩，輒置枕間。意殊憒憒，莫曉何故，苦事，苦事。近四明恩上人忽自姑蘇來訪，不覺驚起，固是我輩人，何相見之晚也。聞此上人有詩千百首，自號斷江，聲價喧傳遠近。予以寡陋，今方識之。年來詩人總向僧中去，而僧中亦罕見如此者。予所見，乃遊廬山百餘首，遊洞庭二十四首，雜詩四十餘首。不適千百首中之一二，已為奇特。大率不蔬笋，不葛藤，又老辣，又精采。而用字新，用字活，所謂詩中有句，句中有眼，直是透出畦徑，能道人所不到處。想當來必從悟入，非區區效苦吟生、鉥心陷胃[一]、作為如此詩也。或謂禪家每以詩為外學，上古德，多有言句，不知是詩是禪，是習是悟，是外是内耶？上人受業雲門□□，靈澈若是到處，亦復何異，但恨世無夢得、子厚諸人知之。然正亦何用人知？其《為莫逆暢游天目》曰「下方雷作嬰兒叫」，非常語也。予因題云：「把斷風光不許通，坐天目頂月明中。下方雷作嬰兒叫，莫是山僧耳太聰。」旁一人笑曰：「何不道『驚倒人間八十翁』。」予亦大笑曰：「然，且還詩卷去也。」（以上《陵陽集》卷一七）

［一］鉢心陷岂：鉢，原作「鉢」，據清鈔乙本、文淵閣四庫本改。

跋洛神賦帖［一］

《洛神賦》中所謂「翩若驚鴻，婉若游龍」者，此書蓋似之。陵陽牟巘書。（《秋碧堂法書》卷八，北京圖書館藏法帖五十四號）

［一］題目自擬。

跋王安石正書楞嚴經要旨

「霜筠雪柏鍾山寺，投老歸歟寄此生。」王介甫既賦此詩，元豐八年四月，竟罷政而歸。書《經》乃其時也，繼遂為元祐矣。假本道原，即劉秘丞恕也。《經》中十二者，欲令法界衆生，求男得男。是時雱已卒，介甫之意，端有所為。後舍半山所居為寺，申其薦拔，可嘆也。作字有斜風疾雨之勢，亦其性急使然，然不妨得書法。陵陽耄叟牟巘之書。（清乾隆文淵閣四庫本《御定佩文齋書畫譜》卷七六）

跋蘇軾惠州帖

東坡先生飽喫惠州飯，雖患難流落，而忠義之氣終不可屈折，故字畫視平生為尤偉。叔黨嘗謂：先生筆法師顔魯公。而潘延之語穎濱亦然。此帖實援蔡明遠例，豈獨其事之偶同，所謂字畫之妙、名節之重，蓋於公無愧焉。陵陽牟巘書。（清乾隆文淵閣四庫本《御定佩文齋書畫譜》卷七七）

全元文卷二三九

牟巘　八

張季宜像

貌古貌，巾凡巾，孰知其滿腹下筆如神，蓋昔之勇冠軍、而今之老斵輪也。可為中國之式，席上之珍，然且弗屑，方超然企涪翁而挹玄真。

孟集虚像

黄冠野服，翛然於大滌天柱、無何有之濱。吾與之虚而委蛇，其虚緣而葆真者歟？

漁父聽琴圖

出緇帷，坐杏壇，環弟子而琴，穆然深思，蓋托之文王，想見其人。漁者何為？下船而來，持頤以聽。既以仁稱夫子，猶嘆其苦心勞形，而欲語之以所謂真者。豈以文王之操，其有憂患之心乎？故其離世遠害，甘終身以隱淪。然自居以知道，未有真而不仁者也。曾餘論之未竟，悵莫駐於絜音。

石上道士閲經圖

石槃槃，可容膝，山竹亞，爐煙直。捐爾書，捐爾筆，嗒然坐，自納息。

贈月川道人[一]

昔朱桃椎見高士廉，瞪視而其意竟莫傳。言固不若不言之全。吾終日言而未嘗言，亦不自知其所以然。是語是無，以問月川。

[一]題目中「月川」原作「月初」，目録作「月川」，文中亦然，當以「月川」為是。

謝竹所歲寒圖

我觀在昔，交道實難，風雪凌芳，衆卉日殫。睠乃三友，媚於歲寒，松勁梅清，綢繆相歡。竹亦欣然，枝擧葉攢，如相告語，晚節是完。復有石交，竦立巑岏，三而四之，久愈能看。允矣謝子，取友必端，顧彼市道，慨其永嘆。設圖燕坐，銘詩載刊，勿渝此盟，以鑒以觀。

畫竹

臨風永嘯，劍戟相摩，大節凛然，正而不阿。玉立娟娟，現清浄身，匪雨之力，本無垢塵。維翠琅玕，高拂晴空，朝采之發，有若長虹。枝葉清潤，發此華滋，蒙霧之力，而不自知。

畫梅

清香襲人，無處可著，起視天宇，參横月落。老逋之詩，逃禪之筆，洞其玉雪，忽在吾側。

放鶴圖

放鶴兮林皋，澹容與兮蕭騷。欻素風而孤矯兮，舞空中之落毛。翁在南山南、北山北兮，羌欲往而從之敖。翁曷為自還兮，波粼粼而送軔軔，鶴如迎兮乃下翶。婉欲止兮鏘鳴璈，噫吾與汝兮，猶未離乎天弢。數數然肆可迹兮，宇宙雖大將焉逃。吾曾不得夫白漚兮以為曹，吾何意兮客之適與遭。吾氣以為馭，蓋未嘗去來兮，彼延竚衹徒勞。日暮客去，但見鶴啄空庭兮，首下而尻高。我亦嗒然而忘吾兮，眇天地其秋毫。

有翅天馬圖

何年塵鏡昏乍洗，金背湧出狀怪詭。自古空言馬生角，今乃見馬生兩翅。恐是渥洼種，往往感龍氣。龍惟神飛行天，若傅兩翅何足貴。想似穆天子會瑶池，肉多身重不得飛。一朝乘之、超遥出六合，奔風軼電那容追。萬里一息日未旰，當時從官無乃疲。或云車轍馬迹往往有，如此安用彼翅為。徒留誕譎誑後世，我願觀者更勿疑[一]。我聞西王母，參目而虎首，物以類應固宜爾。

[一]我願觀者更勿疑：願，原作「顧」，據清鈔甲本、乙本、文淵閣四庫本改。

四虎圖

藜藿不採，林有伏猛，其何一旦，朝無骨鯁。驚雷游雪，赴此渴吻，下啖清泚，有文其炳。顧視有威，巖下之電，不疾而速，風行草偃。

畫猫

翦紅以聘，文炳如虎，鼠輩疾走，莫予敢侮。（以上《陵陽集》卷七）

家自觀字説

頤山先生名其孫曰頤孫，於是性存老人以自觀字之。洞山遺老申頤山之意，合孟氏之説以訓之。重規疊矩，見於家庭之間。自觀亦既朝夕奉以從事，而性存以書抵予曰：「吾兩家相好，子生孫，孫又生子。獨可無以語吾兒乎？」予異時嘗見頤山西湖之上，從容留語，出所為《頤山書院記》示余，曰：「此名雖示不忘家山，而象則《易》也，蓋略如洞山所云。」今三十七年矣，因追念慨然。識眊學落，顧未知為自觀言者。夫名以賓實，字以尊名。是卦也，濂溪嘗以之更名，而字曰茂叔，則茂實之義，猶從舊名。伊川又嘗以之為名，而字曰正叔，則養正之義，始與名協。自觀之字，其諸慕程者歟？偉哉，子之祖若父之進子於學也。予觀鼎井，取象於物，皆言養，不言觀。頤取象於物，乃言養，必言觀。蓋觀有顧諟省察之義。觀於物，固未若觀於身之近而易知也。《頤》首言「養正則吉」，而觀頤則觀所養也。自求口食，則觀其自養也。觀者非他，亦觀其正與未正而已。謹言語，節飲食，養之事也。於出入之際，謹之節之，則得其正矣。舍爾靈龜，觀我朵頤，觀之事也。於方動之初，舍彼從此，則失於不正矣。伊川之傳，各於言下互相發明，反復致意，尤莫切於「觀象以養其身，謹言語以養其德，節飲食以養其體」之三言，余竊以為，此乃伊川之大字説也。自觀盍亦以是觀之？惟侍郎公文學行誼重海内，而家教極嚴。傳之頤山，又傳之性存，皆有聞於時，傳於後。自觀生長聞見，姿質美，氣象謹，操趣正，已足為佳子弟。方且孜孜於學，深惟自觀之義，求以無負名祖名父之訓，其進未有艾也。自者自用其力，非他人所能與。余誦伊川之傳，相與共講焉。繼自今，學益成，見益老，養益充，正吉之福益厚。予於自觀乎，觀之矣。

林清甫字説

永嘉林氏德芳，家世本儒，有擢科第者。弱冠慕道，風骨秀爽，趣向恬淡，其師杜南谷字之曰清甫，求予為之説。予謂清甫，自子之為此名，名已從子而不去，子之字，又從子之名而不去。雖微予之説，子與子之名若字，未始不相從子而不去。而何以予言為？且為子之説者曰：「天得一以清。一者何？而得天之以清也。或曰此在吾説中，一者，無極而太極者也。與子之説同乎？否乎？吾蓋不得而知。徒見夫渾淪既剖，物之輕清而上浮者，其色蒼然，其狀窅然，其氣溟涬然，遂以為天。天無形也，於是其澄然者為河漢，湛然者為雨露，瑩然者為月雪，而冷然為風，又遂以此為天之清。其所以清者，果一乎？果太極乎？天且不能自知，夫孰從而知之？吾無以語子也。然是清也，流行乎天地之間，人之有值焉蓋寡。今子離塵埃，脱滋垢，以遊於曠浪之野、汗漫之鄉，所謂清者，其必將值而有得焉。字曰清甫，不亦可乎？」清甫曰：「吾將食六氣、茹三秀以養其清，濯滄浪以激其清，游神之庭以暢其清。轉蛣蜣、嚇腐鼠者不足以滓吾之清，伐毛洗髓者始足以雪吾之清，而徉狂垢穢者又適足以混吾之清。毋甯為靈均之獨清，其庶幾東郭順子之清真。可乎？」余曰：「可也。」歸而求之南谷有餘師，遂書以為説。

碧潭説

梅溪劉公之孫景淵甫，自號碧潭，蓋寒山子詩語也。所謂「無物堪比倫，教我何如説」者，亦不為無見。但以指晶瑩作用者而言，與程子「人生而静以上不容説」之意雖同而實異。夫静極而動，主静工夫，又在此意。後大率渣滓去得盡净，則徹上徹下，可達天德。明鏡止水，同此一理。碧潭兩字，彼固不得而專之也。學者於此，須見得動静互根，體用一源。則卑不溺於物欲[一]，高不淪於空寂矣。否則，殆不免指心見性之偏也。碧潭妙齡而静，忘其昔日之富貴，安貧讀書。倘念慮澄然之際，知其所用力之地，不為外物回奪變遷，則墨言而儒行，亦可也。晦翁晚歲，頗取寒山子詩，予不能記此詩在其間否。姑以意言如此，然亦贅矣。觀者當有以識之。

〔一〕則卑不溺於物欲：卑，原作「早」，據清鈔甲本、乙本改。

褚無隱説

吴興褚君自號無隱，屬余為之説。予惟夫子之言，事師、事君則曰「無隱」。他日語二三子，則曰：「吾無隱乎爾。」而於事父，則為父隱，獨何如？無隱四言，雖若不同，而義各攸當。無隱固也，有隱亦所以為無隱也，未始不同。若夫子之自處，則天也，夫何隱之有。然非學者事也，惟近取節於無隱之二字，求無愧吾心而已。且人心本坦蕩，孰為充塞，使人一旦視之，秘於鬼神，不可俄而度。豈其情也哉！吾平生不敢内其心，行年逾五十，惟恐纖芥留藏，以為吝悔，益願以此自警。予竊謂此亦夫子之意也。夫言及之而不言，夫子猶以為隱，以為愆，而況巧言令色鮮仁、色厲而内荏、匿怨而友其人者乎！夫子固惡夫人之有隱也。大抵天地間公平正大、疏通洞達者，為陽，為善，為君子。回護繚繞、深黑幽闇者，為陰，為惡，為小人。人莫不曰「我為善也」，然而陽善陰惡。人莫不曰「我君子也」，然陽為君子，陰為小人。若是，則又不可知。則能知其情，有不知其所趣者〔二〕，往往遂判心迹為二塗，故予於無隱深有取。雖其質直不為緣飾，不為崖岸阻深，言必由衷，洞見底裏，不信世間有所謂面謾腹毒、衷甲笑刃事，人皆以長者稱之。每延致名師〔三〕，以孝弟忠信教其子若孫，栽培方寸間，乃子孫無窮地。

此無隱所以無愧造物、流慶未艾者也。年益以高，猶勤勤揭無隱之義，直欲披肝膈以示人，予愧無能發其意。閭里往還，今可以空懷而語，開口而笑矣。

[一]有不知其所趣者：其所，原作「而其」，據文淵閣四庫本改。

[二]每延致名師：師，原作「世」，徑改。

怡雲説

予病卧空齋，雲林在望，疲曳不能去。忽有剥啄聲，推枕起視，乃空隱谷公號梅方者，自長興得得來，為之喜。出其詩編，見上有「怡雲」字，尤為之喜。雲之於物，乃天地至和氤氲之氣，騷人墨客，競喜吟咏。自太和氣散，而雲日以醨。朝朝暮暮，陽臺之下，其雲蕩；白衣蒼狗，斯須變滅，其雲薄；上下四方，以從東野，其雲芳；碧雲暮合，佳人未來，其雲愁；終南一片，裹餉鹿門，其雲孤。若是者，其去太和愈遠。惟陶隱居山中之雲，「只可自怡悦，不堪持寄君」。翕兮藹兮，融兮鬱兮，含乎太和，與造物為徒，最可喜。豈非梅方所謂怡雲者歟？師居浮雲之山，其心漠然無所起，其容澹然無所滯，其意怡然無所憂。其詩蓋亦似之。不剟刻，不推敲，不鉥心而擢胃，信乎有得於怡雲者也。然隱居不屑於持寄梅方之雲，乃托於詩流曠逸之地，如予之昏眊鄙朴者，亦得而玩之。何耶？梅方曰：「吾終日吟詩，而吾詩未嘗作也。到處見雲，則吾之雲未嘗出也。又安知自之與他。」予笑曰：「然予之詩曰：『山好野雲多』，高卧白雲，歸而求之可也。此真用意會心句也。它日見鄰林，不妨舉示。」

覺非齋説

廬林鄧君覺非，過余茗雪上，從容言曰：「吾鄉昔有平亭某氏訟者，已而交遜所争地，以為鄉飲酒之堂。而先正存齋翁實篆其楣楄。幼時從父兄，與觀禮焉，至今猶想見其處也。」惟先人淳祐壬寅，由史館通守廬陵，郡之士日相從講學。間因其求，命筆大書，以記其山川，而存其風俗遺迹，往往而有。甲子且一周，而覺非乃能追憶鄉飲堂事如昨日。聞之重感嘆，且嘉覺非去其鄉久而不忘本如此。覺非之先，素號大族，所居在甘泉門。建炎初，隆祐太后如章貢，駐輦其家，故門陛特異。至覺非之祖，學者之先生，文學、行誼為鄉里州縣所尊敬。有《史記音義》、《佩觿録》等集行于時。見於中齋鄧公所記者，尚可考。覺非今始居吴門，室僅環堵，以其字字其齋。趙侯子昂甫為作籀文「覺非齋」三字，復求予言，曰「將以助觀省」。昔衛蘧行年五十，而知四十九年非，一念之覺實為之。至淵明賦《歸去來》，因有「覺今是而昨非」之語。而覺之早、亦未如衛蘧、淵明二公皆能自覺其非者，誠可敬可仰，此兩字遂為後世學者改過遷善之大機栝、大鍼砭。蓋天下莫善於覺，莫不善於不自覺。其非覺則知，知則改，不覺不知，何改之有。是遂非也，迷復也。醫書云：「痿痹不仁，正以其疾痛痾癢之不知，沈痼之極耳。」故先儒以覺言仁，最為切近。「覺」之字[一]，本出於吾書，或者竊之。彼既以性為幻[二]，不知所覺者何，吾見其迷而已。孔子不言覺，而常取有覺德行之詩。及語顔子，又欲其視德言動，隨事省察，介然有覺之頃。知其非，則勿之，故「一日克己復禮，而天下歸仁焉」，覺非之效也，惟顔子足以當之。覺非為貧而仕，未能為淵明之高。予竊謂以其知發實踐，下克己工夫，希顔可也。予老病日侵，大懼墮於耄惛而不自覺，何能為覺非言？盍歸而求之覺非之齋？

[一]覺之字：字，原作「至」，據清鈔甲本、乙本、《永樂大典》卷二二五三六改。文淵閣四庫本作「覺之一字」。
[二]彼既以性為幻：幻，原作「幼」，據《永樂大典》卷二二五三六改。

程堯封静山説

人莫不樂佚遊、樂宴樂，而仁者乃獨樂山。何取於山而樂之？夫山屹然停而峙，寸雲觸石，千里霮霨，而山之静自若也。草木之盛，有時衰落，而山之静亦自若也。一舉目之間，全體呈露，豈不與吾心同一静乎？而吾之所謂静者，何如也？人生而静以上不容説，仁人心也，所以主静而立人極者。非禮不動，復也。終食無違主，一也。皆静也，山之體也。吾非樂乎山，樂其静者與吾同也。孔子曰「仁者樂山」。仁者静，既言仁者之體段，又言仁者之性情。惟深於體仁者知之，不仁者不知也。彼其胸次膠膠擾擾，私欲萬端，山自陳乎前，不見也，見而不樂也。無它，静躁之不同也。樂佚遊，樂宴樂，固有以奪其所好矣。或曰：「孟子之言仁，曰『火然泉達』，無乃與夫子異者？」孟子蓋指仁之流行發見者而言，此蓋言心之苗裔，而其體則未始不静也。不然，智者利仁，亦豈自戾其説乎？眉山程堯封，滄洲尚書諸孫。天姿明敏，故能動心忍性於憂患之餘。以「静山」名其書齋，曰「人見其為山，吾見其為仁」。將求其所謂静者焉，予深嘉之。程子嘗曰「静中自有春意」，深得仁者氣象。予每味斯言，而其樂有不能已。並以語堯封，庶幾為静山齋中觀省之助云。

湯與權静德齋説

湯氏寺丞公之孫椝[一]，字曰與權，而以「静德」名其讀書之室。發其意者已詳，復求予語。夫銖、兩、斤、石、鈞，是謂五權。名雖五而實一，蓋猶數語。黄鍾之宫，於時為冬，而有四時之義焉，匪徒塊然而已。故權與物，鈞而為衡，衡運生規，規生圜矩。其用則屢遷而不居，其體則一定而不易。人但見其推移往來，静也而不能無動，遂曰權變也。殊不知物有輕重，勢有低昂，形有圓方，而所以制其輕重，定其低昂，而成其圓與方者，則皆在乎權。非至静者孰能之？静誠之復，所謂動，貞夫一者也。伊川深闢漢儒反經合道之説，以為權即是經。龜山則曰：「知時措之宜，然後可與權。」豈固為異哉！時措之宜，静之動也，用也；權祇是經，動之静也，體也。動而無静、静而無動者，物；動而不動、静而不静者，神。必也動静體用，而權之義乃可言。周子曰：「定之以中正，仁義而主静」，蓋本《大學》「知止能静」之義。推類而言，行之以中，衡也；處之以正，權也；發之以仁，規裁之以義，矩也。動静周流，亦曷嘗不定且静哉！與權倘以是求之，則知矩本於權，權本於静，而所以字其名、扁其齋者，皆在乎是矣。予於寺丞父子夙有事分，雖未識與權，聞其敏明而静，故願相與切磋究之。

［一］湯氏寺丞公之孫架：丞，原作「亟」，據清鈔甲本改。

耕隱説

自昔以來，士率以隱遁為高，事或不同，其致一也。有隱於耕者，長沮、桀溺耦而耕，是也。有隱於釣者，嚴子陵被羊裘釣於七里灘，是也。有隱於卜者，司馬季主賣卜長安市，宋忠、賈誼過之，是也。吾友俞好問之田鄰蔡道明，字子誠，自號耕隱。其慕耕耦隱者歟？「但存方寸地，留與子孫耕。」為此言者，可謂知本矣，要使其後人長留得讀書種子耳。吾，老農也，曾無寸土可以施其鉏钁，於耕隱蓋不勝健羡，因書而歸之。

劉耕心字説

三良劉國良甫，自號耕心，因俞好問來求予説。予再世倅衢，若有夙緣。每聞衢人語輒喜，况世家好學者乎。耕心，蓋取「但存方寸地，留與子孫耕」之義也。余謂國良，浙右頻歲水毁田，與江通波，民饑無所得食，旦暮溝壑不自保。而國良方自耕其心之田，何其色之恬而計之迂耶？國良笑曰：「吾之田不耕種，不菑畬，無南阡北陌之殊，無耒耜錢鎛之勞，無水旱螟螣之害，乃上世以來口分世業〔一〕，常熟之田也。歲縱大歉，顧視吾方寸之間，其田無恙，吾復何憂。」余然後知國良之所耕，在此而不在彼。天下未有耕而不種、種而不生者，修德以種之，講學以耨之，必有事焉。勿正心，勿忘勿助，長以養之，其用力蓋有百倍於農夫者矣。因以鄙語一詩，以遺之云爾：

夕陽猶作子孫計，尺寸之疆抵死爭。勞苦形神何日足，見成田地役人耕。傳家書種休教斷，積善心苗自會生。今有劉章種田法，盡除莨莠保吾成。（以上《陵陽集》卷一四）

〔一〕乃上世以來口分世業：世業，原作「甚葉」，據清鈔甲本、乙本改。

薦楊少監疏

治鳳載翔，方嘆漂漂之舉；歲蛇多厄，遽興起起之嗟。訃音遠聞〔二〕，善類短氣。近故軍器少監梅坡楊公，立朝雅望，治郡最聲。吳會相羊，諒方膺於追詔；參墟蕭瑟，胡又隕於魁躔。平生未究其設施，有識皆為之痛愕。長身玉立，寧復斯人；滿眼棠陰，已成陳迹。輒裒遺愛，仰叩真乘。以紓此邦父老之思，以見奕世交遊之誼。伏願真靈不昧，白香山徑歸兜率之天；惠利無窮，朱仲卿永顧桐鄉之地。

［一］訃音遠叫：訃，原作「訴」，據文淵閣四庫本改。

修湖州路儒學疏

夫子之美宗廟，有屹仞牆；魯人之修頖宮，實我路寢。惟湖學自文昭而始，蓋教法乃治道所關。須先生作棟梁，本為誰事；使盧兒費藿肉，良忍此心。大匠不顧木章，誰生但烹瓠葉。或既卷懷而逃于墨，此方俛首而代之庖［一］。枝柱目前，則幾茂於架滿；經營分表，則殆類於談空。用告同盟，庶幾共濟。生我者太極，可昧厥元；勤子至他人，恐非所願。不妨熟慮，試為特書。費甚泥沙，俱敢盡錙銖之取；恬無風雨，然後知帡幪之功。

［一］此方俛首而代之庖：俛，原作「挽」，徑改。

喻義齋洞庭山建退菴疏

有騰空劍，也曾飛過洞庭湖；無買山銀，未易卜居豹林谷。好尋真境，共結勝緣。提舉知觀喻義齋，喜静惡喧，重義輕利。當年駕部，嘗拊膝以徑歸；今日仙壇，亦掉頭而不顧。除書已下於碧落，結屋欲傍於陰厓。托我蓬廬，任渠争席。楊子草玄宅，未泯師傳；商山橘隱翁，尚餘樂地。既平時耻言阿堵物，豈一旦幻出何有宫[一]。嘉惠芳題，大開檀施。買一百萬屋，只在咄嗟；對七十二峰，不妨奇特。

[一]豈一旦幻出何有宫：宫，原作「官」，據清鈔甲本、乙本，文淵閣四庫本改。

游德明入燕疏

故國非喬木，喜見諸孫；行者有裹糧，坐臻千里。要立墟於冷焰，須共辨於熱心。德明路教，胸次真淳，筆端灑落。當時一琴一鶴，清甚家風；今日無車無魚，凄其旅别。况霞城其浸久，望雲路以載馳。子敬傾囷，誰餉周郎之急；優孟抵掌，聊效楚相之談。端倚賴於仁人，用濟登於遠役。風寒易水，且勿動遊子懷；意重泰山，其敢忘國士報。

建城南第二橋疏　（二）

天上人間，孰為最上善；郡南門外，未有第二橋。况當馳驛要衝，其奈斷虹斜照。三百步沮洳，大費支吾；十一月徒杠，早須料理。正好傾筐倒廩，相與驅石為梁。下導衆流，上通千里。布施當魚鱗次，不日可成；往來在爇背行，是人都喜。

千里晨門，南臨大路；兩涯秋水，中斷小橋。倘袖手以旁觀，恐襟喉之若礙。而况三百步沮洳，倍費工夫；十一月徒杠，正當時節。自無煩於鞭石，端有賴於捐金。堪笑草堂杜老翁，自防頹岸；豈若香山白居士，力去險灘。猶未忘情，又還饒舌。把錢作鴻毛看，何事不成；教人在爇背行，我心亦快。

俞好問刊詩集疏

太白平生，詩卷長留天地間；豫章以後，家派亦有《江湖集》。俞好問甫，胸中卓犖，筆下清新。七步即成章，莫喻其敏；一字不堪煮，乃坐此窮。北則容齋老山，南則厚齋虚谷。大相題品，儘可流傳。可與運斤成風，使施妙斲；勿令漏瓢貯水，徒費苦吟。輒與發端，以諗好事。

奥里疏

繭室未營，雨漬木頭之濕；麥舟肯付，春回淚眼之枯。少報生我之恩，是即如天之賜。奥里少府，史氏諸甥。俛仰百年，親欲歸於黄壤；東南一尉，兒已嘆於白頭。事已至難，時不可失。故令治命，難效揚王孫；孰倡義風，豈無郭元振。

陳守約葬親疏

游子思親，恐没齒而有憾；仁人恤患，每動心於無情。范公指麥舟而付石曼卿，蘇子指衣帛以遺李方叔[一]。一旦而舉，累年之喪。此皆盛德之善聞，誰謂義財之難捨。陳守約甫，閩嶠宿儒。志養而適四方，本圖甘旨；道窮而逢多難，遽隔存亡。竟弗逮中釜之榮，猶越在蕆塗之次。樹欲静而風不止，已矣奚追；城如故而人則非，歸歟未遂。發言欲涕，决策在任。莫勞乎三月之聚糧，莫大乎百年之終事。寒食上冢，可不如夏畦馬鬣；半夜扣門，乃所望於季心劇孟[二]。厚為之贈，俾掩諸幽。將古道復見今時，而陰德必有陽報。凡好事者，幸特書之。

[一]蘇子指衣帛以遺李方叔：指，疑因上句之「指」而誤。　[二]乃所望於季心劇孟：於，疑衍。

脩茶提舉司疏

群仙司下土，玉川嘗謝於月團；大匠無棄材，涪翁策勛於茗碗。載考唐朝之制，最重顧渚之春。起至于今，益嚴厥貢。提舉司兼城㕘組，載酒開筵。坐中合一家春，事務在兩州界。陳詩述職，筆下不惜千金之資；度地庀工，眼中不為百姓之擾。蔡後丁前，講求未到；辰入酉出，期會孔殷。老屋徒凝於清風，良圖盍更於爽閭。甯吾廬受凍，況敢煩人；賴詩情得嘗，豈無好事。庶幾協力，相與盡心。龍護密雲金綫泉，更添新樣；燕巢大厦緑莎廳，不比舊時。

陳正則問銓疏

一飛而待三年，不妨高舉；宿春而適百里，姑試遠游。雖云拾級而升，可無投臂之力。正則學正，蘭茁其砌，青勝於藍。綽有修能，雅厚字以正則；未除豪氣，豈但坐之大牀。頃者長城之行，難為短袖之舞。照槃有苜蓿，良可永嘆；披腹呈琅玕，未能少快。問銓已迫，擬步猶遲。誰為爾歌慷慨，而以之干硉兀。且濡近渴，何觥飲之能須；借更好風，得葦航而竟去。凡我同志，幸為特㫗。

張剛父助婚疏

迎爾相承宗事，穆卜佳期；聞有客使前羞，宜神慶遺。昔阮宣子[二]，當長年而受室；若晉名流，争先至以出錢。固非直賀娶之辭，蓋亦古勸婚之意。可無貺禮，以倡義風。況吾剛父學正，菽水怡顔，絲蘿締好。彩衣而偕萊婦，始是萬全；柴車而迓少君[二]，或云太簡。買羊酤酒，好一洗苜蓿槃；撤帳闌門，須大開芙蓉褥。相與作成於和氣，庶幾焜耀於餘光。此日高堂，共致千金而稱壽；明朝前巷，共看百兩之送將。（以上《陵陽集》卷二二）

[一]昔阮宣子：阮，原作「沈」，據清鈔甲本、乙本、文淵閣四庫本改。

[二]柴車而迓少君：柴，原作「紫」，據文淵閣四庫本改。

全元文卷二四〇

牟巘　九

范文正公忠烈廟記

文正范公忠烈廟，今在姑蘇三讓里天平山。公自睦移守鄉郡，再省三世松楸，不但漢人過家上冢之榮而已。嘗建白雲菴奉香火。洎登政府，得追奉三世，置墳寺，始奏改菴為白雲寺，祀徐國公、唐國公、周國公，蓋慶曆時也，猶未有忠烈廟之名。先是，元昊據靈武，納旌節，僭位號，威脅諸羌，肆為邊患。朝議舉兵攻討，遂以邊事付公。首用种世衡，築青澗城扼衝要，大營屯田，聽民互市。鄜延乃異時西夏貢路，但嚴備不出，以示招納。有築大順城，以捍環慶。築細腰胡蘆十二寨，以制明珠、滅臧二族。元昊勢漸析。乃命公及諸號知兵者，分領要害，為持久計，以待其敝。已而昊卒，内疑如公言。而公在廟堂，以議論不同，均佚南陽，繼遂謝事矣。公内剛外和，恩威迭用，當時邊人相語：「此小范老子胸中有數萬甲兵，不比大范。」指雍也。或又以「龍圖老子」、「大范老子」稱之，其為人所畏愛如此。

邠慶諸郡與屬羌皆立生祠，繪像以事其終也。屬羌酋數百舉哀，僧舍哭之，如此三日乃去。宣和間，慶帥宇文虛中以郡人思公、不忘祠事甚謹，奏賜額忠烈廟。它有舊額，皆易新榜。紹興失秦隴，慶陽廟貌邈在它方，始改奉於天平山。每歲上巳，三司率僚屬、群博士率前序偕來致祭。廟久頹毀，至元乙酉，主祭邦瑞、提管士貴共議重建。取義學餘米歸之義莊，為土木費司計，邦翰、宗遜等佐之。其年四月既望新廟成，丙戌二月既望率族奉安。前設文正公神像，內設三國公神像。廟凡十楹，黝堊丹漆，備極壯麗，供具皆完好。大德甲辰，行省聞於朝，禁治煩擾，崇奉尤嚴。於是士貴以書抵某，碑記厥成，謭焉末學，固辭弗獲。惟昔文正公在朝，聞延州危急，自請代張存正，欲委身不測之地，人以為難。某竊謂未若公上百官圖詆宰相，為張禹雖觸盛怒，坐以越職，曾不少沮，為尤難。蓋不顧其一身之利害禍福，故能內肅朝綱，外抗方面，謚曰文正，廟號忠烈，如是之偉也。夫士大夫則知尊祖矣，尊之者何？銘其德善也。是宜作為銘詩，刻石列廡下。其辭曰：

南陽諸葛，蜀漢再造，志決身殲，民哭陌道。乃廟沔陽，成都夔子，號曰忠武，西人悲喜。相傳尚記，馘雙誅郃，於惟文正，異世同轍。雖老益壯，雖死不亡，精忠盛烈，夏日秋霜。昔討靈武，皇威遠加，聲勢震燀，摧其角牙。忠宣有廟，參錯西土，公像在堂，莫予敢侮。天平之山，白雲之泉，公歸自西，廟貌宛然。誰實新之，偉矣柱石，上公之服，楊休山立。內祀先公，爰備廟制，維垣啟宇，光榮三世。式濟美忠，宣弟之昆，粵至斯今，代有賢孫。乃厚義廩，乃廣義學，同忠合慮，新廟攸作。潔我牲牢，率我宗黨，揭虔妥靈，默通肸蠁[二]。公在帝旁，玉虬既駕，神游逶迤，馭風來下。佑我後人，俾熾而昌，廟祐是保，千載奉嘗。

［一］默通肸蠁：蠁，原作「嚮」，據清鈔甲本、乙本、文淵閣四庫本改。

蒼山小隱記

歙之婺源，有佳士曰遯叟戴君宜。自其先人以詩書遺後，至君宜遂發聞而著能名。負屈稱久，洎然無當世意［一］。蓋嘗取邵子書，四四而相因為十六者，上下究極之。嘆曰：「世逾邈，歲逾老，茲庸詎非吾自佚時乎？」別業在蒼山，距其居二里許。饒信諸峰環左右，皆歷歷可名物指數，一方勝處也。築樓藏書，隱事已略具，復營小隱於山之傍。且疏泉自山趾以為九曲池，游者必道池中曰横舟者以入。稍進，則名花異卉，駢羅雜襲。於四時佳致，窈而洞，崇而壇，位置略如京洛好事家。又進，則羅分二圃，蒔佳鞠而挹晚香，若松梅類也。參合四并，與主人而五，其堂曰「五隱」，蕭然幽人静士之廬也。又益進，則島沚縈環，有船出菰蒲中。桃花流水，試尋源而問，三山對峙，藏春中敞，霞蒸繡錯，亭觀相望，便疑神仙去人不遠。遯叟杖履日遊，而樂之曰：「是足佚吾老矣。」馳书茗霅，屬予記。予每病世之隘，小舉足輒值牆壁，抵荆榛。顧在隱約而平寬、若遯叟之於蒼山者，其樂蓋無涯。而君以為小隱，何也？東方生陽狂滑稽，自謂陸沉於俗，避世金馬門，何必深山之中，蒿廬之下。於是有「大隱隱朝市，小隱隱陵藪」之論。世之出入名利者，此固其所藉口。小隱豈果小哉？吾嘗闢大隱於夫子曰：「賢者避世。」蓋已居辟色辟言之名。而《乾》初九之文言，遂發其義，曰「遯世無悶」。夫不見是而無悶，非乾之大，孰能之？遯，乾之變也，故曰遯而亨。而亦有大矣哉之辭，未有大而不亨者也。至於「考槃在澗，碩人之寬」，乃詩人所以形容賢者退而窮處之德體氣象。而夫子曰：「於《考槃》之詩，見遯世之士者，而無悶於世。」遂與《乾》並言之，夫亦惟其大而已矣。吾所為大隱者蓋如此，要非方朔輩所可與。遯叟應虎學甚博，氣甚浄，不怵於物變者而遷，方且依山林，即閑曠，窮理而參乎數，以觀夫寒暑之代謝、草木之零茂、人事之倏來忽往，而自樂其所樂，以遂隱居求志之願。於夫子所稱《易》、《詩》之旨，固已識其大者，况生紫陽之里，同遯翁之號。而九曲之池，實為小隱稱首。其仰高希賢尤切，余恨未能一至其處。竊惟九曲，有大隱屏之名，反招隱者也。敢附斯義，以復於遯叟。其小也，衹以為大，與彼潭之東池離而志不果者也，余得以略。遯叟曰：「大矣哉！子之大吾隱也。」乃歌曰：雲山之蒼蒼兮，言采其榮。其下九曲兮，仿佛乎大隱之屏。吾端策而得遯兮，又慕夫嘉名。噫！孰知吾之樂兮，肆其外而中閎。紛衆美此具備兮，大莫大乎吾身。吾將出王游衍兮，日旦而明。藏之至密兮，拓之無垠。舉堪輿其猶小兮，何况朝市之與山林。

[一]泊然無當世意：泊，原作「汨」，據清鈔甲本、乙本改。

木齋記

東平李君公略，自號木齋。間以諗予，予曰：「古蓋有端木其氏，干木其名，子木其字，木心人其號者，抑是之取乎？」公略曰：「非也，非敢自擬於是。顧平生狷急，往往以語言忤物，欲為椎魯木强而不能。早聞《論語》『木訥近仁』之義，因竊取其贅焉。特未知蒙莊氏所稱『形如槁木』、『望之如木鷄』者，何如也？試為我訂之。」夫仁道至大，夫子何取於木訥，而遽以為近仁。豈不以木者質樸堅韌，而形之不外飾歟[一]？故其言也訒，木訥類也，則亦許之以仁。巧言令色，反乎木訥也，則直以鮮仁目之。人患不木訥耳。然嘗觀之木，質樸堅韌之中，蓋有閬動發生者，在於其形，不於其心，非所以論仁，亦非所以論木也。人有心，木亦有心。仁人心也，心之德也。且孰為木之心？春盛德在木，是木之德具於心者也。春也，即仁也。木神則仁，是木之神妙於心者也。仁也，亦春也。程子曰：「木，仁之氣象；惻隱之心，春之氣象；木也，春也，仁也。」蓋合三者而言，此木訥之所以為仁，質樸堅韌之所以為閬動發生也。公略其以形求之乎？以心求之乎？天下固有形似而心非者，彼南郭子綦以形之徒勞，行若馳而莫之止也，終身役役而無功也，嗒然隱几，使如槁木焉，似矣。然心可使如死灰乎？紀渻氏以鷄之欲鬬[二]，虛憍而恃氣也，應嚮景而疾視也，養之三月，使如木鷄焉，亦似矣。然其德全者，豈吾所謂心之德乎？信斯言也，是率天下而不仁也。毫釐之差，千里之謬，蓋不可以不辨。公略有文墨議論，嘗為吴興糾曹，又為臺省掾，皆有聲。質直而好義，志仁而無惡，不肯媕阿容悦，固已知木訥之義矣。余猶疑於形似之間，故以是語焉。

[一]「夫子何取」四句：自「木訥」至「堅韌，而」十八字原脱，據《永樂大典》卷二五四〇引《陵陽集》補。

[二] 紀渻氏以鷄之欲鬭：渻，原作「渚」，據文淵閣四庫本改。

以齋記

漢嘉以峨眉重，本名眉山郡，後乃易今名。不但山川奇絶聞天下，昔康節翁前知靖康分裂，此為善地可避兵，故邵氏之孫皆來卜居。七《易》之學，遂盛行於蜀。其地距我鄉百里，鷄犬聲相聞也。我先人嘗仕焉，當寶慶丁亥，而予以生。越十有二年，侍親去蜀，昔之善地，莽為荆棘。六十必復，今已逾其數矣。辛丑，曹君克明舉茂異，自燕來杭。漢復有人在省需選，聞之良喜。張仲實為予言，克明篤實有義氣，異乎流俗。閉門讀書，一意於學。謂《易》六十四卦，卦下象皆有「以」字，因以「以」名其齋，且求予語。夫《易》，聖人憂患之所作。吾與克明俱流落萬里外，憂患備嘗，固當相與共講焉。《易》之諸卦，皆觀象取法，《乾》居其首。孔子於此不過曰「天行健」，何哉？伊川曰：「天道覆育之象至大，非聖人莫能體育。人皆可取法，故取其健而已。君子以自强不息，法天行之健也。」大率人一呼吸為一息，一息之間，天行八十息，一晝夜萬三千六百息，故天行百萬餘里。然則天之行健，人之自強不息，實相流通。一息間斷，人與天始不相似矣。以齋之「以」，要當法《乾》之「自強不息」。而予讀《文言》，則又知所以自強不息，在於「學以聚之，問以辨之」。兩言者，又學者吃緊用力處。天之運行無已時，則人之學問無止法。孔子猶韋編三絶，而况他人。學者誠能用其力者[一]，雖休勿休，胸中有全《易》，而理無不明。自一至六十四，何莫非吾日用間事。朱子曰：「以者，聖人以《易》之書也。」克明尚勉之。予耄惛不能進矣，毋忘鄉里，故其亦有以儆我哉。

[一]學者誠能用其力者：誠，原作「試」，據清鈔甲本、乙本改。

范文正公義學記　至大元年七月一日

古者二十五家為閭，閭左右各設塾，鄉先生為之師。褒衣博帶，晨坐閭門，教其民之出入田畝者。有教有養，誠為良法。自井田廢，閭左廢，古制蕩除。漢以來或為講堂，為精舍，而養則未之聞也。范文正公嘗建義宅，置義田、義莊，以收其宗族。又設義學，教養咸備，意最近古。夷考厥初，宋時天下有四書院，應天府書院為首。先是，郡人戚同文聚徒講授，士不遠千里而至，文正公亦依之以學。同文為人質直，尚信義。宗族貧乏則賙給之，喪則振恤之，不積財，不營居室。或勉之，輒曰：「人生以行義為貴，安用是？」義之一字，實與公意合。暨公登第，立朝為守、為帥，以至大用，名位日盛，禄賜日厚，遂成義莊、義學。為其宗族完於斯，學於斯，所耕者義田，所游者義路，何適不宜？嘉遺後人，可謂篤至。繼繼承承，亦惟成規是守。粤乙亥，兵戈俶擾，未遑兹事。至元丁丑，提管士貴、主祭邦瑞共議興學，卜地於吴縣三讓里，距祖塋二里所。涓日庀工[一]，為屋三十楹，祀文正公於其中。會講之堂扁曰「清白」，東齋曰「知本」，西齋曰「敬身」，外闢室為教諭偃息之處。庖湢廪廥，蔬茹之圃，咸在外為周垣。扁其大門曰「義學」。清溪松竹之間，時聞絃誦聲。是役也，義莊掌計之勞為多，提管又撙節助濟浮用，增田山僅百畝，備師資束脩之禮，子弟筆札之費，一有以勸。大德戊戌，朝旨以義莊、義學有補世教，申飭攸司，禁治煩擾，常加優恤，無復干吾藩者，可肆意於學矣。至大戊申，提管馳書來言，俾為之記。昔錢公輔嘗記義田，某也何敢與斯文。竊聞文正公早歲就學應天時，夜以繼旦。冬月憊甚，以水沃面，食糜度日，人不堪其憂。其苦心勞形者如此，終通六經，尤長於《易》。學者從之叩質，終日往復，無微弗究。其難疑答問者又如此，用力何啻十倍今人耶？咨爾來學，書爾佩衿，盍亦追思先志，俛焉孳孳，毋以寒暑而為作輟。庶幾他日業精行成，式克有立，得為名儒，以應選用，以副二范君惓惓興學之意。其年七月旦日記。

[一]涓日庀工：涓，原作「捐」，據清鈔甲本、乙本改。

重修妙行院記

杭北關之外，江漲橋至左家橋，有喻彌陀净公接待妙行院。净公早歲喜畫彌陀佛，無為子楊次公呼之曰「喻彌陀」，名遂大傳。院距喻家橋甚邇，蓋以其姓姓其橋也。予異時屢至焉，比不至且久，每記無垢張公所作《窣堵銘》。其言方臘之亂，净公徑入賊壘，願以一身代一城之命。賊悚，為少戢。夫為善之心，勇猛堅確，而本於誠實，是能感通神明。彼盗賊之徒，雖甚悍桀，亦有人心，甯不為之革面改圖，惟善之歸乎？况推之以造事立業，將無不可為者。净公前後所為，如欲飯百萬僧，乃至三百餘萬。鑿西湖多寶山為彌勒像，又增廣其居為殿堂樓觀，皆一念之誠，實始而終之。方其畫時，坐一净室，禪觀寂然，見阿彌院光明好像，而後下筆，故所畫如所見。凡所建造，如其所畫也。事見於張忠獻、趙忠簡、張無盡之頌、之贊，皆世之鉅人元夫也。圓悟、勤大、慧果、真歇，亦皆敬重之，如見在佛，則佛法中之大知證也。不亦偉歟？院更多故，久就摧圮。幼山冲公提點，早受業妙行，往來諸山，徧歷僧職，各有勞能雅意，第欲弘其祖師前規，以酬夙願而已。乃以華亭、義興兩莊八百六十餘畝、山一百五十餘畝歸之。常住一新其院，三門、藏殿、佛殿、浴室、無量壽閣，廊廡楯檻，高下曲折，奇花異卉，芳菲掩映，宛為勝處。大開養魚池，每歲臨池放生，以申祝贊。圜圍洋洋，不可勝紀。又通船步，拓蔬圃，廣栫檀林，以安挂錫。至於建菩提園，修水陸堂，由中徂外，莫不完備。祖師心傳所謂勇猛堅確而本之誠實者，朝夕奉以從事。冲公年已八十許，健强如六七十，其力足以達其所為，用克底於成。先是，喻彌陀之寂也，張循忠烈王以文祭之。王五世孫楧，予婿也。承其先志，以來求記，戊申十一月也。余岀冲公自稱方是閑，觀其大作佛事，無負祖師之付囑，亦可以少閑矣，而猶曰未是閒也。自有此院，未始有記，真大欠𨶒事，必得記，方是閒也。其果遂可閑歟？予願冲公益加之意，雖休勿休，喻彌陀死而不亡，歲時來歸，顧瞻新宇，亦當欣然為之一笑。

松江普照寺記　大德十一年

一切世間，佛法最盛。盛矣，而不能不變者，數矣。變矣，而不能不復者，時也。必理足以馭數，而不盡諉乎數，智足以因時，而不至違乎時，而其能又足以立事，式克底於成，故垂名無窮焉。普照本堂，乾元元年大明寺也。相傳為陸氏故居，始孫吴時，陸抗封華亭。世居華谷三十五里，谷水之陽，昆山之陰，時尚隸姑蘇。天寶十年，始為縣。石晉天福五年，始創秀州，割華亭以隸。至元丁丑，陞為松江府。史傳稱陸機自孫氏之亡，退居舊里，蓋自建鄴宅歸也。普照，豈非其別墅歟？自夢形黑懥，地化寶坊，舂鐘擊鼓，而作佛事，此其盛之始也。會昌五年，天下僧寺皆廢，普照亦其一也。錢氏時，鎮守司空張瑗於寺後鑿河通流，寺故基去三之二矣[一]，此其變之始也。大中十二年，良惠元珂等再建寺。宋祥符元年，改為普照。主僧必以學行者充，寺僧凡二百餘，房至無所容，此其盛者也。建炎、紹興至淳祐戊申，屢經鬱攸，此其屢變者也。寶祐乙卯，行金再造山門，翬飛翼跂，此其屢變而復盛者也。役之大者，釋迦殿、千佛水陸院、千僧海會堂，余嘗為記，已具載其事。它如庫廳、海月堂，即高僧惠辯，號海月法師也。梵修院嘗立觀堂，即舊之五百羅漢殿也。善住教院，即舊之東塔院也。至於圓通殿、西方殿、懺院、藏殿之類，靡不完具。鐘樓鉅鐘，聲聞五十里，而寶塔峥嶸，屹出雲表，尤為奇觀。每歲官僚於此建道場，申祝贊，益廣善緣，為民祈福。遇首春、仲春、仲夏四立日，皆修期，觀誦經典，率以為常。此皆前後諸人所共修營，或捐己資，或藉化施，或出主僧，或出徒弟。其智足因時，而能足以立事，不徒諉之數也，庶幾盛而不復變焉。前主僧佛智通悟大師，予聞實相與規度協贊，其力居多。大德丁未，因來求記。非徒侈土木之盛也，以見諸人之勞，使後者考也。況佛之智慧，即吾之智慧，不如待時也。佛之能仁，即吾之能用力於仁也。豈流俗任智矜能者之比哉？銘曰：

大相國寺，并包百數，殊塗同歸，不内外故。人之觀物，必於會通，剖去藩籬，是謂大同。林林總總，普照院室，言栖爾單，幾瓶幾錫。有萬其法，各閑户牖，貫以一理，何殊已有。而今而後，闡爾弘規，洞明軒闢，盡撤己私。自然福德，遍河沙界，不可限量，亦無障礙。是為普照，釋迦之殿，高棟插雲，邦壞攸奠。蒲牢霜吼，扶桑日出，紅光陸離，幽霧辟易。靡所不照，斯之謂普，普照之中，物無患苦。潮汐以時，亦無風災，稻蟹日富，布施日來。稽首佛慈，其何以報，謹爾薰修，是祈是禱。悔過興善，一念猛烈，願爾衆生，永離塵劫。

[一]寺故基去三之二矣：故，原作「後」，據清鈔甲本、乙本改。

君子軒記

是氣流行，陽一而陰二，故為君子者常少，不為君子者常多。有所不及，則有所勝焉。惟立教之君子，以降衷秉彝修道而制其數，以默扶造化之所不及之為君子，亦欲人之皆為君子。君子多則為物之春，否則草木當大夏而黄落。分數多少之間，教之淺深之驗也。古者家塾而黨庠遂序，小學而大學，皆有教法。當其時之可，不過時而扞格也。知類通達，至於大成，不小成而止也。從容以盡其聲，不徒記問也。長善而救其失，不徒私淑艾也。此即孟子所謂君子所以教者五，雖各因其人品，所施若殊，要不過教人使為君子而已。先儒以孔門弟子言之，時雨化之之顔曾，成德之閔冉，達財之由賜，固君子也。若乃樊遲之不終絶於君子，陳亢之概有㓙於君子，亦得與于答問私淑艾焉。由是而推，誠聖門教人之大法也。後百餘載，孔子所教之君子，散在四方，既已略盡，異端起而功利熾，孟子不求勝之，惟舉聖法以示學者。聖法修則君子多，君子多則邪説息，孟子之所願也。孟子亞聖似顔子，傳道似曾子。時無孔子，不當在弟子之列，方且日與其徒難疑答問，欿然自謂：「予未得為孔子徒也，予私淑諸人者也。」夫孟子曾不得為時雨之事，淑艾自私，獨為君子，豈其所願哉？天之生聖賢，固不使其自有餘於己而獨為君子也。張仲實居今而學古，從之者衆，乃拓學古齋之石，創為使齋。疏朗清曠，體日以舒，教日以專，學者日以親。予本孟子語榜之曰「君子軒」，而戴君帥初為之銘。仲實復求予語。予聞數歲來，吾黨之私淑艾者，不忍獨善，頗出其緒餘，以惠後進。絃誦之聲相聞，教之將盛與？況欲人之為君子，而幸世之多君子，仲實夙志也。今將進而任君子之教，與世道之責，有大於是，惟吾仲實勉焉。若時雨之義，則帥初之銘美之矣。（以上《陵陽集》卷九）

周公謹復菴記

周公謹以「復」名其山中之菴，間謂予曰：「歲丁丑，吾廬破，始去而寓杭。燕雀過故墟，猶有噍啁之意，況先中丞洎先人三世之墓故在霅。歲一至或再至焉，輒傍徨不忍去。年益老，懼無以自還，抱恨没齒。近得吉土先人之塋側，儵異時營菟裘，遂狐首，下從九京，志願畢矣。幸為我記復菴。」新息侯在泊浪鳶影跕跕中卧[二]，念從弟少遊平生語，欲守墳墓稱鄉里，不可得。今杭視霅，為旁近郡，公謹歲時展省，沃酹不廢，已得為馬少遊，尚何羨乎復。雖然，試為子言之。天地之間，一氣混淪而磅礴。求之於黄鐘八十一分九寸之管，牽牛一丈三尺一寸四分之晷，陽九萬四千六百一十七歲出入之元，求其復也，豈不在吾方寸中？剥爛復灰，窮而後有復，失而後有復。君家無極翁曰：「復其不善之動，而已復則無不善焉。」復之初九，復之善者也。不遠而復，何悔之有？故曰「元吉」，大之也。若乃六三頻復，失之屢，危矣，而猶曰「無咎」。六四獨復，力之微，難矣，而猶曰「以從道」。此其意，開人以善，自非終迷不復如上六，未嘗不致其惓惓。公謹僑寄他邦，蓋不得尚，若窮於性分，未云失也。顧戚然以遠家事為已缺者，亟圖維厥終。使治復菴，而日從事於復，不以獨復之難自阻，必以不遠復之善自期。一旦膏車秣馬，問復菴之里，闖其藩而休於其居，圖書無恙，鷄犬相識，忻然以笑曰：吾今始真歸矣。栽瞻楸檟根荄芽甲於霜露之既降，而函活於春雨之既濡。喜極而感，則又以之怵惕，以之焄蒿而凄愴，此固吾方寸中之一大復卦也。因思夫物潰反原，以已屈之氣為方寸中之氣者，則非吾所復而得吾之初焉。善孰有加於此？抑余聞，復，善道也，亦長道也。其未復也，順而正以觀其長；其既復也，順而行以導其長。順斯長而亨，出入無疾，則眉壽無害，考終命之福也。朋來無咎，則子孫逢吉，必復其始之祥也。余敢自附善頌，以落復菴之盛。

［一］新息侯在泊浪鳶影跕跕中卧：侯，原作「後」，據清宣統刻本《涵芬樓古今文鈔》卷八二改。

俞好問交樂軒記

俞好問名其軒曰「交樂」，以問於吾。吾曰：「是何居？」好問曰：「吾得之蒙莊書。」吾曰：「豈非老子之語南榮趎，所謂『交食於地，交樂於天』者歟？他日子綦以語九方歅，則又曰『邀食焉，邀樂焉。』何也？夫交者，同也；邀者，求也。試就其說而言之曰交，是矣。交食於地，人樂也；交樂於天，天樂也。人樂，與人為徒者也；天樂，與天為徒者也。人游乎天地之內，而未出乎天地之外。是故人物同宇，而物易汩乎人，利害同域，而害賓生乎利。四者蓋同行而異情。天而不人，則相安以恬樂也；人而不天，則相争以奪不樂也。烏乎！安得至人而與之論天樂？」好問胸襟灑落疏快，無町畦，無留藏。居敢溪之上，蕭爽數椽堂。有老母，以志為養，菽水盡歡，有如甘旨，一可樂。其性喜書，晝抄夜誦，有四猶子，時來講説，二可樂。又喜為詩，操筆立就，有佳客至，相與吟哦，三可樂。隙地雜植有香之花，四時皆春，芳菲不斷，四可樂。好問每曰：「我交食於地，不與地争嶮巇之利；交樂於天，不與天争陰陽之和。」孰為人與物，孰為利與害，惟其無四者之累，是以有四者之樂。未嘗力邀而强取之，如子之云者。天耶、人耶？人耶、天耶？吾聞之嘆曰：「吾於好問，托其交而不知其樂，吾其至愚哉！何足與論天樂。」雖然，至愚同至人，其亦可樂吾所樂乎哉！

重刻晦菴景行堂記

古者建學，釋奠必有合，有國故則否，而鄉先生亦得祭於社焉。三衢郡故有尊賢祠，如端明汪公、太史范公，猶合之它邦。惟江山縣學祠是正介先生，而次五賢於景行堂。則國故也，鄉先生之位也。文公朱子記其氏名，與其學行氣節備矣。《車牽》之卒章曰：「高山仰止，景行行止。」孔子亟稱之，以為好賢如此者。五賢之所立，雖若不同，然正介學於胡安定，延平學於楊龜山，所以求仁也。諫議力攻蔡京、童貫，仁人之能惡人也。叔縝以一士曹掾叱睦寇，宅卿以一太學生責金酋，則又殺身成仁者也。壹是皆人心天理之不可泯。考信史，參軼𨳡，大𦘔深刻，以風勵當世而興起後人，蓋詩之好仁，朱子有焉。夫無欲而好仁，一人而已。在孔子時，已嘆其少，况後乎孔子，後乎朱子乎！淳熙以來僅百餘載，碑已漶漫殘缺，越在榛莽。過者恬弗怪焉。烏乎！可觀世變矣。郡人柴君來領教事，亟與周君謨召匠治石[一]，更刻遺文，重擔穹趺，視舊加嚴。於是五賢之遺風餘烈，猶有足證，暂晦益彰，而觀者亦改容更貌，復知學行節氣之可貴、可重、可企慕。有功斯文，有補世教實大，其庶幾能好朱子之所好者歟？二君皆名家後。柴君，諫議四世外諸孫，其先世潛心君兄弟，嘗與延平共學龜山之門。而周君則正介諸孫也，至今猶藏其詩稿。源流有自，是尤可紀者。既成，屬某識顛末。某父子嘗先後忝衢，他日子將按部又至焉。每以未得一拜祠下為恨焉。今隩伏深潛，旦暮且迫，乃幸睹是刻之新，獲附名於碑，因竊自喜。夫「高山仰止」者，知之事；「景行行止」者，行之事。何莫非學？亦何莫非仁？俛焉孳孳，惟尊𨳡行知是務，此又朱子所為推本於學之意。因併以諗觀者云。

[一]亟與周君謨召匠治石：亟，原作「丞」，據清鈔本甲本改。

重修顏魯公祠堂記

吳興多賢守。在唐，顏魯公以名節著，人皆曰：「吾邦魯公也。」余則曰：「天下魯公也。」蓋張巡、許遠、從父兄杲卿一輩人，平原、蔡州，事具史册，無庸察察言。惟是乾元己亥，公嘗撰《天下放生池碑銘》進之，而其再進大字本，則上元庚子。帥百僚上表，請問起居西宫，遂貶蓬川，則庚子八月。越明年辛丑，至大曆癸丑，十有三年，公由臨汝轉吴興，始追刻；而建之郡東放生池之上。所謂「一日三朝，大明天子之孝，問安視膳[二]，不改家人之禮。」示天下必有尊也。蘇文公以為公實規諷肅宗，非區區放生池者，可謂知公之心。惟公大忠大慮，奮不顧身，每為朝廷争典禮，為國家折奸邪。而又一正其本，為天下萬世明綱常，使凡為人臣子，無敢遺君後親，雖觸忤隕越、卒陷死地而不悔。夫感慨殺身易，從容就義難。平居能犯顔敢諫，則臨難能仗節死誼。玆其為天下魯公也歟？當宋嘉祐辛丑之際，始即池上創魯公祠。紹興初，始賜額忠烈廟。崇樹表章，偉矣。乃自近歲，編户雜居，廟毁像壞，過者太息。東平李侯奇以今辛丑夏四月，實來為守，下車閔之瞿然。亟按祀典[三]，考郡乘，躬至其處，參訂申畫，而謀諸長居貳佐，作新廟，民相其役。始七月，成十月。中肖公像，揭虔妥靈。大其門廡，敞其軒楹，規制尤閎傑。既用牲祠下，郡學教授周鮪，以侯意屬記於陵陽牟某。某，岷也，弗獲辭焉。烏乎！輪奂雖新，感懷猶昔。嘗試憑楹而觀，波光渺瀰，鏡明黛蓄，照徹上下。而公忠義所在，其精神之盛，焄蒿凄愴，千載如生。安知不睠遺民、懷遺刻、乘風雲而來下，余蓋不足以見之。若夫斸荒而興懷，聳善而扶正，如李侯之為者，則誠有補世教，而卓然異於流俗，可尚矣。《詩》云：「高山仰止，景行行止。」維侯有焉，後之人尚毋忘斯語。是為記。

[一]問安視膳：膳，原作「孝」，據清鈔甲本、乙本改。

[二]亟按祀典：亟，原作「丞」，據清鈔甲本改。

普照千僧海會堂記

三代盛時，禮樂制度、學校倫教，修設明備，外物莫干其蕩。厥後寖衰以微。東漢明帝時，竺法蘭、摩騰首負《四十二章經》至白馬寺，符丈六金身之夢，上所崇信，趨者瀾倒。諸人先生徒持空言以抗，曾莫之止。日蔓月滋，唐會昌五年以前，不啻二十七萬餘僧。宋天禧以後[一]，不啻三十九萬，何其盛也。一盛一衰，相與消長，勢使之然。昔伊川程子嘗遊覺海、惠林精舍，見衆衲方食，忽嘆曰：「三代威儀，盡在是矣。」彼其拜則膜拜，衣則條衣，非可比而同之三代。」程子之言顧若是，何歟？禮失必求之野，或者觀其會而得其意歟？方其于于而來，脱斐屨而升，臨席而坐，不語而食，蔬食菜羹必祭如，必齋如，雍容可觀，古意猶有存焉者。故程子有慨於衷，不覺喟然而嘆歟？禮儀三百，威儀三千，其目繁多，要不必盡同，亦取其意之存乎古者而已。它可類推。特未知佛氏所謂三千威儀、八百細行，同乎？否乎？維松江普照寺有千僧堂，自唐乾元、宋淳祐丙戌由回禄之厄，無復舊觀。崇教六師祖祥之所建、潼川北澗之所建者，又悉為瓦礫之場。至元丙子，萬户沙侯來鎮是邑，與慧悟興教大師某相為倡率，首創鐘樓、庫堂、西廡，而千僧堂未遑暇也。又四年乙卯，里人趙架閣施所居堂為之。因陋就簡，意未稱。臨化之際，專以此事屬其後人。於是徒弟通辨大師，其銖積寸累，且募檀施。大德癸卯，於舊址重建其堂。完明周密，風日不到。設坐備物，使僧衆得以如法而住，繙誦經帙，下自己功夫。出則聽説法，申祝贊，功德無量。因來求文以記。逆施之人，當去未去，視彼臨化灑脱明了、一辦大事者為何如？且强立文字，以傳久遠。海會之叢林有具眼者，不得獻笑乎？重説偈言曰：

盛哉海會，千僧之堂，是為普照，選佛之場。其有禪客，白丹霞説，若去選官，不如選佛。霞問選佛，當在何所，選佛之堂，江西馬祖。萬中選千，千中選百，於百之中，又選其一。愈選愈少，其義伊何，人以為少，我猶曰多。有知此堂，願發所造，窗几静深，牀坐完好。夏有疏簟，冬有重席，攝衣而起，振履而出。千僧齊唱，一口百聲，千口萬聲，清徹朗朗。有大導師，默然晏坐，忽獅子吼，唤醒惛惰。聞者震越，得大警悟，須臾之頃，萬善咸具。凡諸佛子，皆得度已，稽首普照[二]，朝夕彈指。

[一]宋天禧以後：宋，原作「來」，據清鈔甲本、乙本改。

[二]稽首普照：普，原作「首」，徑改。

全元文卷二四一

牟巘　一〇

紹興嵊縣新建東嶽行祠記

古者諸侯祭境内山川，以其能出雲氣為風雨。祭之，禮也。《春秋》書：「魯猶三望。」公羊氏曰：「望者，望祭泰山河海也。」鄭司農以為魯境不及河，魯得祭泰山，曰河者，非也。三望，淮、海、岱也。公羊蓋失之。然魯之舊法，旱則修雩，吁嗟求雨而已，未聞有事於泰山。是魯雖得祭泰山，而謹之重之，不輕於祭也如此。今東嶽之祠徧四方，窮陬下邑，往往而有。田夫里媪，日扳援叫號，以禱以禬，不懼其黷。何歟？夫泰山之雲，膚寸觸石，不崇朝而雨天下。其施溥，其功鉅，天下通祀可也，魯固不得私焉。嵊，越之名邑也。其民知禮義而通於法，號為易治。青社余君洪以丙申歲來為尹，平易近民，濟以明敏，夙夜講求民瘼，與為便安。距縣一里，有東嶽行祠，比歲旱，禱輒應。丁酉秋，青蟲為孽，禱之，明日蟲罔遺育。令知神之信已，愈自飭敬事神。越己亥夏六月，大旱，早苗多槁死。老農謂：過處暑，藉得雨，晚禾不復矣。令聞之[一]，戚曰：「民以食為天，今視天枯。然設不幸如老農語，民且殆，令何心獨全。」復走祠下，願滅己壽年為百里命，請命於神。越三日，果大雨。四境沾浹，焦卷盡活，苗怒長，乃有秋。民皆喜色相告：「我從令得雨，令實活我。」令謝曰：「神賜也，吾敢攘神之功？」惟是舊祠久毀，神棲數瓦下。前令李繙，於其東南六百餘步作後寢。今令至，繼作正殿，揭虔妥靈，盥薦始有所。而兩廡、門觀未備也。乃諗於衆：「曷圖之，用答神意？」民又皆喜，願盡力。賦丈屬役，某任某事，而為之期，起九月，畢十月。趣具百煩，工徒竭作，至期成焉。屋凡百楹，昔所未備，今也大完。翬飛雄跱，一旦傑出。官道之西，中為一亭，由亭達於橋，由橋達於祠。池蓄異魚，環植佳木，侈廟貌而昭神貺也。士民共樂之，穲稏在野，歌舞在道。熏為太和，以迎善氣，以占嗣歲。其屢豐年，無有菑害。又益喜，相賀，願伐石紀其成。則因余世舊上虞劉悌、婿西秦張椣以來請紀。惟神無方，無在不在，賢令尹不有其躬，欲以揾塞民災。發於衷誠，非有一毫自為意，故神之聽之，雖遠而邇，大庇於民。民從之，役不逾時，食其報者。而或者昧損上益下之義，刻民之肌，惟己是利，水旱弗恤，諉曰：「匪吾咎，神弗顧答。」則且將事土木以要於神，失其本矣。曾謂泰山不如林放乎[二]？余嘗使越，未能忘其民也。既幸其獲蒙神休，而尤有感於令之義。特書之，俾刻焉，以告於來者。而繫以詩曰：

巖巖泰山，實奄東魯，龍駕帝服，爰作神主。使雲前驅，風以為御，欻兮上征，左右帝所。維越在東，則一其顧，慨彼槁乾，沃之膏雨。旱火不光，休氣布護，維山之陽，民拓新宇。石梁既抗，於民於廡，廟寢孔碩，神其來下。其靈剡剡，瑶席椒稰，載揄爾瑟，民歌以舞。水有魴鯉，陸有秔稌，至於來兹，豐年其屢。神功莫名，樂哉此土，維郡維邑，皇受多祜。

〔一〕令聞之：令，原作「今」，據文淵閣四庫本改。〔二〕曾謂泰山不如林放乎：謂，原作「為」，據清鈔甲本、乙本改。

至樂齋記

古涪文君心之間為余言〔一〕：「吾室環堵，門闕落然，孰使吾終日安從而不去者，非書乎？書，誠吾之至樂也。或且曰：『書，糟粕也，憂患也。』至樂無樂，乃皆束書不觀，游談相高，以是為至樂焉。人蓋有飲食而不知味者，未有不飲食而知其味者也。吾固疑而不信。且吾先人寡慾而好書〔二〕，頗勤勤輯散軼，以遺其後。授而讀之，未嘗一日而舍書以敖。『至哉天下樂，終日在書案』，此歐陽詩語也。故吾摘之以名讀書之室，而求吾之所謂至樂者。」予聞而異之。讀書亦大難，異時藏書之家，所少非書，而讀書者常少。無它，書易得而不知其為可樂，書肆而已。雖讀之，不樂也，與亡書同，占畢而已。雖讀之，不樂也，與不讀同。鄴侯之架，一一懸牙籤，新若手未觸。韓子之詩，視歐陽殆不免乎譏。韓言藏，歐言讀，李繁輩其果能讀而樂乎否？今之書，日益以少而難得，讀者宜益以少。君知其難，易將至矣。有能知書之難得，則知書之可樂而至樂者出焉。心之生長見聞，資禀卓異，意氣之盛，如川方增。

乃退然承其先志，以歐陽子讀書為法。夫歐陽子，蓋知其難者也。自其早歲，率從人借書，且抄且讀。嘗見《昌黎集》於隨州某氏破篋中[三]，求之以歸，始為古文。每嘆在夷陵，欲求《史》、《漢》一觀，不可得。是時承平且久，書難得尚爾，迨其晚歲，所藏僅萬卷。三代以來金石刻千卷，又皆出於四方萬里窮絶之處，得之難。然二者非有聲色臭味可以移人，而公甚篤好，或手自校讎，或以立訓傳，或以訂史傳、百家之訛謬。至與其為六一，而樂之終身。其得之之難，而樂之至如此。詩蓋言其平生之所得，而實天下之名言也。彼謂歐九不會讀書，豈知言者哉！心之藏書，不多於歐陽子之晚歲，亦不易於歐陽子之早歲。今也坐一室中，窗明几静，左右横陳，俯仰千載，非芝編標帙、部居條列以為美也，非虞初稗官、凡將急就以為博也，非薰香摘艷以為功也。蓋有其至樂者之存吾心而已。所自得言莫能喻，抑知其難而有以樂之歟？心之屬予記。顧眊惽，因記其所與予言者，且以信予之説，毋遽忘其難，而浸趨於易，則其樂亦無窮矣。如江海之浸，膏澤之潤，涣然冰釋，怡然理順，此則至樂之候也。又將以是觀焉。

[一]古涪文君心之間為余言：涪，原作「涪」，據清鈔甲本、乙本改。　[二]且吾先人寡慾而好書：而，原作「好」，據清抄甲本、乙本改。　[三]嘗見《昌黎集》於隨州某氏破篋中：破，原作「彼」，據清鈔甲本、乙本改。

林菴記

壬寅首春，林菴廉訪簽事按臨吴興郡。郡之吏民，莫不灑然，改視易聽，與歲俱新。不以苛察為明，健決為斷，深刻為能。酌緩急寛猛之中，隱然虎豹在山林，而藜藿不采，蓋輿人之誦如此。而予卧病荒園，久絶請造，乃特枉車騎過之。闊略將迎，高談朗咏，瀹茗從容，因知其所存，過人遠甚。間謂予曰：「若知吾林菴之意乎？昔吾嘗從事安西幕，為蒲城長。由河洛、嵩華道襄峴，以出岐梁，往來秦商、蜀漢之間。今自監察御史出贊浙西憲司，由魯復淮泗，絶濤江，至京口，過姑蘇憩於錢塘，以來苕霅。凡天下之名山巨鎮，雄偉而傑特，孤峭而奇絶，娟秀而窅深者，皆徧經而歷覽。雖外縻乎職，未能超然自放其間，以遂吾平生之志，然未嘗一日不夢想坐馳，每念『入林恐不密』之語，為之慨嘆。故以林名菴，以見吾意。願為我識之。」予以眊昏辭，不可。竊惟古之高人勝士，胸中自有林壑，功名富貴不能涉其藩、干其慮。故在魏闕如江海，在市廛如山林，不見其異。否則富貴之念，先入其中，藉令巖居川觀，其視嘉木奇石，縈絆耳；晴嵐暖翠，塵眯耳；朝猿夜鶴，籠檻耳；適足為吾病焉。況方沉着富貴，又安能使之一旦以此易彼哉？林菴恬淡文雅，公退之餘，觀書之隙，或呼硯與筆，濃墨大書，體嚴勢逸，各當其物。或倚闌舒眺，捻髭索句，嘲弄風月，直欲與槧人墨客角其技。或屏都騎，載單舸，上下林壑，窮幽選勝，忘其日晏，其視富貴為何如也。林廬之山，豹林之谷，衡岳之雩林，岳楚之道林，廬山之東、西二林，固已盡在林菴中，尚何俟予言。夫以林菴之能，謂抱負有功，見之當大究厥蘊，次猶當長諫官御史，言聽志行，使窮阨僻壤、山巔澗隈之氓，皆被其澤，而支離疏輩亦得與木石共老。豈徒專林菴之樂以自樂哉！向平了婚嫁而恣游五岳，謝安石成功名而雅志東山，付之他日，未晚也。

周景遠君子堂記

東平周君景遠甫，壬寅之夏，以使事過霅，首扁舟訪敝廬。静專大雅，温然君子也。良以既見為喜，它日再見語益親。蓋君子嘗名其燕處之室曰「君子」，而以問於予。夫君子，成名之人也，君能取以自名，美矣。予何足以言之。且孰不願為君子，如堯時君子十六人，周時人皆有士君子之行，而魯亦多君子。其類衆，其道廣，固君子之願也，不必自有異名。然陽一陰二，大往小來。可為君子，而不肯為君子；君子可化中人，而不能化中人。則君子之類少，而君子之名始著。君子之名著，而君子之道始孤矣。豈君子所願哉！名者忌之招，而又嶤嶤然抗其名，以為的於天下，吾懼其立於獨，却往來無方也。故蘧伯玉耻獨為君子，何耻也？耻不能使人皆為君子，而已立於獨也。後之君子，或不能為蘧伯玉，徒使惡直醜正者競起而相仇，名適為君子累。楚之好修、漢之尚節義、及唐之清流是也。無乃好名之過歟？周君曰：「子之言，幾矣。其曰好名之過者，何也？君子病其名之不章，學以求於君子，求而不得者有之矣，未有不求而自得者。吾方求於君子之不暇，而暇好名之避者。避好名，是君子不可為，必同流合污而後為得也。夫實之所在，名斯從之。抗君子之名，不可；避君子之名，滋不可。吾升吾堂，因名思義，幾易象傳記稱君子者，殆數十百[一]。其嘉言善行，一日森列左右，實果外乎名哉！吾家濂溪子曰：「實勝善，名勝耻也。故君子進德修業，孜孜不息，務實也。」意謂務實，則其實修而名善，非惡乎名也。而敢以是説繼衆君子後，以自儆焉。不亦可乎？」予益異之。予因周君之先嘗躋膴仕，習聞中州風俗文物之舊。君跐美象賢，早有令譽，宦轍所至，不合輒引去，不少徇流俗。往往寓意於詩，旨趣甚遠。今以博文多識，與於禮文之事，蓋所謂君子以制度議德行者。既無負明堂之義，而猶務實自儆如此，可敬也。因具識之，予前言則陋矣。（以上《陵陽集》卷一〇）

[一]殆數十百：殆，原作「始」，據清鈔甲本改。

游桃塢記

元貞二年三月十八日

程周卿糾湖學，晉輔長尹堂，兩邦相望，故家蔚如此。會晉輔秩滿歸，相與挈家望母，憩桃塢菴。楚望、漢卿偕内外諸孫，侍文孺輯杖候於門。親友來會者，予與文性之、史順甫、劉道甫自俞步至菴五六里所。菴雅潔可居，滄洲翁所位置。翁以來增葺之，前曰「桃塢」，後曰「更不疑」，巨碣峙立，趙庸齋筆也。先人氏名亦在焉。時適三月半，雨新霽，青松如沐，笋已上番，荼蘼甚開，芍藥亦有開者。主人兄弟怡怡愉愉，連日以奉母之觴徧酹客，飲酹甚歡。中夜復浮太白，對床笑語猶真。吾觀周卿飯不足，晉輔囊無餘，而能調娛其親，不知山中為寂寞，而妻子皆有自得之色。此固人之所難，而吾儕之所為喜也。留三宿，雨時止時作[一]，拄杖叩諸菴[二]，遍叨茗供，殊清適。性之玩金鯽魚，良久，隱見不常，若自珍貴不可致者。雨盛還菴中，性之大書雪壁，且賦詩一章，曲盡佳致。紹老克翁亦繼來。期而不至者，史載、陳正則、正德、及文端甫。予則陵陽牟某獻之甫也。時丙申三月十八日記。

[一]雨時止時作：雨，原作「兩」，據清鈔甲本、乙本改。　[二]拄杖叩諸菴：拄，原作「柱」，據清鈔甲本改。

荆叔麟以齋記[一]

都邑浩穰，承平日久，上恬下熙，弗慮弗圖。一旦風塵倏起，父子兄弟對面相失，顧吾心之天者[二]，獨在過故墟睹遺迹，感慕傷嗟，有不能自已者焉。若荆叔麟之復為此齋是也。叔麟之先父諱某，自號以齋，居杭新門裏。朝市肩相摩，不樂仕進，自壯至老，手不釋卷，尤善書。以齋其所書也，八法咸備，見者忻羨。生乙亥，終丙子，年六十有二。五子：綸、緯、紱、紳、素。紱即叔麟。少年事遠游，去杭且三十年。歲乙巳來歸自宣，問其兄弟，鮮矣；問其室廬，毁矣。興言往事，無與共語。古有為鶴言者曰：「去家千年，城郭如故，而人民非，而冢纍纍。」歲代遼邈，理有必然，無足怪者。三十年者，特千年之一瞬息爾。叔麟之所以遭遽至於如此，可勝嘆哉！幸四世之祖墓在西湖之上，守者亡恙，再獲瞻省。有念以齋不可復見，不覺感慕傷嗟。非吾心之天者，其孰為之？要不當以世變論。叔麟卜居鄉閭，復為以齋，子昂集賢趙侯為大書而揭之。越丙申夏，因來寄聲，求記其事。予惟以齋，以「以」名齋，非徒自謂也。蓋將遺其後之人，不在叔麟乎！夫生，事之以禮；死，葬之以禮，祭之以禮。為人之子終身行之，猶恐弗克，況生事葬祭之而不得以其禮。欲報之德，昊天罔極，此心當如何？傳家名齋曰「以」，「以」之一字，叔麟固宜敬恭，朝夕奉以周旋，思其音容而屬其荒絶[三]，存其手澤而著其德善。以齋在是，則吾親在是；吾親在是，則吾心之天在是。千載一日，而何三十年之有？叔麟人今而貌古，有學問，有踐履，必能立身揚名，以圖其孝之終，以大其門，以無愧以齋之義矣。

[一]題目及文中「荆叔麟」，清鈔甲本均作「劉叔麟」。　[二]顧吾心之天者：者，原作「都」，據清鈔甲本、乙本改。　[三]「思其音容」句：音容，原倒，據清鈔甲本改。

報德院記　至大元年

距松江府五十四里而近，曰下横涇，時思報德懺院在焉。蓋佛氏有大報恩七篇，柳子厚以為，此七篇皆由孝而極其業，以儆夫世之蕩誕謾弛、好違其書者。夫報恩即報德也，報其父母生成之德也。

而其報德，又莫若懺罪。報德者，昊天罔極，而致其時思也；懺罪者，改過遷善，而致其愧悔也。豈不五體投地，千聲齊唱，而求其罪消滅哉！院之主僧曰友歡，派出顧亭林寶林寺。自幼敏悟[一]，聽講天竺，能背誦《法華經》。修長期觀，氣貌古樸，不事外飾。兼通《周易》，默參妙義，非苟焉者。宋咸淳辛未，易徐氏基地結菴廬，以庇風雨，以事香火。度弟子元吉、普潤等，善治生廣業。普潤習臺衡教於超果，分任院事，次第而舉。歡問語吉與潤曰：「吾年七十，行且去矣，盍為我罄衣盂，建九品觀，植净土緣，且市田為供給，刻之石，以示久遠。」元貞乙未，啟長期申祝贊，首創三門、兩廡、僧堂。歲役未竟，大德庚子壬寅，歡與吉、普相繼示寂[二]，潤竭歷嗣乃事，置法堂，砌祖塔，搆鐘臺，建釋迦殿，塑左右侍從，普陀大士、羅漢諸天，備極莊嚴。壁有金采，沼有紅蕖。層閣飛檻，高切雲漢[三]。平蕪絶島，近在目睫，殊偉莊嚴，遂為一方勝處。先是啟長期之歲，東北隅忽竹園産靈芝。夫竹之有筠，四時不改柯易葉，已非凡植，況靈芝煌煌，與寒光翠氣相交映發耶？衆皆嘆曰：「造物者生祥下瑞，以有此芝，振動時人之耳目。」故一切興修有相之道，次第而成。不待懺罪，德已報矣。越至今日，咸歸功於潤焉。潤自號澤翁，篤實而疏通，是能盡報德之義，克與先業，盛其福澤。至大戊申春，賜金襴袈裟，號慧元普照大師，尤有榮耀焉。良月遠來，求文以記。予蓋不獲辭，乃銘曰：

於惟歡公，秉志夙堅，爰發弘誓，獨奮空拳。始來橫涇，把茅三椽，殿堂樓觀，一旦屹然。翠樾之妙，華榜高懸，是曰時思，以報所天。報之維何，懺罪是先，誘化澆俗，崇植勝緣。絪緼和氣，芝實鍾焉，九莖三秀，衆美具全。厥在報德，其應尤專，人所創見，競誇以傳。潤也師吉，後克繼前，晨夕薰修，不懈益虔。施於弈葉，益昌以賢，如澤之潤，獲福無邊。

［一］自幼敏悟：敏，原作「悔」，據清鈔甲本、乙本改。　［二］歡與吉普相繼示寂：從下文看，此句「普」字有誤。北圖另一清鈔本「普」作「者」，當是。　［三］高切雲漢：漢，原作「漠」，據清鈔甲本、乙本改。

義齋記

臨安山水，天下奇異。時英雄崛起之迹，歷久而平。錢氏子孫希白、穆父輩，皆去而為文詞、取科目、司誥命。至近代平齋洪君出，又以倫紀綱常著名節［一］。流風餘論，今猶可考也。方君天瑞生於是鄉，妙齡秀發，雅慕前修，劬書嗜古，而喜為詩。其居有山月吟窗，日嘯咏其間。家則堂嘗為作詩序，其胸次已不俗。又以「義」名其書齋，而問於予。予曰：「識瞀學落，然嘗聞仁以義節，故親親而仁民，仁民而愛物，否則愛無差等，墨氏也。氣可配道與義，故浩然塞乎天地，否則以義為外，告子也。敬義立，故德不孤，否則敬以直內，而不以義方外，釋氏也。若是者，皆不能以無義。義者，固非一行一致之為，而子猶昭昭焉以義為揭者，何哉？豈有半夜叩門、攝衣從之、而以在亡為解者乎？亦有懷憤不直、咈人色上、而稠人廣衆、輒譙責不顧者乎？抑亦有排難解紛、辭千金而不受、因絶其人不與通者乎？」天瑞曰：「是之所義，非吾之所謂義也。況井以辨義。義之與比君子喻義之類，曷嘗不專言之？

而元麟之取節，則《原道》「行而宜之」之語也。昔曾子曰：「義者，宜此也。」《中庸》曰：「義者，宜也。」楊子雲曰：「予得此義，謂之義也。」韓子殆本此歟？」予於是知天瑞真好義者矣。夫天下事物，其不皆有當然之則。子之居是齋也，盍試思之。自君臣、父子、兄弟，以至朋友、鄉黨、鄰里，以至一語、一言、一舉動云為之際，凡行之而得其當，處之而得其平，由之而得其正，辨之而得其分者，皆所謂宜也、義也。是義之名也，固標絶於一辭之表；而義之實，每裁制於衆理之中。雖以之為詩，可以興，可以立，可以怨，可亦義之宜也。發於情，止於理義，止亦宜之義也。傳曰：「詩書，義之府也。」孰謂吟腮之不謂義齋乎？

[一]又以倫紀綱常著名節：綱，原脱，據清鈔甲本、乙本補。

敬愍侯祠記

唐以來使海外，亦曰使絶域，其選甚重。至元甲申，朝廷以日東國負險遠，不可武，令遣使者宣示德意，用懷柔之。於是刑部尚書、福建道宣慰兼提刑按察使福唐王侯除參知政事[二]，張帆揭節，乘船以行。侯姿儀山立，足以竦物望；知略輻輳，足以應事會；詞辨淵博，足以申使指。人皆謂是行必能得要領歸報，視海如塗，不勞戈甲，坐以無事。曾幾何時，諱問倏傳，朝論嗟惜，具列其故。追贈錫爵節惠，定謚曰敬愍侯。卒時年五十六。五子皆蚤逝，禄其季子都中為少中大夫平江路治中，即吴中賜田宅，所以飾終恤後者備至。其孤奉母張氏來居吴，相依為命。母獨深念旅魂不復，終天曷報？乃削髮為尼，住妙湛寺。朝夕繙經禮拜，歸誠於佛。修寺起廢，役凡再舉。蓋佛有大報恩，且使其孤一意事國焉。厥既就職，追慕不少衰。又念人子，事死如事生，事亡如事存，求之無不至。惟佛俯仰之間，再拊海外，吾父死而不亡，安知不往來與俱。遂闢寺東廡創敬愍祠，塑侯遺像，以嚴香火，以致延佇。冠佩有肅，神采如生。相率拜祠下，且喜且悲。因市田百畝，捨入常住，為此祠歲時薫修。及七月十五日忌日，追遠費，專一僧掌之，具有規約[二]。治中繼陞太中，去為浙東宣慰副使。歲癸卯，自述顛末，來以諗其先友陵陽牟某，求為記，刻石示方來。烏乎！予尚忍書敬愍侯之事哉！昔葉公子高將使齊，問於孔子，以為事若不成，則有人道之患，事若成，則有陰陽之患。意欲處若成若不成以自免。而孔子則曰：「事君者不擇事而安之，忠之盛也。盍勉之，使忘其身而遂行耳。」今侯之遠使，猶未入國，不幸賫志而終，雖慮患不如葉公子高，然視孔子之勉子高者，夫何歉？是固宜書。況有賢嗣於旬宣，立身揚名，式克負荷。其為是建祠捐田，種種佛事，匪直以妥塞悲也。一念之孝根於心，通於神明，抑至也，宜牽聯俱書焉。後之人尚守成規，廣前志，惟誠惟敬，弗懈益虔。是祠也，千祀一日，永終長存可也。侯名積翁，舊朝名執政留耕先生伯大之猶子，故自號存耕。留耕嘗為端明殿學士制置福建云，與我先人道誼交，而侯又於予厚。死生契闊，執筆泫然，復為歌辭三致意[三]，俾侑祀焉。辭曰：

訏謨碩輔宜廟堂，一朝龍節徂遐方。楊颿直欲梢扶桑，怒濤稽天物怪狂。奄忽誰為尸不祥，魂兮渺渺之何鄉。亟命下招遣巫陽，謂我弗信睞密章。吴都綉錯美稻粱，甲第中啟窅洞房。湖山左右蔚相望，魂胡不歸此徜徉。追思罔極涕泗滂，新祠屹若依寶方。雨花繽紛梵唄揚，侯兮來歸駕鸞凰[四]。陰風颯沓佩玉鏘，有椒其醑羅餦餭。歲時宴娛跪陳觴，子孫世世永奉嘗。

[一]「於是刑部」句：使，原作「司」，據清鈔甲本改。　[二]具有規約：具，原作「其」，據清鈔甲本、乙本改。
[三]復為歌辭三致意：為，原作「而」，據清鈔甲本、乙本改。　[四]侯兮來歸駕鸞凰：凰，原作「鳳」，據清鈔乙本改。

松江普照寺釋迦殿記

松江普照寺，陸士衡别業也[一]。自孫氏歸晉，兄弟入洛，以文膺事任，威聲權勢，振動當時。倚伏者相尋，曾未瞬息，已有華亭鶴唳之嘆。而其臺榭化為像設，研席化為梵唄，乃至今存，何歟？寺北坐九峰，層巒叠嶂，攢青擁翠，相為蔽虧。陰陽家者流，謂風氣藏聚，可安千衆，蓋特於佛僧為宜也。唐乾元時，本號大明寺，僧雨惠嘗創釋迦如來殿。逮宋祥符間，改賜今額[二]。道者嚴善晳，僧宗幸真歇，凡三度重建。淳祐戊申厄於祝融，里人錢武翼仰之首議興造。其事未竟，子之信竭力繼之。使張彥中掌其費，僧祖鏡等佐其役。咸淳甲戌，佛惠思與武翼舊，念不可廢前人功。亟勸率捐施以助[三]，殿始成。衆請行起典，殿畢塗塈而營像設。於是慧辨、頤慧、悟秀以白鎮守沙侯，欣然致從吏，且厚施之。超益傾貲化緣，不憚勞費，久之而就。萬瓦鴛浮，重檐翼跂，加以藻繪，金碧交輝。中設釋迦像，若左若右，分列八位，備極莊嚴。而三世如來、圓通大士、應真羅漢、諸天人之相，亦次第而成。至於琉璃無盡燈、瓜華諸供具，莫不完好。每歲州侯帥其僚屬，於此建道場，申祝贊，而禱水旱、禳風災者，亦皆至焉。夫成之難，則其傳之也必久。是役也，再見丁未，甲子復周，蓋非一手足之力，而超成其終，功尤多，可謂難矣。超既寂，其孫了間職是熏修事，實來求文以記，曰「是固所以久傳而不廢也。」予聞萬形皆朽，惟理獨不朽者。而佛氏亦曰：「一切諸法皆有破壞，惟有法身常住不滅。」雖與吾說若不盡同，然所謂法身，亘古今，彌宇宙，到處充滿，亦無雜壞，豈拘於形而外於理哉！區區言語文字，如浮雲，如空花，乍起乍滅，了無根蒂。反欲取其常住不滅者，托文以傳聞也，果以為能久傳不廢也？蓋亦歸諸於己而已。乃為之贊曰：

維我普照王，本自法身出，光明攝方寸，虛空常獨耀。盡三千大千，無限河沙界，皆佛慧照中，夫是之謂普。衆生宿業重，展轉動迷誤，願佛垂慈憫，與除諸障礙。譬如摩尼珠，炯炯照濁水，一作是念已，業去障自空。而我初不覺，心目劃開朗，稽首釋迦尊，為我證明之。

[一]陸士衡別業也：別，原作「畢」，據清鈔甲本、乙本改。　[二]改賜今額：今，原作「金」，據清鈔甲本、乙本改。　[三]亟勸率捐施以助：亟，原作「至」，據清鈔甲本改。

普照寺千佛水陸院記

普照寺自唐乾元元年至於宋，數百年矣。屢興屢廢。淳祐戊申迨今，又六十年。寺之耆宿，分任其責。山門、列廡、佛殿，次弟興建。千佛水陸院地廣費鉅，衆請屬之惠慈大師志新。既領主席，於是慨然捐衣盂，營檀施，寺僧元德為之分幹，徒弟凈恩、凈心，聞入為之協贊，大作新之。始於戊戌，繼奉護持之旨，其事尤嚴。越丁未，乃來求記。予嘗記釋迦殿矣，固辭弗克，則復之曰：善必由積累而後成，佛乃曰不於一佛二佛三四五佛而種善根，已於百千萬佛而種善根。何也？夫計億兆者，本於一，至寬乃所以為至衆也。且一者何？心是也。心以方寸而總萬善，如木之有根，生意函活千條萬幹，聳壑昂霄，皆自此始。水陸院之義亦然。昔梁武帝嘗制水陸儀文，三年而成，幾三千卷。其後修設者以十六位，各分八位，而為上下。召請則通三昧，法雖簡，施則博。其上八位慈容端相，為人敬慕。下八位殊形詭狀，為人恐怖。有善有惡，有勸有戒，大率以懺悔為先。有能用意猛烈，一悔之間，諸惡蕩除，衆善咸具，曷嘗不本於一哉！今惠慈於此三役位置，曲當山門，兩廊壁涌天臺聖域、五百高流。閣上設西方三聖，銅鑄千佛，閣下設千葉盧舍那佛，普賢、文殊二大士；左右壁涌水陸冥陽三界。像間飾以金采，眩耀衆目[一]，輝暎方池。而其池面菡萏敷披，飛檻相屬，生香不斷，疑凈土移來此地。諸佛子於焉修行，莫不超然得大自在。皆惠慈十年之間苦心勞形之所成，然亦其胸中自來積善，如木有根。故一人所發，有此殊勝，非徒極莊嚴、事觀美也。蓋欲使生者蠲其罪業[二]，日增福祐；死者拔其幽滯，免墮輪回而已。世安有一念之頃不能感動鬼神，而能普濟生靈、功德無量、遍周沙界乎？惠慈得之矣。

銘曰：

我觀人心內，有善元無惡，顛迷彼弗知[三]，往往路頭錯。爾時諸大人，一切諸菩薩，忽現善慈相，與衆共説法。法皆由心造，罪亦由心起，心起罪一空，各已得度已。衆生地獄衆，六道阿修羅，隨佛登天堂，只在一刹那。

[一]眩耀衆目：耀，原作「輝」，據清鈔甲本、乙本改。 [二]「非徒極」二句：自「觀美」至「生者蠲」，原脱，據清鈔乙本補。 [三]顛迷彼弗知：弗，原作「佛」，據清鈔甲本、乙本改。

澮軒記 大德九年六月二十五日

燕山喬侯扁所居軒曰「澮」，參政左山商公挺，實名而書之。因來寄聲，俾為之記。顧某耄惛，無能為役，而喬侯之意、友朋之屬，不得以辭。澮之義大矣，嘗試求之蒙莊氏外篇。其《刻意》則曰：「澮然無極，而衆美從之。」《繕性》則曰：「古之人在混芒之中，與一世而得澮漠。」《知北遊》則曰：「相與無為乎？澮而靜乎？」而《刻意》之言為尤備。蓋始澮，終言淡，中言恢，三言者雖若不同，其致則一，實相為用焉。夫惟澹然，然後能無極，而衆美從。是故夫平易恬惔，則憂患不能入，邪氣不能襲，德全而神不虧，言惔者如此。虚無恬惔，則合乎天德。純粹而不雜，浄一而不變，淡而無為，動而以天行，言淡者又如此。一澹之中，衆美咸具。喬侯名軒，於焉取義，不亦善乎？然蒙莊則曰：「此乃養神之道，非朝廷之士、尊主强國之人之所好也。」惟是喬侯，入則郎省户，出則贊藩方，今又懷澄江丈二組，有社有民，誠朝廷之士、尊主强國之人。而惟澹是好，獨何歟？予竊謂：人生而静以上不容説，澹庶乎近之。自朴散淳澆，習俗破蕩，功名富貴之役勞吾形，聲色滋味之奉汩吾神。攻者衆，存者寡，惟欲虚徐其貌，容與其意，而自以為澹。事物之來，未有不叢脞膠擾、失其故常者。無他，神不全故也。神無為，妙萬物，曷嘗淪於空虚、同於無用哉？夫存神以致用，《易》説也，豈惟蒙莊賢哉？喬侯日坐澹軒，因名思義，恬無嗜好，焚香讀《易》，參玩爻象，以洗其心，何其澹！手抄經史[一]，左右森羅，吟咏其間，寄興簡雅，何其澹！庭空月朗，神閑志定，素琴横膝，大音聲希，何其澹！所養愈深，則所存愈澹，神不虧而用不煩矣。昔曹相國避堂舍[二]，蓋師用其説，從民之欲，慎以無為，且去刻深，受而進謹厚長者，清浄寧一，天下實受其福。所謂朝廷之士、尊主强國之人，非耶？敢以是記澹軒。喬侯名簣成，字仲山甫云。乙巳六月二十五日記。

[一]手抄經史：手，原作「乎」，據清鈔乙本改。

[二]昔曹相國避堂舍：曹，原作「曾」，據清鈔甲本、乙本改。

簡齋記

人之有宗族，猶水之有源委，木之有根幹。其所從來遠矣。司馬子長、班孟堅皆嘗自叙。李翺及舊史皆稱韓氏自叙其先本漢司空棱，潁川人[一]，後徙陳留中，昌黎韓文公之先世也。世之自叙，率本諸此。惟陳氏本京人，後徙眉之青神[二]，太常公徙雒陽。長子忱，京東轉運使。靖康中，運使子慈州司士參軍揮，避地蒲之猗氏，遂家焉。簡齋則太常次子恂之孫也，靖康南來，紹興間參知政事，以疾請去，除知政殿學士，知湖州，歸老烏墩之精舍。既没，遂窆於歸安縣廣德鄉上强里之巖山。南北隔絶二百五十餘年，兩房子孫簪纓不絶，但不復相聞。區宇混一以來，參軍之五世孫損齋公，來爲浙東廉訪使，即是參政之五世孫垕[三]，訪損齋浙東，叙兄弟焉。離而復合，夫豈偶然。然損齋慨念水木本源，自浙東謁告來霅，拜簡齋之墓。漢人以過家人冢爲榮，公之此行，蓋爲得之。俾予識其顛末，將刻石列之家祠。予與簡齋之先俱蜀人，今寓於霅，竊嘉公尊祖敬宗之義，不敢以固陋辭云。

[一]潁川人：川，原作「州」，據清鈔甲本、《永樂大典》卷二二五三五改。　[二]後徙眉之青神：後，原作「繼」，據清鈔甲本改。　[三]即是參政之五世孫垕：「即是」二字疑衍，當删。

新廟記

鬼神之德，體物而不可遺，誠而不可揜，所謂造化之迹也，故社稷有祈、有報、有由辟。而山陵、川谷、丘陵，能出雲為風雨，民所取材用，亦得祠焉。未有崇而不感〔一〕、感而不通者。世弗燭厥理，或淪虚幻，或涉怪誣，事神之義，戾於古矣。越上虞縣四十五里，是為廣利侯廟。崇岡列峙，大溪横陳，乃衆流所匯，閟蓄精祐。前有二石筭，東南有二龍湫，禱稔必應〔二〕，其民無水旱之憂。宋熙寧八年，制以神聰明正直，庇於一方，供民之求，如應影響，特封廣利侯，實協古道。大守趙公抃紀其事於石，使君祠事益恭。如制書，侯蓋石晉之方石聖官、而吴越錢氏所封通澤將軍也。按唐乾寧三年，錢鏐以兵渡江誅董昌，遂并有越。歷五代至宋初，八十四年，雖通職貢，奉正朔，猶自封其境内諸神，故侯有此號，然歲無所考。舊記乾德二年，邑令盧某禱而猶應，其得封，殆斯時乎？又十七年，錢氏始入朝。又九十七年，始去錢氏舊號。二百年間，略可考者如此。而晉非典午之晉，則明甚。建炎省方過縣，而趨四明，義旅隃扈，見空中旗幟，有若廣利侯之號，此其尤卓異者也。廟舊在石筍下，紹熙辛亥始更面勢，迄今又將百有餘年。日毁苐不治〔三〕，薦酹無所，前嘗護它役，神弗顧答。歲在乙未，里儒金應辰慨念古誼，興任之。於是金夢桂、潘行孫分其職，僧處恭總其施。若廟寢，若門廡，次第一新。崇閎嚴翼，軼於舊觀，揭虔妥靈，近遠來會。歲復大穰，嘉氣時效。呼舞載道，惟神功是贊。以某異時嘗使本道，其治在越，粗無愧於神，惟民使來請記。惟侯開五季，能保捍兹邑民於兵革搶攘中，以俟平一。膺荷寵靈，廟食其土，有感必通，惠利廣矣。雖中更多故，而神之昭明發見，普在人心如一日。廟貌載新，敬事自今始，宜有紀述。次推獻公，辭弗獲。乃推迹本原，嗣書之，用侈神之休烈，昭示方來，無有窮極。（以上《陵陽集》卷一一）

[一]未有崇而不感：崇，原作「宗」，據清鈔甲本改。　[二]禱稔必應：稔，清鈔甲本作「祈」。　[三]日毀茀不治：茀，原作「第」，據清鈔甲本、乙本改。

全元文卷二四二

牟巘　二

重修石峽書院記

至大三年八月二十五日

唐五代之季，天下惟有四書院，教法未備也。自周、程、朱首倡道學，而東萊吕氏往復其間，商略考訂，殆無餘藴。所至皆創書院，聚生徒，教養兼備。大抵張本道理，最大一語。嗚乎，偉矣！惟嚴陵石峽書院，故尚書蛟峯方公閑居私淑之所也。咸淳辛未，公侍讀經闈，嘗被贊書，有曰：「近進士一科，文章盛而古意衰。鄉以儒碩創家塾，以程朱之學淑其徒。朕甚嘉之。」賜名「石峽書院」，刻之堅珉，列于學。混一以來，崇儒重道，形于播告。至元戊寅，浙江按察僉事夾谷之奇聿至嚴陵，以書院中更多故，漸致頽圮，命公之子梁為山長，任責經理。於是所當興修者，次第為之，古意復振。書院悉用武夷規模，置居仁、由義、復禮、近智四齋。每旦申講，畧説大義，長諭是正之，正録明辨之。具有課程，如《六經》、《三史》、《通鑑綱目》、《近思録》、《通書》、《西銘》之類，並令通習，而東序、西序各有揭示。

二十年間，備殫勤瘁。後之代者，視如傳舍，教弛而學幾廢。至大己酉，淳安邑長愛祖丁為人廉能，以興學校為己任。適廉訪僉事吴公舉相繼巡按，興念斯文，俾董修學之事。於是廟貌齋宇，丹雘相輝，過者色然莫不起敬。如增學田、造祭器、新聖師從祀像，皆其力也。今之俗吏，視教化為不切，而淳之長官，能於此乎用心，是誠可書。予得已於言乎？夫學，所以傳道、受業、解惑也。苟所傳、所受不本於正，必流於佛老，為刑名，為功利，學非吾之學矣。雖欲難疑答問，求以正之，其惑也滋甚。後有作者，必當開示塗轍，使之一出於正，撤其蔽而祛其所甚惑，庶幾無愧《菁莪》樂育人材之心、《允澤》朋友講習之義、《大學》正心誠意之道。承學之士與方氏子若孫，實嘉賴之。至大庚戌中秋後十日。陵陽牟巘記。（明嘉靖三年刻本《淳安縣志》卷一四）

嘉興路重修儒學記 大德十一年七月十六日

嘉興教授孔演既新其廟學，前進士泰州録事趙由漳貽書陵陽牟巘，俾記厥成。耄惛廢學，非所敢當。顧夙厚孔君，知其賢，今得學宫一席地，即能興盛節以嘉惠多士，録事君之言尤信，予蓋喜聞而樂道之。惟是邦文獻，自唐以來至于近代，耆艾之典刑，名第之俊秀，蔚乎相望，人知欣慕。考之郡乘，學宫本在郡治北，湫隘弗稱。紹興間，改作于其西，屋凡百三十餘楹。規模宏傑，費悉郡出，不以累學也。越更多故，因陋過日，嗣而葺之者，往往學任其費。則儒户之科抑，生員之停供，勢不能免，失初意矣。孔君之至，嚴課講，增廩給，以勵諸生。按田蕩，禁豪奪，以歸侵疆。諸事略舉，乃議修泮。白之郡，郡侯以下皆樂從。於是上雨旁風，費良夥。亟命直學方應龍、趙良盛、王子正，會計用度，募匠鳩徒，分董其役。而學正趙由僑、學録沈德華，左右叶贊焉。遂盡撤舊蔀，更覆之。榱桷根闑之腐撓者，易以堅壯；丹碧黝堊之漫漶者，加以焕飾。起丙午季秋，畢丁未仲秋[一]。殿庭、門廡、八齋、小學講堂、頤堂，以及他屋，靡一不新，過者色然改觀，皆曰：「吾教授孔君之為也。」孔君博物多識，篤于學而勇于義，苦心勞形，不肯碌碌從俗苟安，而其能又足以達其所欲為，故不科抑，不停供，數月而成，克有盛譽如此。孔君蓋夫子五十三代孫也。古者立學，釋奠于先聖先師必有合，言國無先聖先師所釋奠者，當與鄰國合也。後世既以孔子為先聖，乃天下通祀焉。孔子之祀，厥初不出闕里，弟子、魯人依之以居者百餘室，率以歲時奉祠，諸儒亦講禮、鄉飲、大射於此。因廟藏孔子衣、冠、琴、□書，迄漢初二百年矣。天相斯文，有永不替。諸侯卿相至，先謁後從政，歷代遵之。雖通祀遍天下，而闕里之廟益尊。宋以孔子一孫世封衍聖公，易唐崇道之號。建炎南渡，寓于太末，立廟，祐襲封爵，悉視舊章，尤極崇奉。孔君於衍聖派闕里同，寓太末同，故其來嘉興也，凛以崇學自任。夫既勤垣墉，惟其塗墍茨；既勤樸斲，惟其塗丹雘。比在孔君，誠作室梓匠之事，可謂賢且勞矣。抑予聞夫子之道在《六經》、學在《論語》，而其傳在曾子、子思之《大學》、《中庸》。所以教人，亦惟曰君臣也，父子也，夫婦、兄弟、朋友也。世之學者，固知誦習其書，然不安於因陋就簡，則失于陵節躐等；不溺于記覽詞章，則流于異端邪遯。末習相承，微言幾熄。孔君修治其學，是邦之士得所依焉，顓志肄業，盍亦思夫風雨帡幪之功？繼自今，朝夕勉懋，相與玩味。而講論淵源，由伊洛而溯洙泗，匪直新美其輪奂，且將新美其風化。孔君崇學之意也，不亦偉歟？大德丁未年七月既望，前朝奉大夫大理少卿牟巘記。（清康熙六十年《嘉興府志》卷一五、清光緒十六年《兩浙金石志》卷一四）

［一］丁未仲秋：秋，《兩浙金石志》本作「春」。

嘉定州重建明倫堂記

夫教養必有學，學必有講堂，堂之扁曰明倫，蓋取諸孟氏語。練川本姑蘇屬邑，陞而為州亦既有年，而學宫尚仍其舊。堂宇湫隘，棟梁攲傾，觀者陋焉。戊申仲夏，宛陵貢君松，以六館士職教是學，即議改作，而力不逮心。明年春，會古汴王侯澤來守是邦。始至謁學，喟然嘆曰：「吾為長於斯，實領學事，而講堂因陋就簡。若是不增大其規制，何以逭吾責？何以振一州之文教？其亟圖之，勿以費為憚。」又明年秋，貢君以羨餘之積，鳩工度材，撤而新之。時林齊賢、沈鈞以值學董其事。始於是秋八月，迄於是冬之十月，計費粟為石五十，鈔為錠一千有奇。王侯又捐鈔四十錠，以助不給，乃克告成。跂翼翬飛，視昔有加，來游來歌，莫不咨其偉、駭其速。烏乎！斯堂之建，豈直為美觀而已，正所以明人倫也。夫五者之倫，非人所自為，乃天所叙也。自天子至於庶人，無一人外此人倫；自一家至於天下，無一事非此人倫。人極之立，立此而已；人紀之修，修此而已。仁義禮智之實，由是而著；禮樂刑政之具，由是而修；學校庠序之教，由是而設；《易》、《詩》、《書》、《春秋》之書，由是而作。登斯堂者，盍亦因名思義，是修是明。歸於而家，父詔其子，兄詔其弟，亦惟以是。庶幾千里之民，薰為善良。其於風化所關，豈細事哉？夫事之廢舉固自有時，是堂也，微王侯崇儒，則不能決計；微貢君潔己，則不能勇為；微沈、林二士竭力，則不能贊成。貢君與予善，書來請紀成事。予耄矣，未由一登斯堂，然所喜駭而樂道者，使州郡學必來取法云。（文淵閣四庫全書本《吴都文粹續集》卷一七）

松江寶雲寺記

顧亭林湖在華亭東南三十五里。湖南有顧亭林，顧公野王嘗居此，固以為名，具載圖志，可覆視也。其地今為寶雲寺，本號法雲，在顧亭林市西北。唐時有大長者吴仁約、楊師厚買地於此，立毗尼精舍，使堅修。二上士入京請院額，繼遂賜額為法雲寺。大中十三年庚辰，寺始成，猶未言顧公斷碑事。天福五年，以水潦遷寺於南，石晉開運元年十二月十日始畢工。寺之徒二人者，同夢金紫一偉丈夫，云是梁朝侍郎，若有所屬然。明夕二人又同夢其至，且告以斷碑處。晨起尋舊寺基，果見片石。水次，引絙出之，已殘缺，僅有十四字，曰：「寺南高基，顧野王曾於此修《輿地志》。」衆始駭愕，乃即寺東偏立祠，奉之惟恪。烏乎！鬼神之情狀，蓋難言矣，弗燭厥理，往往推之茫昧之域。夫精氣為物，遊魂為變，《易・大傳》之辭也。自其變者而觀之，氣有所感，形諸夢寐，如聞音聲，如見容貌。而夢則有安閑自夢者，曰正夢；恐懼而夢者，曰懼夢。二者固不同。彼用物精多，魂魄强，或有依憑，使人恐懼，因為妖厲，非正也。顧公自梁陳隋唐、後梁、後唐、石晉，朝代隔絶，死而不亡。發於久幽，無所恐懼，而夢近乎正者也，未可以怪誕疑之。略考其一二。西漢有馮野王，列九卿，性剛潔。顧公字希馮，蓋慕之也。晚歸陳朝，嘗撰《輿地志》三十卷。此云修志，意即其時也。陳宣帝時除黄門侍郎，此云梁朝，不忘梁也。劉渶嘗稱天福十二年，以與石晉異，歐陽公非之。此天福五年，則唐天福也。皆有關於寺及斷碑，因[illegible]之，使觀者無疑焉。王金陵介甫、梅宛陵聖俞，嘗有詩紀顧公遺蹟，嘆其□寒，亦不及斷碑事。蓋一時暫遊，不暇考靈鑑等記耳。宋垂拱時，邑人胡彦瑫興修其寺。治平甲辰，始改法雲為寶雲。淳祐戊申[ ]，景定庚申，相繼營修。庚申之後，最為壯麗。大元陞華亭為松江，歲逾老，寺多頹圮。净月師素習臺衡教，自雪慈感侍香來歸，實為住持，再加整葺。辛丑七月，盲風□□□厄罄捐己資，由中徂外，殿堂門廡，大作新之，不煩化施。但見碧瓦雪脊，朱甍穹磴，甃飾其垣墉，砥平其塗徑，翬飛其井□□亘其石梁，頓異舊觀。而千石巨鐘，春容叩擊，聲震四遠。諸天人、諸菩薩、圓通大士、應真羅漢，與夫靈山一會，儼然未散□□歡憙，乃莊嚴其相，觸供具以奉之，復期懺以祝之。其願力所充，有以致此。丁未臘八日，净月因來求記。夫成之難，繼之尤難。後之人，尚毋忘前勞，益加持守，將使寺東顧公之香火，相為無窮焉。銘曰：

宇宙中間，萬法咸備，此理流通，有一無二。善教曰佛，妙用曰神，雖若不同，厥理則均。顧公有祠，寶雲是依，發幽著靈，殊塗同歸。顧亭之湖，餘潤滲漉，寶雲之雲，奇彩紛鬱。灑為法雨，普霑沙界，法與理貫，無在不在。（民國十六年本《江蘇通志稿》卷一九）

[一]淳祐戊申：戊，原闕，查淳祐申年祇有戊申，徑補。

松江府頤浩寺記　至大三年正月十五日

寺據澱湖之金澤，距松江七十里。宋景定初，巨族費輔之成忠因里人吴進之之施，有感于中□□□相與商榷[一]，買其族廬，權輿創經堂，以庋大藏。命道崇主之[二]。躬汛掃，延方來，晨光夕照，不輟翻閱。又以如信踐履真實[三]，俾貳厥事。崇既殁，信繼之。冰蘖口體，竭蹶經營。爽塏其地之隘陋者，澄駛其水之卑窪者。□□□勢，鳩工飾材，棄其舊而新是圖。至元戊子，建大雄殿，搆三門，翼兩廡。樓閣堂室，丹堊璀璨，像設宏麗，香燈煒燁[四]。凡寒燠宴息之處，出内儲偫之器，靡不備，過者忻然[五]。元貞改元，被旨陞院為寺。越五年而信殁，今住持清林寶月大師志圓趣向不羣，克踵其後。又明年得旨，甲乙流傳，而明滿總寺事。耆舊明壽、明净、明亮、永如、崇輝、明頴等，合志率力，復大闡三門，建圓通殿，治洪鐘[六]，登簨簴。又六年，造毗盧閣，奉千佛，顯賢劫應世之次第。至大初年廣庖湢。明年拓方丈，即其後簣土為阜[七]，累石為峯，以壯形勢。增羡膏腴，汰除磽瘠，以永其贍。閱歷歲月，績底于成，図狀其事求余記。余語之曰[八]：「佛氏清净之教，雄冠九流，揭雲漢而昭日星，莫不知其高遠也。因果之衡，平呑三世，凜雪霜而瑩冰玉[九]，莫不知其皦白也。雲仍守之，恒務清尚，故能風動遐邇，澤及幽明。大厦干霄，大田無税，蓋有以也。苟或専口體之安[一〇]，放戒檢之峻，不睎驥於正覺者，得無愧乎？而今而後，夕惕朝兢，頤神養浩，潛修密證，大用繁興，使重玄之化，永永常住。殆其庶乎！若曰以志養氣，以氣養勇，塞乎天地之間，而為頤浩者，此余子輿子之言[一一]，不復為上人道也。」至大三年正月望日記。（民國十六年本《江蘇通志稿》卷二〇，清嘉慶二十三年刻本《松江府志》卷七六）

[一]相與商榷：原作「□商歯確」，據清光緒五年《青浦縣志》卷二九改。　[二]命道崇主之：主，原脱，據《松江府志》本補。　[三]以如信踐履真實：以如信踐，原闕，據《松江府志》本補。　[四]「像設宏麗」二句：前六字原脱，據《松江府志》本補。　[五]過者忻然：忻，原作「色」，據《松江府志》本改。　[六]治洪鐘：治洪，原闕，據《松江府志》本補。　[七]即其後賫土為阜：賫土為，原闕，據《松江府志》本補。　[八]余語之曰：語之曰，原闕，據《松江府志》本補。　[九]凜雪霜而瑩冰玉：瑩，原闕，據《松花府志》本補。　[一〇]苟或専口體之安：専，原闕，據《松江府志》本補。　[一一]此余子輿子之言：言，原闕，據《松江府志》本補。

常熟州重修三皇廟記

伏羲、神農、黄帝，世謂之三皇，以其繼天立極，教民以相生養之道，有大功德於民。故凡君天下者，咸報祀之。方今因前代之制，郡府州縣皆立之廟。既設醫官，以典其祀，且詔長吏，歲時率僚屬行奠謁焉。常熟初未有廟，延祐丁巳，監州多爾濟始即州治西北若干涉虞山東麓，度其地而剏之。後二十年，知州王侯侃一嘗修舉廢墜。又二十年而處兵變，流亡之士卒舍之，廝馬者趨之，烟火相接，風雨交摧，齋室堂閣鞠為瓦礫，而殿廡亦皆脱落湮蕪，守土之吏，莫之恤也。至治壬寅冬十二月，海陽盧侯以守禦元帥兼知州事，慨然嘆曰：「為治之要，在政與教。政惟民安，教則必專聖賢與禮樂焉。三皇、孔子，皆命世之聖也。今學廟墮而弗治，其何以為教之地乎？」由是首以己力，大修儒宫。越明年，又勸士民，作新是廟。時儒氏趙復特承侯志，命工傭力，掄材運甓。由重門、兩廡，以及禮殿，朽者易之，剥者飾之，圮者培之，傾而頹者悉起而正之。又造候官之屋凡八楹，于戟門東西，繚以周垣，前後翬飛，丹堊交映。自秋徂冬，而功告成。於是神明有居，祀享有具，醫師有容，齋宿有所。而侯尚教之心，蓋庶幾矣。既而侯以内艱去職，攝醫學教授陳君仲明，徵文以記之。予惟《三墳》之書，首言大道，開天地之經，立民物之命，聖聖相傳，一本於是。奈何世亡其書，遂以為陰陽醫家所宗，往往視祠宇為文具而不之嚴。吁！是果知尊三皇者哉！然則盧侯起身汗馬，乃能一興孔子之教崇之，信賢也已。盧侯名鎮，字子安，其遺愛之在民者，不繫於是，故不之書。（文淵閣四庫本《吴都文粹續集》卷一七）

平江路新建三皇廟記

大德十年七月十五日

三皇何所本？始乎上古，有天地人三皇，越在無懷、大庭、赫胥氏以前，寥乎邈矣。考《易·繫辭》，其惟庖犧、神農、黄帝乎？蓋與堯舜並稱焉。而《周禮·春官》「外史掌三皇五帝之書」，則總號三皇，又與五帝并稱。其書則《三墳》，言大道是也。《月令》迎五德所王之神，各於其郊而祭之。立春木德，以太昊配；立夏火德，以炎帝配；季夏土德，王日以黄帝配。則三皇祭法本於五德，尤為可考。《史記》不紀三皇，以黄帝列於五帝，而去少昊。補《史記》者，遂以女媧氏為三皇之一，非也。煉石補天之類，語多荒誕，要不足信。肆惟今日，三皇之廟遍天下，重祠敬祭，固有所本。獨以之設醫學，置學官者何居？夫一陰一陽之謂道，生生之謂易，自有天地，則有陰陽，有陰陽則有民物，賫理流行，生生無窮。故《易》以道陰陽，天地無私，布陰陽，闡《易》道，示人以象而已。三皇無為，體陰陽，用《易》道，為民立命而已。伏羲始畫八卦，陰陽相生，二四成八，八卦成列，象在其中，因而重之，爻在其中，是時六十四卦已具。伏羲汔神農、黄帝，制器尚象，自我作古。為之網罟、耒耜、杵臼，為之宫室、衣裳、舟楫、服乘，為之書契、市易、門柝、弧矢。凡所以資民用而養其生，至於送終過厚者，皆有取於十三卦，何莫非道也。然能使之生，而不能使之無疾，則五德五運，推氣之陰陽；《本草》，辨物之陰陽；《靈樞》、《素問》，究病之陰陽。凡所以療民病而全其生，使不至於無妄嘗試者，又有出於十三卦之外，亦何莫非道也。大哉！大哉！三皇道貫三極，德及四海，而功施萬代，是以隆廟貌、設醫學，而置官師焉。夫豈小之哉！姑蘇名郡，地大物衆。三皇祠之始建，因陋就簡，神棲數瓦下，盥薦弗嚴。歲在辛丑，郡侯岳烈公涖事之初，首謁祠下。瞻視太息，非所以盡尊崇之禮，乃欲闢而新之。因基址之窄，此志未遂。大德壬寅七月之朔，風烈雨驟，吳中之郡衙、縣治、寺觀、亭宇，悉為摧毀。即命工鼎創郡治，就移長洲吳縣，附庸一邑，翼其傍。適有吴縣舊址之寬，於是岳烈公乃欣然相地，亟圖改作。乃謀之總管董侯章、及貳佐僚屬，皆是其議而贊其成。乃官給吴縣廢址，俾賦丈屬役。岳烈公首捐己俸，崇象設，為之勸，畫宫於堵，某任某所，某任某費，皆歡趨之。爰建大殿，揭虔妥靈。前為凌霄門，次為大門，翼以兩廡。殿後為講堂，東西各立四齋。又為教授廳於講堂之東南，繚以周垣，前達於凌霄，外臨衢道，對峙兩井亭，以濟道暍。經始於壬寅之秋，明年冬，新廟成。規橅宏傑，輪奐華耀，甲於諸郡。屋凡五十三間，又市學田二百畝，祭器靡不備。是役也，皆出於郡侯主維是。而教授苗實，又深體郡侯之作成，職思其居，發慮協力，董視工役，備著勤勞。用能期月之間，成此磊落事。有他人視為虚文、積十數年不能辦者，可謂難矣。今郡侯既美替遷郡，掌醫又垂滿解篆，有恒齋葛應雷繼其任。前為提領日，親承郡侯之命，相與協贊，勸率衆醫助田。今又受任於學，視其創始之，有闕者必補之，未備者必完之。勉勵諸生，講明醫義，務在濟人，庶廣好生之德，而無負作新之意。新郡侯馬速忽嘉功之有成，於廟之東南，累土成阜，構亭其上，扁曰「聚遠」，以快登覽。廳事之前，甃亭為臺，袢暑露坐，以便講習。闢治花圃，進修之暇，以寓遊息。廉訪僉事阿里答，覩前後興學之功而嘉之，謂當勒石，以示永久。必徵記於陵陽牟巘。以病耄為解，弗獲。乃考三皇號名、祭法，與其用《易》之道，謹書之。厥初三皇，取法自然，開物成，務與為便，安神變化，通民日用，而不知南面無為，而天下已治矣。一毫智力，靡用其間。設以悶悶，求快吾意，今日出一令，明日立一法，朝夕召集其民，而繩督之。則上下勞弊，失其故常，雖欲為標枝野鹿，遊於混沌之天，不可復得。正如無病之人，嘗試無妄之藥，藥氣擾於鍼砭，粱肉奪於湯劑，陰陽舛忤，而人始病矣。不若勿藥之為愈也。昔人謂誤注《本草》，其害大；誤注《易》，其害小。夫豈知《本草》之誤，其害止目前；《易》之誤，其害及天下。可不謹乎？因附見其説，覽者或有取焉。大德十年七月望日記。（清光緒八年刻本《蘇州府志》卷三六，民國二十二年刻本《吴縣志》卷三三）

平江府重修三清殿記

混沌既判，惟天為大，不可俄而度。據遠視之，其色蒼蒼，以形體則謂之天。作善降之百祥，作不善降之百殃，以主宰則謂之帝。元始而亨，亨而利貞，以性情則謂之乾。不疾而速，不行而至，以妙用則謂之神。合理為氣，其可得而名言者如此。古者祀天，雖有壇壝之制，配侑之禮[一]，五方之名，粢盛牲玉之薦，大抵一精二純，尚忠質而已。非若後世為之尊號焉，為之宫室焉，為之冠冕衣裳焉。自唐則封天寶以來，追尊本始，加上徽稱，益崇以備。豈非神而明之，章爾靈慶，震動宇内，俾知所夤奉歟？平江玄妙觀三清殿，實再建於淳熙丙申。殿凡七楹，雄傑冠浙右。越八十年甲寅，住持嚴守柔重覆屋。又八年辛酉，蔣處仁重葺周櫩。又三十四年，為今至元戊子，改賜額。舊觀浸隳，處仁之徒嚴焕文，興任作新，而為費甚重。發心募緣，善誘樂施，時則今左轄朱文公清與妻若子，大捐金錢，以相其役。焕文不避寒暑，致木江淮官，易其梁柱。以至交員偃值，靡不堅壯；污墁陶甓，靡不完密；斧藻像飾，靡不嚴潔。始於己丑二月，成於庚寅十月。焕文嘗賤事淳祐掄魁黄由之孫孚翁，得其奥旨，恬静有守，人皆傾信。住持許孠祖、張善淵、滕伯淳，皆志同慮協，故所為必成，焯有可記也。大德壬寅十月，因吴興趙孟頫諗於陵陽牟巘曰：「殿成十有三年矣。淳熙之役，適逢三丙申，殆非偶然。已治石廡下，願為記成事。」固辭弗獲。夫氣有盈虚，物有成壞，時有因革，惟理獨不忤。昭昭靈靈，千載一日，蓋覆冒中之主宰，性情中之神化也。洪惟新殿，有嚴典領。焕文不有其功，方且夙夜祇恪用對。越在天，凡所為民禱禬者，固有出於土木科儀、瓜花香燈之外。上帝溥臨，降觀有赫，尚敬之哉！是為記。（清光緒八年刻本《蘇州府志》卷四一）

［一］配侑之禮：禮，原作「理」，徑改。

净相寺重興記

按郡志，距檇李東南三十六里，有古招提，曰永福菴。桑門嗣是法師朗蟾居之。菴内供石像一尊，號慈氏，其靈驗世不可測。中興二年，丞相解景棨因無嗣，禱于像前，未及半載，其妻李氏遂覺有娠。丞相心甚悦之，抑且怪其菴屋卑猥，弗稱瞻仰，誓欲棄其舊而新是圖。於是出帑錢，買民地四十餘畝。既而爽塏其地之隘陋者，澄駛其水之卑窪者，齊曲面勢，鳩工庀材，斤斧之聲，丁丁不絶。明年建大雄殿，構三門，翼兩廡，規制宏壯。丹堊璀璨，像設偉麗，金碧焜煌。又明年，延術士擇寺橋之南隙地數畝，創樓屋二所，左曰天香，右曰雨花。其浄道街之兩傍，置風水二漊。真如橋之南去三百步許，路東置二池，大旱不涸，名寺眼，真所謂人傑而境勝，有山林物外之趣。名出於朝，上嘉之，賜額為梁福寺。後廢，遂申渼南王，而踵繼給孤之芳躅。天福七年，住持奏申武肅王而潤色之。至宋大中祥符，改曰浄相。迨我朝中統改元之初，寺遭鬱攸之變，鞠為荒墟。可詢、耆哲大隆等不忍廢弛，冰蘖口體，竭黁經營，夙興夜寐，不遑寧處。閱五載，而剥者復，缺者足，佛有殿，法有藏，僧有堂，鐘有樓。庖湢之類，視昔無愧。三學比丘，星列而居，甲乙蟬聯，以尸歲事。安坐而食者衆，恒産素乏。歲二人推臘典之，飯鐘粥魚，不愆時者，蓋司是責者任與？今可詢狀其事，徵予記之。予語之曰：「佛氏清浄之教，雄冠九流，揭雲漢而昭日星，莫不知其高遠也；因果之衡，平吞三世，凛雪霜而瑩冰玉，莫不知其暴白也。雲仍守之，恒務清尚，故能化荒墟為睹史夜摩之宫。風動公卿，澤及黎庶，馳美譽於千載之下，夫豈偶然哉！」而樂為之書，以塞其請云。（清康熙二十年刻本《嘉興府志》卷一八記上）

全元文卷二四三

牟巘　二

學古齋箴　并序

吾婿張仲實，好學者也。嘗即其家教授生徒，著籍頗衆，束修以養，意甚樂，而尤與吾鄉鄧善之相友善。其之江陰也，善之實繼為之。今所謂學古齋者，蓋是其處。善之比有遠役，此齋復歸張氏。程則去，蘇實來，德孺子箴，未始不同也，事彌似。其年仲實方念自弛，使亟溉掃老屋數椽，環以華竹。日挾二子開卷其間，咿唔聲徹户外，鏘如鸞鵠。學子欣然，乃皆來集，如其初。講肄之暇，俯仰千載，嘯歌一室，自樂其樂，嘗來頗有驕婦翁意。予欲扁舟自致，以同其樂，而未能也。夫世有古今，學無古今，一人已之分，霄壤懸絶，此乃聖師喫緊為人語。然施之斆學之室，則幾若教人者之為為人，而為己者之私為己，予疑焉。仲實曰：「今將使教者以為己之心為人，學者以為人之心為己。若何？」余曰「然」。何教非學？何今非古？則為之箴曰：

今人與居，戢戢同宇，古往之宙，庶越而語。匪好曷求？匪執曷御？是以君子，惟古是慕。學古之齋，不過環堵，我友寓之，子去我處。窗明几静，研席有所，爰命二子，密侍巾屨。亦有來學，五合六聚，魚雅童貫，其進以序。執業呻畢，豈不夙莫？其教伊何？吾行必與。非以為己，成人之故，雖我有餘，不爾閉拒。大匠自治，為世規矩，其學伊何？反躬内顧。非以為人，成己是務，自足于己，不外馳騖。舍己而耘，何有黍稌，惟學惟教，惟忠惟恕。古人皆然，今人則否，絶今不為，是謂學古。咨爾學者，目擊心悟，亦惟敬哉，我仲實甫。

喬木亭銘 并叙

晉國王公祐手植三槐於庭，雖不作王溥官職，而其子文正公旦為名宰相，孫懿敏公素為名諫官、名將帥。曾孫鞏，蘇文忠公為記三槐堂，稱其好學而文，以世其家。又為作《懿敏真贊》，發明故國世臣之義。以為世臣者，其勛烈已著於時，德望已服乎人。譬之喬木，封植之勤，養自拱把，以至合抱，非一日之故。其論懿敏公之父、祖、子孫[二]，蓋足以當之。予倩張模字仲實，循王五世孫。追惟前烈，寶其舊物，近又復喬木之亭，蘇文忠公所稱王鞏定國者。以銘其亭曰：

惟喬，異彼樸樕，爰自芽蘖[三]，以長以育。以至拱把，合抱連幅。忠根義幹，積善滲漉。其陰數畝，萬循王甲第，吴山之麓。勤身事國，蟣蝨刀韣。而不妄殺，一念純熟。三十年間，種木繞屋。厥木世之福。我思其人，猶愛其木。曾是比鄰，弗戒樵牧。僅逃斤斧，容慘神辱。維時聞孫，有惻心目。贖之以歸，天實從欲。泛掃其庭，雲張新緑。媲美王氏，三槐鼎足。日有清輝，如晞膏木；風有清音，如韻琴筑。可娱其親，可庇其族。我誦角弓，封殖是祝。自今以始，公侯必復。億萬子孫，並受戩穀。

[一]其論懿敏公之父、祖、子孫：懿敏，原作「敏懿」，據清鈔甲本、文淵閣四庫本改。　[二]爰自芽蘖：芽，原作「茅」，據文淵閣四庫本改。

俞好問摘西銘「玉成」二字揭之座右，俾其子若孫因名思義，克遂有成

天地之心，生于萬物，其生維何，凝冱摧剥。「蒹葭蒼蒼」，受變乃成，霜露既教，而况在人。貧賤憂戚，是為福澤，德慧術智，是為疢疾。增益不能，空乏其身，於維此意，未或不仁。父母于子，夫豈不愛，厥既愛之，曷驕以敗。恩之過甚，如飽則傷，所以古人，教必義方。旨哉西銘，造化全體，惟好問父，以訓其子。他山之石，攻玉之工，物有相假，始就厥功。彼粗而厲，此温而密，宛其成矣，錯落圭璧。如琢如磨，君子自修，既恂且慄，鐫發孔周。匪玉其美，伊石其力，生成之德。（以上《陵陽集》卷七）

周公謹贊

儒而俠，其非歟？塵而隱，其幾歟？違俗而聱牙，玩世而滑稽歟？吾亦不自知。或隱几著書，或狂歌醉墨，是殆見吾衡氣機也。將求之北山之北，忽在乎西湖之西。然已見囿於筆墨矣，幟幅巾而杖藜。

陳玉巖贊[一]

爾巾猶古，爾鬢未班，畫前有易，胸次不凡。早歲場屋，略取一二三，一旦棄去，隱几窮探。時乎神遊，雙溪之間，亦有負苓，相與往還。怨而無極，肯露機緘[二]，山空月朗，虹貫巖槃。

[一]本文題目，清鈔甲本、乙本及文淵閣四庫本均作《陳玉巖真贊》。

[二]肯露機緘，「緘」，原作「械」，據文淵閣四庫本改。

故駕部郎中掆滕先生喻公贊 并序

唐時喻凫，天寶末從駕狩蜀，嘗為陵州守，卒官，遂家焉。蜀之有喻，從此始。其俗益蕃大，與牟氏世通婚姻，如古朱陳人以為美談。捫膝諱汝礪，汝舟則其季也。無悶翁諱煒然[一]。皆有文集傳於世。越自屬難，先父存齋公與舅氏名繩先後出蜀。舅氏寓太湖之西山，蓋隱于橘。諸子亦能自樹立，不替家聲。昔陶潛嘗作外祖《孟嘉傳》，某竊不自揆，援此比為《捫膝翁贊》。當求名筆書而刻之，俾後有考焉。外諸孫牟某贊：

蜀有遺直，陵陽喻公，靖康之末，駕部郎中。惟國與主，己所顧忠，陽九百六，阨運適逢。兩宮北狩，外詛内訌，金虜偽旨，議易宋宗。我之百官，若盲若聾，以次署議，屏息厥恭。賊臣邦昌，何等妄庸，僭干天位，自取其凶。公於是時，義憤填胸，吾膝雖弱，與鐵石同。誓不少屈，以仕楚宫，擲筆徑去，矯如驚鴻。捫膝之令，走卒兒童，不肯帝秦，自以為功。烏乎魯連，萬夫之雄，惟吾捫膝，異代同風。國有生氣，炎紹再隆，揭節諭蜀，公來自東。一有不合，歸卧蒿蓬，信意為文，大篇舂容。時乎自寫，紙上横縱，奇奇怪怪，龍蛇之踪。而其英烈，衝斗貫虹，奕葉詩書，至無悶翁。惟我祖母，慶善夙鍾，越至吾母，信安肇封。譾焉小子，敢昧所從，爰述斯讚，傳示無窮。

[一] 無悶翁諱煒然：悶，原作「捫」，據文淵閣四庫本改。

贊繆淡圃之祖四訓

繆淡圃以其祖中齋君遺訓四言者求予言。衆俱備，乃申述其意，以復焉。積善曰：有所為而為，善必不力，能真積力，萬善身一。持忍曰：惟不忍於人，乃能忍於己。忍者義所為，忍過事堪喜。勤儉曰：勤儉必起家，更有為己學。進修貴自勉，斂退貴自約。安分曰：人生已分事，猶恐不得盡。鷄豚認鄰棚，毋乃非吾分。雖然，所以行之者，一敬而已矣。祖訓孔昭，淡圃其懋敬之。（以上《陵陽集》卷七）

慶掾省楊彦遠得子

維熊維羆，男子之祥，在早歲已可嘉，在中年尤可賀。速固不如遲，遲則根原實而福澤厚；易固不如難，難則慶幸深而期望切。亦理之必然者。東平楊彦遠，持心近厚，積善餘慶。五十之年過二，始弄第一雛，平生欠事，一朝意滿。誕彌之旦，賀客填門，蘭以為沐，金犀以為錢，文繡以為衣褓。或稱天上石麒麟，或嘲明珠出老蚌，彦遠皆歡然領之。作湯餅分利市，其喜可知也。予試聞啼聲，而張倩仲賓為索語。昔康伯之生伯温，又早數歲。「行年四十五，我始為人父」，喜之者如此。「教養誠在我，願汝為大賢」，期之者又如此。況在彦遠乎！敢用此為善頌。（《陵陽集》卷一七）

黄提幹行狀

先生姓黄氏，諱某，字濟叔，隆州井研人。其先自金華入蜀，子孫散居邛、資、隆三郡，而隆之族為大。四世祖遷登元祐三年進士第。元符中以選入上書，詆時宰，名在黨籍。曾祖考時敏三冠里選，嘗著《易通》、《六經釋疑義》，號為博學。祖考順卿，與兄朝卿同舉於鄉，里中稱雙鳳。朝卿後登紹興二十一年進士乙科，為青神宰。考子説性剛介，青神當磨勘朝奉郎，告且下而卒，無子。或謂君宜亟圖之，庶幾賞延者。君正色持不可，人以為難。曾祖妣陳氏，祖妣喻氏，妣王氏。先生生於慶元丁巳，髫齔嗜書。十九喪父，哀毁柴立。免喪即負笈遊蜀，學成都石室[一]。郡四方士殆萬數[二]，先生試輒上遊。已而嘆曰：「是不足為吾學。」歸，閉户窮經。貧益甚，學益苦，從之遊者日益衆。普慈素多士，歲率以夏秋之間為講會。坐皋比者，皆宿學大師。士不憚裹糧，競往聽。先生持所見與之相叩擊，連柱五鹿君，會下竦服。早遊秀巖、東窗二李先生之門，而某之大父雪溪公、先人存齋公尤敬之，奉書幣，延致家塾。先生以師道自處，誨諸生有法。每講誦過夜分，未嘗假以詞色。諸生一笑語稍譁，一步趨稍異，一容止稍慢，先生輒厲聲呵責之，人謂焦先生弗足過也。大父即世，與先人俱東，流落阨窮，有不堪其憂者。二老方相與紬繹經傳，考註同異，以不足日為事。其後先生家於吴，書問往還無虚時。歲或一再過先人，留輒累月。子弟奉巾屨，侍左右，不敢怠。與先人道同志合，每相規以正。先人立朝議論，或抵忤先生，輒喜，聞其得請去尤喜。諸賢先生聞行誼，皆願交。退菴吴公、朔齋劉公、雙谿李公，前後交聘。先生獨從朔齋、雙谿，而於朔齋尤久。朔齋以文墨稱一時，往往質之先生而後出。先人守當塗，先生已倦遊，强以往，凡書翰墨，以煩先生。嘗建小學，屬先生為之規約，甚備。先人得罪權貴人，歸卧苕霅。先生亦杜門教子，不復出。先生連蹇名場，淳祐癸卯，甫薦江東。景定壬戌，以累舉當入對，諸老力勸之行。會有旨，學縣皆設官職，教視郡博士。先生得主慶元昌國縣。昌國居海中洲，學雖具而無教法。先生首以白鹿洞規從事，升堂講《學記》一則，使學者先知學之所以誤，與其所以學之序。自是朔旦輒講，反覆推盡，不為空言。學者翕然以得師為幸。間復嚴課試，歲終則校分而升黜之。學廪舊，縣令持簿書，願并屬先生。先生力却之，毋慮十數，反曰：「君任養，吾任教，毋相淆，可也。」令不能强。始至無所舍，有無容洲僅三楹，上雨旁風。先生請于縣捐奉，撤而新之。復增堂二，公居，以為來者利，一不以擾縣。家丞相、西磵先生葉公時在鄞閫，得先生講義，大加嘆賞。即書其牘曰：「學問深醇，講説明暢。堪充經術精通，可備講讀科。」且將及春而舉之，會先生解去，弗及用。咸淳以覃恩循修職郎，再調台州寧德縣丞。丞廳歲催役錢，為闕子九萬有奇，人逆憚莫敢向。屢更聊攝，弊益滋，逋如山積。而諸吏攬上户相表裏，不可問，甚者去其籍。先生究知其病，乃條畫，詣郡白之，且曰：「州縣母子相依，痛瘝相關。盍立定期往專卒乎？毋徒困其子。」守戴侯侗一始見，輒握手論文，如舊相識。留之幕府，先生力懇還，曰：「丞雖卑，吾職也。敢曠官乎？」侯益敬嘆。先生所請，悉行之。至邑，則户予一青册，使有鈔者銷，無鈔者納。未幾負者畢輸，解新補舊，不督而辦。下户預借之弊盡革。先生初與二卿家公同寓吴，幅巾短褐，日相從蕭寺。公性高簡，不可一世，士獨敬先生。二子頤山坤翁、則堂鉉翁因與先生厚。至是則堂提點本路刑獄，首問先生所在。屢羅致，不就。舉以闕升，應詔薦士，復以先生為首，曰：「學有淵源，文有楷法。持論堅正，制行潔清。早登西州諸老之門，獨擅汝南旦評之譽。蔚為人物之表，宜備師儒之官。」其相推重如此。趙侯子寅來為守[三]，未識面，亦以所知譽先生[四]。甯海為葉公通德里。公角巾還第，先生候之郊坰。公猶不忘昌國時，一見喜甚。摘賞贊文警語，再三問，語其鄉人以先生學問操履，稱之不容口。迨歸，公復貽書中朝，相解料理。而先生已無意榮進矣。過越，則堂力要權檢法官，先生亦為之盡心讞議，務得其情。使者出循部，先生留司吏，抱成柂，促詳覆，驛致行司，日不下十數櫝。先生剖析詳明，傳以經義，多所平反。壬申秋，則堂召而某繼之，辭不獲命。先生知某某當來，趣為裝，將歸。某亟書丐少留，願受教。先生曰：「子以一致之性，處草物之會，吾為子懼。雖然，勉之，無負所學。」時雪崖先生洪公起帥越，兼庾事，雅知先生。辟茶鹽司，準備差遣。幕府省文書，日與同寮賦詩飲酒為樂。退輒掩關，饋問不通，門無雜賓。郡有《西漢書》板，脱誤踳差，幾不可讀。先生欲白府刊正之。適洪公以真文忠公所編《文章正宗》屬先生校讐。先生曰：「是吾志也。」乃并《漢書》白之。即倉司置局，字字參訂[五]，雖盛暑弗置。所釐正葉已具，未刻梓。先生忽感風眩，謁告少間，猶自力擬文牘[六]，閱書策，應人事如它時。時先生二子請舉江東，未還。某往省，先生使人逆拒之。因屬先生之姻楊君明復，晝夜視先生。先生謝醫並藥，曰：「吾無所苦也。」一日與楊君坐語，至暮忽痰薄咽間，疾復作，竟終於官之正寢，癸酉九月乙酉也。某以諸生實制服受弔，洪公尤嗟惜，贈賻特厚，且經紀歸其喪[七]。先生性靜，專於書，無所不讀，一再過則終身不忘。尤粹於經，格言要義，往往皆成誦。講明義理居多，士自得其大旨。率本伊洛，而諸儒之説，亦皆參考，互繹，貫穿融液以會其歸。義有未安者，未嘗苟同，頗為改易。其於象數、制度、名物，口講手畫，粲然可覩。以致訓故、義疏，一語之疑，一字之誤，人所不經意者，先生言之甚精。倫類博通，本末該貫，世之號為儒者，未之能及也。每嘆學者好高騖遠、躐等陵節之病，故其教人，必以致知格物為先，而主之以敬，使人静坐收斂心身，整齊莊肅，曰：「不如此，無下手處。」平居寡言笑，及講學，則樂於開導誘掖，旁引曲譬，亹亹不倦。其詞氣反益寬平，真得講師三昧，雖過時而學者，皆言下有省。先生制行甚謹，如蹈規矩，如奉圭璧。終日兢兢，未嘗見有燕惰之色。不欺暗室，不愧屋漏，先生有焉。威如之教行於家，方嚴不可犯。然其中洞然無城府，處事接物一出於誠。與人交，篤至周盡，終始無間。人有片善之長，不啻如自已出，逢人輒稱道不置。聞言人之惡，則掩耳避去。尤謹於禮，篤老不廢。雖童幼，亦與為酬對，不少忽。不求人之知，而人自知之。於其知之者，亦介然自處，親不可疎。言不及利，遍遊諸老而貧自居。環堵蕭然，無儋石儲，不顧也。所居必痛掃溉一室，蒔蘭菊，列圖史，布衣疏食其間。以名教自樂，不知歲月之徂。學成行尊，朋友信之，鄉里化之，公卿大夫敬之。不得已而仕，白首下位，不沮不戚，惟職業自盡。蓋有為乘田委吏、不卑小官之意。然明練通達，宿於其官者所不如，故所至有去思。其於文，根據淵源，力閎以肆，大抵取諸胸中而書之。凡鈎章棘句、巧鑿帨而窘邊幅者，先生所不為。詩則薄晚唐，尚王蘇，精深華健，得騷雅意。與大父先人暨朔齋諸老，倡酬聯軸。筆法尤遒勁，逼歐柳，寘之名帖中，莫辨也。為金石書者，以不得先生書為憾。如《岷峨樓記》、《喻德君墓碣》、《太白祠堂記》、《黄庭經》等書，皆盡其妙，争寶藏之。晚自號檮菴老人，有《論語幼學》、《説易集傳》、《詩會解》、《漢晉史節》、《通鑑類名物度數》、《性理指南》、《信筆録》等書，皆蠅頭細字，每帙不下十數策，藏於家。始先生逾四十不娶，大父以孫明復、邵康節之事感之。娶史氏，省元元一之孫。子男四人，壽文、起潛，待省進士，黄中為外祖喻氏後，皆力學能文詞，世其家。良老早夭。女三人，長早卒，次在室，次適進士王佐材，先二年卒。孫男三人，見心、奎壽、晦老，皆夭。孫女三人。其孤將以甲戌十月庚午，奉先生柩，葬於平江吴縣至德鄉鳳凰山之坤原。嗚呼！先生師道之立，經學之術，如胡翼之、孫明復，使其稍進於時，必能助成王德，有補世道。而位不配其德，用不究其學，賫志以殁，其所就僅如此，可勝痛哉！某丱角受學先生，先生視之如子。耳提面命，以至成人。雖不敢自謂有得於先生之萬一，猶庶幾未死之年日聞師訓，以不為小人之歸。詎意一旦梁壞山頹，嗚呼已矣，無復可言矣。罔極之恩，其何以報矣！患難餘生，志氣頹落，方為門牆羞，其何能論次先生之平生！而先生遺意，誼不得辭，顧葬日薄，廼掇言行大略著於篇。它尚多所遺，無以發先生道德精蘊，此則某之罪也。立言君子倘矜而賜之銘，尚有取於斯焉。（以上《陵陽集》卷二四）

[一]學成都石室：室，原脱，據清鈔甲本、乙本補。　[二]郡四方士殆萬數：郡，原作「群」，據清鈔甲本、文淵閣四庫本改。　[三]趙侯子寅來為守：子寅，清鈔甲本作「子昂」。　[四]亦以所知舉先生：舉，清鈔甲本、乙本作「擧」。　[五]字字參訂：訂，原作「計」，據文淵閣四庫本改。　[六]猶自力擬文牘：牘，原作「櫝」，據文淵閣四庫本改。　[七]且經紀歸其喪：喪，原作「衰」，據清鈔甲本、乙本、文淵閣四庫本改。

净土寺捨田碑 大德十一年

大德丁未，甯海縣净土禪寺主僧可淵，以前進士葛寅炎所摭塗田事狀，文溪本暢上人過吴興[一]，謂陵陽牟巘曰：「净土，古葛寅炎地也，田不半頃。休庵、妙雲二師，首築瀕海二塗為田，僧始粒食。既而用煩徒夥，一翁元禪師計將焉出。有謂某某分塘深為沃壤。然富人之田不可圖，圖其外田斯可矣。圖成昔不半頃者，今以頃計。至元辛巳秋，颶風挾潮，圍田内外皆海矣。所恃以唊衆者，歷洋二塗耳。無則儀禪師，吾祝髮師也，益以凌嶼塘，竹山圭禪師復益團前塘。大德庚子，可淵承立兹山，修復之念切，顧力不逮也。至癸卯甲辰，風潮屢横。向之所恃以唊衆者破矣，凌嶼、團前又破矣。於是葛公喟然嘆曰：『理有乘除，必相須而運，豈終否耶？』遂度地庀工，盡捐所重而經營之。一毫不假於人，期於事之集也。甲辰秋。歷洋、凌嶼、團前塘相繼而復。相墺之外圍，復之未能，所謂八頃者皆海矣。心罷力殫，惟望洋向若而嘆。或售焉，或捨焉，或捨而售焉。昔之不可圖者，今不圖而得焉。至乙巳，盡内圍先成。夫以數十頃之荒塗，六百頃之斷岸，經始於仲秋，至孟冬而功告成。既成而輒圮，又一月斯完固矣。非曰能之，列祖陰相，百靈顯助而致也。竹以束計，千有奇；木以章計，三千有奇；力以工計者，五萬有奇。以基若工、若竹木，運載之費以緡計，三萬三千有奇。念壞之易、成之難，不昔何以鏡來者。將求文以刻。」余曰：「釋之道，貴清净寂滅。上乞法於佛，以延慧命；下乞食於檀，以資色身。馬祖、百丈以前，叢林且無有，塗田云乎哉？有叢林則有衆，衆則非田無以贍。然其田賴以堅固垂久者，惟力之深廣耳。山巖可泐，我田有秋；滄海可枯，我願無違。後之繼者，能體師之為，汝和師之克承志，則師之功當與此田俱不朽矣。」師四明人，自號枯海。是歲佛成道日記。吳興趙孟頫書。（清光緒八年本《寧海縣志》卷二一）

[一]文溪本暢上人過吳興：過，原作「遇」，徑改。

玄妙觀三門碑銘

天地闔闢，運乎鴻樞，而乾坤為之户。日月出入，經乎黄道，而卯酉為之門。是故建設琳宫，摹憲玄象。外則周垣之聯屬，靈星之横陳；內則重闉之剷開，閶闔之彷彿。非崇嚴無以備制度，非巨嚴無以竦視瞻。惟是勾吳之邦，玄妙之觀，賜額改矣，廣殿新矣，而三門甚陋。萬目所觀，譬之於神，觀不足一身之内，强弱不侔非欠歟[一]？觀之徒嚴焕文，深念前功，是圖是究。時則有夫人胡氏妙能，捐其簪珥，給其資用，爰壬辰之紀歲，亟先甲以庀圖[二]。曾幾何時，悉更其舊[三]。翚飛丹拱，簷牙高矗于層霄；獸嚙銅環，鋪首輝煌于朝日。大庭中敞，峻殿周羅。可以樹羽節，可以容鸞馭，可以陟三成之壇，可以通九關之奏，可以鳴千石之虡，可以受百靈之朝[四]。氣象偉然，始與殿稱。于是吳興趙孟頫，後求記於陵陽牟巘曰：「土木云乎哉[五]，言語云乎哉」！惟帝降衷，惟皇建極，因人心固有，與天下為公，初無測頗，無充塞。然或者捨近而求諸遠[六]，即昧厥元；欲入而閉之門，後迷所面。孰謂抽關啟鑰，何異擿埴索涂。是未知玄之又玄，户之又玄也。大始乎沖漠者，造化之樞紐，極乎中庸之閫。蓋所謂會歸之極，所謂衆妙之門。庸作銘詩，具刊樂石。其詞曰：

天之牖民，道若大路，未有出入，不由于户。而彼昧者，他岐是騖，如面牆壁，如勿矚故。脱扃剖鐍，孰發真悟，乃崇珍館，乃延飆馭。閈閎洞啟，端倪呈露，回達民迷，有赫臨顧。洛示羽檷，一爾志慮，陰闔陽闢，恪守常度。（明洪武十二年鈔本《蘇州府志》、民國二十二年刻本《吳縣志》卷三七節録。）

[一]强弱不侔非欠敟：不侔非，原作「弗俟之」，據民國二十二年《吳縣志》下簡稱《吳縣志》卷三七改。[二]亟先甲以庀闕：亟，原作「丞」，庀闕，原作「尤徒」，均據《吳縣志》本改。[三]悉更其舊：舊，原作「田」，據《吳縣志》本改。[四]可以受百壺之朝：朝，原作「翰」，據《吳縣志》本改。[五]土木云乎哉：土，原作「玉」，徑改。[六]然或者舍近而求諸遠：諸，原作「誰」，徑改。

朱雪崖朝奉墓誌銘

吳興郡東踰一舍，有雪崖朱氏之隱廬。雪崖未嘗入城市，蓋自知止足，所謂鄉里稱善人者也。辛丑春，其子天錫來為郡學正。相與往還，因稔知日用間事。居三載，學正代歸，稍不聞問，而雪崖已下世矣。善人云亡，又重為之慨嘆。一日，天錫墨衰造予，拜而泣曰：「自喪吾父，抱痛終天。支綴餘息未嘗倦，以有大事在。幸既卜遠，顧墓道之石無刻辭，胡可為孝，願矜而畀之銘，庶幾遺善，永終長存。九原有知，不悼不幸矣。」又泣而拜。嗚呼！予忍固拒、終沒人善、不以慰其孤、而紓其悲乎？按狀：雪崖諱嗣發，字士榮，姓朱氏，其先自徐徙揚。十世祖巽，宋天聖中禮部尚書。巽生尚，尚生存之，其間仕者，不絶如綫。當炎、紹之際，避兵至郡之烏程常樂鄉，地曰東朱，適與姓協，遂占籍焉。曾祖説，將仕郎。祖信，京學諭。父文質，迪功郎。力善務本，益衍以裕。雪崖生端平甲午，夙通敏，嗜書。嘗以登仕郎就漕試，不利，輒棄去。顓志奉親，日調護其眠食，不肯離左右。甲戌初，事會方殷，由督屬超補官資，後遂以朝奉郎致其志。厥既歸附，殿門罕出。治田園，整廬舍，聚書延師教子，使克有成立。世方以儒相詬病，獨能修學宫，禮賢士，與流俗異趣，聲譽益起。中丞崔公或馳驛相訪，辭不行。郡守李公秉彝、同知徐公琰舉充提學學校官，亦不受。勉清隱處士之號，以「雪崖」扁其便齋，標致高矣。為人恬淡簡約，桐帽棕鞵，徜徉山水間，吟嘯自適。然性篤厚，頗信内典，卓庵創橋，作諸利益事。貧者解衣推食，病者予藥，死者給櫬，無所靳。癸卯歲大浸，民艱食，饑殍流亡，相系於道。雪崖慨然倡義，捐廪或捐價以濟，或計口以食。自春及秋，遠近之人賴以全活，無慮萬數。皆舉手曰：「生我者，朱師子也。」郡邑省臺次第列其狀，宣撫使博采公論，具以實聞於朝。且諭郡邑推表其門曰「清節朱氏，道義之門」，人皆榮之。會子舍歸待拜慶，人士踵門，舉此以賀，盛事萃一時。雪崖雖病倦，意甚喜，强起為加餐，謂當掃浮災以享上壽。踰年浸革，戒其子以忠孝立身，勤儉保家，喪葬宜從約。已而焚香默坐，翛然而逝，大德甲辰四月九日也。鄉人德之，往往出涕，而疇昔賀者，亦共嗟惜焉。娶沈氏，前太學進士應桂之女。男一人，天錫。孫男，福孫。孫女二人，俱幼。以乙巳正月二十六日癸酉，葬於東職里餘慶之原。予惟雪崖，平生言行類可紀，而捐廩之舉，尤有德於民。昔成都黃承事平糶賑饑，有陰德，張忠定公詠時為帥守，一夕夢府君揖黃承事，坐于忠定之上。雪崖蓋無愧於黃承事矣。有陰德，必享其報。不在其身，則在其子孫。乃銘以識焉。銘曰：

百年之計，惟德是樹。栽之培之，匪積曷裕。世或趨利，苟且旦暮。皇恤厥德，為他日慮。於惟朱氏，筆橐華緒。十世復昌，繇積累故。賢哉雪崖，仁性天賦。爾饘爾粥，全活耄孺。我詩我書，保守淡素。以儒為官，有子克付。年開八衮，榮及三釜。乃表義門，乃著清譽。人所難得，已獨兼具。夫復何憾，含笑泉路。負土為山，孝思遠慕。鬱焉松檟，春雨秋露。自葉流根，永篤爾祜。是曰餘慶，雪崖之墓。

朱山長墓誌銘

前安定山長朱君君望，卒于吳興寓舍，以喪歸，葬毗陵。從先墓，其志也。嫠婦共載[一]，哭泣感行路，予嘗為詩弔之。越三年，其姻家采石山長繆君叔晦過予，曰：「朱君望之墓，有宿草矣。長婿池州學録錢适自毗陵來，將圖其不朽者。敢以其孤見，願矜而畀之銘[二]。」予固善君望，視君孤孱然弱也，誠不可無述，待其長，使有考焉。按狀：君名自期，君望，其字也。本衢州龍游人。曾祖某，迪功郎。妣孫氏。祖某，將仕郎。妣袁氏。父某，登仕郎，漕貢進士。妣汪氏，繼趙氏。自其祖寶祐間隨宦晉陵，遂占名籍。後徙居城之東。君幼敏悟，祖每矜語人曰：「此孫他日必昌吾門。」景定辛酉，年二十，請鄉舉。德祐己亥，補太學生。方摩厲以須，屬時多故，束書入山，恬無仕進意。龜山書院，兵後久荒圮。君來為山長，竭力經營。且新其祭器，稽其田籍，舊觀寖還，士論稱之。又為安定山長，時寓祠溪亭。回視故宫，異物充斥，勢不得争，喟然以嘆。乃節浮費，協衆議，惟新是圖。得曹氏廬，改創書院，後遂遷焉。盥薦有所，以教以育，推厥攸始，實自君望。又捐己俸造籩豆，可謂知禮者。愛是邦佳山水，秩滿待選，乃買屋以居。昔者胡安定見徐節孝頭微側，曰：「頭容直。」節孝因思，頭容直，心亦直。君望以為，此乃敬以直内之義，則以「敬」名齋，本心文公為作古籀。焚香端坐，讀書其間。暇則往來南北諸山，從容觴咏，與朋友共樂。豐儀秀整，性行温雅，樂道人之善。内恕及人，雖僮僕，不見其有疾聲遽色。遇困乏者，輒賑贍之，無所靳，人皆稱為善士。庚子春，忽念先塋，嘗以時汎掃，扁舟亟歸。道得痰疾，疾止復還，竟不可為。其卒三月廿六日也。以六月十七日，葬常州武晉縣占石之原。年五十有九。娶東陽劉氏通判君之女，先十七年卒。生五女，長妙雲，適錢适。次妙甯，適柴嵩。妙惠，適樓英發。妙淑，許適鄒志孫，妙由，許適趙由琥。繼室沈氏。生二男，長文俊，次文英。女二人，妙安，許適繆世昌。妙定，許適錢适弟。庶女三人，妙素，適張復。妙觀、妙善尚幼。異時進取之士，馳騖不足，從鄉貢已難，況得入太學，尤難。蓋有槁項黄馘、不能與其一者。君望十餘年之間，領鄉薦，補太學，兼取人之所難得，造物豈無意。然崇化之席，未暖而去，邅回濡滯，又二十四五年。一文學掾竟不克，申延以待，何始豐終嗇耶？有二子而女十人，其婿皆高門大族、名士之家，力能經紀其喪，還窆故邱[三]，遂其始志。又擇師教二子，使其成立。造物之報蓋在此，君望其庶幾無憾矣。銘曰：

人誰無死，君以孝故。上章困敦，感時春暮。夏畦馬醫，皆上邱墓。我胡不如，星言即路。抱恙而還，魂已先去。其何去依，若祖若父。成願初志，銘魂歸厝。松檟良久。慰爾永慕。我銘昭示，以封以樹。（以上《陵陽集》卷二四）

[一]嫠婦共栽：嫠，原作「婺」，據清鈔甲本、乙本、文淵閣四庫本改。　[二]願矜而畀之銘：畀，原作「界」，據清鈔甲本、乙本、文淵閣四庫本改。　[三]還窆故邱：窆，原作「定」，據清鈔甲本、乙本、文淵閣四庫本改。

費寀墓誌銘

始予閊江海間，人人喜道費佛子事，已心異之。予友趙公子昂閑語予：「此吾姻戚也。不幸今且葬，吾嘗次其事狀，願有以銘。」昔朱文公記其外姻，特稱張佛子。然則善人當得書，況趙公之言，類無不信，乃叙而銘之。公諱寀，字子壽，湖州長興人。贅嘉興劉氏。因家焉。後又家於上海，自號耐軒老人。至元辛卯十一月五日，忽索紙書遺言，儵然而逝，年七十有三。曾祖實，祖顯，父佑。先娶劉氏，次姜氏、宋氏。一子，拱宸。孫六人，英、雄、俊、傑、福孫、安孫。以三十年三月葬。銘曰：

於維費公，允篤且宏。始事海邦，有勢有能。講去其害，豐施薄征。視海若塗，視民若身。調護一方，不有厥成。易節以老，閭里與榮。没而見思，陰德在人。鳳凰之岡，梧桐實生。鍾慶趾美，在公子孫。尚公之初，弗替益勤。庇其枌櫝，維永長存。（清嘉慶二十三年刻本《松江府志》卷七九）

費寀墓誌

費寀，字子壽，長興人。元初授金牌千户，措置上海市舶，陞副使，遷管軍總管，鎮守上海。沿海民船，漫無所統屬，或流為盗賊。寀請録見户蠲雜役，而官領之。得海船數千稍，水手數萬，乃畀虎符，授明威將軍，管領海船萬户。寀器局寬整，倜儻而篤厚。他縣牒惡民，朋曹相仇殺，或將獮薙之。寀建白招收，從征日本，使自贖，數千人得不死，稱為費佛子。丐閒遷懷遠大將軍，遥授浙東道宣慰使。往來蘇杭山水佳處，自號耐軒老人。（清光緒二十五年刻本《浙江通志》卷一七二）

野翁禪師塔銘

始予聞野翁為「本」論，疑焉。及觀其所謂「本」，則曰：「吾宗本漕溪，漕溪本達摩，心傳面命，具有先後。其傳愈遠，支派互分，然本未嘗不一也。」野翁一本乎禪，故有此論，且深以競華逐末為世戒。在其法中，庶乎知本矣，其何疑於是。野翁之葬且三四年，其徒即是、因是來自鄞越[一]，以覺恩上人所次遺事，求銘厥藏。按：師諱烟，野翁，字也。越新昌張氏。生嘉定癸未，年十一出家，投邑之大明寺僧大𡸣為師，端平乙未，祝髮受戒。夙具聰敏，有志於道。負笈從台東掖憲法師，習天台教。居數歲，棄所習，復從大𡸣。大𡸣課之特嚴，其長而克有成者，𡸣之教也。端、嘉以來，吾蜀痴絶冲公、無準範公倡道，東南學者傾嚮，皆願為之徒。師首從痴絶，於道童一見刮目，坐數歲，有大警發。乃之徑山，見無準。時問道者肩相摩，師年最少，機最捷，無準亦驟進之。又數歲，往造大慈，濟大川之宣明，舉「臘月火燒山」話擬對，竹篦杖之[二]，當下有省，因留不去川。本靈隱以為書記，力辭，且薦歸雲度禪。雲盛有詞藻，人多師焉，讓焉。後掌記履齋吴公判，郡知其人。俾出世，自大慈遷延壽，又遷香山。越丙子，屏迹雪竇，静閲世故。會杖錫遜席不得避，一住十二年，靡懷不在鄉里。剡川自更兵火，積骸滿野，即收聚焚化，殆有萬數。設水陸大齋於石佛寺前，廣為説戒，惠及枯骨矣。山多虎暴[三]，人家小兒横遭咀，作虎驅行[四]，聲其惡而去之。虎巖、靈隱願以師補藏，至則大新僧堂，及諸寮舍，學徒四來，振起遯菴、密菴時氣象。無錫官河客舟，一日而覆，溺者三十八人。師憫之，斵石為尊勝幢六級。其長一尋有半，自為銘，刻而立之洲渚之上，施食設以拔沉冤，三年東歸，游雙徑雲峰，有遯堂舍，蓋意亟微服還杖錫，扁其室曰「晚泊」。閉户書《法華經》，有「老來非厭客，静裏欲書經」之句。雪竇虚席，衆謂無以易師，因共舉師。育王亦争欲得師，不能奪。寺榜應夢名山，昭陵所感，穆陵所書，號為勝處，師益喜得此。雖歲苦缺食，兩持鉢浙右，不憚也。用賓禮延致東巖石公，相得歡甚。它日行寺東偏巖，謂師「盍遂即此營菟裘？」既成，家性存之巽書「寄幻」二字揭之。挹乳峰，珠樹雪瀑，暎帶左右。師往來游憩，禪宴其間，隨化委順，意甚自適。壬寅八月十一日，升堂語衆，勸厲極慈切，蓋自別也。衆請留偈，笑而不答，至夕而逝。越七日奉全身葬「寄幻」，遂塔焉。壽八十，臘六十八，度弟子若干人。師為人寬厚篤實，病者與樂，貧者周之，隨意作佛事。不藏人善，片言隻字，稱道不容口。文集十卷，該淹經史，詩偈尤灑落。每升座，記禪人騷語，聯絡貫穿，總為一說。而條分縷析，各中肯綮，頗效痴絶云。如周伯弜、家則堂、文本心、黄東發、舒閬風，咸與之游。予謂野翁立談不忘本，臨行不留偈，遺戒不茶毗，塔而銘之，豈師意乎？其徒曰「是之謂寄幻」。銘曰：

一切世界，及一切法，無有堅固，幻依幻滅。幻既俱空，所寄何地，而復於何，寄於所寄。幻則非寄，寄則非幻，强立名字，未離二患。欲問寄幻，寄幻久寂，瀑流千丈，雪峰之側。幻為奇觀，砰處濺雹，凡有耳目，如夢斯覺。乃刻堅珉，與寄幻對，幻身何在，法身不壞。

[一]因是來自鄞越：因是，原作「即是」，據文淵閣四庫本改。　[二]竹篦杖之：杖，原作「桂」，據文淵閣四庫本改。　[三]山多虎暴：暴，文淵閣四庫本作「豹」。　[四]作虎軀行：作，原作「咋」，據文淵閣四庫本改。虎軀，文淵閣四庫本作「軀虎」。

龍源禪師塔銘

道場山龍源禪師既寂之五年，為乙巳。七月，其記室懷珠哀次遺事，偕其徒希渭，來求銘心源之塔。予尚記歲甲午，訪師雲峰，留三日。窮極幽討，意甚樂。又七年，與今翰林修撰鄧善之再至焉。師喜見顏間，舍予高閣，煮茗話舊，夜無倦色。明日下山，握手若不能釋，不料遂為死别也。留耕先生王公伯文，先朝名執政，與先存齋忠義相期，議論同，肝膽同。而予亦復交其子若姪。師蓋公之族也，故惓惓於予者如此，銘可辭乎？師諱介清，龍源，號也。世福州長溪。祖諱一夔，古田縣尉。父良輔，知黄巖縣。母蔡氏。素好善。嘗夢神人介而進一子曰：「是善知識，當生爾家。」果娠而生。師幼不茹葷，年七歲，喜看佛書。長益通悟，泛覽經史百氏。父知其不凡，俾出家於郡之雪峰。居半載，行脚出飛鳶嶺，抵義興法藏，得度於一峰齊禪師。年十五，薙髮受具戒，遂徧參諸方。是時静慈、石帆衍、靈隱、退耕、甯往、山虛、堂愚，皆明師宿德，争欲致之。師頎然山立，舉動雍容，言旨閑雅，志不苟從。適遊吳興道場，東叟穎以為典賓。繼東叟者無等融，即請師為内記。力辭，絶江過育王，謁寂窗照禪師。入室有契，以為侍香，次掌藏鑰。寂窗自枯禪，枯禪自密菴，得其傳受，皆南閩偉人。師世出四明壽國，遷開壽。有史督相之子州尹，見師行，解相應[一]，捨開壽行府，與師營菟裘，曰四明蘭若，為終隱計。未幾，道場虛席，兩浙諸山舉師錫來。此山蓋唐刹，自熙寧間大蘇公遊道場諸詩一出，名愈重五山，由此其選不輕畀也。丙子劫火，洞然化為瓦礫。迨乙酉，凡十年，舊觀未還。師既至，慨然以起廢自任。首建大佛寶殿，金碧輝煌，像設華好。次建觀音藏殿，摹《大藏經》五千四十八卷，及旃檀林列。翠閣、蒙堂、法堂、僧堂等之鐘鼓法器，由中徂外，焕然一新。四方衲子聞師之風，挑囊負鉢，袂屬肩摩，雲歸霞集，於是聲達帝庭。欽奉綸言，賜金襴袈裟，敬受法旨，加號佛海性空，庶少答其道心精勤之所成也。辛丑六月三日，忽示微疾，索浴浄髮，書偈曰：「佛坐有書劫，我坐十七年，説甚生死義，古今無後先。」倏然而逝。時當庚伏，停龕七日，神色不變，闍維後頂骨牙齒數珠不壞者三。壽六十三，臘四十八，度弟子一百五十餘人，今住崇恩士洵為之上首。寺初無三塔，師以為慊，間語其徒。士芝等圖之，乃捐己財，買朱氏山，於寺之東創建三塔。且力請為師壽塔于其旁。菴廬既成，師扁之曰「心源」。芝等又集衣資買田，以供香燈之費，俾行者職灑掃。滿三歲，則推其名次之居首者，度以為僧，而禮當代住持以改名，改名已，復禮塔為師，其規約如此。至是遂瘞焉。世率謂，種種佛事皆有為法，此未足論龍源。然龍源建立，亦因其時之所可為，而盡其力之所當為，非為己而為也。故終歲有為，而未始有為。如必為此而為法，一切諉之不為，則澄觀師之僧伽塔，昌黎公何以稱其公才吏用之過人，而以其靈骨已老而為之嘆惜耶？師之願力亦弘矣。銘曰：

留耕之裔，密菴之傳，燕坐雲峰，十有七年。應緣而出，緣盡而逝，居然一旦，冰解蟬蜕。吾性本空，無亡與存，是為佛海，龍源之源。酌之不竭，無古與今，是為龍源，方寸之心。乃營三塔，而四其三，是為真宅，心源之菴。各自道場，無乎不在，處處光滿，亦無雜壞。維爾子孫，視我刻辭，如未見師，自源求之。

［一］解相應：解，原作「鮮」，據清鈔甲本、乙本、文淵閣四庫本改。

東皋友山恭和尚塔銘

四明慈溪福昌院友山和尚之塔，久未銘。壬寅秋，雲門恩上人録其行實與其宗旨，自集賢趙侯子昂所來，求文以刻。柳子厚嘗謂：葬大浮圖得用碑。晉宋多法，梁多禪，唐多律。而所銘南嶽諸律師，頗病夫言禪者不徵旁行，拘則泥物，誕則離真，真離誕益勝。若深有取於律，必將用毗尼為室宇，而慧為户，由定發慧，一歸真源，無大小乘也。其闡揚龍樹之道、南嶽天台之教甚大，顧余未之學。或曰：此吾法中艮其背，其道光明，蓋戒定慧是。雖然，何以名友山？按狀：師銘智恭，字季禮，友山其自號，慈溪陸氏子。陸，故大族，母周感夢而娠。生嘉定丙子，早孤。母改適王氏，挈以俱。性聰悟，稍長，誦習輒能記，惟喜啖茹。止菴文詰師在德潤湖華嚴院，持律甚精，往依焉。服勤不懈，年二十，祝髮受其戒。日以律為務，能通旨義。淳祐初，更從佛光晦巖照公于南湖延慶。覆講有機辨，不滯文字，乃入觀室。居三年，與儕輩十人者然指禱旱，輒得大雨。歸，結茅董孝子祠後，以便養母。堪笑翁頗相規切。用其語，即邑之東皋，創精廬為接待。飲食藥物百須具，往來者賴之。因以誘進初學，無不滿意。後愈開斥，遂為福昌縣院。尊止菴第一開山，示不忘本也。有良田若干頃，歲用平斛入其租，使佃自概量。嘗有刻石於題曰：「入門不問方隅，托鉢不限鐘鼓。」用心平廣，類若此。時出遊諸方，偏如禪老，多所悟入，卒定宗旨嗣佛光。咸淳中，白雲堂舉鄞之布金，則力辭弗就。自是數載，益疏外務。恨山不深、林不密，焚香嘿坐，唯茗事是修[一]。比僧使過而禮之，號以法惠，招以悟真，而師泊然無意於世矣。戊子歸老止菴[二]，墓廬曰冢間。育王珙公遺詩曰：「聞得去年交院事，世間誰識老師心。」友山得之，意殊喜。癸巳九月，從容示病。越五日，書偈逝去。闍維齒不壞，即塔於冢間，在華嶼湖之右。臘五十八，壽七十八，度弟子宗要、宗孟若干人。宗要姪，初傳業能守者也。友山恬静安詳，舉止中度。雖樱鞋布裰，而精神照人，不可塵滓。未嘗有瞋怒，好拯饑周乏，繕舟梁，治道路，以作佛事。華嶼白龍祠久圮敝，則新而大之。平生交游，多名勝士。晚歲修廬山蓮社故事，舉小彌陁懺勤同社，簡而易行，僧俗樂從，皆書某曰《蓮公標名録》。間為五字詩，有《金磾點示》及「惟心觀」、「起教觀」二義，人皆抄傳。曰東山韓僧亦知問經，歸敬焉。昔我先人存齋翁善佛光，當時弟子如友山者，殆不可復得。慈感、少愚，同門也，實與恩上人胥趣銘，恩亦辯博有信行。銘曰：

止吾師也，山吾友也，吾以為歸，與吾同體。非山非止，是曰真依。華嶼之湖，冢間之塔。龍護持之，山空月明，無法可説，龍之聽之。（以上《陵陽集》卷二四）

[一]唯茗事是修：事是，原倒，據清鈔甲本、乙本改。　[二]戊子歸老止菴：止，原作「于」，據文淵閣四庫本改。

祭梓潼文

粤西日之蒼凉兮，珠玉不脛而北走。神朝發乎七曲兮，夕余至乎帝所。嗟九州之博大兮，何必懷乎故都。睠都梁之醇龐兮，山川莽其回互。紛莎草之被堤兮，又葸莀之盈室。詔鸑鶴以服輈兮，曰此焉止息。嘉歲年之豐靖兮，羌不知其神之力。誰忽幻此怪妖兮，蔽幽篁而不見。曰狐九首以晝嘷兮，驅豐隆使攘除。神輔帝之不殺兮，千里之按堵。爰亭壇之是經兮，洞虚明而軒翥。揭嘉名以冠顔兮，植𦯀芳而羅廡。欻雲斿之宴娭兮[一]，澹容與乎蕊宫。儼多士之在庭兮，陳椒醑以薦衷。命餘鰟以沾丐兮，介景福之昭融。蔚斯文之熠興兮，與兹山其無窮。

[一]欻雲斿之宴娭兮：宴，原作「冠」，據文淵閣四庫本、清鈔甲本、乙本改。

祭范尚書文

維蜀范氏，代有偉人。堂堂蜀公，四朝老成。越兩太史，元祐紹興。至公二難，益光前聞。長公骯髒，特立獨行。古之遺直，位止列卿。物望在公，身任典刑。維公素履，金玉準繩。若不勝衣，退焉循循。而中所守，甚似其兄。蜀公之正，太史之淳。帝在東宫，早聞公名。自請先皇，以爲之賓。見輒改容，《唐鑑》之孫。逌於訪落，仍侍熙明。從容密勿，言忠誼醇。譬之珠玉，光景不生。潛利陰益，山川晶熒。帝曰咨公，往重斯文。徹棘焉去，勉留莫能。授鉞東甬，公毋久勤。二府虚席，佇公延登。云何不淑，遽隕元身。當仁太息，奪我藎臣。烏乎善類，夜艾疏星。又弱一介，龍蛇何屯。山澤之臞，骨堅氣清。乃不壽艾，此理莫詢。某也無似，辱知公昆。不鄙孺子，教載之恩。公念疇昔，拊我甚温。露章推轂，有味其言。揭爲此來，往别公門。公慘不怡，歲晚重分。我以書詞，曠不嗣音。訃音遠傳，駭嘆失聲。因循唁問，愧負平生。寓詞千里，雞絮薄陳。公而有知，尚鑒厥誠。

祭陳司法文

嗚呼！年盛氣壯，車堅御良。中道折軸，云何不臧。維母之思，匪身之疚。泣血柴瘠，其死以孝。母先子後，丹旐翩翩。至此極耶，嗚呼其天。輤車云返，卮酒以告。魂而有知，毋怛遠道。

祭楊觀使文

岷峨慘淒，前輩日逝。曉月長庚，在者其幾。國有喬木，世臣之謂。文獻所證，典刑所寄。存乎其人，豈計爵位。於惟我公，克弘且毅。老圃之孫，克齋之子。兩翁在昔，國之元氣。偉節高風，抗視一世，㞐者至今，凛凛生意。公賁象賢，纘武嗣事。制行如玉，遺榮如介。漫仕年進，甫及半刺。我懸我車，曰此先志。朱轓是錫，珍館是畀。縶之維之，其志未遂。公志未遂，公請不置。名利之腴，趨者日靡。㞐公此風，其穎有泚。公位雖卑，世道攸繫。婆娑邱園，黄髮兒齒。子孫環列，福履順備。平生對越，浩乎無愧。昔有高蹈，蜀景仁氏。不以憂患，而易富貴。聰明强健，飲酒樂只。涑水有言，神相豈弟。公視景仁，其賁一致。甫躋八袠，曾不慭遺。西洲耆舊，幾盡於是。有識之士，相與永喟。某也晚末，世托姻誼。方擬升堂，撰杖操几。云何不淑，降此大戾。感念今昔，不知隕涕。亦既後時，廼薦薄菲。維公有知，鑒我茲誄。

祭心齋文

嗚呼！昔者兩翁，同泛苕霅。出處同道，夷險同節。一二兄弟，相與左右。公知我心，獨視我厚。天之降割，喪我先人。所恃維公，自公南征。纍然幽憂，誰其我拊。公雖在遠，勞我良苦。我免于喪，重至京師。見㞐輒問，遲公來歸。忽得公書，不類他日。心之憂之，語不敢出。我蘄外補，得請出關。道㞐公病，我憂在顔。馳詞未遠，遽以凶訃。追惟前書，殆其別語。飯僧虎丘，雪涕如灑。道江而西，不與喪會。輴車既脱，葬且有期。我病在牀，感極益悲。嗚呼！棺不及憑，穴不得視。幽冥之間，永負此愧。不死來歸，公喪已除。深衣瓣香，以拜公墓。新松離離，宿莽荒芷。公不可見，曷慰我思。嗚呼！公之平生，多忤寡遂。骯髒流落，白首晏歲。突梯脂韋，甯彼自賢。不肯少貶，山立屹然。真人勃興，講幄晚遇。大用屬爾，而又輒去。方心直道，正詞勁氣。壯顔毅色，崇論竑議。嗚呼公兮，歿而不忘。而況有子，肯構肯堂。率我婦子，敬陳沃酹。有淚無聲，喟其永慨。

祭叔時齋輅院文

哀哉吾叔，清修博雅，和緩縝栗。前輩典刑，親薰而炙。匪棘匪徐，所守静嘿。求之今人，則不可得。惠止一縣，年近七袠。嗚乎天乎，其理莫詰。叔始微恙，舍醫弗即。諉曰平時，氣禀素實。因循荏苒，敬不起即。我來省侍，不寐通夕。叔恐戚我，持病自力。曾不踰宿，遽以易簀。昔我二親，教養視恤。我時丱角，俾陪研席。年適相若，分辨情密。以婚以官[一]，長各成立。其間未嘗，有數月别。别最久者，遊湘之日。僅四三年，離而復合。何圖一旦，遂爾永訣。嗚乎哀哉！此情何極。一致之性，淺狹狷急。豈不我規，奇偏莫克。汔用甚愚，積忤權戚[二]。幾蹈大禍，旁觀為惕。行不紀難，語其傷物。我之於叔，自嘆莫及。歲晚相約，嚮晦入息。未能免俗，破戒輕出。叔方杜門，堅坐一室。見之憮然，又以愧色。徐公有常，通介若一。無存者人，自為今昔。叔既全歸，我服其識。嗟哉族侄，萬里寡特。欲營義田，欲講宗法。叔每是之，曰子之責。匪曰一時，相煦以濕。懼不能保，百年之澤。叔今已矣，凛凛孤栟。日益浮危，後死何益。敬伸薄奠，不過苹鲫。哀來攻心，有淚灑臆。

[一]以婚以官：官，文淵閣四庫本作「冠」。　[二]積忤權戚：權戚，原作「叔威」，據文淵閣四庫本改。

祭孟從吾文　大德三年十一月二十五日

維己亥十一月戊子朔二十五日壬寅，眷國牟某謹以清酌，致奠于近故親家從吾漕元之靈：嗚呼哀哉！君山澤之儒癯，森衣裘之氣骨。宜堅強而壽耐，胡大損于眠食。昨扶憊以造城，將善醫焉是即。驚奇疾之已就，殆難攻於藥石[一]。有骨肉之可望，況田園之自適。何沉憂之伏痞[二]，而直為此菀結。昔子夏之失明，凜畏友之義責。嘗引此而力譬，若至苦而奚益。曾別去之未幾，竟莫起於斯疾。抱孤孫以成喪，增見者之酸惻。始久要以期君，送將歸之行客。乃先我而長往，非意慮之所及。亦淹速之何計，變寓哀於苺鯽。嗚乎哀哉！尚饗。

[一]殆難攻於藥石：攻，原作「故」，據清鈔甲本、乙本、文淵閣四庫本改。　[二]何沉憂之伏痞：伏，原作「仗」，據清鈔甲本、乙本、文淵閣四庫本改。

祭射洪文

維神孔毅且仁，威風惠氣，斸刜全蜀[一]。迺夏五神實降，火傘中天，白崖時雪，其疇敢不虔。某黏穉未去，此猶得奉椒醑、薦壽宫、所徼福于神者。無物疵厲，年穀以熟，則千里蒙神休。而某雖去，亦與有幸焉。尚饗。（以上《陵陽集》卷二二）

〔一〕劖㓰全蜀：㓰，原作「制」，據清鈔甲本、乙本、文淵閣四庫本改。

全元文卷二四四

牟巘 一三

謁大成殿祝文 武岡

某以諸生試郡，始見學宫，示有先也。越三日再至于庭，惟仁之一字，其在聖門，未可驟語。若乃節用愛人、居敬行簡，則某也敢不夙夜從事，勉焉孳孳，求以無悖於聖、無戾於民者。宫牆如見，尚鑒厥衷。

謁堯禹帝廟祝文

某猥被上命，出守是邦。恭惟明祠，實在境内。眂事三日，敬用典常。祗拜于庭，罔敢不肅。

謁諸廟祝文

惟鬼神者，二氣之良能而造化之迹也。無愧於心，斯無愧於神、無愧於天矣。某被命來守是邦，敢不夙夜敬共，求其所以無愧者，神其鑒之。綏静千里，以有豐年，神之賜也。

祭渠渡城隍嶅山祝文

惟神昭德赫靈，是有廟祀，以食於其土，而大芘其民。某假守兹來，實與有民之責。圉利自封而莫之恤，則何以見於神祇？謁之初，矢辭以告，神尚陰相之。俾克行所志，繄神之休，民實嘉賴。

祭社稷壇祝文

某惟有民此有土，故曰「民為大，社稷次之」，先民而後致力于神也。某被命守此土，視事三日，未有以自見于民。祇用典常，來拜壇壝，其敢不恪。嗣歲方開，神尚陰相之，俾自今，其有民力普存。敢忘昭報，以答神休。

祭大士祝文

惟大士以大慈悲、大願力，憫救一世。如月在水，隨所聞見，莫不滿意。尚惠都梁，曲垂全慶，某始至敢禱。

祭三大神祝文

某聞神之在天下，如水之行地中，無往不在，不以方所論也。神廟在蜀，惠此都梁，靈斿來下，乃睠西顧，蓋未始忘蜀也。某，蜀人也。固不敢私事神，神尚有以私之，俾毋為人羞。眎事之始，敬恭以告。

祭射洪祝文

肸曰遺直，僑曰遺愛，誰其嗣之？邈矣千載。惟神英烈，生為諫臣。直道去國，以遂其仁。惠利所施，没而稱著。愛直兩全，何愧于古。玉屏之下，玉壘之東，神之精神，萬里而通。蔣公孔甯，奠此椒酒。英風幽寒，如在左右。

祈雨謁龍王祝文

《禮記》謂，山林、川谷、丘陵，出雲氣為風雨，見怪物者為神。然則是山之泉，其神而為龍也。固將噓氣成雲，伏光景、感震雷，神變化水下土，無疑矣。越自分龍以來，高原告病，民吁嗟求雨者日甚。苦飄灑未足，旱氣頗深。倘如是數日，低疇且見告矣。萬人之命，一歲之計，懸于旦夕，神其忍深閟熟視而不之恫乎？潔誠以祈，神其亟請于帝，驅風霆，出雲雨，振迅之頃，澤徧千里。槁乾胥怢，歲則大熟。吏得以逃其責，而神益以昭其所為神者。民之報，其敢後？

詣渠渡祠祝文

維神廟食茲土，民所信敬。蓋以神之能，禦災捍患，大芘民也。今亢旱已極，苗且槁死，人心皇皇，大命近止。神猶忍立而視之歟？前令以往禱不得請，敢率僚吏，躬至於庭。夫民望不可以久孤，神功不可以久閟。神其畀矜斯人，大沛甘澤，活此朝夕。蓋旱之一日，有一日之利；旱之一刻，有一刻之利。維神亟圖之。毋觖民望，以為神羞。倘以吏為不職，則災于其身，以塞咎異，以謝千里，亦吏之願也。

矢心以告，神尚鑒之哉！

祭二郎祝文

鱉靈之怪，嗇蘖之縶，三犀之刻，萬羊之祭，神之異蹟震于全蜀者，蓋不可殫紀。然考之太史公之所記，則不過曰「鑿離堆，辟沫水」而已[一]，豈非水旱之為災，是蓋自昔之所畏。今使蜀人有灌溉之利，而無旱乾之憂，則神之所以為神，固在此而不在彼也。神而移其惠于蜀者，用惠我千里，大沛甘澤，俾有豐歲，則潔牲豐盛、所以禱神而報之者，將千萬祀其毋替。

[一]則不過曰「鑿離堆，辟沫水」而已：堆，原作「推」，據文淵閣四庫本改。沫，原作「洙」，據清鈔甲本、文淵閣四庫本改。

再禱諸神祝文

某日者焦心竭誠告于神，凡願得一雨活千里。民延望久，信宿矣。神聽逾邈，神其果無意矣乎？夫神與民，相依者也。苗旱而槁，其野如赭，所謂不得食，民將流亡，而神失其依矣。豈神所安乎？或且曰：廩有陳粟，糶賈不翔，是無傷也。嗚乎！富家若有餘，貧民豈有餘乎？目前雖可支，來歲其可支乎？某行將授代去矣，不敢以去而忘其民，而丗其憂於後，以為是懇懇也。或又曰：誠意不孚，積急而求神，且張旦暮之憂以迫之，宜神之不汝聽。是則某有罪矣，而神豈以某故重患苦吾民乎？然則某猶竊有餘冀也。惟土專城隍，惟龍司雨澤，惟渠渡禱輒應，惟嶅山祠最古，惟德源在蜀、能使蜀人不識有水旱。是皆民之望也，未有靈於昔而閟於今者也。合席而處，豈無一可以救吾民？噓吸陰陽，迅發雲雨，一舉手投足之頃，化焚惔而潤澤，轉枯槁而昭蘇。厥靈孔昭，民益以附矣。神何憚而不為？此兗望終觖[一]，神斿徒反，固非民之願也，亦豈神之願哉！率籲忱恂，敢固以請。

[一]此兗望終觖：兗，原作「寬」，據清鈔甲本、乙本、文淵閣四庫本改。

再詣渠渡祠祝文

天子以神能芘此土之民而去其災害，曰雨曰暘，隨禱輒應，是用嘉神之美號，以寵光於神。神宜有以報上施者。乃今旱氣日深，高源旱禾[一]，無所復望，人心皇皇。神而亟哀斯人，沛然下雨，俾欲槁之苗，猶得函活。則其德為甚大，其靈為益昭，而對揚休命為無斁。某謹率僚吏，躬拜于庭。屏息俟命，以刻為歲。神其念之哉！

〔一〕高源旱禾：源，文淵閣四庫本作「原」。

送渠渡龍王回廟祝文

比者亢陽彌月，嘉氣弗效，高原秀稻，日就槁萎。是用致神以來，一意精禱，不敢事語言為神瀆。豈意神肯顧哀弭節之。明日而雨，淋浪滂沛，越三日未已也。槁者澤，萎者蘇，千里動色，曰維神之功。嗚呼！神勤施於民，其信而可恃者如此，繼自今，民其益有所依賴矣。某實不職，三年之間，勤神者再。雖于取于求，不汝厭斁，而某甯不重自愧乎？牲酒斯陳，少伸答謝，神其終相我，穡事俾汔于成，無有害。某受代有日，尚嗣告神以去。

二月十一日祭文曲聖父祝文〔二〕〔一〕

維神隤趾儲祥，篤生聖子，以孝廉稱，則誕彌之日〔二〕，奉觴稱壽，人神一理。乃者首春原饗，詔旨誕頒，維我惠文忠孝武德仁聖王，肇新美號，寵靈赫然。對揚聖天子之丕顯休命，以悅于親。其在茲時，敢因薦觴以告。一堂奕葉，其尚鑒之。益昌斯文，用惠我多士，其永無斁。

醴泉有源，靈木有根，積善餘慶，篤生神君。誕彌後先，是日同物，我稱斯觴，敬父子悅。

〔一〕題目中「文曲」，清鈔甲本、乙本均作「七曲」。題目右下小「二」字，據目録補。　〔二〕則誕彌之日：彌，原作「稱」，據清鈔甲本改。下文「誕彌後先」之「彌」，改正亦同。

祭梓潼祝文

日在癸卯，神降之辰。凡我多士，齊宿以奉熏修。今乃克用牲幣，舉歲常非緩也。惟神以壽其親者，壽斯文，壽斯民，萬有千歲其無窮。

祭蠶叢祝文(二)〔一〕

維神之靈，以蠶為氏。睠我都梁，敬共以祀。浴種條桑，維其時矣。神尚相之，以有絲枲。

夫有物於此。儳儳兮屢化如神，則固之有司者矣。然其性喜溫而惡雨，神其相之，俾勿有害〔二〕。

[一]題目右下「二」字，據文集目録補。

[二]「夫有物」至「俾勿有害」：底本無此數句，據清鈔乙本補。

謁浙東府學先聖祝文

某以諸生，叨試臬事，至之三日，再謁廟庭。惟片言折獄，在聖門猶難之，而况於某。雖然，敢不夙夜惟欽，求其無悖於經、無戾于民者。宮牆在上，尚鑒厥衷。

謁[illegible]堂先聖祝文

聖道如天，無往不在。某適既躬拜于學矣。載瞻燕居，申申夭夭，有德其容，其敢不益虔。

謁朱文公祠祝文

某惟浙以東，是為先生過化之地也。而某也以臬事來，自顧不肖不學，大懼無以祥刑敬獄，祗若明命。惟有講求遺風，尊用格言，朝夕從事，以免于世俗吏之為者。始謁祠庭，其敢不肅。

謁尹和靖祠祝文

先王之學，以敬終始，用能任道固節，克配其師。自吴來越，祠墳巋然，過者必肅。某叨臬兹事，未能躬拜。爰用彝典，尚鑒厥衷。

謁諸廟祝文

某猥被上命，于兹祥刑。恭惟明祠，實在境内。眡事三日，敬用常典，祗拜于庭，罔敢不肅。（以上《陵陽集》卷二二）

宴交代楊寺丞樂語

上界真仙，方趣駕玉虬而止；東岡假守，朅來取竹馬之餘。既交組以相歡，敬奉觴而為壽。某官瑰意琦行，殫見洽聞。易在畫前，妙探太極。函三象魁當參首，正是摇光；第一星經伴楷模，史筵筆削。王民瞻為胃簿，李德遠在曲臺。共稱清袍朝士之敢言，力詆朱衣常侍而不顧。笑問石頭之路，快吟地肺之春。幾詔喚歸，羞蓬萊、薄昆侖而不即；扁舟徑去，窺九疑，浮沅湘而肯來。大書唐武岡之銘，復見漢循吏之傳。十二條無非善最，方千里如近在畿。赤子更生，顧以楊亢宗而為字；青衿成列，皆從柳子厚以學文。坐使風俗淳，可為雲山賀。更書甫上，夜席即前。繇刺史，為三公，盍展濟時之略；備契丹，寬河北，益知憂國之忠。虛皇久矣凝旒，父老至於截鐙。書破萬卷，何須讀律以致君；文似六經，便合從今而修史。想青旗之簇仗，已紫禁之催班。我某官同社西州，聯題北寺。李君文舉，夙繇上世之通家；夢得樂天，最重昔人之交代。機緣偶熟，臭味不差。真結契之蟬聯，且春容而燕衎。客為主，主反為客，一笑□□生子，子又生孫，永為嘉話。況今日適遊於人日，而古山不異於蜀山。冷烟濕雪之吹晴，脆管繁絃之送暖。蘭生比醽醁，不妨共卜於醉歸；花枝裊長紅，未許便催於行色。某等輒陳薄技，以侑歡顔。

眉間黄色喜浮浮，天遣鸞皇為相攸。新綰絲綸歸右掖，舊游泉石記南州。春風自滿甘棠國，曉雪初晴杜若洲。樂飲更為三日住，邦人未許別賢侯。

宴公孫倅樂語

山城斗大，幸依典午之賢；鄉社雲連，共講同寅之好。機緣鬬湊，燕衎殷勤。某官玉粹以温，山立而浄。幾年蜀道，共稱嚴楊司馬之文；當日漢庭，爭誦晁董公孫之對。自躋膴仕，不肰卑棲。諸生環侍於虎皮，百里平開於驥足。方城漢水，盡是聲；圓嶠蓬壺，盍歸清著。再遷丞璧，未展賢猷。坐看七十一峰之奇，倍增岷領；要將三百五篇之作，盡變楚騷。雖若回翔，未妨嘯詠。金花剪彩，曉行湘水之春；珍珀傳柑，夜侍端門之宴。我某官紅塵已倦，黔領肯來。使君千騎，上頭方休行役；別駕異方，會面甚喜相逢。一見不覺於傾蓋，同心有如於臭蘭。南樓山，北樓水，正當無公事之時；左手螯，右手杯，却喜有監州之處。不妨起舞，相與定交。明月清風，自添別乘平分破；冷烟濕雪，留得新春作上元。重拈坡老之話頭，添入都梁之郡志。某等輒成口號，以侑顏行。

後先相守是鄉人，自有都梁見未曾。藥玉船中頻送酒，鏤金勝畔又行燈。雁橋萏夢猶能記[一]，鳳闕新除自此升。一笑不妨追樂事，坐看諸縣樂豐登。

[一]雁橋萏夢猶能記：萏，原作「日」，據清鈔甲本、乙本改。

宴交代趙寺丞樂語

紫綺仙人，來作隼旟之瑞[二]；蒼苔倦客，去尋鷗社之盟。既上印以相歡，敬奉觴而為壽。某官光風霽月，黃鍾大鏞。淮南二十一篇，文章最雅；天台萬八千丈，神秀獨殊。新篇突過於黃初，博學下觀於太乙。王巖叟為魏公之客，趙德麟從東坡之遊。鄜曲賦詩，想見圍棋明夜觀；空同飛捷，坐看洗甲挽天河。既舍爵以策勳，遂聯鑣而向闕。小循更迭，徑陟清華。已快東閣奇士之觀，盍造甘泉侍臣之列。顧羞蓬萊、薄崑崙而不即，乃駕豐隆、鞭列缺而肯來。好雨隨車，元氣淋漓之俱濕；豐年轉手，平疇穲稏之已香。生意立回，先聲甚偉。泥飲喧譁而誇新尹，總是歡聲；銀袍環立以待醉翁，真成盛事。條貫快活，旗壘晶明，豈但唐武岡之銘，復見漢循吏之傳。未容席暖，即有璽褒。持方斧，衣秀衣，便當補處；上觚稜，鏤金爵，行在禁塗。我某官夢繞紅邊，歡迎馬首。爛柯山下，曾諧傾蓋之歡；紫苑洲前，遂有合符之幸。機緣良熟，臭味不差。刺史例能詩，共記樂天之語；昔人重交代，更誦元之之詞。燕衎真情，蟬聯小語。況玉露金天之正爽，宜朱紘翠筦之相高[二]。鯨吸千鍾，莫辭痛飲；雞鳴五鼓，却笑淹留[三]。某等輒冒顏行，聊陳口號。

帝教雲牧重雲山，柱輒清朝玉立班。八月星槎來海上，九天藜杖照人間。頌公政事文章手，開此江山父老顏。若到西湖應記取，明年此日看徵環。

[一]來作隼旟之瑞：隼，原作「集」，據清鈔甲本、乙本改。

[二]宜朱紘翠筦之相高：紘，清鈔乙本作「紘」。

[三]却笑淹留：淹，原作「掩」，徑改。

宴黃倅樂語

半刺肯來，覺江山之歡喜；肆筵有秩，接守相之殷勤。幸協同寅，願留更僕。某官豐儀頎整[一]，抱負瑰明。甘棠笏之家聲，居然猶在；雙井茶之風味，正自不凡。蓋其大耐於功名，是以厚培於風力。玉軑宜驪九萬里[二]，瑶琴聊鼓一再行。日照潭珠，方問質肅公之舊事；江空贛石，復尋東坡老之醉題。風急引舟，雲遲出岫。顧都梁萬山之柢，乃副乘再駕而來。亦既洗龜，正宜展驥。泉石儘有，何殊溢浦之奇；邦國不空，行著海沂之咏。肯回翔於丈蓋，即蜚下於尺五。趣取青氈，仍持紫袷。我某官名雖五馬，心只孤鴻。帶笭箵而遊，會且歸矣；叫箳篁之至，喜甚跫然。既一見以定交，遂相從而卜飲。山肴野蔌，雜然前陳；明月清風，添個么破。于胥樂只，適我願兮。從來閩蜀同風，不妨握手；衮遍伊梁百拍[三]，莫靳纏頭。上佐清歡，輒陳短韻。

向來南嶽鳳曾鳴，再駕緹屏又一星。文物君謨丹荔譜，江山白傅百花亭。春容相與頻呼⿱竹平，肯綮争看妙發硎。紫橐青氈吾舊物[四]，孔鸞行矣集明廷。

[一]某官豐儀頎整：豐，原作「中」，據清鈔甲本、乙本改。　[二]玉軑宜驪九萬里：軑，原作「軼」，據清鈔乙本改。　[三]衮遍伊梁百拍：衮，原作「衮」，據清鈔甲本、乙本改。　[四]紫橐青氈吾舊物：舊，原作「日」，據清鈔甲本、乙本改。

燕交代□□樂語

疇最使家，方領蓬萊之勝；輟班省户，來看衮繡之題。既交組以相歡，敬奉觴而為壽。某官淵源問學，光霽胸襟。玉界尺之端方，自然可則；木假山之峻特，卓爾不羣。衝牙所至以鏘鳴，游刃不勞於肯綮。恥為俗吏，綽有儒風。武城久聞絃歌之聲，春陵甯拙催科之筆。徑從六院，平陟三丞。薄崑崙，羞閬苑，共欽雅趣；上會稽，探禹穴，真有夙緣。記盛事之重臨，肅清風於一道。冰甌雪碗，每滌筆以洗冤；絶島荒崖，亦驅車而問俗。清選動詩曹之梅興，穹班分書閣之芸香。爰及三年，遂兼數器。趙閱道之在越，遺愛居多；朱晦翁之為倉，救荒尤切。君王函詔而趣入，父老截鐙以遮留。黄閣經綸，已具相業堂之記；青氈步武，便催通明殿之班。我某官久夢苕邊，漫遊剡曲。居然乘傳，良慚龜籥之新；幸甚通家，夙有蟬聯之舊。會逢良巧，臭味不差。具燕衎以相從，將雲仍之是托。憩棠謹護，它年好作於話頭；把菊細論，一笑共傾於心事。某等輒成口號，上侑顏行。

兩君先後綿交承，一笑何妨玉斝傾。馳駟催人來異渥，卧龍留客自多情。告新聽説三年最，叙舊欣尋再世盟。天上除書人已到，便看鵠立侍通明。

宴安撫洪尚書樂語

碧油幢之元帥，撰日建牙；紅渠幕之舊人，趨風將指。縉紳共誇於佳話，俎豆肆秩於初筵。願希君子光，敬為先生壽。某官端平之脈，正始之音。我敬呂滎陽[一]，以其德齒；不比大范老，自有甲兵。京兆已逼於雲霄，尚書盍踐於台斗。疇庸分閫，挹爽游□。惟物望益高，底事二龍閑洛杜；精神正健，未容雙犢老康廬。果渴想於儀刑，遂出膺於蒲翰。東坡揭來楊穎，獨冠河圖閣老之班；香山遍歷蘇杭，猶羨會稽州宅之勝。若時補處，盡屬我公。君王賜鑒湖，喚起昔游之夢；田父邀泥飲，誇談新尹之賢。況盛事雙引於朱衣，而一時並持於翠節。鼓角歡亮，山川净嘉。鎮趣堂前，尚傳平齋翁之賚唾；題名記裏，自有盤洲相之芳猷。信露銀青，詔催泥紫。便轉洪鈞開壽域，喜看黃色起天庭。我某官雖合扶犁，漫來乘傳。仕至六百石，頗動歸情；向來一瓣香，幸逢知己。望旌旗而至止，操几杖以從之。蓬萊宮闕妙音，正宜參叩；桃李場有佳賓，曾未棄捐。方將洗竹外之玉槃，乃肯緊柳邊之猨坐。胡牀賓從，不妨老子之少留；絳帳師資，好為門生而一醉。輒陳口號，上贊顏行。

琱戈紅旆轡如絲，暫為君王鎮左畿。下鵠池邊新有詔，卧龍山畔又催歸。共看閣老今黃閣，却笑門生也繡衣。起舞祝公千歲壽，蓬萊雲氣正霏霏。

［一］我敬呂滎陽：滎，原作「榮」，徑改。

七先生祠

承流郡國，當知風化之端，取則先儒，爰考淵源之自。相與社祠而尸祝，庶幾目擊而道存。惟七先生，實萬世祀。衣被雖徧於天下，脈絡尤係於湘中。蓋關洛之傳，實自舂陵而倡；蜀閩之老，其惠岳麓者深。都梁固已在過化之餘，郡乘乃獨無揭虔之所。甯非欠事，或者厚顔。期會簿書，我猶未免於俗；道德性命，人亦且以為迂。然宅家方新于表章，豈承學反昧于宗旨。乃規爽塏，乃闢堂皇。不日成之，未始勤民之力；高山仰止，竊希尚德之風。凡其致知而力行，與夫興化而善俗。具存本末，隨寓著形。恨不操几杖而行之，則有若磬欬乎側者。深衣大帶，緬懷師友授受之親；秋菊寒泉，勿替歲時奉嘗之敬。修梁舉矣，善頌發焉。

兒郎偉，抛梁東，地闢天開一畝宫。吾道至今如日揭，後先諸老發明功。

兒郎偉，抛梁西，州宅相連屋角齊。欲盡承流宣化職，須將此道達民迷。

兒郎偉，抛梁南，對面雲山翠潑嵐。自有此祠師道立，明倫稽古足相參。

兒郎偉，抛梁北，伊洛湖湘同一脈。師友淵源萃此中，規模雖小開三極。

兒郎偉，抛梁上，景行可行山可仰。愧我拳拳但此心，安得從之操几杖。

兒郎偉，抛梁下，洗石開池更清灑。躍者自躍飛自飛，活潑真機誰識者。

伏願上梁之後，儒術光昭，人文增盛。川融山峙，莫非吾道之流行；政簡刑清，是即諸賢之福澤。（以上《陵陽集》卷二三）

祈雨青詞（二）

沛然下雨，益深傒望之情；仰而呼天，是亦吁嗟之義。恭超净宇，自列危蹤。伏念臣素無行能，安有政術。積其繆戾，已貽災氣之流行；求以感通，又愧精誠之淺薄。旱既太甚，民之何辜。願少回造化之仁，亟哀救須臾之命。微機一轉，生意立蘇。越夕以來，殷雷俶起。層陰已隮於霶霸，先兆可卜於滂沱。伏願深測皇衷，早敷甘霔。坐使膚寸雲之合，毋撓於風；庶幾方千里之間，胥均此澤。

稻畦稱望，急須一雨而蘇；蕊笈揚科，虔致九天之禱。不勝憂迫，倘遂感通。伏念臣食粟無能，及瓜將代。妄希小稔，庶可謝於疲氓；詎意餘愆，又重罹於亢旱。祇累來者，何辜斯人。夫豈無因而致然，其敢以天而自解。伏願哀此一方之命，救之數日之間。大沛甘霖，俾槁乾之胥浹；曲全末路，庶成敗之稍寬。

薦父青詞

跼蹐為親，久瀆蓋高之聽；吉蠲事帝，甫申欲報之私。雖日後時，益虔初意。伏念臣父某孤蹤自致，直道靡回。其行已可質穹蒼，其發言不忘宗社。先帝去凶而後，尤洞照其清忠；聖主訪落之初，將延登於嚴近。力祈香火，竟謝軒裳。自感恙之日深，嘗陳情而露禱。所願以臣之齡延父算，而以父之疾加臣身。然而徒有此心，難移者數。百身莫贖，豈往事之忍言；一念未酬，恐他時之遺憾。茲輒修於菲薦，庶少逭於積愆。伏望皇慈，特垂昭鑒。倘先父平生之大節，勿墮沉淪；則微臣未死之餘年，敢忘戴荷。

願意青詞

臣輒有危苦之悰，上瀆穹隆之聽。伏念臣歲在甲子，省覲京華。時則先父某久染沉痾，浸成奇恙。憂惶朝夕，靡地自甯；控瀝忱恂，惟天是籲。由臣不孝，莫克少延。嗟流涕以何追，偶終喪而不死。因循遠宦，愧負初心。維此季春，適當中澣。昔先父實生於是日，而微臣未報於大恩。是用借公宇之靚深，肅齋壇之嚴潔。式陳凈供，載演真科。以酬宿昔之祈，以冀哀矜之造。伏願帝慈昭格，陰祐潛敷。營魂早遂於超升，元化莫名於坱圠。誓堅素履，仰答宏私。

入宅保安青詞

傳舍相承，别有司存之舊；駕軺甫至，猥將使事之新。輒露愚衷，上塵真宰。伏念臣囿形覆蓋，賦分凄涼。揣己何修，永戴帡幪之造；效官所至，舉無凌震之虞。兹叨誤渥之榮，驟畀祥刑之寄。亟言於役，匪便其私。幸陰相於過江之餘，猶籲祈於入越之後。乃薦蘋羞之潔，庸修蕊笈之科。伏願羡錫高穹，鑒垂列聖。爰居爰處，冀臻長稚之乂甯；載馳載驅，敢昧始終之對越。

乾會節功德疏

招摇指而天下夏，適當辭見之辰；里鼓鳴而聖人生，况在虹流之地。敬哀善頌，仰致精祈。皇帝陛下，如升如長，時萬時億。天所助者順，坐臻甯敉之功；邦永孚于休，益懋延洪之慶。

壽崇節滿散疏

太極生兩儀，是謂先天之妙；南風長萬物，適逢彌月之臨。敬演真科，用陳善頌。伏願自今以始，既壽而康。廣内稱觴，備極四海九州之養；泰元授筴，益開萬年億載之期。

天慶觀送蟲蝗疏

垤占鳴鶴，正切關情；野有生蝝，懼將貽害。永惟此異，厥有其原。豈催科大苛，而田里無以遂其樂；獄訟不察，而吏胥得以容其奸。既積繆疵，遂干乖盭。顧微臣之有罪，將斯人之何辜。敬扣琳宫，輒攄丹悃。伏願賜之霖雨，護此穲稏。盡驅食葉食心之蟲，俾無遺育；汔致多黍多稌之慶，實荷至仁。

三皇廟疏

人之壽考康甯，是均所願[一]；王者神聖工巧，孰啟厥初。昔三皇天地同符，為民立命。河《圖》《易》畫，分陰而分陽；藥録《靈樞》，栽生而栽育。千萬世賞蒙垂祐，十三科各務精能。其在吾邦，盍彰緌祀。日來月往，棟撓梁傾。木有本，水有源，盍申昭報；翬斯飛，跂斯翼，宜敞宏規。用是惕然，諗于識者。捐貲多助，壯觀一新。皇肯顧歆，有風馬雲車之至；物無疵厲，皆青芝紫菌之功。（以上《陵陽集》卷二二　以上李軍校點）

[一]是均所願：均，原作「鈞」，據清鈔甲本、乙本、文淵閣四庫本改。